KARL RAHNER

GRUNDKURS DES GLAUBENS

Karl Rahner

GRUNDKURS DES GLAUBENS

EINFÜHRUNG IN DEN BEGRIFF DES CHRISTENTUMS

HERDER
FREIBURG · BASEL · WIEN

ACHTE AUFLAGE

Imprimi potest. – München, den 15. Juli 1976
Vitus Seibel S.J., Provinzial der Oberd. Prov. S.J.
Imprimatur. – Freiburg im Breisgau, den 19. Juli 1976
Der Generalvikar: Dr. Schlund
Freiburger Graphische Betriebe 1977
ISBN 3-451-17552-5

VORWORT

An wen wendet sich dieses Buch? Das ist eine Frage, die sein Verfasser selbst nicht leicht zu beantworten vermag. Von der Tiefe und Unbegreiflichkeit des Geheimnisses her, mit dem man es im Christentum zu tun hat, von der unübersehbaren Vielfalt der Menschen her, die das Christentum anzurufen versucht, ist es natürlich unmöglich, allen Menschen *zugleich* etwas vom Begriff des Christentums zu sagen. Eine Einführung in den Begriff des Christentums wird dem einen vielleicht schon zu „hoch“, zu kompliziert und zu abstrakt erscheinen, dem anderen noch zu primitiv sein. Der Verfasser, der sich an einigermaßen gebildete und die „Anstrengung des Begriffs“ nicht scheuende Leser wenden möchte, muß eben hoffen, daß er solche findet, denen das Buch weder zu hoch noch zu primitiv vorkommt.

Die folgenden Überlegungen möchten sich daher auf einer „ersten Reflexionsstufe“ bewegen. Es soll in diesem Vorwort nicht in einer subtilen erkenntnistheoretischen Überlegung erklärt werden, was damit gemeint ist. Die Voraussetzung dieses Unterfangens ist schlicht die: Auf der *einen* Seite soll nicht einfach katechismusartig und in den traditionellen Formulierungen wiederholt werden, was das Christentum verkündigt, sondern es soll diese Botschaft – soweit es in einem solch kurzen Versuch möglich ist – neu verstanden und auf einen „Begriff“ gebracht werden; es soll dieses Christentum – unbeschadet seiner Einmaligkeit und Unvergleichlichkeit –, so gut es geht, in die Verständnishorizonte eines Menschen von heute eingerückt werden. Dabei soll nicht so getan werden, als ob ein Christ nicht schon *vor* derlei Überlegungen wüßte, was Christentum ist. Es soll aber auch nicht einfach von einem in sich selbst schon restlos beruhigten Glauben her bloß erzählt werden, was in jedem christlichen Katechismus traditioneller Art gesagt wird. Eine solche Absicht kann nicht ohne verhältnismäßig mühsame Überlegungen und nicht ohne begriffliche Arbeit verwirklicht werden. Auf der *an-*

deren Seite kann sich eine solche erste Einführung auch nicht unterfangen, alle Überlegungen, Fragen, Aporien nachzuvollziehen, die „an sich" in einer Wissenschaftstheorie, Sprachphilosophie, Religionssoziologie, Religionsgeschichte, Religionsphänomenologie, Religionsphilosophie, Fundamentaltheologie, Exegese und Bibeltheologie und schließlich in einer systematischen Theologie anstehen. Das ist für ein solches Buch und überhaupt für einen einzelnen Theologen heute und schließlich auch und vor allem für den Leser, den dieses Buch sucht, unmöglich. Würde man dies verlangen, dann wäre eine „Rechenschaft über unsere Hoffnung", eine intellektuell redliche Verantwortung des christlichen Glaubens für den Christen, der hier als Leser gewünscht wird, unmöglich. Ein solcher Leser könnte dann nur an den Katechismus der Kirche zurückverwiesen werden mit der Aufforderung, er solle das, was da gelehrt wird, einfach glauben und so seine Seele retten.

Dieses Buch geht daher von der Überzeugung aus und sucht diese durch sich selbst zu erhärten, daß es zwischen einem einfachen Katechismusglauben einerseits und dem Durchgang durch alle genannten – und manche anderen – Wissenschaften anderseits doch eine Rechtfertigung des christlichen Glaubens in intellektueller Redlichkeit gibt: eben auf der Ebene, die wir die „erste Reflexionsstufe" genannt haben. Eine solche Möglichkeit *muß* es geben, weil auch der wissenschaftliche Fachtheologe höchstens in der einen oder anderen Disziplin, aber nicht in allen, kompetent sein kann, die „an sich" für eine höhere, zweite oder weitere Reflexionsstufe notwendig wären, wenn er seine Theologie in einer ausdrücklichen und wissenschaftlich adäquaten Weise mit allen Fragen und Aufgaben dieser Disziplinen konfrontieren lassen müßte. Auch sonst lebt ja ein Mensch das Ganze seiner Existenz und weite Einzeldimensionen nicht aus einer reflexen Beschäftigung mit allen heutigen Wissenschaften und kann und muß doch dieses Ganze seiner Existenz in einer indirekten und summarischen Weise vor seinem intellektuellen Gewissen verantworten. Von diesen Einsichten her kommt die Absicht dieses Buches, auf einer „ersten Reflexionsstufe" das Ganze des Christentums auszusagen und redlich zu verantworten. Ob dieses Ziel erreicht worden ist, muß der Leser selbst entscheiden, wobei er sich freilich auch immer selbstkritisch fragen muß, ob nicht etwa das Mißlingen dieser Aufgabe die eigentliche Ursache bei ihm selbst habe, was doch gewiß nicht von vornherein undenkbar ist. Man kann natürlich den Versuch, sich auf einer ersten Reflexionsstufe zu bewegen und so das Ganze des Christentums in etwa zu thematisieren und zu legitimieren, als „vorwissenschaftlich" bezeichnen. Demjenigen, der dies tut, ist aber die Frage zu stellen, ob jemand heute noch über das Ganze seiner Existenz anders als auf solche Weise „vorwissenschaftlich" nachdenken könne, ob es bei einem solchen Geschäft sehr sinnvoll sei, sich eine – gemessen an den heutigen, von keinem einzelnen mehr zusammen verwaltbaren Wissenschaften – „wissenschaftliche" Attitüde zu geben, ob nicht doch auch eine solche „vorwissenschaftliche" Überlegung soviel Genauigkeit und Anstrengung des Begriffs erfordere, daß sie sich getrost neben die Wissenschaftlichkeit der vielen Einzeldisziplinen stellen darf, die „an sich" auch bei einer solchen Überlegung einschlägig wären, aber bei ihr für den einzelnen Theologen und Christen nicht mehr direkt verwendet werden können, wenn er sich dem einen Ganzen des Christentums in einer Zeit zu stellen versucht, in der alle diese einzelnen Wissenschaften natürlich intensiv weiterbetrieben werden müssen, sie sich aber wegen ihrer Komplexheit und der Schwierigkeit und dem Pluralismus ihrer Methoden als solche aus *dem* Bereich herausmanövriert haben, in dem ein einzelner Christ – und auch ein einzelner Theologe – ihr Christentum zunächst verantworten müssen. Es gibt eine – in sich durchaus berechtigte – „Fachidiotie" der einzelnen theologischen Disziplinen. Aber sie sollte hier vermieden werden.

Das Thema „Grundkurs des Glaubens" hat den Verfasser seit vielen Jahren beschäftigt. Unter dem Titel „Einführung in den Begriff des Christentums" hat er darüber während seiner Tätigkeit als Hochschullehrer in München und in Münster zweimal vorgetragen. Von dieser Entstehungsgeschichte her bringt das Buch mehrere Eigentümlichkeiten mit sich, welche die Bearbeitung ihm nicht nehmen wollte: Die einzelnen Abschnitte haben vielleicht – gemessen an der größeren oder geringeren Gewichtigkeit der jeweiligen Thematik und im Vergleich untereinander – nicht immer den ihnen jeweils gebührenden quantitativen Umfang, weil sich dieses „Ideal" in Vorlesungen nur schwer erreichen läßt. Wenn man – zweitens – von der allgemeinen und abstrakten Frage ausgeht, was alles in einer solchen „Einführung in den Begriff des Christentums" behandelt werden könnte oder sollte, dann mag manchem die tatsächlich getroffene Auswahl (eine solche ist allerdings unvermeidlich) in etwa willkürlich vorkommen. Man kann diesbezüglich zunächst vieles vermissen, was sich auf die erkenntnis- und wissenschaftstheoretische Möglichkeit von religiösen und theologischen Sätzen überhaupt bezieht. Man mag den Eindruck haben, wichtige Themen der Dogmatik – etwa der Trinitätstheologie, der Kreuzestheologie, der Lehre vom christlichen Leben, der Eschatologie – seien zu kurz geraten. Man mag entdecken, daß der gesellschaftspolitische und gesellschaftskritische Aspekt des Selbstverständnisses des Christentums nicht entfaltet ist. Man kann vor allem der Meinung sein, daß der achte und neunte Gang die darin behandelte Thematik höchstens skizzieren. Bezüglich solcher und ähnlicher Feststellungen der Grenzen dieses Buches kann der Verfasser zu seiner Rechtfertigung nur sagen: Jeder Autor hat das Recht zur Auswahl. Und er kann die Gegenfrage stellen: Wie läßt sich eine solche oder ähnliche Auswahl vermeiden, wenn in einem angesichts des Themas letztlich doch kleinen Buch von rund vierhundertfünfzig Seiten eine erste Einführung in das Ganze des Begriffs des Christentums versucht werden soll? Man müßte einen solchen Versuch als von vornherein unmöglich oder unstatthaft erklären, wenn man nicht unvermeidliche Grenzen in Kauf nehmen dürfte. Man kann gewiß dem Thema besser gerecht werden, als es hier geschieht. Aber auch eine bessere Erfüllung der Aufgabe würde vermutlich auf die Grenzen stoßen, die der Leser dieses Buches – wie sein Verfasser – gewiß bemerken wird.

Von der Entstehungsgeschichte des Buches und seinem einführenden Charakter her hielt es der Autor für überflüssig, nachträglich erläuternde Anmerkungen und Literaturhinweise hinzuzufügen. Im Rahmen dieser Arbeit wäre ihm dies als gelehrte Wichtigtuerei erschienen, die ihm nicht liegt. So hat der Verfasser auch darauf verzichtet, auf einschlägige eigene Arbeiten hinzuweisen, obwohl er nicht selten den Eindruck hatte, anderswo über diese oder jene Einzelthemen genauer und ausführlicher geschrieben zu haben. So sind in dieses Buch – in unterschiedlich stark überarbeiteter Form und in das größere Ganze eingeordnet – Texte aufgenommen, die anderswo schon publiziert sind: Der erste Abschnitt im zweiten Gang (vgl. K. Rahner, Gnade als Freiheit, Freiburg i. Br. 1968 [= Herderbücherei 322], S. 11–18) und vor allem größere Textpartien im sechsten Gang, der Christologie, die teilweise den „Schriften zur Theologie" (vgl. zum 1., 4. und 10. Abschnitt K. Rahner, Schriften zur Theologie, Bd. V, Einsiedeln 1962, S. 183–221, Bd. IV, Einsiedeln 1960, S. 137–155, und Bd. XII, Zürich 1975, S. 370–383) entnommen sind, teilweise der – inzwischen vergriffenen – Christologie, die ich zusammen mit Wilhelm Thüsing veröffentlicht habe (K. Rahner/W. Thüsing, Christologie – systematisch und exegetisch, Freiburg i. Br. 1972 [= Quaestiones disputatae 55], bes. S. 18–71). Ebenso ist in dem Schlußabschnitt des Buches ein bereits früher erschienener Aufsatz verarbeitet (vgl. K. Rahner, Schriften zur Theologie, Bd. IX, Einsiedeln 1970, S. 242–256).

Vielleicht wird manchem Leser schon beim ersten Anblättern eines am meisten auffallen: es wird fast nie auf einzelne Bibelstellen als Beleg für das Gesagte hingewiesen. Diese Tatsache hat mehrere Gründe, die zusammen gesehen werden müssen. Zunächst will der Autor um keinen Preis den Eindruck erwecken, er sei ein Exeget und arbeite in einem fachwissenschaftlichen Sinne als ein solcher. Er hofft dennoch, daß er im großen und ganzen in genügender Weise von den Fragestellungen und Ergebnissen der heutigen Exegese und Bibeltheologie Kenntnis genommen hat, die hier entsprechend der Absicht und Eigenart dieses Buches vorausgesetzt werden müssen. Der Leser kann überdies in einer leicht zugänglichen Literatur fachwissenschaftlicher und vulgarisierender Art sich das exegetische Material verschaffen, das hier vorausgesetzt werden muß und auch darf, wenn dieses Buch nicht uferlos werden oder seine Eigenart als Einführung in den Begriff des Christentums aufgeben soll. Gewiß ist das Christentum eine Religion, die auf ganz bestimmten geschichtlichen Ereignissen aufruht. Die Länge des sechsten Ganges, der fast ein Drittel des Stoffs ausmacht, legt ja in ihrer Weise davon Zeugnis ab, daß der Verfasser um die Geschichtlichkeit des Christentums weiß. Und diese geschichtlichen Ereignisse müssen aus den „Quellen" erhoben werden. Aber bei einer ersten Einführung in den Begriff des Christentums darf und muß diese ursprüngliche und kritische Befragung der Quellen vorausgesetzt werden. Man darf und muß sich darauf beschränken, kurz – wenn auch nach Kräften gewissenhaft – zu berichten, was sich als Material für eine systematische Überlegung aus dieser ursprünglichen Arbeit an den Quellen ergeben hat. Würde man hier mehr versuchen, käme keine gründliche exegetische Arbeit heraus, sondern nur ein pseudowissenschaftliches Getue, das niemandem nützt. Schließlich ist die systematisch und begrifflich arbeitende Theologie eben nicht bloß ein problematischer Appendix an Exegese und Bibeltheologie. Wenn das eine und das andere nun einmal nicht in einem einzigen Buch getan werden kann, dann ist es besser und ehrlicher, wenn man auch den Anschein vermeidet, man wolle beides auf einmal tun.

Wenn hier eine Einführung geboten wird, dann darf der Leser auch nicht erwarten, daß dieses Buch eine abschließende Zusammenfassung der bisherigen theologischen Arbeit des Verfassers sei. Das ist es nicht, und das will es nicht sein, wenngleich dieser Grundkurs von seinem Thema her einen etwas umfassenderen und systematischeren Charakter hat, als man es bei den sonstigen theologischen Veröffentlichungen des Autors gewohnt sein mag.

Zu der kurzen Inhaltsübersicht am Anfang hat der Autor am Schluß des Bandes ein ausführliches Inhaltsverzeichnis angefügt. Das kurze Verzeichnis ermöglicht dem Leser einen raschen Überblick über das Ganze des Buches; das lange verdeutlicht im einzelnen den Gang der Überlegungen und ist somit auch eine Art von Sachregister.

Der Autor hat in der langen Geschichte dieses Werkes seit 1964 vielfältige Hilfe erfahren. Er kann hier nun nicht mehr alle die namentlich aufzählen, die ihm während dieser vielen Jahre in München und Münster geholfen haben. Außer meinen beiden Mitbrüdern, Karl H. Neufeld und Harald Schöndorf müssen aber zwei Namen ausdrücklich genannt werden. Elisabeth von der Lieth in Hamburg und Albert Raffelt in Freiburg i. Br. haben einen großen Teil der endgültigen Redaktion des Textes in Organisation und Kürzung des ursprünglichen Vorlesungstextes geleistet. Ich danke beiden aufrichtig und herzlich.

München, im Juni 1976 *Karl Rahner S. J.*

INHALTSÜBERSICHT

DRITTER GANG: DER MENSCH ALS DAS WESEN DER RADIKALEN SCHULDBEDROHTHEIT

VIERTER GANG: DER MENSCH ALS DAS EREIGNIS DER FREIEN, VERGEBENDEN SELBSTMITTEILUNG GOTTES

FÜNFTER GANG: HEILS- UND OFFENBARUNGSGESCHICHTE

SECHSTER GANG: JESUS CHRISTUS

SIEBTER GANG: CHRISTENTUM ALS KIRCHE

ACHTER GANG: BEMERKUNGEN ZUM CHRISTLICHEN LEBEN

NEUNTER GANG: DIE ESCHATOLOGIE

ABKÜRZUNGEN

Die kirchlichen Lehrdokumente werden zitiert nach:
DS *H. Denzinger / A. Schönmetzer,* Echiridion symbolorum, definitionum et declarationum de rebus fidei et morum (Barcinone/Friburgi [36]1976)
In deutscher Übersetzung sind die Texte durchweg zugänglich in *J. Neuner / H. Roos,* Der Glaube der Kirche in den Urkunden der Lehrverkündigung, neubearbeitet von *K. Rahner / K.-H. Weger* (Regensburg [8]1971) und mit Hilfe der dort beigefügten Stellenkonkordanz zum „Denzinger" leicht auffindbar. Die Verlautbarungen des Zweiten Vatikanischen Konzils werden mit den beiden ersten Worten und der Artikelnummer angegeben. Es bedeuten also:

Dei Verbum	Offenbarungskonstitution
Gaudium et spes	Pastoralkonstitution
Lumen gentium	Kirchenkonstitution
Nostra aetate	Erklärung zu den nichtchristlichen Religionen
Optatam totius	Dekret über die Priesterausbildung
Unitatis redintegratio	Ökumenismusdekret

EINLEITUNG

1. ALLGEMEINE VORÜBERLEGUNGEN

Dieses Buch versucht, eine *Einführung in den Begriff des Christentums* zu geben. Es handelt sich also erstens bloß um eine *Einführung* und nicht mehr. Selbstverständlich steht ein derartiges Unternehmen in einer größeren Nähe zu einer persönlichen Entscheidung zum Glauben als andere wissenschaftliche oder theologische Publikationen oder akademische Veranstaltungen. Es soll sich aber dennoch um eine Einführung im Rahmen einer intellektuellen Überlegung handeln und nicht direkt und unmittelbar um religiöse Erbauung, obwohl klar ist, daß das Verhältnis einer Theologie des Geistes und des Intellekts zu einer Theologie der Herzen, der Entscheidung und des religiösen Lebens nochmals ein sehr schwieriges Problem darstellt. Es ist zweitens eine Einführung in den Begriff des *Christentums* beabsichtigt. Wir setzen dafür zunächst die Existenz dieses unseres eigenen persönlichen Christentums in seiner normalen kirchlichen Gestalt voraus und versuchen, es – drittens – auf den *Begriff* zu bringen. Dieses Wort „Begriff" ist hinzugefügt, damit deutlich wird, daß es sich hier – um mit Hegel zu sprechen – um eine „Anstrengung des Begriffs" handelt. Wer von vornherein nur religiöse Anregung sucht und diese Anstrengung des geduldigen, mühsamen, langweiligen Nachdenkens scheut, der sollte sich deshalb auf diese Untersuchung nicht einlassen.

Diese Einführung ist aus der Natur der Sache heraus ein Experiment; ob das Experiment auch nur einigermaßen gelingt und gelingen kann, weiß man vorher nicht; denn das hängt auch vom Leser dieser Seiten mit ab. Es handelt sich bei einem solchen Thema für den, der Christ ist und es sein will, ja nicht um beliebige theologische Einzelfragen, sondern um das Ganze der eigenen Existenz. Natürlich werden wir zu zeigen haben – und das wird ein durchlaufendes Motiv sein –, daß man Christ sein kann, ohne das Ganze dieses Christseins in einer wissenschaftlich *adäquaten* Weise durchreflektiert zu haben, ohne daß man darum – weil man das nicht kann und deswegen auch nicht braucht – intellektuell unredlich wird.

Das Christsein ist letztlich für einen Christen das Ganze seiner Existenz. Und dieses Ganze führt in die dunklen Abgründe der Wüste dessen hinein, den man Gott nennt. Die großen Denker, die Heiligen und schließlich Jesus Christus stehen vor einem, wenn man so etwas unternimmt; die Abgründe des Daseins tun sich vor einem auf; man weiß selbst, daß man nicht genug gedacht, nicht genug geliebt, nicht genug gelitten hat.

Solche Versuche, die Gestalt des Christentums, des christlichen Glaubens und Lebens – wenn auch in einer bloß theoretischen Reflexion –, als das *eine Ganze* vor sich zu bringen, hat es immer schon gegeben. Jedes Glaubensbekenntnis – vom ‚Apostolicum' angefangen bis zu dem ‚Credo des Gottesvolkes' Papst Pauls VI. – ist ein solcher Versuch einer Kurzfassung des christlichen Glaubens und des christlichen Daseinsverständnisses, ist also eine – wenn auch sehr kurze – Einführung in das Christentum oder in den Begriff des Christentums. Das ‚Enchiridion de fide, spe et caritate' des hl. Augustinus, das ‚Breviloquium' des hl. Bonaventura oder das ‚Compendium theologiae ad fratrem Reginaldum' des hl. Thomas von Aquin sind ja im Grunde auch solche Versuche, relativ kurz das Ganze und Wesentliche des Christentums zu überblicken.

Aber solch eine Reflexion auf das eine Ganze des Christentums ist immer neu zu versuchen. Sie bleibt stets bedingt, weil es selbstverständlich ist, daß die Reflexion im allgemeinen und erst recht die wissenschaftlich-theologische Reflexion das Ganze dieser Wirklichkeit, die wir glaubend, liebend, hoffend, betend realisieren, nicht einholt und nicht einholen kann. Und gerade diese bleibende, unaufholbare Differenz zwischen ursprünglichem christlichem Daseinsvollzug und der Reflexion darauf wird uns durchgehend beschäftigen. Die Einsicht in diese Differenz ist eine Schlüsselerkenntnis, die für eine Einführung in den Begriff des Christentums eine notwendige Voraussetzung darstellt.

Was wir letztlich wollen, ist nur, die schlichte Frage zu bedenken: „Was ist ein Christ, und warum kann man dieses Christsein in einer intellektuellen Redlichkeit heute vollziehen?" Die Frage geht von der Tatsache des Christseins aus, auch wenn dieses in jedem einzelnen Christen heute noch einmal sehr verschieden aussieht – in einer Verschiedenheit, die durch den persönlichen Grad der Reife, durch die sehr verschiedene Weise unserer gesellschaftlichen und so auch religiösen Situation, durch die psychologische Eigenart usw. bedingt ist. Aber auch diese Tatsache unseres Christentums soll hier reflektiert werden, und sie soll sich selbst vor unserem Wahrheitsgewissen in einer „Verantwortung unserer Hoffnung" (1 Petr 3, 15) rechtfertigen.

2. WISSENSCHAFTSTHEORETISCHE VORBEMERKUNGEN

Die Forderung des Vaticanum II nach einem Einführungskurs

Der äußere Anlaß für die Frage nach dem Wesen und Sinn einer ‚Einführung in den Begriff des Christentums' als eines Grundkurses innerhalb der Theologie ist für uns das Dekret über die Ausbildung der Priester des Vaticanum II. Dort heißt es:

„Bei der Neugestaltung der kirchlichen Studien ist vor allem darauf zu achten, daß die philosophischen und die theologischen Disziplinen besser aufeinander abgestimmt werden. Sie sollen harmonisch darauf hinstreben, immer tiefer das Mysterium Christi zu erschließen, das die ganze Geschichte der Menschheit durchzieht, sich ständig der Kirche mitteilt und im priesterlichen Dienst in besonderer Weise wirksam wird.

Damit diese Sicht den Seminaristen schon von Anfang ihrer Ausbildung an vertraut werde, sollen die kirchlichen Studien mit einem ausreichend langen Einführungskurs beginnen. In dieser Einführung soll das Heilsmysterium so dargelegt werden, daß die Studenten den Sinn, den Aufbau und das pastorale Ziel der kirchlichen Studien klar sehen und ihnen zugleich geholfen werde, ihr ganzes persönliches Leben auf dem Glauben zu gründen und mit ihm zu durchdringen, daß sie endlich zu der persönlichen und frohen Hingabe an ihren Beruf gefestigt werden" (Optatam totius 14).

Das Dekret verlangt eine innere Einheit von Philosophie und Theologie. Die übergreifende thematische Aufgabe für eine solche Theologie heißt, daß die ganze Theologie auf das Mysterium Christi hin zu konzentrieren sei. Dieses Ganze der Theologie soll in einem hinreichend langen *Einführungskurs* dem Theologen vermittelt werden, indem darin das Mysterium Christi so dargelegt wird, daß der Sinn, der Aufbau und das pastorale Ziel der theologischen Studien dem Theologiestudenten schon am Beginn seiner Beschäftigung mit der Theologie klar werden. Der Kurs soll ihm helfen, sein persönliches und priesterliches Leben als Glaubensleben besser zu begründen und mit diesem Glauben zu durchdringen. Damit ist die Bedeutung dieser Einführung für seine christliche wie auch für seine theologische und priesterliche Existenz gegeben.

Die Frage ist nun: Gibt es eine wissenschaftstheoretische Begründung für einen solchen Einführungskurs als eigene, selbständige, verantwortbare theologische Disziplin und also nicht nur als eine fromme Einleitung für die Theologie im allgemeinen? Wenn es so etwas gibt und wenn dafür Gründe sprechen, dann müßte sich von da aus der eigentliche Weg und die konkrete Gestalt eines solchen Grundkurses ergeben, wie er nicht nur für die Priesterausbildung von Bedeutung ist.

Die „theologische Enzyklopädie" im 19. Jahrhundert

Die Enzyklopädie, wie sie ursprünglich im 19. Jahrhundert konzipiert war, ist hierfür immer noch von Interesse. Sie war nicht nur als Materialsammlung alles bisher bekannten theologischen Wissens gemeint, sondern als eine Rekonstruktion dieses Wissens von seinem Ursprung her und in seiner Einheit. Man kann hier an den Tübinger Theologen Franz Anton Staudenmaier erinnern. Nach seiner ‚Encyklopädie' von 1834 bietet diese Disziplin den „systematischen Grundriß der gesammten Theologie", den „gedrängten Entwurf ihrer concreten Idee nach allen wesentlichen Bestimmungen". Er schreibt: „Denn wie der menschliche Geist ein organischer ist und ein System lebendiger Kräfte, so will er auch in der Wissenschaft einen Organismus, ein System erblicken, und er ruhet selbst nicht, bis er einen systematischen Zusammenhang der wesentlichen Theile, die den Inhalt bilden, durch seine organisierende Thätigkeit erzeugt hat. Dieser systematische Zusammenhang der verschiedenen Theile einer Wissenschaft nach ihren wesentlichen Grundbegriffen stellt sich dar in der Encyklopädie." Die Enzyklopädie entwickelt nach ihm den notwendigen und organischen Zusammenhang aller Teile der Theologie und stellt diese damit als wirkliche Wissenschaft dar, indem sie sie als Einheit und Totalität ihrer Verzweigungen erfaßt. Sie ist wirklicher Organismus und trägt ihr Lebensprinzip in sich.

Man wollte also aus der ursprünglichen Einheit der Theologie ihre verschiedenen Disziplinen verstehen und aus dem ebenfalls ursprünglich gedachten Ineinander von Theologie und Philosophie, Vernunft und Offenbarung (deshalb liegt dem Ganzen tatsächlich eine Philosophie der Offenbarung voraus) beide erst in ihrer Differenz verständlich machen, so die eigentliche Sache der Theologie selbst erreichen und dadurch eine sachgerechte Einführung bieten.

Ähnliches könnte man z.B. bei Johann Sebastian Drey finden oder auch schon in Schellings ‚Vorlesungen über die Methode des akademischen Studiums' von 1802.

Die Praxis dieser enzyklopädischen Einleitung in die Theologie hat freilich diese großartige Grundkonzeption verraten. In demselben Maße nämlich, wie man sich die Sache der Theologie gegenständlich auslegte und so ihren materialen Disziplinen den Inhalt der Offenbarung zuschrieb, ihrer formalen Grundlegung aber nur die Art und Weise, wie der Stoff gewonnen, zur Wissenschaft gestaltet und subjektiv ausgelegt wird, zu behandeln übrigließ, führte sich diese Enzyklopädie – jetzt ohne wirklichen Kontakt mit ihrem eigentlichen Inhalt – selbst ad absurdum. Sie wurde im Grunde doch nur als eine Art Einführung in den faktischen Gesamtbetrieb der Theologie, als Überblick und Einführung für Anfänger vorgetragen. Eine solche Enzyklopädie ist aber im Grunde überflüssig, denn sie redet zum einen zu allgemein und unverbindlich und bietet zum anderen nichts, was nicht nochmals am Anfang der einzelnen Disziplinen einleitend gesagt werden müßte.

Man wird sich daher zwar mit Recht für die Begründung eines Einführungskurses auf die ursprüngliche Intention der theologischen Enzyklopädie im 19. Jahrhundert berufen. An ihre faktische Ausführung wird man nicht anknüpfen können. Und die Frage nach der wissenschaftstheoretischen Begründung wird von der heutigen Situation der Theologie und ihres Adressaten her neu aufzunehmen sein.

Der Adressat der heutigen Theologie

Wer heute zur Theologie kommt – und dabei handelt es sich nicht nur um solche, die sich auf den Priesterberuf vorbereiten –, ist im Durchschnitt nicht in einem Glauben beheimatet, der – gestützt durch ein homogenes, allen gemeinsames religiöses Milieu – selbstverständlich wäre. Auch der junge Theologe hat einen angefochtenen, einen gar nicht selbstverständlichen, einen heute immer neu zu erringenden, einen erst aufzubauenden Glauben, und er braucht sich dessen nicht zu schämen. Er kann sich durchaus zu dieser seiner ihm vorgegebenen Situation bekennen, weil er heute in einer geistigen Situation lebt oder sogar schon aus einer solchen kommt, die das Christentum nicht als eine selbstverständliche, indiskutable Größe erscheinen läßt.

Noch vor dreißig und vierzig Jahren – als ich selber Theologie studierte – war der Theologe ein Mann, für den das Christentum, der Glaube, seine religiöse Existenz, das Gebet, der feste Wille, in einer ganz normalen priesterlichen Tätigkeit zu dienen, Selbstverständlichkeiten waren. Er hatte dann vielleicht während des Studiums gewisse theologische Probleme; er dachte in der Theologie vielleicht sehr gründlich und genau und bohrend über alle einzelnen Fragen der Theologie nach, aber das geschah doch auf dem Fundament einer selbstverständlichen Christlichkeit, die durch eine ebenso selbstverständliche religiöse Erziehung in einem selbstverständlich christlichen Milieu gegeben war. Unser Glaube war wesentlich mitbedingt durch eine ganz bestimmte soziologische Situation, die uns damals getragen hat und die heute nicht mehr besteht.

Das bedeutet nun für das Studium, daß der akademische Unterricht dieser Situation Rechnung tragen muß, daß es ein Unfug ist, wenn die Theologieprofessoren als ihr höchstes Ideal vor Augen haben, ihre Wissenschaftlichkeit und die Problematik ihrer gelehrten Disziplinen gleich am Anfang vor den jungen Theologen zu demonstrieren. Wenn der Theologe heute in einer kritischen Situation seines Glaubens lebt, dann muß der Anfang der theologischen Studien ihm helfen, so gut das möglich ist, diese kritische Situation seines Glaubens redlich zu bewältigen. Wenn wir die zwei genannten Aspekte der persönlichen Situation des heutigen jungen Theologen bedenken, wenn wir davon überzeugt sind, daß auf diese Situation gerade auch die Theologie selber – und zwar am Anfang – reagieren muß, dann müssen wir sagen, daß die konkreten Disziplinen, so, wie sie heute geboten werden, das für sich allein nicht leisten. Sie sind zu sehr Wissenschaft um ihrer selbst willen, sie sind zu zersplittert und aufgeteilt, als daß sie wirklich auf die persönliche Situation des heutigen Theologiestudenten in einer genügenden Weise antworten könnten.

Zu dieser durch die äußere Situation angestoßenen Begründung eines „Grundkurses" kommt noch eine grundsätzlichere für die Durchführung dessen, was ein „Grundkurs" leisten soll, auf einer ersten Reflexionsstufe. Eine solche erste Reflexionsstufe (deren Wesen noch verdeutlicht werden wird) ist notwendig angesichts des Pluralismus der theologischen Wissenschaften, der nicht mehr adäquat zur Einheit vermittelbar ist. Aber hier tut sich ein Dilemma auf. Diese erste Reflexionsstufe hat zwar die Aufgabe, in einer Art legitimierten Umgehungsmanövers den praktisch undurchführbaren Durchgang durch eine wissenschaftlich exakte und adäquate Problematik sämtlicher theologischer Disziplinen zu vermeiden und doch zu einem intellektuell redlichen Ja des christlichen Glaubens zu kommen. Aber die intellektuelle und wissenschaftliche Anstrengung, die auch eine solche erste Reflexionsstufe fordert, ist darum nicht geringer als die, die eine einzelne theologische Disziplin von ihren Studenten verlangt. Der wissenschaftstheoretische Anspruch des Grundkurses und seine praktische Gestaltung von der faktischen Situation eines theologischen Anfängers her lassen sich daher nicht leicht versöhnen. Der Name „Grundkurs" verführt sehr leicht zu der Meinung, es handle sich um eine Einführung, die dem anfangenden Theologen die Anstrengung des Begriffes billig abnimmt. Anderseits aber soll er, muß er sich zu dem Bemühen bekennen, dem *Anfänger* zu helfen, in die Theologie als ganze hineinzukommen. Und diese beiden Forderungen gleichzeitig zu erfüllen ist natürlich sehr schwer. Jedenfalls aber ist die wissenschaftstheoretische und nicht die pädagogische und didaktische Begründung des Grundkurses das Entscheidende.

Der Pluralismus in der heutigen Theologie und Philosophie

Die Theologie ist faktisch zerfallen in eine Unzahl von Einzeldisziplinen, wobei jeweils in der einzelnen Disziplin ein ungeheurer Stoff mit einer sehr differenzierten, schwierigen Methodologie und bei einem außerordentlich geringen Kontakt mit den anderen verwandten oder benachbarten theologischen Disziplinen geboten wird. Man muß diese Situation der heutigen Theologie nüchtern sehen und darf sich nicht Hoffnungen machen, daß dies so ohne weiteres durch die theologischen Disziplinen selbst geändert werden könnte. Es gibt zwar innerhalb der Theologie das Bemühen, z.B. Dogmatik und Exegese wieder besser zusammenzubringen oder im Kirchenrecht mehr Theologie zu treiben, als das vor zwanzig Jahren der Fall war. Selbstverständlich sind solche Kontaktbestrebungen nützlich, aber sie können den Pluralismus der Theologie heute nicht mehr überwinden.

Dieser Pluralismus ist auch durch das vielgerühmte Teamwork nicht zu überwinden. Natürlich gibt es die notwendige und sinnvolle Zusammenarbeit zuwenig. Aber alle Zusammenarbeit hat eben in den Geisteswissenschaften eine sehr eindeutige Grenze: In den Naturwissenschaften kann man von einem Fach zum anderen, von einem Forscher zum anderen exakt bewiesene Resultate übernehmen, in etwa verstehen und jedenfalls verwerten, ohne die Methode, ihre Gewinnung und die Sicherheit ihrer Ergebnisse selbst beurteilen zu müssen. Aber bei den Geisteswissenschaften hängen das wirkliche Verständnis der Aussage und die Würdigung ihrer Gültigkeit von der persönlich mitvollzogenen Findung dieser Aussage ab. Und eben diese ist in der Theologie für den Vertreter je einer anderen Disziplin nicht mehr möglich.

Ein zweiter Gesichtspunkt hinsichtlich der Gesamtsituation ergibt sich aus einem ähnlichen Pluralismus in der heutigen Philosophie. Die neuscholastische Schulphilosophie, so wie wir älteren Theologen sie einmal recht und schlecht vor vierzig Jahren gelernt haben, existiert nicht mehr. Die Philosophie ist heute in einen Pluralismus von Philosophien zerfallen. Und dieser unaufholbare, unbewältigbare Pluralismus auch der Philosophien ist heute eben eine Tatsache, die wir nicht überspringen können. Nun ist natürlich auch jede Theologie immer eine Theologie der profanen Anthropologien und Selbstinterpretationen des Menschen, die als solche nie ganz, aber doch zum Teil auch in diese expliziten Philosophien eingehen. Und so wird von daher noch einmal ein ungeheurer Pluralismus der Theologien notwendig bewirkt.

Ferner müssen wir uns darüber im klaren sein, daß die Philosophie oder die Philosophien heute gar nicht mehr den einzigen und selbstverständlichen und für sich allein genügenden Umschlagplatz darstellen, an dem die Theologie mit dem profanen Wissen und dem Selbstverständnis des Menschen in Kontakt kommt. Theologie ist echt verkündbare Theologie nur in dem Maße, wie es ihr gelingt, mit dem gesamten profanen Selbstverständnis des Menschen, das dieser in einer bestimmten Epoche hat, Kontakt zu finden, ins Gespräch zu kommen, es aufzugreifen und sich davon in der Sprache, aber noch mehr in der Sache selbst befruchten zu lassen. Heute haben wir also nicht nur einen innerdisziplinären Zerfall der Theologie, wir haben nicht nur einen Pluralismus der Philosophien, der nicht mehr vom einzelnen aufgearbeitet werden kann, sondern es kommt noch dazu, daß die Philosophien gar nicht mehr die einzigen für die Theologie bedeutsamen Selbstinterpretationen des Menschen liefern, sondern daß wir heute als Theologen notwendigerweise in einem durch die Philosophie nicht mehr vermittelten Dialog mit den pluralistischen Wissenschaften historischer, soziologischer und naturwissenschaftlicher Art stehen müssen. Diese Wissenschaften beugen sich gar nicht mehr dem Anspruch der Philosophie, philosophisch vermittelt, philosophisch geklärt zu sein oder auch nur geklärt werden zu können.

Daraus erhellt die Schwierigkeit einer wissenschaftlichen Theologie. Sie ist selber eine unübersehbare Menge von Einzelwissenschaften geworden; sie muß im Kontakt mit soundso vielen Philosophien stehen, um in diesem unmittelbaren Sinne wissenschaftlich sein zu können; sie muß aber auch Verbindung haben mit den Wissenschaften, die sich nicht mehr philosophisch interpretieren lassen. Schließlich kommt noch die ganze Vielfalt auch des nicht-wissenschaftlichen Geisteslebens in der Kunst, in der Dichtung, in der Gesellschaft hinzu, eine Vielfalt, die so groß ist, daß alles darin Auftretende weder durch die Philosophien noch durch die pluralistischen Wissenschaften selbst vermittelt wird und dennoch eine Gestalt des Geistes, des menschlichen Selbstverständnisses darstellt, mit der die Theologie etwas zu tun haben müßte.

Glaubensrechtfertigung auf einer „ersten Reflexionsstufe"

In der Dogmatik, in dem dogmatischen Traktat ‚De fide' (über den Glauben als solchen), gibt es eine sogenannte *analysis fidei*. In ihr wird von dem inneren Zusammenhang der fundamentaltheologischen Glaubwürdigkeitsargumente und von der Bedeutung gesprochen, die diese für den Glauben und den Glaubensvollzug haben. Es wird gesagt, daß diese Glaubwürdigkeitsbeweise oder Glaubwürdigkeitsargumente nach katholischer Auffassung den Glauben zwar nicht innerlich in seiner eigentlichen theologischen Eigenart als assensus super omnia firmus propter auctoritatem ipsius Dei revelantis (als eine über alles feste Zustimmung auf die Autorität des offenbarenden Gottes selbst hin) stiften, daß sie aber trotzdem zum Glauben gehören und daß solche Glaubwürdigkeitsargumente am Glauben als ganzem ihre Funktion haben. Aber in diesem Zusammenhang wird angenommen, daß für die theologisch Ungebildeten, die rudes, unter Umständen – ohne daß deswegen ihr Glaube unmöglich gemacht würde – nicht die ganze reflexe Fundamentaltheologie (auch nicht in einer Kurzausgabe) als Voraussetzung des Glaubens notwendig sei, sondern daß es auch anders gehe. Die alte Theologie des Glaubens hat immer gewußt, daß für die rudes ein Durchgang des Glaubens durch eine adäquat vollzogene Reflexion der intellektuellen Glaubwürdigkeitsgründe nicht möglich und nicht notwendig ist.

So möchte ich die *These* aussprechen, daß wir alle in der heutigen Situation in einem gewissen Sinne bei all unserem Theologiestudium unvermeidlich solche rudes sind und bleiben und das unbefangen und mutig uns und auch der Welt sagen dürfen.

Ein solcher Satz ist kein Freibrief für Faulheit, intellektuelle Trägheit, intellektuelle Gleichgültigkeit gegenüber einer Reflexion auf Glaubenssätze und auch auf deren fundamentaltheologische Begründung; kein Freibrief für Faulheit und Gleichgültigkeit gegenüber jener Verantwortung unserer Hoffnung und unseres Glaubens, die konkret in jeder bestimmten individuellen Situation eines bestimmten Menschen notwendig und möglich und ihm dann auch aufgegeben ist. Aber ich kann hinsichtlich vieler theologischer Reflexionen sagen: „Ich *kann* sie *nicht* durchführen, und deshalb *brauche* ich es auch *nicht* zu können." Offenbar kann ich trotzdem ein Christ sein, der mit der intellektuellen Redlichkeit seinen Glauben lebt, die jedem Menschen abverlangt wird. Aus dieser Feststellung folgt die wissenschaftstheoretische Möglichkeit einer Glaubensbegründung, die der Aufgabe und Methode des heutigen theologischen und profanen Wissenschaftsbetriebs vorausliegt. Diese Glaubensbegründung enthält so Fundamentaltheologie und Dogmatik in Einheit, sie vollzieht sich auf einer ersten Reflexionsstufe des sich selbst Rechenschaft gebenden Glaubens, die von der zweiten Reflexionsstufe dieses Glaubens unterschieden werden muß, auf der die pluralistischen theologischen Wissenschaften in ihrem Eigenbereich mit der je ihnen eigenen spezifischen Methode sich auf eine Weise Rechenschaft geben, die für das Ganze des Glaubens heute uns allen und erst recht den Anfängern in der Theologie nicht zugänglich ist.

Diese wissenschaftlich erste Reflexionsstufe des Glaubens und dessen intellektuell-redlicher Verantwortbarkeit bedeutet eine eigene erste Wissenschaft. So wie die einzelnen theologischen Disziplinen sich heute verstehen, sind sie in ihrer Inhaltlichkeit, der Weite und Breite ihrer Problematik, der Differenziertheit und Schwierigkeit in der Erlernbarkeit ihrer Methoden so beschaffen, daß sie für einen konkreten Menschen nicht mehr jenes Grundverständnis des Glaubens und jene Glaubensbegründung bieten können, die er einerseits braucht und als intellektueller Mensch fordert, die er doch anderseits durch diese Wissenschaften als solche nicht erhalten kann. Es muß eine wissenschaftstheoretische Möglichkeit für eine Glaubensbegründung geben, die dieser berechtigten Aufgabe und Methodik der heutigen Disziplinen vorausliegt.

Eine solche andere Glaubensbegründung, die die ganze Aufgabe der theologischen Disziplinen, die alle metaphysischen Voraussetzungen für eine Glaubensbegründung, die Einleitungswissenschaft, Exegese, Theologie des Neuen Testaments usw. nicht auf sich nimmt, darf deswegen nicht unwissenschaftlich sein. Die Unwissenschaftlichkeit dieser andersartigen angezielten Disziplin liegt im Gegenstand, nicht im Subjekt und seiner Methode. Ich erkenne, daß ich die ganze, in einem Pluralismus von Philosophien und anderen Wissenschaften angesiedelte und dadurch vielfach aufgespaltene Theologie heute nicht mehr durchlaufen kann. Aber ich weiß als Christ, daß ich für die intellektuelle Reflexion der Berechtigung meiner christlichen Situation diesen Weg auch nicht durchlaufen muß, und ich reflektiere jetzt mit aller Akribie – d. h. also mit Wissenschaftlichkeit – auf jenen Weg der Glaubensbegründung und natürlich auch auf die inhaltliche Vermittlung des Glaubens, die mir diesen anderen Weg durch die theologischen und profanen Wissenschaften für diese erste intellektuelle Rechtfertigung meines Glaubens ersparen – wenigstens vorläufig am Anfang des Studiums und in dem Großteil der theologischen Problematik für immer.

Es gibt einen „illative sense" (Folgerungssinn), um mit Kardinal Newman zu sprechen, auch und gerade in solchen Dingen, die totale Entscheidungen implizieren; eine Konvergenz von Wahrscheinlichkeiten, eine Sicherheit, eine redlich verantwortbare Entscheidung, die Erkenntnis und freie Tat in einem ist; sie ermöglicht – einmal paradox gesagt – Wissenschaftlichkeit der legitimierten Unwissenschaftlichkeit in solchen Lebensfragen. Es gibt eine erste Reflexionsstufe, die von der Reflexionsstufe der Wissenschaften im heutigen Sinn unterschieden werden muß, weil das Leben, die Existenz eine solche fordert. Diese erste Reflexionsstufe meint der Grundkurs als erster Abschnitt des theologischen Studiums.

Zur inhaltlichen Konzeption der Einführung

In einer solchen ersten Reflexion über das eigene christliche Dasein und seine Berechtigung, wie sie der Einführungskurs bieten will, haben wir zweifellos noch eine *Einheit von Philosophie und Theologie,* denn es wird über das konkrete Ganze des einen menschlichen Selbstvollzugs eines Christen nachgedacht. Das ist eigentlich schon „Philosophie". Es wird über ein christliches Dasein und über die intellektuelle Berechtigung eines christlichen Selbstvollzugs nachgedacht, und das ist im Grunde schon „Theologie". Theoretisch, praktisch und didaktisch berechtigt kann hier in der Theologie selber philosophiert werden, und diese „Philosophie" braucht sich keine Skrupel darüber zu machen, daß sie dauernd auch in die eigentlichen Gebiete der Theologie hinüberschreitet.

Diese ursprüngliche Einheit ist ja im konkreten Leben des Christen schon gegeben. Er ist ein glaubender Christ, und er ist gleichzeitig – und zwar als Forderung seines eigenen Glaubens – ein nachdenkender Mensch, der über das Ganze seines Daseins reflektiert. Hier ist beides, philosophische und theologische Gegenständlichkeit gegeben, und beide Wirklichkeiten gehen in seinem eigenen Leben von vornherein eine mindestens grundsätzliche Einheit ein. Zu dieser Einheit gehört, daß an der entsprechenden Stelle ausdrücklich auf theologische Daten hingewiesen wird, die von einer profanen Philosophie als solcher eventuell nicht zu erreichen sind.

Würde man die Einheit von Philosophie und Theologie in diesem Grundkurs noch einmal etwas anders formulieren, so könnte man sagen, im Grundkurs muß *erstens* auf den Menschen als die sich selbst aufgegebene universale Frage reflektiert, also im eigentlichsten Sinne philosophiert werden. Diese

Frage – die der Mensch *ist* und nicht nur *hat* – muß als Bedingung der Möglichkeit für das Hören der christlichen Antwort betrachtet werden. *Zweitens:* Die transzendentalen und geschichtlichen Bedingungen der Möglichkeit der Offenbarung sind zu reflektieren in der Art und in den Grenzen, wie dies auf der ersten Reflexionsstufe möglich ist, so daß der Vermittlungspunkt zwischen Frage und Antwort, zwischen Philosophie und Theologie gesehen wird. Endlich muß *drittens* die Grundaussage des Christentums als Antwort auf die Frage, die der Mensch ist, bedacht, also Theologie getrieben werden. Diese drei Momente bedingen sich gegenseitig und bilden darum eine – in sich natürlich differenzierte – Einheit. Die Frage schafft die Bedingung des wirklichen Hörens, und die Antwort bringt die Frage erst zu ihrer reflexen Selbstgegebenheit. Dieser Zirkel ist wesentlich und soll im Grundkurs nicht aufgelöst, sondern als solcher bedacht werden.

Der Grundkurs muß notwendigerweise von seinem Wesen her eine ganz eigentümliche *Einheit von Fundamentaltheologie und Dogmatik* sein. Die übliche Fundamentaltheologie – von ihr selbst unverstanden in ihrem Selbstverständnis – besitzt eine Eigentümlichkeit, die in diesem Grundkurs als Grundkurs nicht praktiziert werden darf. Diese Eigentümlichkeit der traditionellen Fundamentaltheologie des 19. Jahrhunderts bis in unsere Tage besteht darin, daß die Tatsächlichkeit der göttlichen Offenbarung gleichsam rein formal reflektiert und – in einem gewissen Sinne wenigstens – nachgewiesen werden soll. So wie sich die Fundamentaltheologie meistens faktisch noch versteht, will sie – jedenfalls dort, wo sie nicht schon dogmatische Ekklesiologie wird – keine theologischen Einzeldaten und keine einzelnen Dogmen bedenken. Damit kommt sie aber – wenigstens gemessen an der Absicht dieses Grundkurses – in eine merkwürdige Schwierigkeit. In unserem theologischen Grundkurs kommt es gerade darauf an, dem Menschen auch aus der *Inhaltlichkeit* des christlichen Dogmas selbst heraus das Vertrauen zu geben, daß er in intellektueller Redlichkeit glauben kann. Es ist doch praktisch so, daß eine Fundamentaltheologie traditioneller Art trotz ihrer formalen Klarheit, Präzision und Stringenz sehr oft für das Glaubensleben unfruchtbar bleibt, weil der konkrete Mensch – und zwar mit einem gewissen erkenntnistheoretischen Recht – den Eindruck hat, so schlechthin eindeutig und sicher sei das formale Ergangensein der Offenbarung doch nicht.

Mit anderen Worten: Wenn dieser Einführungskurs das tut, was er tun soll, so muß hier eine größere Einheit von Fundamentaltheologie und Dogmatik, von fundamentaler Begründung des Glaubens und Reflexion auf den Inhalt des Glaubens erzielt werden, als das in unseren bisherigen theologischen Disziplinen und ihrer Einteilung der Fall war.

Man kann demgegenüber auch nicht einwenden, daß die zentralen Glaubenswahrheiten im strengen Sinn Geheimnisse sind. Das sind sie natürlich. Aber Geheimnis ist ja nicht identisch mit einem Satz, der quoad nos sinnlos und unnachvollziehbar ist. Und wenn der alles menschliche Erkennen gründende und umfassende Horizont der menschlichen Existenz von vornherein Geheimnis ist (und so ist es), dann hat der Mensch durchaus eine positive – mindestens mit der Gnade gegebene – Affinität zu jenen christlichen Geheimnissen, die den Grundinhalt des Glaubens ausmachen. Zum anderen bestehen diese Geheimnisse ja nicht aus einer größeren Anzahl leider unverständlicher Einzelsätze. Wirklich absolute Mysterien gibt es eigentlich nur in der Selbstmitteilung Gottes in der Tiefe der Existenz – Gnade genannt – und in der Geschichte – Jesus Christus genannt –, womit auch schon das Geheimnis der heilsökonomischen und immanenten Trinität gegeben ist. Und dieses eine Mysterium läßt sich dem Menschen durchaus nahebringen, wenn er sich als den versteht, der in das Geheimnis verwiesen ist, das wir Gott nennen.

So gibt es eigentlich doch nur die Frage, ob dieser Gott bloß der ewig Ferne oder darüber hinaus in freier Gnade in Selbstmitteilung die innerste Mitte unserer Existenz sein wollte. Nach der Bejahung der zweiten Möglichkeit als faktisch realisierter ruft aber unser ganzes, von der Frage getragenes Dasein; es ruft nach dem Geheimnis, das bleibt; aber es ist nicht so von diesem Geheimnis entfernt, daß dieses nichts wäre als das sacrificium intellectus.

Von der Sache her ist also eine innere Einheit von Fundamentaltheologie und Dogmatik durchaus möglich; dies besonders auch dann, wenn man von der gut thomistischen Voraussetzung ausgeht, daß die Fundamentaltheologie schon unter dem „lumen fidei" betrieben wird, Rechtfertigung des Glaubens durch den Glauben ist, zunächst einmal für ihn und vor ihm selber. Wie sollte dies aber geschehen, ohne daß die geglaubte Wirklichkeit selbst und nicht bloß das formale Ergangensein der Offenbarung als solches reflektiert wird?

Das Dritte, was hinsichtlich der Inhaltlichkeit des Grundkurses wichtig zu sein scheint, sind einige konkretere Warnungen und Forderungen hinsichtlich dessen, was in einen solchen Grundkurs *nicht* hineingehört. Zunächst erscheint größte *Vorsicht* geboten zu sein *vor einer christologischen Engführung.* Natürlich sagt das schon erwähnte Dekret des Vaticanum II auch, man solle den Theologen schon am Anfang in das Mysterium Christi einführen. Aber wenn gleichzeitig gesagt wird, dieses Mysterium Christi gehe – und zwar für alle Zeiten und Räume – durch die ganze Menschheitsgeschichte hindurch, dann wäre eine zu enge Konzentrierung des Grundkurses auf Jesus Christus als den Schlüssel und die Lösung sämtlicher existenzieller Probleme und als die totale Begründung des Glaubens eine zu einfache Konzeption. Es stimmt nicht, daß man nur Jesus Christus predigen muß und dann alle Probleme gelöst hat. Jesus Christus ist heute selber – wir brauchen nur auf die entmythologisierende Theologie in einem nachbultmannschen Zeitalter zu achten – ein Problem. Es ist die Frage, wieso und in welchem Sinne man sein Leben an diesen konkreten Jesus von Nazaret als den geglaubten, gekreuzigten und auferstandenen Gottmenschen wagen darf. Dafür muß selber eine Begründung gegeben werden. Man kann also nicht bei Jesus Christus als dem schlechthin letzten Datum anfangen, sondern muß auch auf ihn hinführen. Wir haben mehrere Erfahrungs- und Erkenntnisquellen, deren Pluralität wir auszufalten und zu vermitteln haben. Es gibt eine Erkenntnis Gottes, die nicht adäquat durch die Begegnung mit Jesus Christus vermittelt wird. Es ist weder notwendig noch sachlich berechtigt, einfach mit der Lehre von Jesus Christus in diesem Grundkurs anzufangen, obwohl dieser Grundkurs in dem Konzilsdekret ‚Optatam totius' als introductio in mysterium Christi bezeichnet wird.

Dasselbe gilt auch von der *Engführung einer ausschließlich betriebenen formalen Hermeneutik.* Es gibt sicher auch so etwas wie eine formale und fundamentale Theologie – im Unterschied zur Fundamentaltheologie –, die in der richtigen Weise und vom richtigen Aspekt her in diesen Grundkurs hineingehört. Aber zu meinen, es handle sich hier im Spiel der nachbultmannschen Theologie nur um eine formale Hermeneutik des theologischen Redens oder um den Nachweis der Legitimität von Theologie überhaupt von wissenschaftstheoretischen, sprachphilosophischen usw. Überlegungen her, wäre zweifellos falsch, einfach deswegen, weil bei der Konstitution des Menschen der göttlichen Offenbarung die konkrete aposteriorische Erfahrung des Heils und der geschichtlichen Heilstatsachen nicht in eine rein transzendental formale Struktur verwandelt werden kann, ohne daß das Christentum aufhört, Christentum zu sein.

Damit hängt die *Warnung vor einem bloßen Biblizismus* zusammen. Die evangelische Theologie hat von der Art her, wie dort das Studium betrieben wird, das Ganze der Theologie weithin von der Exegese (nebst Einleitungswissenschaften usw.) und der biblischen Theologie her strukturiert. Philosophie und systematische Theologie waren häufig eine höchst sekundäre Angelegenheit, ein nachträglicher Überbau, eine Zusammenfassung des Biblischen. Wenn wir so etwas – im Grunde genommen altmodisch – nachmachten, würden wir den Grundkurs seines eigentlichen Wesens berauben. Der Grundkurs ist keine Einführung in die Heilige Schrift. Natürlich werden wir an den entsprechenden Stellen und in der richtigen Weise auch in diesem Grundkurs in etwa Exegese oder Bibeltheologie betreiben müssen. Aber man kann hier nur so viele Daten der Schrift bringen, wie sie bei einer redlichen Exegese auch heute noch zum Beispiel für die Reflexion der geschichtlichen Glaubwürdigkeit der Auferstehung und des von der Dogmatik Jesus zugesprochenen Selbstverständnisses hinreichend sicher sind. Aus dem Wesen des Grundkurses heraus darf man – im Unterschied zur *später notwendigen* Bibeltheologie, Fundamentaltheologie, Ekklesiologie und Dogmatik – nur so viel Exegese und Bibeltheologie in den Grundkurs hineinnehmen, als es unbedingt notwendig ist. Die spätere Exegese und biblische Theologie können dann das übrige an positivem, auch in der kirchlichen Theologie nicht aufgebbarem Material biblischer Art einholen, erarbeiten und vermitteln.

3. ZU EINIGEN ERKENNTNISTHEORETISCHEN GRUNDPROBLEMEN

Zum Verhältnis von Sache und Begriff, von ursprünglichem Selbstbesitz und Reflexion

Wir nennen diesen Versuch eine Einführung in den *Begriff* des Christentums, um dadurch auch anzudeuten, daß es hier nicht um eine mystagogische Einweihung in das Christentum gehen kann, sondern um eine begrifflich denkende Bemühung um Theologie und Religionsphilosophie auf der ersten Reflexionsstufe. Es handelt sich um den Begriff, nicht um die Sache unmittelbar, weil und obwohl hier, wie nirgends, Begriff und Sache voneinander entfernt sind und anderseits der Begriff, um verstanden zu werden, nirgends so sehr die Hinwendung zur Sache selbst verlangt wie hier. Auch wenn dieser *unser* Versuch scheitern würde; er muß prinzipiell nach dem Anspruch eben dieses Christentums möglich sein. Denn das Christentum ist einerseits im einzelnen Menschen bei seiner konkreten geschichtlich bedingten Endlichkeit nur dann gegeben, wenn dieser Mensch es wenigstens mit einem Minimum an personal erworbenem und glaubensmäßig umfaßtem Wissen annimmt, und dies ist anderseits, was vom Christentum als das jedermann grundsätzlich Zumutbare und Ergreifbare verstanden wird.

Es kann nicht jeder in einem strengen Sinne Fachtheologe sein. Soll das Christentum aber dennoch das personal Ergreifbare sein können, dann muß es eine auf einer ersten Reflexionsstufe stehende Einführung in das Christentum grundsätzlich geben. In anderen Wissenschaften mag es so sein, daß, je fachwissenschaftlicher darin etwas wird, je unzugänglicher es für den Nichtfachmann ist, es auch um so wichtiger und gerade die eigentliche Wahrheit dieser Wissenschaft wird. In der Theologie kann es nicht so sein, weil sie nicht nur fachwissenschaftlich ein Heilswissen für alle nachträglich auch noch bedenkt; sondern sie will auch noch dieses Heilswissen, das alle meint, selber sein, weil eine Reflexion auf das vorgegebene Daseinsverständnis noch einmal in irgendeiner Form und irgendeinem Maße zu diesem Daseinsverständnis selber gehört und nicht bloß ein nachträglicher Luxus für Fachleute ist.

Es gibt im Menschen unweigerlich eine *Einheit in Unterschiedenheit von ursprünglichem Selbstbesitz und Reflexion.* Dies wird in verschiedener Weise einerseits von einem theologischen Rationalismus bestritten, anderseits von der Religionsphilosophie eines sogenannten klassischen „Modernismus". Denn jeder Rationalismus ist im Grunde von der Überzeugung getragen, daß eine Wirklichkeit für den Menschen im geistigen und freien Selbstbesitz erst durch den vergegenständlichenden Begriff gegeben sei, der seine eigentliche und volle Wirklichkeit in der Wissenschaft gewinne. Umgekehrt lebt das, was man im klassischen Verständnis „Modernismus" nennt, von der Überzeugung, daß der Begriff, die Reflexion *schlechterdings* das Nachträgliche sei gegenüber diesem ursprünglichen Selbstbesitz des Daseins in Selbstbewußtsein und Freiheit, so daß man diese Reflexion auch unterlassen könnte.

Es gibt aber nicht nur das rein objektive „An-sich" einer Wirklichkeit einerseits und den klaren und „distinkten" Begriff einer solchen Sache anderseits, sondern es gibt auch eine ursprünglichere Einheit – zwar nicht bei allem und jedem, aber doch beim menschlichen Daseinsvollzug – von Wirklichkeit und deren „Bei-sich-selber-Sein", die mehr und ursprünglicher ist als die Einheit dieser Wirklichkeit und ihr objektivierender Begriff. Wenn ich liebe, wenn ich von Fragen gequält werde, wenn ich traurig bin, wenn ich treu bin, wenn ich Sehnsucht habe, dann ist diese menschlich-existenzielle Wirklichkeit eine Einheit, eine ursprüngliche Einheit von Wirklichkeit und ihrem eigenen Bei-sich-Sein, die nicht *adäquat* vermittelt ist durch den wissenschaftlich objektivierenden Begriff davon. Diese Einheit von Wirklichkeit und ursprünglichem Bei-sich-Sein dieser Wirklichkeit in der Person ist im freien Selbstvollzug des Menschen schon gegeben. Das ist die eine Seite.

Dennoch muß man sagen, daß eben zu einem solchen ursprünglichen Wissen selbst ein Moment von Reflexion, somit von Allgemeinheit und geistiger Mitteilbarkeit gehört, auch wenn dieses Reflexionsmoment diese Einheit nicht einholt und adäquat in objektivierende Begrifflichkeit umsetzt. Es gibt im Menschen jene angezielte ursprüngliche Einheit von Wirklichkeit und deren Wissen um sich selber doch immer nur mit und in dem und durch das, was wir Sprache und so auch Reflexion und so wiederum auch Mitteilbarkeit nennen können. In dem Augenblick, in dem dieses Reflexionsmoment schlechthin nicht mehr gegeben wäre, würde auch dieser ursprüngliche Selbstbesitz aufhören zu sein.

Die Spannung zwischen ursprünglichem Wissen und seinem Begriff – welche Momente zusammengehören und doch nicht eins sind – ist keine statische Größe. Sie hat eine Geschichte mit einem doppelten Richtungssinn. Das ursprüngliche Bei-sich-Sein des Subjekts in seinem eigentlichen Daseinsvollzug sucht sich immer mehr in das Begriffliche, in das Objektivierte, in die Sprache, in die Mitteilung an den anderen zu übersetzen; jeder sucht dem anderen – besonders dem geliebten Menschen – zu sagen, was er leidet. Und so gibt es in diesem Spannungsverhältnis zwischen ursprünglichem Wissen und seinem es immer auch begleitenden Begriff eine Tendenz auf die größere Begrifflichkeit, in die Sprache, in die Mitteilung, in das auch theoretische Wissen um sich selbst hin.

Aber es gibt auch die umgekehrte Bewegungsrichtung innerhalb dieses Spannungsverhältnisses. Man erfährt vielleicht erst langsam deutlich, worüber man schon längst – durch die gemeinsame Sprache vorgeformt, unterrichtet und von außen indoktriniert – geredet hat. Gerade wir Theologen sind immer in der Gefahr, mit einem beinahe unübersehbar breiten und weiten

Arsenal von religiösen und theologischen Begriffen über Himmel und Erde, über Gott und Mensch zu reden. Wir können uns in der Theologie eine außerordentlich große Geschicklichkeit dieses Redens verschaffen und dabei vielleicht noch gar nicht wirklich aus der Tiefe unserer Existenz verstanden haben, worüber wir eigentlich reden. Und insofern hat die Reflexion, die Begrifflichkeit, die Sprache notwendig auch den Richtungssinn auf dieses ursprüngliche Wissen, auf diese ursprüngliche Erfahrung hin, in der das Gemeinte und die Erfahrung des Gemeinten noch eins sind.

Insofern ein religiöses Wissen auch diese Spannung zwischen ursprünglich getanem und erlittenem Wissen um sich selbst und dem Begriff darüber aufweist, gibt es auch – und zwar in einer nicht auflösbaren Einheit und Unterschiedenheit – innerhalb der Theologie diese doppelte Bewegung, ein fließendes Spannungsverhältnis, das nicht einfach eine statische Größe ist. Wir sollten – wenn auch in einer immer nur asymptotisch ihr Ziel erreichenden Bewegung – immer besser begrifflich wissen, was wir im voraus zu solcher Begrifflichkeit, wenn auch nicht schlechthin ohne sie, schon erfahren und erleben; und wir sollten umgekehrt immer wieder zeigen, daß all diese theologische Begrifflichkeit nicht die Sache selber dem Menschen von außen zur Gegebenheit bringt, sondern daß sie vielmehr die Aussage dessen ist, was schon ursprünglicher in der Tiefe des Daseins erfahren und erlebt wird. Wir können gewissermaßen begrifflich zu uns selber kommen, und wir können immer wieder versuchen, unsere theologische Begrifflichkeit in ihre ursprüngliche Erfahrung hinein zurückzuverweisen. So ist also unser Versuch wohl berechtigt und notwendig. Sollte er mißlingen, könnte vom Christen dieses Mißlingen nur als Auftrag und Befehl verstanden werden, es aufs Neue und besser zu wagen.

Die Selbstgegebenheit des Subjekts in der Erkenntnis

Wir vergegenwärtigen uns oft das Wesen der Erkenntnis mit der Modellvorstellung einer Tafel, in die sich ein Gegenstand einschreibt, indem er – gewissermaßen von außen herkommend – auf diese Basis auftrifft. Wir vergegenwärtigen uns die Erkenntnis mit dem Bild eines Spiegels, in dem sich ein beliebiger Gegenstand abbildet. Nur von solchen Verständnismodellen her ist ja das berühmte Problem denkbar, wieso denn ein „An-sich" in eine Erkenntnis hineinkommen könne, wieso ein Gegenstand gleichsam in die Erkenntnis einwandern könne. In der Erkenntnistheorie – besonders in der Verteidigung des sogenannten Realismus, der Abbildtheorie der Erkenntnis oder der Lehre von der Wahrheit als der Korrespondenz einer Aussage mit einem Gegenstand – sind immer und von vornherein diese Verständnismodelle gegenwärtig, und sie werden dort als selbstverständlich vorausgesetzt. In all diesen Vorstellungsmodellen ist das Erkannte das von außen

Kommende, das andere, das sich nach eigenem Gesetz von außen meldet und sich in die empfangende Erkenntnisfähigkeit einbildet.

Die Erkenntnis hat in Wirklichkeit aber eine viel komplexere Struktur. Mindestens die geistige Erkenntnis eines personalen Subjekts ist nicht derart, daß der Gegenstand sich von außen meldet und als so erkannter „gehabt" wird. Sie ist vielmehr eine Erkenntnis, in der das wissende Subjekt sich selbst und seine Erkenntnis wissend besitzt. Dies geschieht nicht nur dann, wenn es in einem nachträglichen zweiten Akt auf dieses Sich-selbst-gegeben-Sein des Subjekts in seiner Erkenntnis reflektiert, nämlich darauf, daß es in einem ersten Akt etwas erkannt hat und nun diese frühere Erkenntnis selbst zu einem Gegenstand einer Erkenntnis macht. Das wissende Haben der Erkenntnis als solcher im Unterschied von ihrem objektivierten Gegenstand und der wissende Selbstbesitz sind Eigentümlichkeiten jeder Erkenntnis. In ihr wird nicht nur etwas gewußt, sondern immer das Wissen des Subjekts mitgewußt.

Im einfachen und ursprünglichen Akt des Wissens, der sich mit irgendeinem begegnenden Gegenstand beschäftigt, sind dieses mitbewußte Wissen und dieses mitbewußte Subjekt des Wissens nicht der *Gegenstand* des Wissens. Vielmehr sind diese Bewußtheit des Wissens von etwas und die Bewußtheit des Subjekts für sich selber, das Sich-selbst-gegeben-Sein des Subjekts, gleichsam am anderen Pol des einen Verhältnisses von wissendem Subjekt und gewußtem Gegenstand angesiedelt. Letztere bedeutet gewissermaßen den erhellten Raum, innerhalb dessen sich der einzelne Gegenstand, mit dem man sich in einer bestimmten primären Erkenntnis beschäftigt, zeigen kann. Diese subjekthafte Bewußtheit des Erkennenden bleibt bei der primären Erkenntnis eines von außen sich meldenden Gegenstandes immer unthematisch; sie ist etwas, was sich sozusagen hinter dem Rücken des Erkennenden abspielt, der von sich weg auf seinen Gegenstand blickt. Und selbst wenn dieser Erkennende in einem Akt der Reflexion die mitbewußte Selbstgegebenheit des Subjekts und seines Wissens ausdrücklich zum Gegenstand eines neuen Erkenntnisaktes macht, ist es noch einmal so. Auch dieser neue Akt, der in einer begrifflichen, nachträglichen Weise das subjekthafte Mitbewußtsein zum Gegenstand des Aktes macht, hat selbst noch einmal eine solche ursprüngliche Selbstgegebenheit des Subjekts und des Wissens um diesen zweiten reflexen Akt als Bedingung seiner Möglichkeit, als seinen subjektiven Pol bei sich.

Dieser reflexe Akt macht die ursprüngliche Selbstgegebenheit des Wissenden um sich und sein Wissen nicht überflüssig; sein Gegenstand meint sogar im Grunde nur diese ursprüngliche, erhellte Selbstgegebenheit des Subjekts; aber diese vorgestellte, thematisierte Selbstgegebenheit des Subjekts und seines Wissens für sich ist nie mit dieser ursprünglichen Selbstgegebenheit identisch und holt sie auch inhaltlich niemals adäquat ein. So wie es im Verhältnis zwischen unmittelbar erlebter Freude, Angst, Liebe, Schmerz usw.

einerseits und dem Inhalt einer reflexen Vorstellung von Freude, Angst, Liebe, Schmerz usw. anderseits ist, genauso – ja noch viel ursprünglicher – ist das Verhältnis zwischen der notwendigen, aber am subjektiven Pol des Erkenntnisbogens gegebenen Selbstgegebenheit des Subjekts und seines Wissens über sein gegenständlich Gewußtes einerseits und der reflexen Vergegenständlichung eben dieser Selbstgegebenheit anderseits. Die reflektierte Selbstgegebenheit weist immer zurück auf diese ursprüngliche Selbstgegebenheit des Subjektes, gerade auch in einem Akt, der sich mit etwas ganz anderem beschäftigt, und holt diese ursprüngliche subjekthafte Selbstgegebenheit niemals adäquat ein. Der Spannungsbogen der beiden Pole „Subjekt" und „Gegenstand" läßt sich auch nicht aufheben, wenn das Subjekt sich selbst zu seinem eigenen Gegenstand macht. Denn dann ist der Gegenstand das vergegenständlichte, begrifflich objektivierte Subjekt, und die Erkenntnis dieses Begriffes hat noch einmal am subjektiven Pol dieses Spannungsbogens das ursprüngliche unthematische Wissen des Subjekts um sich selber als ihre ursprüngliche Bedingung bei sich.

Apriorität und grundsätzliche Offenheit

Nun ist es aber nicht so, als ob diese mitbewußte, unthematische Selbstgegebenheit des Subjekts und seines Wissens um sich bloß ein Begleitphänomen an jenem Erkenntnisakt wäre, der irgendeinen Gegenstand erfaßt, so daß dessen Erkenntnis in seiner Struktur und Inhaltlichkeit von der Struktur der subjekthaften Selbstgegebenheit völlig unabhängig wäre. Die Struktur des Subjekts ist vielmehr selber eine apriorische, d.h., sie bildet ein vorgängiges Gesetz dafür, was und wie etwas sich dem erkennenden Subjekt zeigen kann. Die Ohren bedeuten z.B. ein apriorisches Gesetz, gewissermaßen einen Raster, der bestimmt, daß sich den Ohren nur Töne melden können. So ist es auch bei den Augen und allen anderen sinnlichen Erkenntnisorganen. Sie wählen nach eigenem Gesetz aus der Fülle der Möglichkeiten der andrängenden Welt aus und geben nach ihrem eigenen Gesetz diesen Wirklichkeiten die Möglichkeit, anzukommen und sich vorzustellen, oder sie schalten sie aus. Dadurch ist noch in keiner Weise gegeben, daß sich die sich meldenden Wirklichkeiten nicht so zeigen könnten, wie sie von sich her sind. Auch ein Schlüsselloch bildet ein apriorisches Gesetz dafür, welcher Schlüssel hineinpaßt, verrät aber gerade dadurch etwas von diesem Schlüssel selbst. Die apriorische Struktur einer Erkenntnisfähigkeit gibt sich nun am einfachsten dadurch kund, daß sie sich in jedem einzelnen Akt der Erkenntnis des ihr gegebenen Gegenstandes durchhält, und zwar auch dann noch, wenn dieser Akt in seinem Gegenstand als solchem die Aufhebung oder Bestreitung dieser apriorischen Strukturen ist oder vielmehr sein will. Wir können diese Überlegung der Kürze halber nicht an der sinnlichen Erkenntnis der Vielfalt unmittelbar raumzeitlicher Begebenheiten illustrieren, sondern wir blicken sofort auf die Ganzheit der geistigen Erkenntnis des Menschen hin, in der ja gerade jener wissende, subjekthafte Selbstbesitz, die reditio completa, die vollkommene Rückkehr des Subjekts zu sich selbst, wie Thomas von Aquin sagt, wirklich gegeben ist.

Wenn wir fragen, welches die apriorischen Strukturen dieses Selbstbesitzes sind, dann ist zu sagen, daß – unbeschadet aller Vermitteltheit dieses Selbstbesitzes durch die raumzeitliche Erfahrung sinnlich gegebener Gegenstände – dieses Subjekt grundsätzlich und von sich aus die reine Geöffnetheit für schlechthin alles, für das Sein überhaupt ist. Das zeigt sich darin, daß die Bestreitung einer solchen unbegrenzten Eröffnetheit des Geistes auf schlechthin alles eine solche Eröffnetheit noch einmal implizit setzt und bejaht. Denn ein Subjekt, das sich selber als endlich erkennt und nicht nur in seiner Erkenntnis unwissend hinsichtlich der Begrenztheit der Möglichkeit seiner Gegenstände ist, hat seine Endlichkeit schon überschritten, hat sich selbst als endlich abgesetzt von einem subjekthaft, aber unthematisch mitgegebenen Horizont möglicher Gegenstände von unendlicher Weite. Jemand, der gegenständlich thematisch sagt, es gebe keine Wahrheit, setzt diesen Satz als wahren – sonst hätte der Satz ja gar keinen Sinn. Indem das Subjekt in einem solchen Akt am subjektiven Pol notwendig, wenn auch unthematisch wissend, die Existenz von Wahrheit setzt, erfährt es sich immer schon im Besitz eines solchen Wissens. So ist es auch mit der Erfahrung der subjekthaften, unbegrenzten Eröffnetheit des Subjekts. Insofern es sich als durch die sinnliche Erfahrung bedingt und begrenzt erfährt – und das nur zu sehr –, hat es aber dennoch schon über diese sinnliche Erfahrung hinausgegriffen und sich als Subjekt eines Vorgriffs gesetzt, der keine innere Grenze hat, weil sogar noch der Verdacht einer solchen inneren Begrenztheit des Subjekts diesen Vorgriff selbst als über den Verdacht erhaben setzt.

Die transzendentale Erfahrung

Das subjekthafte, unthematische und in jedwedem geistigen Erkenntnisakt mitgegebene, notwendige und unaufgebbare Mitbewußtsein des erkennenden Subjekts und seine Entschränktheit auf die unbegrenzte Weite aller möglichen Wirklichkeit nennen wir die *transzendentale Erfahrung.* Sie ist eine *Erfahrung,* weil dieses Wissen unthematischer, aber unausweichlicher Art Moment und Bedingung der Möglichkeit jedweder konkreten Erfahrung irgendeines beliebigen Gegenstandes ist. Diese Erfahrung wird *transzendentale* Erfahrung genannt, weil sie zu den notwendigen und unaufhebbaren Strukturen des erkennenden Subjekts selbst gehört und weil sie gerade in dem Überstieg über eine bestimmte Gruppe von möglichen Gegenständen, von Kategorien besteht. Die transzendentale Erfahrung ist die Erfahrung der *Transzendenz,* in welcher Erfahrung die Struktur des Subjekts und damit auch die letzte Struktur aller denkbaren Gegenstände der Erkenntnis in einem und in Identität gegeben ist. Natürlich ist diese transzendentale Erfahrung nicht bloß eine solche der reinen Erkenntnis, sondern auch des Willens und der Freiheit, denen derselbe Charakter der Transzendentalität zukommt, so daß grundsätzlich immer nach dem Woraufhin und Wovonher des Subjekts als eines Wissenden und als eines Freien in einem gefragt werden kann.

Wenn man sich die Eigenart dieser transzendentalen Erfahrung klarmacht, die als solche nie in ihrem Eigenen selbst, sondern nur durch einen abstrakten Begriff von ihr gegenständlich vorgestellt werden kann; wenn man sich deutlich macht, daß diese transzendentale Erfahrung nicht dadurch konstituiert wird, daß man von ihr redet; wenn man sich klarmacht, daß man von ihr reden muß, weil sie immer schon da ist, aber darum auch dauernd übersehen werden kann; wenn man sich verdeutlicht, daß sie nie von sich aus den Reiz der Neuheit eines unerwartet begegnenden Gegenstandes haben kann, dann versteht man die Schwierigkeit des Unternehmens, dem wir uns widmen: Wir können von dem Woraufhin dieser transzendentalen Erfahrung auch nur wieder indirekt reden.

Unthematisches Wissen von Gott

Es geht später darum, zu zeigen, daß mit dieser transzendentalen Erfahrung ein gleichsam *anonymes und unthematisches Wissen von Gott* gegeben ist, daß also die ursprüngliche Gotteserkenntnis nicht von der Art des Erfassens eines sich von außen direkt oder indirekt zufällig meldenden Gegenstandes ist, sondern daß sie den Charakter einer transzendentalen Erfahrung hat. Insofern diese subjekthafte, ungegenständliche Erhelltheit des Subjekts immer in der Transzendenz auf das heilige Geheimnis geht, ist Gotteserkenntnis schon immer unthematisch und namenlos gegeben – und nicht erst dann, wenn wir anfangen, davon zu reden. Alles Reden darüber, das notwendig geschieht, ist immer nur ein Verweis auf diese transzendentale Erfahrung als solche, in der sich immer der, den wir „Gott" nennen, schweigend dem Menschen zusagt – eben als das Absolute, Unübergreifbare, als das nicht eigentlich in das Koordinatensystem einrückbare Woraufhin dieser Transzendenz, die als Transzendenz der *Liebe* auch eben dieses Woraufhin als das *heilige* Geheimnis erfährt.

Wenn der Mensch – wie wir später ausführlicher darlegen müssen, aber hier schon erwähnen, um deutlich zu machen, was mit Transzendentalität gemeint ist – das Wesen der Transzendenz auf das heilige, absolut wirkliche Geheimnis ist, wenn das Woraufhin und Wovonher der Transzendenz, durch die der Mensch als solcher existiert und die sein ursprüngliches Wesen als Subjekt und Person ausmacht, dieses absolut seiende heilige Geheimnis ist, dann kann und muß man merkwürdigerweise wieder sagen: Das Geheimnis in seiner Unumgreifbarkeit ist das *Selbstverständliche.* Wenn Transzendenz nicht irgend etwas ist, das wir nebenbei gleichsam als metaphysischen Luxus unseres intellektuellen Daseins betreiben, sondern wenn diese Transzendenz die schlichteste, selbstverständlichste, notwendigste Bedingung der Möglichkeit *allen* geistigen Verstehens und Begreifens ist, dann ist eigentlich das heilige Geheimnis das einzige Selbstverständliche, das einzige, was in sich selber auch für uns gründet. Denn alles andere Begreifen, so klar es sich zunächst einmal vorkommen mag, gründet ja auf dieser Transzendenz, alles helle Begreifen gründet im Dunkel Gottes.

Dieses Woraufhin ist also, genau gesehen, in seiner Geheimnishaftigkeit nicht einfach ein konträrer Begriff zum Selbstverständlichen. Selbstverständlich ist für uns doch nur das in unserer Erkenntnis, was in sich selbstverständlich ist. Alles Begriffene aber wird doch nur dadurch verständlich, aber nicht eigentlich selbstverständlich, daß es auf anderes zurückgeführt wird, aufgelöst wird: einerseits in Axiome und anderseits in elementare Daten der sinnlichen Erfahrung. Dadurch aber wird es zurückerklärt und verständlich gemacht, entweder in die stumme Stumpfheit des bloß Sinnlichen oder in das Hell-Dunkel der Ontologie, also in das absolute heilige Geheimnis.

Das verständlich Gemachte gründet in der einzigen Selbstverständlichkeit des Geheimnisses. Wir sind daher schon immer mit ihm vertraut. Wir lieben es schon immer, auch dann noch, wenn wir – von ihm erschreckt oder vielleicht sogar böse gereizt – es auf sich beruhen lassen wollen. Was ist dem Geist, der zu sich selbst gekommen ist, thematisch oder unthematisch vertrauter und selbstverständlicher als das schweigende Fragen über alles schon Eroberte und Beherrschte hinaus, als das demütig liebend angenommene Überfragtsein, das allein weise macht? Nichts weiß der Mensch in der letzten Tiefe genauer, als daß sein Wissen, d.h. das, was man im Alltag so nennt, nur eine kleine Insel in einem unendlichen Ozean des Undurchfahrenen ist, eine schwimmende Insel, die uns vertrauter sein mag als dieser Ozean, aber im letzten getragen und nur so tragend ist, so daß die existenzielle Frage an den Erkennenden die ist, ob er die kleine Insel seines sogenannten Wissens oder das Meer des unendlichen Geheimnisses mehr liebe; ob ihm das kleine Licht, mit dem er diese Insel ableuchtet – man nennt es Wissenschaft –, ein ewiges Licht sein soll, das ihm (das wäre die Hölle) ewig leuchtet.

Natürlich kann ein Mensch, wenn er will, in seiner konkreten Lebensentscheidung immer die unendliche Frage nur als Stachel seiner erkennenden, erobernden Wissenschaft wollen und annehmen und sich weigern, mit der absoluten Frage als solcher etwas zu tun zu haben außer dadurch, daß diese Frage ihn immer weiter zu einzelnen Fragen und einzelnen Antworten treibt. Und nur dort, wo man sich der Frage nach dem Fragen, dem Denken des Denkens, dem Raum der Erkenntnis und nicht nur den Gegenständen der Erkenntnis, der Transzendenz und nicht nur dem in dieser Transzendenz kategorial raumzeitlich Erfaßten zuwendet, ist man eben am Beginn, ein homo religiosus zu werden. Man kann von da aus leichter verstehen, daß das viele nicht sind, daß sie es vielleicht nicht vermögen, daß sie sich gleichsam überfordert fühlen. Derjenige aber, dem die Frage nach seiner Transzendenz, nach deren Woraufhin einmal gestellt ist, der kann sie eben nicht mehr unbeantwortet stehenlassen. Denn selbst wenn er sagen würde, sie sei eine Frage, die man nicht beantworten kann, die man nicht beantworten soll, die man – weil sie den Menschen überfordert – stehenlassen soll, hätte er ja auf diese Frage schon eine Antwort gegeben (ob die richtige oder falsche, ist hier noch gleichgültig).

ERSTER GANG

Der Hörer der Botschaft

1. VERSCHRÄNKUNG VON PHILOSOPHIE UND THEOLOGIE

Welchen Hörer erwartet das Christentum, damit seine eigentlichste und letzte Botschaft überhaupt gehört werden kann? Dies ist die erste Frage, die wir hier zu stellen haben. Sie ist nicht als moralische, sondern als existentialontologische Frage gemeint.

Wenn wir zunächst vom Menschen zu reden haben, der Hörer der Botschaft des Christentums sein soll, wenn wir in diesem Sinne von Voraussetzungen sprechen, dann ist damit eine eigentümliche Verschränkung zwischen diesen Voraussetzungen und der Botschaft des Christentums angezielt. Es ist nämlich nicht gemeint, daß das Christentum diese Voraussetzungen einfach als fertig gegebene und von jedermann schon in Reflexion und vor allem in Freiheit vollzogene einfach annähme und darum dort, wo diese Voraussetzungen nicht gegeben sind, gar kein möglicher Hörer der christlichen Botschaft gegeben sei.

Wenn man die Wirklichkeit des Menschen richtig sieht, dann ist ein unaufhebbarer Zirkel zwischen den Verständnishorizonten und dem Gesagten, Gehörten und Verstandenen gegeben. Beides setzt sich letztlich gegenseitig voraus. Und so meint das Christentum auch, daß – und zwar noch einmal in einer eigentümlichen Verschränkung – diese Voraussetzungen, die es macht, im letzten Grunde des Daseins des Menschen (auch dort, wo dieses Dasein sich in seiner reflexen Selbstinterpretation anders auslegt) unentrinnbar und notwendig gegeben sind und die Botschaft des Christentums durch ihren Anruf diese Voraussetzungen zugleich selber schafft. Sie ruft eben den Menschen vor die wirkliche Wahrheit seines Wesens. Vor die Wahrheit, in die er unentrinnbar eingefangen bleibt, wenn auch letztlich dieses Gefängnis die unendliche Weite des unfaßbaren Geheimnisses Gottes ist.

Damit ist schon in diesem ersten Gang eine eigentümliche Verschränkung von Philosophie und Theologie gegeben. Die Voraussetzungen, die hier bedacht werden sollen, meinen das Wesen des Menschen. Sie meinen sein immer geschichtlich verfaßtes, also auch in Konfrontation mit dem Christentum (als Gnade und geschichtliche Botschaft) befindliches Wesen. Sie meinen also etwas, was jener theoretischen Reflexion und Selbstinterpretation des menschlichen Daseins zugänglich ist, die wir Philosophie nennen. Und eben diese Voraussetzungen sind selber Inhalte einer offenbarungsmäßigen Theologie, die das Christentum dem Menschen zusagt, damit dieses sein unentrinnbares und immer auf Geschichte selbst verwiesenes Wesen dem Menschen nicht verdeckt bleibe.

Wenn wir also von einer solchen Anthropologie als der Voraussetzung für das Hören und Verstehen der eigentlichen Botschaft des Christentums sprechen, braucht unsere Sorge nicht die einer methodologisch möglichst reinen Scheidung zwischen Philosophie und Theologie zu sein. Auch die ursprünglichste, sich in sich selbst gründende und transzendentalste Philosophie des menschlichen Daseins geschieht immer nur in geschichtlicher Erfahrung. Ja, sie ist selbst ein Moment an der Geschichte des Menschen, kann also nie so betrieben werden, als habe der Mensch nicht jene Erfahrungen (mindestens dessen, was wir Gnade nennen, auch wenn diese nicht selbst noch einmal reflektiert und *als* solche erfaßt und objektiviert zu sein braucht) gemacht, die eben die des Christentums sind. Eine absolut theologiefreie Philosophie ist für unsere geschichtliche Situation gar nicht möglich. Die grundsätzliche Eigenständigkeit dieser Philosophie kann nur darin bestehen, auf ihre geschichtliche Herkunft zu reflektieren und sich zu fragen, ob sie sich dieser geschichtlichen und gnadenhaften Herkunft als gültiger immer noch verpflichtet weiß und ob diese Erfahrung des Menschen mit sich selbst auch heute noch als gültig und verpflichtend nachvollzogen werden kann. Und umgekehrt will ja die dogmatische Theologie dem Menschen auch dasjenige sagen, was er ist und dann noch bleibt, wenn er sich ungläubig dieser Botschaft des Christentums versagt.

Die Theologie impliziert also selber eine philosophische Anthropologie, die diese gnadenhaft getragene Botschaft als eigentlich philosophisch zu vollziehende freisetzt und der eigenen Verantwortung des Menschen überantwortet. Wir machen Aussagen über den Menschen, seine auf jeden Fall jetzt unentrinnbare Situation, Aussagen über das, was die Botschaft des Christentums im Menschen antrifft oder als Voraussetzung und Ort ihrer eigenen Ankunft im Menschen selber schafft; und jeder ist dann gefragt, ob er sich als der Mensch erkennen könne, der hier sein Selbstverständnis auszusprechen versucht, oder ob er verantwortlich vor sich und seinem Dasein die Überzeugung als seine Wahrheit setzen kann, daß er ein solcher Mensch nicht ist, wie ihn das Christentum ihm zusagt.

2. DER MENSCH ALS PERSON UND SUBJEKT

Personalität als Voraussetzung der christlichen Botschaft

Als erstes ist vom Menschen hinsichtlich der Voraussetzungen für die Offenbarungsbotschaft des Christentums zu sagen: Er ist Person, Subjekt.

Daß ein Begriff von Person und Subjekt für die Möglichkeit der christlichen Offenbarung und das Selbstverständnis des Christentums von grundlegender Bedeutung ist, muß nicht eigens erklärt werden. Ein personales Verhältnis zu Gott, eine echt dialogische Heilsgeschichte zwischen Gott und dem Menschen, der Empfang seines eigenen, einmaligen, ewigen Heiles, der Begriff einer Verantwortung vor Gott und seinem Gericht, alle diese Aussagen des Christentums – gleichgültig, wie sie selber noch einmal genauer gedeutet werden müssen – implizieren, daß der Mensch das ist, was wir hier sagen wollen: Person und Subjekt. Dasselbe gilt, wenn wir von der Wortoffenbarung im Christentum sprechen, wenn wir sagen, daß Gott den Menschen angeredet hat, vor sein Angesicht gerufen hat, daß der Mensch im Gebet mit Gott sprechen kann und soll – alles Aussagen, die ungeheuer dunkel und schwierig sind, die aber eben doch die konkrete Wirklichkeit des Christentums ausmachen. Und all dies könnte gar nicht begriffen werden, wenn nicht darin explizit oder implizit eben das verstanden wird, was wir hier mit „Person" und „Subjekt" meinen.

Was darunter genau verstanden wird, kann sich natürlich erst durch das Ganze der Aussagen ergeben, also erst wenn wir von der Transzendenz des Menschen, von seiner Verantwortung und Freiheit, von seiner Verwiesenheit auf das unbegreifliche Geheimnis, von seiner Geschichtlichkeit und Welthaftigkeit, von seiner Gesellschaftlichkeit gehandelt haben. Alle diese Bestimmungen gehören zu denen, durch welche die ihm eigene Personhaftigkeit mitkonstituiert wird. Hier gilt es im voraus zu diesen einzelnen Bestimmungen wenigstens in einer vorläufigen Weise zu sagen, was gemeint ist, wenn der Mensch als Person und Subjekt bezeichnet wird.

Die Verborgenheit und Gefährdetheit der Personerfahrung

Solches Reden ist freilich immer auf den „guten Willen" des Hörers angewiesen. Denn das, was er hören soll, ist ja nicht das, was unmittelbar im Begriff als solchem steckt, sondern solche Begriffe sind aus dem Wesen der Sache Hinweise auf eine ursprünglichere Grunderfahrung des Menschen von seiner Subjektivität und Personalität, auf eine Grunderfahrung, die es zwar nicht einfach in einem absolut wortlosen und unreflektierten Erfahren gibt, die aber auch nicht in dem, was wir mit Worten sagen können, gegeben und von außen indoktriniert ist.

Der Mensch erfährt sich als ein einzelner und in der Menschheit als ganzer in vielfältigster Weise gewiß als Produkt dessen, was er nicht selbst ist. Man könnte sogar grundsätzlich sagen, daß alle empirischen Wissenschaften vom Menschen methodologisch darauf hinzielen, ihn zu erklären, abzuleiten, ihn also als das Ergebnis und den Schnittpunkt von Wirklichkeiten zu sehen, die einerseits innerhalb des empirischen Erfahrungsbereiches stehen, die er anderseits aber selber nicht ist und die ihn doch in seine Wirklichkeit setzen, bestimmen und so auch erklären. Alle empirischen anthropologischen Wissenschaften haben selbstverständlich das Recht, den Menschen gleichsam aufzulösen, so zu analysieren und abzuleiten, daß das, was sie am Menschen beobachten und feststellen, sich als das Produkt, das Ergebnis von Daten, von Wirklichkeiten erklärt, die nicht dieser konkrete Mensch sind. Ob diese Wissenschaften Physik, Chemie, Biochemie, Genetik, Paläontologie, Soziologie oder wie auch immer heißen, sie alle suchen durchaus legitim den Menschen abzuleiten, ihn zu erklären, ihn gewissermaßen in seine erfahrbaren und angebbaren, analysierbaren, trennbaren Ursachen hinein aufzulösen. Diese Wissenschaften haben in ihren Methoden und in ihren Ergebnissen zunächst weithin recht, und die eigene harte Erfahrung jedes Menschen in seinem eigenen Dasein zeigt, wie sehr sie recht haben.

Der Mensch blickt in sich hinein, er schaut zurück in seine Vergangenheit und blickt in seine Umwelt, und er stellt erschaudernd oder erleichtert fest, daß er hinsichtlich aller Einzeldaten seiner Wirklichkeit sich gewissermaßen von sich selbst abwälzen und das, was er ist, dem, was er nicht ist, aufbürden kann. Er stellt sich als der fest, der durch anderes geworden ist. Und dieses andere ist das Unversöhnliche, Subjektlose der Natur (samt der „Geschichte", die er auch noch einmal als „Natur" deuten kann), von der er herkommt. Es besteht vom christlichen Standpunkt aus kein Grund, den Anspruch empirischer Anthropologie auf bestimmte material und regional begrenzte Bezirke des Menschen zu beschränken und etwa das, was von diesen empirischen Anthropologien zugestanden wird, „Materie", „Leib" oder ähnlich zu nennen und diesem dann ein empirisch eindeutig abscheidbares Moment entgegenzusetzen, das man „Geist" oder „Seele" nennt.

Natürlich führt man in einer landläufigen christlichen Apologetik und theologischen Anthropologie eine solche materiale Teilung mit einem gewissen Recht durch, um sich in der Primitivität des Alltagsdenkens zu verständigen. Aber es ist doch im Grunde so, daß jede *partikulare Anthropologie* („regionale" könnte man auch sagen, wenn man dieses Wort nicht geographisch versteht), etwa die der Biochemie, Biologie, Genetik, Soziologie usw., den Menschen von einem bestimmten Standpunkt aus angeht und nicht die eine und ganze Anthropologie zu sein beansprucht. Der Soziologe wird durchaus eine eigene, ihm und seinen Methoden entsprechende Anthropologie entwickeln; aber wenn er einigermaßen vernünftig ist, wird er nicht sagen, daß eine biologische Anthropologie, eine Anthropologie der Verhaltensmuster usw. von vornherein sinnlos sei. Er wird diese Anthropologien vielleicht sogar benutzen. Aber er erkennt gerade dadurch auch an, daß es neben seiner partikularen Anthropologie auch noch andere gibt. Und jede von ihnen hat ihre bestimmten Methoden, wenigstens als vorläufige und unter letzten Vorbehalten. Jede will aber doch über den Menschen *als ganzen* etwas aussagen und kann nicht – da sie ihn als einen setzt – von vornherein darauf verzichten, über alles an ihm, dem einen, eine Aussage machen zu wollen. Jede dieser Anthropologien sucht also den Menschen aus Einzeldaten zu erklären, indem sie ihn in seine Elemente hinein destruiert und ihn aus Einzeldaten wiederum konstruierend zusammenfügt. Und das ist das Recht jeder regionalen Anthropologie. Meist ist auch jede solche Anthropologie von dem geheimen Verlangen inspiriert, nicht nur den Menschen zu erkennen, ihn nicht nur gedanklich destruierend zu konstruieren, sondern auch ihn dadurch real zu beherrschen. Die Absicht jeder – obzwar regionalen – Anthropologie, den Menschen als ganzen zu erklären, ist berechtigt. Denn der Mensch ist ein Wesen von innerweltlicher, d. h. von erfahrbaren Wirklichkeiten abkünftiger Herkunft. Er ist so, daß eine solche partikulare innerweltliche Herkünftigkeit ihn immer als den einen und ganzen betrifft. Darum bleiben partikulare Anthropologien doch immer Anthropologien.

Die Eigentümlichkeit der Personerfahrung

Die Philosophie und die Theologie haben innerhalb dieses Menschen keinen ihnen allein zukommenden Schutzbezirk, der von vornherein diesen anderen Anthropologien wie ein Heiliges Land verschlossen wäre. Aber inmitten dieser ihn scheinbar auflösenden Herkünftigkeit, die alles an ihm zu einem Produkt der Welt zu machen scheint und von der nichts an ihm von vornherein ausgenommen werden muß und auch nicht ausgenommen werden darf, erfährt der Mensch sich als *Person und Subjekt.* Wenn wir uns sagen, der Mensch ist Subjekt und Person, dann ist das nicht eine Aussage eines bestimmten Stückes an ihm, das man isolieren könnte, so daß man davon alle anderen partikularen Anthropologien ausschließen könnte, selbst aber wieder eine eben solche partikulare Anthropologie treiben würde. Die Eigentümlichkeit dieser Erfahrung und deswegen die Eigentümlichkeit ihrer konkreten Einübung muß immer wieder bedacht werden. Der Mensch kann zwar an etwas vorbeiblicken, was er ist; besser: er kann an dem Ganzen als solchem, das er auch und vor allem ist, vorbeisehen; das Erfahrene kann bei ihm auch das Verdrängte sein. Hier ist diese Verdrängung nicht im Sinne der Tiefenpsychologie, sondern in einem viel allgemeinmenschlicheren und gleichzeitig alltäglicheren Sinne gemeint. Man kann an etwas vorbeisehen, sich daran uninteressiert zeigen, es auf sich beruhen lassen, obwohl es zu einem selber gehört. Man läßt gewissermaßen die ursprüngliche Erfahrung nicht vorkommen. Man kann auf der einen Seite über sie nur in Worten und Begriffen reden, und trotzdem ist das, was gemeint ist, nicht das, was der Sprache als solcher erstmals und allein gegeben ist. Und es kann nun eben sein, daß ein Mensch eben solche verborgenen, totalen, gleichsam schweigenden und sich nicht laut meldenden Erfahrungen einfach nicht ins Wort, auf die Ebene seiner begrifflichen Objektivation bringen will oder vielleicht auch nicht bringen kann.

Wir haben hier noch nicht die Gelegenheit, auf diese Eigentümlichkeit der menschlichen Selbstinterpretation einzugehen, daß nämlich das Ursprünglichste und Selbstverständlichste auch das Übersehbarste, das am meisten Verdrängbare sein kann. Es muß nur hier schon auf die Möglichkeit eines existenziellen Nicht-wahr-haben-Wollens aufmerksam gemacht werden, damit das, was über die Personhaftigkeit, die Subjekthaftigkeit des Menschen zu sagen ist, nicht von vornherein einem Nicht-sehen-Wollen begegnet.

Der Mensch erfährt sich nämlich gerade als subjekthafte Person, insofern er sich selbst als das Produkt des ihm radikal Fremden vor sich bringt. Dieses Moment, daß der Mensch von seiner radikalen Herkünftigkeit auch *weiß*, ist ja durch diese Herkünftigkeit nicht erklärt. Wenn er sich destruierend konstruiert, dann ist ja durch diesen Vorgang noch nicht erklärt, daß er diese destruierende Konstruktion *selber* tut und davon weiß. Gerade indem der Mensch sich als das sich selbst auferlegte Fremde und Produzierte erfährt – gerade insofern er allen denkbaren Möglichkeiten einer den Menschen ins Fremde reduzierenden und zersetzenden Analyse empirischer Anthropologien den Raum von vornherein freigibt, selbst dort, wo diese Analyse faktisch noch gar nicht zu ihrem Ende gekommen ist –, gerade in der Tatsache, daß der Mensch seinen empirischen partikularen Anthropologien das Recht gibt, ihn immer noch weiter zu erklären und zu reduzieren, zu destruieren und gleichsam in der Retorte des Geistes und in der Zukunft vielleicht auch in der Praxis aufzubauen, erfährt er sich als Subjekt und Person. Er kann aber an dieser Tatsache vorbeiblicken, weil sie ihm gerade an ihrem scheinbaren Gegenteil aufgeht.

Indem der Mensch sich selbst analytisch in Frage stellt und den unbegrenzten Horizont eines solchen Fragens eröffnet, hat er sich selbst und alle denkbaren Momente einer solchen Analyse oder eines empirischen Selbstaufbaus schon umgriffen und damit sich selbst als den gesetzt, der mehr ist als die Summe solcher analysierbarer Komponenten seiner Wirklichkeit. Eben dieses Vor-sich-selbst-gebracht-Sein, diese Konfrontierung mit der Ganzheit seiner sämtlichen Bedingungen, diese Bedingtheit erweisen ihn als den, der mehr ist als die Summe seiner Faktoren. Denn gerade ein endliches System von einzelnen, voneinander unterscheidbaren Elementen kann kein solches Verhältnis zu sich selber haben, wie es der Mensch in der Erfahrung seiner pluralen Bedingtheit und Reduzierbarkeit zu sich selbst hat. Ein endliches System kann sich nicht als Ganzes vor sich selbst bringen. Ein endliches

System hat von einer letztlich auferlegten Ausgangsposition aus ein Verhältnis zu einer bestimmten Leistung (wenn auch diese noch einmal in der Aufrechterhaltung des Systems selber bestehen mag), aber nicht zu seiner eigenen Ausgangsposition; es fragt nicht nach sich selbst; es ist nicht Subjekt. Die Erfahrung einer radikalen Fragwürdigkeit und die Infragestellbarkeit des Menschen sind eine Leistung, die ein schlechthin endliches System nicht leisten kann.

Dieser Standpunkt außerhalb des umgriffenen Systems empirisch im einzelnen angebbarer Daten darf natürlich ex supposito gerade nicht als ein einzelnes, trennbares Element am Menschen in seiner Empirie verstanden werden, wie es – zwar pädagogisch verständlich, aber letztlich primitiv – die Schultheologie gern tut, wenn sie vom Geist oder der unsterblichen Seele des Menschen spricht, als ob das, was damit gemeint ist, ein unmittelbar in sich selbst antreffbares und empirisch rein unterscheidbares Element am Ganzen des Menschen wäre. Aber gerade dann, wenn wir diesen primitiven Dualismus einer griechischen und letztlich nicht christlichen Anthropologie nicht mitmachen, sondern wissen, daß der eine Mensch als der eine immer schon in einer Frage vor sich gebracht ist, die alle möglichen empirischen Teilantworten bereits – nicht in einer positiven Inhaltlichkeit, sondern in der Radikalität der Frage – überholt hat, wird der Mensch als Subjekt erfahren – als Subjektivität eben dieser pluralen Objektivitäten, mit denen es die empirischen Humanwissenschaften zu tun haben. Das Sich-zu-sich-selber-verhalten-Können, das Mit-sich-selber-zu-tun-Haben des Menschen ist einerseits kein Moment an ihm neben anderen Elementen und kann es nicht sein, ist aber darum dennoch eine Wirklichkeit, die die Subjekthaftigkeit des Menschen im Unterschied zur Sachhaftigkeit eben dieses Menschen – die es auch gibt – ausmacht.

Personsein bedeutet so Selbstbesitz eines Subjekts als solchen in einem wissenden und freien Bezogensein auf das Ganze. Diese Bezogenheit ist die Bedingung der Möglichkeit und der vorgängige Horizont dafür, daß der Mensch in seiner empirischen Einzelerfahrung und Einzelwissenschaft mit sich als einem und ganzem umgeht. Die Überantwortetheit des Ganzen des Menschen an ihn selbst kann als Bedingung seiner empirischen Selbsterfahrung nicht aus dieser und ihren Gegenständlichkeiten adäquat abgeleitet werden; selbst dort noch, wo der Mensch sich restlos als das Fremdbedingte von sich abwälzen und so sich selbst wegerklären wollte, ist *er* es, der dies tut und weiß und will, umgreift *er* die Summe möglicher Elemente einer solchen Erklärung und erweist *er* sich so als derjenige, der ein anderes ist als das nachträgliche Produkt solcher Einzelmomente. Man kann zwar durchaus von endlichen Systemen sprechen, die sich steuern und so in einem gewissen Sinne ein Verhältnis zu sich selbst haben. Aber ein solches sich selbst steuerndes System hat nur eine endliche Möglichkeit einer Selbstregulierung. Diese ist ein Moment an diesem System und kann also nicht verständlich machen, daß sich der Mensch als ganzer vor sich bringt und in Frage stellt und die Frage der Fragen noch einmal denkt.

Die praktische Sich-selbst-Gegebenheit des Menschen, der sein eigenes System mit all seinen gegenwärtigen und künftigen partikularen Möglichkeiten, sich selbst also als ganzen, noch einmal vor sich bringt, in Frage stellt und so überholt, kann nicht mit Hilfe der Modellvorstellung eines sich selbst regulierenden pluralen Systems erklärt werden, wie es im Grund alle partikularen Anthropologien von ihrem Wesen her tun müssen. Diese Subjekthaftigkeit ist selbst ein unableitbares Daseinsdatum, mitgegeben in einer jeden Einzelerfahrung als deren apriorische Bedingung. Ihre Erfahrung ist – in einem noch ganz unphilosophischen Sinne – eine transzendentale Erfahrung. Ebendas, was wir mit Personhaftigkeit und Subjekthaftigkeit meinen, entzieht sich immer – gerade wegen der Transzendentalität dieser Erfahrung – einem unmittelbaren, isolierenden, regional eingrenzenden Zugriff. Denn der Gegenstand solcher transzendentaler Erfahrung in seinem eigenen Selbst tritt nicht dort auf, wo der Mensch gegenständlich mit einzelnem Abgrenzbarem umgeht, sondern dort, wo er in einem solchen Umgang eben gerade Subjekt ist und nicht ein „Subjekt" gegenständlich vor sich hat. „Der Mensch ist Person und Subjekt" heißt also zunächst: Der Mensch ist der Unableitbare, nicht aus anderen verfügbaren Elementen adäquat Herstellbare; er ist derjenige, der sich selbst immer schon überantwortet ist. Wenn er sich nun erklärt, auseinanderlegt, sich in die Pluralität seiner Herkünfte zurückstößt, setzt er sich noch einmal als das Subjekt, das dieses tut und in diesem Tun sich als das unaufhebbar Frühere und Ursprünglichere erfährt.

3. DER MENSCH ALS WESEN DER TRANSZENDENZ

Was mit der Subjekthaftigkeit, die der Mensch erfährt, genauer gemeint ist, wird deutlicher, wenn wir sagen, daß der Mensch das Wesen der Transzendenz ist.

Die vorgreifende Struktur der Erkenntnis

Der Mensch ist trotz der Endlichkeit seines Systems immer schon als ganzer vor sich gebracht. Er kann alles in Frage stellen; er kann alles einzeln Aussagbare immer schon in einem Vorgriff auf alles und jedes mindestens fragen. Indem er die Möglichkeit eines bloß *endlichen* Fragehorizontes setzt, ist diese Möglichkeit schon wieder überholt, erweist sich der Mensch als das Wesen eines *unendlichen* Horizontes. Indem er seine Endlichkeit radikal erfährt, greift er über diese Endlichkeit hinaus, erfährt er sich als Wesen der Transzendenz, als Geist. Der unendliche Horizont menschlichen Fragens wird als ein Horizont erfahren, der immer weiter zurückweicht, je mehr Antworten der Mensch sich zu geben vermag. Der Mensch kann versuchen, die unheimliche Unendlichkeit, in die er fragend ausgesetzt ist, auf sich beruhen zu lassen; er kann aus der Angst vor dem Unheimlichen sich zu dem Vertrauten und Alltäglichen flüchten; aber die Unendlichkeit, in die er sich ausgesetzt erfährt, durchdringt auch sein alltägliches Tun. Er bleibt grundsätzlich immer unterwegs. Jedes angebbare Ziel im Erkennen und in der Tat ist immer schon wieder relativiert als Vorläufigkeit und Etappe. Jede Antwort ist immer wieder nur der Aufgang einer neuen Frage. Der Mensch erfährt sich als die unendliche Möglichkeit, weil er notwendig in Praxis und Theorie jedwedes erzielte Resultat immer wieder in Frage stellt, immer wieder in einen weiteren Horizont hineinrückt, der sich unabsehbar vor ihm auftut. Er ist der Geist, der sich als solcher erfährt, indem er sich nicht als *reiner* Geist erfährt. Der Mensch ist nicht die in sich fraglose, fraglos gegebene Unendlichkeit der Wirklichkeit; er ist die Frage, die leer, aber wirklich und unausweichlich vor ihm aufsteht und die von ihm nie überholt, nie adäquat beantwortet werden kann.

Mögliche Abwendung von der Transzendenzerfahrung

Natürlich kann ein Mensch an dieser Transzendenzerfahrung achselzuckend vorbeigehen und sich der Konkretheit seiner Welt, seiner Aufgabe, seinem kategorialen Tun in Raum und Zeit, der Bedienung seines Systems an bestimmten Hebeln und Schaltern seiner Wirklichkeit widmen. Das ist auf dreierlei Weise möglich:

1. Die meisten Menschen werden das auf eine naive Weise tun. Sie leben von sich weg in das Konkrete, Manipulierbare, Überschaubare ihres Lebens und ihrer Umwelt hinein. Sie haben darin genug, und zwar sehr Interessantes und Bedeutsames, zu tun; und sie können immer, wenn sie überhaupt auf etwas darüber Hinausgehendes reflektieren, sagen, daß es sinnvoller sei, sich darüber nicht den Kopf zu zerbrechen.

2. Eine solche Wegwendung von dieser Frage und dem Standhalten der menschlichen Transzendenz als solcher gegenüber kann auch in einer Entschlossenheit geschehen, das kategoriale Dasein und seine Aufgaben auf sich zu nehmen mit dem begleitenden und ausgehaltenen Wissen, daß alles noch einmal umfaßt ist von einer letzten Frage. Diese Frage läßt man vielleicht als Frage stehen. Man glaubt, sie vertagen zu können, schweigend, in einem vielleicht sinnvollen Skeptizismus. Aber dann gibt man eben doch zu, daß man im allerletzten einer solchen Frage nicht ausweichen kann, gerade dann, wenn man erklärt, daß sie unbeantwortbar ist.

3. Es gibt eine – vielleicht – verzweifelte Kategorialität im menschlichen

Dasein. Man handelt, man liest, man ärgert sich, arbeitet, forscht, man erreicht etwas, man verdient Geld; und in einer letzten, vielleicht uneingestandenen Verzweiflung sagt man sich, daß das Ganze als Ganzes keinen Sinn habe und daß man gut daran tue, die Frage nach dem Sinn des Ganzen zu unterdrücken und als unbeantwortbare und darum sinnlose Frage zu verwerfen.

Welche dieser drei Möglichkeiten im konkreten Menschen jeweils gegeben ist, ist nicht eindeutig auszumachen.

Der Vorgriff auf das Sein

Der Mensch ist das Wesen der Transzendenz, insofern alle seine Erkenntnis und seine erkennende Tat begründet sind im *Vorgriff* auf das „Sein" überhaupt, in einem unthematischen, aber unausweichlichen Wissen um die Unendlichkeit der Wirklichkeit (so können wir etwas kühn und vorläufig jetzt schon sagen). Vorausgesetzt ist, daß dieser unendliche Vorgriff nicht dadurch begründet ist, daß er auf das Nichts als solches vorgreifen kann. Diese Voraussetzung ist zu machen; denn das Nichts begründet nichts; das Nichts kann nicht das Woraufhin des Vorgriffs, das Anziehende und Bewegende, das in Gang Bringende jener Wirklichkeit sein, die der Mensch als sein wirkliches und nicht nichtiges Leben erfährt. Gewiß macht der Mensch immer auch die Erfahrung des Leeren, der inneren Brüchigkeit und – wenn man es so nennen will, um es nicht zu verharmlosen – der Absurdität dessen, was ihm begegnet. Aber er erfährt auch die Hoffnung, die Bewegung in das befreiend Freie, die Verantwortung, die reale Lasten auferlegt und segnet.

Wenn der Mensch aber *beides* erfährt und dennoch *eine* Erfahrung hat, in der eine letzte Urbewegung alle einzelnen Bewegungen und Erfahrungen trägt, wenn er nicht ein Gnostiker sein kann, der entweder zwei Urwirklichkeiten kennt oder einen Dualismus im letzten Urgrund annimmt, wenn er das nicht kann, weil es der Einheit seiner Erfahrung widerspricht, dann bleibt nur *eine* Möglichkeit: Der Mensch kann zwar begreifen, daß das absolute Sein außer sich selbst Grenzen und Enden setzt, daß es ein Bedingtes wollen könne; er kann aber logisch und existenziell nicht meinen, daß das Hoffnungsvolle, das sich Weitende, das er real erfährt, nur eine holde und wahnwitzige Täuschung sei und daß alles im letzten in einem leeren Nichts gründe – wenn anders er diesem Wort „Nichts" überhaupt einen Sinn gibt und es nicht einfach als Schrecksignal für die wahre und echte Daseinsangst ausschreit, die er wirklich erlebt.

Das den Vorgriff des Menschen in seiner absoluten Weite der Transzendenz Tragende und ihn Eröffnende kann also nicht das Nichts, die schlechthinnige Leere sein. Denn ein solcher Satz – vom Nichts ausgesagt – wäre schlechthin sinnlos. Da sich aber der Vorgriff als die bloße Frage anderseits nicht selbst erklärt, muß er als das Walten jenes – eben des Seins schlechthin – verstanden werden, auf das hin der Mensch eröffnet ist. Die Transzendenzbewegung ist aber nun nicht das machtvolle Konstituieren des unendlichen Raumes des Subjekts vom Subjekt als dem absolut Seinsmächtigen her, sondern das Aufgehen des unendlichen Seinshorizontes von diesem selbst her. Wo immer der Mensch sich in seiner Transzendenz als der Fragende erfährt, der durch diesen Aufgang des Seins Beunruhigte, der ins Unsagbare Hinausgesetzte, kann er sich nicht in dem Sinne des *absoluten* Subjekts als Subjekt begreifen, sondern nur in dem Sinn der Seinsempfängnis, letztlich der Gnade. Dabei meint hier „Gnade" sowohl die durch Endlichkeit und Kontingenz erfahrene Freiheit des den Menschen setzenden Seinsgrundes als auch das, was wir in einem engeren theologischen Sinne „Gnade" zu nennen pflegen.

Der Vorgriff konstituiert Person

Insofern der Mensch das Wesen dieser Transzendenz ist, ist er auch sich selbst konfrontiert, sich überantwortet und so Person und Subjekt. Denn nur dort, wo die Unendlichkeit des Seins – sich entbergend und entziehend – waltet, hat ein Seiendes den Ort und Standpunkt, von dem aus es sich übernehmen und verantworten kann. Ein endliches System als solches kann sich selbst als Endliches nur erfahren, wenn es selbst von seinem Ursprung her dadurch als es selbst west, daß es immer als dieses wissende Subjekt von etwas anderem herkommt, das es selbst nicht ist und das selbst nicht nur ein einzelnes System, sondern die ursprüngliche, alles vorwegnehmende Einheit und Fülle aller denkbaren Systeme und aller Subjekte als einzelner und verschiedener ist. Wie sich von hier aus eine ursprüngliche, transzendentale Einsicht in das gewinnen läßt, was wir Kreatürlichkeit nennen, ist später zu zeigen.

Es versteht sich von selbst, daß diese transzendentale Erfahrung der menschlichen Transzendenz nicht die Erfahrung eines bestimmten einzelnen Gegenständlichen ist, das neben anderen Gegenständen erfahren wird, sondern eine Grundbefindlichkeit, die jeder gegenständlichen Erfahrung vorausliegt und sie durchwaltet. Immer wieder ist zu betonen, daß die hier gemeinte Transzendenz nicht den thematisch vorgestellten „Begriff" der Transzendenz, in dem sie gegenständlich reflektiert wird, meint, sondern jene apriorische Eröffnetheit des Subjekts auf das Sein überhaupt, die gerade dann gegeben ist, wenn der Mensch sich als sorgend und besorgend, fürchtend und hoffend der Vielfalt seiner Alltagswelt ausgesetzt erfährt. Die eigentliche Transzendenz ist gewissermaßen immer hinter dem Menschen am unverfügbaren Ursprung seines Lebens und Erkennens. Und diese eigentliche Transzendenz wird durch die metaphysische Reflexion nie eingeholt und kann als reine, d.h. als gegenständlich nicht vermittelte höchstens (wenn überhaupt) in der Erfahrung der Mystik und vielleicht der letzten Einsamkeit und Todesbereitschaft in asymptotischer Annäherung gegeben sein; und gerade weil eine solche ursprüngliche Transzendenzerfahrung – die etwas anderes ist als das philosophische Reden darüber – normalerweise nur durch die Vermittlung der kategorialen Gegenständlichkeit der Umwelt oder des Menschen selber gegeben sein kann, darum kann diese transzendentale Erfahrung leicht übersehen werden. Sie ist gewissermaßen nur als die geheime Ingredienz gegeben. Aber der Mensch ist und bleibt das Wesen der Transzendenz, d. h. jenes Seiende, dem sich die unverfügbare und schweigende Unendlichkeit der Wirklichkeit als Geheimnis dauernd zuschickt. Dadurch wird der Mensch zur reinen Offenheit für dieses Geheimnis gemacht und gerade so als Person und Subjekt vor sich selbst gebracht.

4. DER MENSCH ALS DAS WESEN DER VERANTWORTUNG UND FREIHEIT

Freiheit ist kein partikuläres Datum

Indem der Mensch durch seine Transzendenz ins Offene gesetzt ist, ist er gleichzeitig sich selbst überantwortet, ist er nicht nur erkennend, sondern *handelnd* sich selbst anheim- und aufgegeben und erfährt er sich in dieser Überantwortetheit an sich selbst als verantwortlich und frei. Was früher über das Verhältnis zwischen der Personhaftigkeit des Menschen und seiner innerweltlichen Bestimmtheit und Herkünftigkeit gesagt wurde, gilt hier in besonderem Maße. Im ursprünglichen Ansatz ist Verantwortlichkeit und Freiheit des Menschen nicht ein partikuläres, empirisches Datum in der Wirklichkeit des Menschen neben anderen. Wenn eine empirische Psychologie, je radikaler sie ist, desto weniger Freiheit zu entdecken vermag, dann ist das letztlich konsequent. Die traditionelle scholastische Schulpsychologie, die die Freiheit unmittelbar als einzelnes konkretes Datum innerhalb des Raumes der menschlichen Transzendentalität und Personalität entdecken will, hat zwar eine gute Absicht, aber sie tut etwas, was dem Wesen der Freiheit im Grunde widerspricht. Wenn sie den Widerspruch der empirischen Psychologie erfährt, ist das nicht verwunderlich. Eine empirische Psychologie muß immer ein Phänomen auf ein anderes zurückführen und kann so selbstverständlich keine Freiheit entdecken. Auch wenn wir in unserem Alltagsleben sagen, da und da waren wir frei und dort vermutlicherweise nicht, dann handelt es sich nicht um ein regionales, raumzeitlich eindeutig auffindbares Phänomen neben anderen, sondern es handelt sich höchstens um die Applikation und Konkretisation einer transzendentalen Erfahrung von Freiheit, die etwas ganz anderes ist als diejenige Erfahrung, mit der es die partikularen Wissenschaften zu tun haben.

Im ursprünglichen Ansatz ist Verantwortlichkeit und Freiheit des Menschen nicht ein partikulares empirisches Datum in der Wirklichkeit des Menschen neben anderen. Und darum können die empirischen Wissenschaften der Anthropologie und auch die Psychologie sich die Frage der Freiheit ersparen. Natürlich kommt in der Jurisprudenz und in der Rechtsphilosophie notwendigerweise die Frage der Freiheit und Verantwortlichkeit eines Menschen zur Sprache. Es sollte auch nicht bestritten werden, daß der Begriff von Freiheit, Verantwortlichkeit, Zurechnungsfähigkeit, Unzurechnungsfähigkeit im gewöhnlichen Alltagsleben des Menschen und auch im bürgerlichen Leben des Rechtes etwas zu tun hat mit dem, was wir hier meinen. Es ist aber sicher auch klar, daß, wenn es diese transzendentale Erfahrung von der Subjekthaftigkeit und Freiheit des Menschen nicht gäbe, diese auch im Raum der kategorialen Erfahrung des Menschen, in seinem bürgerlichen Leben, in seinem persönlichen Leben nicht vorkommen könnte. Aber die eigentliche transzendentale Erfahrung der Freiheit braucht nicht in dieser primitiven Weise als eine Erfahrung eines unmittelbar innerhalb des menschlichen Bewußtseins entdeckbaren Datums gedeutet zu werden, weil „ich" mich immer in all diesen Fragen schon als das sich aufgegebene Subjekt erlebe. Darin ist so etwas wie wirkliche Subjekthaftigkeit, Sichaufgebürdetheit – und zwar nicht nur im Erkennen, sondern auch im Handeln – als eine transzendental-apriorische Erfahrung meiner Freiheit gegeben. Nur dadurch weiß ich, daß ich der frei mir selbst Verantwortliche bin, selbst dort, wo ich so etwas bezweifle, in Frage stelle und als Einzeldatum meiner raumzeitlich-kategorialen Erfahrung nicht entdecken kann.

Die konkrete Vermitteltheit der Freiheit

Das, was wir hier transzendentale Freiheit nennen – letzte Sichselbstüberantwortetheit der Person, nicht nur im Erkennen, also nicht nur als Selbstbewußtsein, sondern als Selbsttat – kann letztlich für eine echte Anthropologie, die den Menschen als konkreten Menschen, als eine wirkliche Einheit begreift, zudem nicht in einer Innerlichkeit der Gesinnung verborgen bleiben. Auch Freiheit wird immer durch die konkrete Wirklichkeit der Raumzeitlichkeit, der Leiblichkeit, der Geschichte des Menschen vermittelt sein. Eine Freiheit, die nicht welthaft in Erscheinung treten könnte, wäre gewiß keine Freiheit, die uns besonders interessiert, und auch keine Freiheit, so wie sie das Christentum versteht. Aber wir werden immer unterscheiden müssen zwischen der Freiheit im Ursprung und der Freiheit, insofern sie durch das Medium der Welt und der leibhaftigen Geschichte hindurchgeht und zu sich selbst vermittelt wird. Durch diese Polarität zwischen der Ursprünglichkeit und der kategorialen Objektivation der Freiheit ist die reflektierende Freiheit sich selbst immer notwendig verborgen, weil sie immer nur auf ihre

Objektivation unmittelbar reflektieren kann, diese aber immer ambivalent bleibt. Insofern können wir zwischen einer entspringenden und einer entsprungenen, zwischen einer Freiheit im Ursprung und einer Freiheit gleichsam in ihrer konkreten, welthaften Inkarnation unterscheiden. Das sind natürlich nicht zwei Dinge, die getrennt werden können, sondern zwei die eine Einheit der Freiheit bildende Momente. Wenn die empirischen Anthropologien einzelne Momente verschiedener Art im Menschen feststellen, kausale oder funktionale Zusammenhänge zwischen diesen einzelnen Vorfindlichkeiten erkennen und festlegen und dann keine Freiheit als Einzeldatum innerhalb dieser von ihnen erforschten Wirklichkeiten feststellen können, dann braucht die eigentliche Verantwortlichkeit und Freiheit des Menschen sich nicht im geringsten dadurch gefährdet zu empfinden. Die Frage, ob man ein konkretes empirisches Einzeldatum in der Geschichte eines Menschen oder der Menschheit als Produkt und Inkarnation dieser ursprünglichen Freiheit interpretieren kann oder ob man im einzelnen Fall das Gegenteil tun muß, ist natürlich eine Frage, die durch unsere Überlegungen noch nicht entschieden ist und die aufgrund theologischer Daten im letzten gar nicht von einem Menschen entschieden werden kann, der noch in seiner eigenen Geschichte steht. Denn diese letzte transzendentale Freiheit als konkret gesetzte, ursprüngliche entzieht sich eben aus ihrem eigenen Wesen einer adäquat eindeutigen Reflexion und deswegen erst recht dort, wo solche Freiheit in der Geschichte anderer Menschen auftritt oder nicht auftritt.

Verantwortlichkeit und Freiheit als Wirklichkeit transzendentaler Erfahrung

Wie Subjektivität und Personhaftigkeit ist auch Verantwortung und Freiheit eine Wirklichkeit der transzendentalen Erfahrung, d.h. ist dort Erfahrung, wo ein Subjekt als solches sich erfährt, also gerade nicht dort, wo es sich in einer nachträglichen wissenschaftlichen Reflexion vergegenständlicht. Wo das Subjekt sich als Subjekt erfährt, also als das Seiende, das eine ursprünglich nicht mehr auflösbare Einheit und Selbstgegebenheit vor dem Sein durch Transzendenz überhaupt hat, wo dieses Subjekt seine Tat als subjekthafte erfährt (wenn es sie auch nicht in der gleichen Weise reflektieren kann), da wird in einem ursprünglichen Sinn Verantwortung und Freiheit im Grunde des je eigenen Daseins erfahren. Diese Freiheit vollzieht sich zwar immer entsprechend der leibhaften und welthaften Natur des Menschen in einer Pluralität von konkreten Handlungen in einem pluralen Zeitraum, in einem pluralen Engagement, in die Geschichte und auch in die Gesellschaft hinein. Das alles ist selbstverständlich: Diese freie Tat ist nicht etwas, was sich nur in der verschlossenen Tiefe der Person ereignen würde, weltlos und geschichtslos. Aber darum ist die eigentliche Freiheit des Menschen doch bleibend eine, weil sie eine transzendentale Eigentümlichkeit des einen Subjekts als solche ist. Wir können also gewissermaßen nur immer sagen, weil und insofern ich mich als Person, als Subjekt erfahre, erfahre ich mich auch als frei, und zwar eben als frei in einer Freiheit, die primär nicht das einzelne psychische Vorkommnis isoliert als solches meint, sondern in einer Freiheit, die das eine ganze Subjekt in der Einheit des ganzen Existenzvollzugs als einen meint.

Wie sich das in der raumzeitlichen Breite und Länge eines geschichtlichen Daseins auch in die Konkretheit der Pluralität des menschlichen Lebens hinein vollzieht, das ist eine Frage, die wir nicht genau entscheiden können. Diese Freiheit ist darum nicht das neutrale Vermögen, das man als von sich Verschiedenes hat und bei sich trägt, sondern sie ist eine Grundeigentümlichkeit des personhaften Seienden, das sich in zeitlicher, immer schon geschehener und immer noch geschehender Tat, als Selbstbesitz, als das Verantwortete und zu Verantwortende erfährt, bis die subjektive, subjekthafte Antwort auf jene unendliche Unbegreiflichkeit sich diesem Wesen in seiner Transzendenz zuschickt und als solche angenommen oder verweigert wird.

Wie seiner Subjekthaftigkeit kann der Mensch auch seiner Verantwortlichkeit und Freiheit entfliehen, sich gerade so als Produkt des ihm Fremden interpretieren; aber eben diese Selbstinterpretation, die wir vornehmen und die wir nicht noch einmal mit dem Inhalt dieser Interpretation verwechseln dürfen, ist die Tat des Subjekts als solchen, das sich ablehnt oder seine Freiheit als Verdammnis zu leerer Willkür des ihm Fremden interpretiert. Gerade dabei handelt es noch einmal als freies Subjekt und bestätigt sich noch einmal in dem Nein zu sich. Mit anderen Worten: In der Freiheit geht es immer um den Menschen als solchen und ganzen. Das Objekt der Freiheit in ihrem ursprünglichen Sinn ist das Subjekt selbst, und alle zu behandelnden Gegenstände der Umwelterfahrung sind nur Gegenstände der Freiheit, insofern sie dieses endliche und raumzeitliche Subjekt an es selber vermitteln. Dort, wo Freiheit wirklich begriffen wird, ist sie nicht das Vermögen, dieses oder jenes tun zu können, sondern das Vermögen, über sich selbst zu entscheiden und sich selbst zu tun.

Natürlich darf das nicht wieder in einem weltlosen und geschichtslosen und gesellschaftslosen Sinn verstanden werden, sondern als die Formalität, unter der das Wesen der Freiheit erfaßt und ausgesprochen werden muß. Die inhaltliche Sinngebung des formal so Gesagten ist natürlich noch einmal etwas anderes. Wenn jemand sagt, der Mensch erfahre sich doch immer als der Fremdbestimmte, als der Verfügte, als der Funktionale, als der Abhängige, als der Analysierbare, als der nach rückwärts und vorwärts Auflösbare, dann ist zu sagen: Dieses Subjekt, das das weiß, ist gleichzeitig immer das verantwortliche Subjekt, das aufgerufen ist, das zu sagen und zu tun, was es mit dieser absoluten Verfügtheit und Selbstentfremdetheit und Auflösbarkeit des Menschen zu tun hat – aufgerufen, dazu Stellung zu nehmen in einem Fluch, in einer Annahme, in einer Skepsis, in einer Verzweiflung oder wie nur immer.

Aber gerade so ist der Mensch immer noch einmal sich selber aufgegeben auch dort, wo er sich in die empirischen Anthropologien selber aufgeben will. Er entrinnt eben seiner Freiheit nicht, und es kann nur die Frage sein, wie er sie selber (und das auch noch einmal frei) interpretiert.

5. DIE PERSONALE DASEINSFRAGE ALS HEILSFRAGE

Der theologische und anthropologische Ansatz zum Verständnis von „Heil"

Insofern der Mensch als freies Subjekt verantwortlich sich selber überantwortet ist, insofern er sich selbst als Gegenstand seiner eigentlichen, ursprünglich einen, das Ganze seines menschlichen Daseins betreffenden Freiheitstat übereignet ist, kann nun davon gesprochen werden, daß der Mensch ein *Heil* hat und die eigentliche personale Daseinsfrage in Wahrheit eine Heilsfrage ist. Dort, wo man den ursprünglichen, subjekthaften, vom Wesen der Freiheit herkommenden Ansatzpunkt für das Verständnis des Heils nicht sieht, kann Heil nur als eine merkwürdige, mythologisch klingende Größe auftreten. Aber so ist es im Grunde nicht, denn der wahre theologische Begriff des Heiles besagt ja nicht eine zukünftige Situation, die von außen her sachhaft als erfreulich oder, wenn es Unheil ist, unerfreulich den Menschen überraschend überfällt oder ihm nur aufgrund einer moralischen Beurteilung zuerkannt wird, sondern besagt die Endgültigkeit des wahren Selbstverständnisses und der wahren Selbsttat des Menschen in Freiheit vor Gott durch die Annahme seines eigenen Selbst, so wie es ihm in der Wahl der in Freiheit interpretierten Transzendenz eröffnet und übereignet ist. Die Ewigkeit des Menschen kann nur verstanden werden als die Eigentlichkeit und Endgültigkeit der sich ausgezeitigt habenden Freiheit. Allem anderen kann nur wieder Zeit, aber nicht Ewigkeit folgen, Ewigkeit, die kein Gegenteil von Zeit, sondern die Vollendetheit der Zeit der Freiheit ist.

Natürlich ist es von da aus eine unserer wichtigsten und schwierigsten Aufgaben, immer wieder deutlich zu machen, daß das, was das Christentum vom Menschen sagt, trotz der heils*geschichtlichen* Aussage, die es macht, den Menschen immer in seiner ersten Ursprünglichkeit, in seinem transzendentalen Wesen meint. Infolgedessen kann darüber eben auch letztlich nur so geredet werden, daß diese Transzendentalität der einen Frage, die der Mensch in seiner Transzendenz auf das umgreifende Geheimnis hin ist, nicht in einer *falschen* Weise kategorialisiert wird.

Heil in Geschichte

Der Mensch ist aber als personhaftes Wesen der Transzendenz und Freiheit auch in einem das weltliche, zeitliche, geschichtliche Wesen. Für die Beschreibung der Voraussetzungen, die die Botschaft des Christentums dem Menschen zuspricht, ist eine solche Aussage fundamental. Denn wenn der Bereich der Transzendenz und damit des Heils nicht von vornherein die Geschichte des Menschen, seine Weltlichkeit, seine Zeitlichkeit, in sich selber einbegreifen würde, könnte die Heilsfrage bzw. die Heilsbotschaft nicht geschichtlich ergehen und eine geschichtliche Wirklichkeit meinen.

Anderseits ist es hier nicht notwendig, Weltlichkeit, Zeitlichkeit, Geschichtlichkeit begrifflich genau zu unterscheiden, zumal der Begriff der Geschichtlichkeit die beiden anderen Begriffe als Momente an sich selbst einschließt. Aber was mit diesen Begriffen gemeint und für eine richtige Interpretation des Christentums entscheidend ist: Diese Weltlichkeit, Zeitlichkeit und Geschichtlichkeit sind Momente am Menschen, die er nicht bloß – neben und zusätzlich zu seiner freien Personhaftigkeit – auch *hat*, sondern Momente an der freien Subjekthaftigkeit der Person als solcher. Der Mensch ist nicht bloß *auch* ein biologisches und soziales Lebewesen, das diese seine Eigentümlichkeiten in Zeit treibt, sondern seine Subjektivität und freie personale Selbstinterpretation geschieht gerade durch seine Weltlichkeit, seine Zeitlichkeit und Geschichtlichkeit, besser: durch Welt, Zeit und Geschichte hindurch. Die Heilsfrage kann nicht an seiner Geschichtlichkeit und seiner gesellschaftlichen Verfaßtheit vorbei beantwortet werden. Transzendentalität und Freiheit werden in Geschichte vollzogen. Auch die Historie ist selbst wieder geschichtlich und ein Teil eben des geschichtlich und damit auch schon reflex sich vollziehenden Selbstverständnisses des Menschen. Der Mensch hat sein ewiges Wesen als vorgegebenes und seiner Freiheit und Reflexion überantwortetes, *indem* er seine Geschichte erfährt, erleidet und handelt. Geschichtlichkeit bezeichnet jene eigentümliche Grundbestimmung des Menschen, durch die er gerade als freies Subjekt in die Zeit gestellt ist und durch die ihm eine jeweilige Welt verfügt ist, die er in Freiheit schaffen und erleiden und in beidem noch einmal übernehmen muß. Die Welthaftigkeit des Menschen, sein dauerndes Weggegebensein an das andere einer vorgegebenen und auferlegten Welt als Umwelt und als Mitwelt ist ein inneres Moment dieses Subjekts selbst, das zwar in Freiheit verstanden und getan werden muß, das aber gerade so zu einem ewig gültigen an diesem Subjekt wird. Der Mensch ist als Subjekt nicht zufällig in diese materielle zeitliche Welt hineingeraten als in das ihm als Subjekt letztlich doch Fremde und zu ihm als Geist Widersprüchliche, sondern die weltliche Selbstentfremdung des Subjekts ist gerade die Weise, in der das Subjekt sich selber findet und endgültig setzt. Zeit, Welt und Geschichte vermitteln das Subjekt zu sich selbst und zu jenem unmittelbaren und freien Selbstbesitz, auf den hin ein personales Subjekt angelegt ist und auf den es immer schon vorgreift.

Wenn die Geschichtlichkeit des Menschen – und darum eben seine konkrete Geschichte – ein inneres konstitutives Moment am geistigen und freien Subjekt ist, dann kann auch die Heilsfrage als die Frage an das Subjekt als eines und ganzes in seiner Freiheit die Geschichte nicht auslassen. In ihr muß es dieses Heil wirken, indem es es darin als ihm gegebenes findet und annimmt. Ist die Geschichtlichkeit ein Existential des Subjekts selber, dann muß es Heils- und Unheilsgeschichte geben, weil der Freiheit die Heilsfrage aufgegeben ist, oder umgekehrt: Was mit Heilsfrage gemeint ist, kann nur von diesem Wesen der Freiheit her verstanden werden. Heilsgeschichte und Geschichte überhaupt müssen darum im letzten koexistent sein, wodurch natürlich im Vorletzten eine echte Differenzierung nicht ausgeschlossen ist. Ist das heilshafte Subjekt geschichtlich, dann ist die Geschichte selbst – wenn auch verborgen und immer noch auf dem Wege bis zur letzten und endgültigen Interpretation – die Geschichte dieses Heiles. Wenn zum Vollzug des eigenen Daseins, weil es geschichtlich ist, als inneres konstitutives und nicht bloß als äußeres Material die Interkommunikation der geistigen Subjekte in Wahrheit und Liebe und Gesellschaft gehört, ist die Einheit der Geschichte aller Menschen und die Einheit einer Heilsgeschichte von vornherein eine transzendentale Eigentümlichkeit an der personalen Geschichte jedes einzelnen und umgekehrt, eben weil es sich um die Geschichte von vielen Subjekten handelt.

6. DER MENSCH ALS DER VERFÜGTE

Getragensein durch das Geheimnis

Trotz seiner freien Subjekthaftigkeit erfährt sich der Mensch als Verfügter, und zwar in einer Verfügung, über die er selbst nicht mehr verfügen kann. Zunächst ist schon seine Konstitution als tranzendentales Subjekt durch die dauernd sich eröffnende und gleichzeitig sich versagende Zuschickung des Seins als des Geheimnisses getragen. Wir haben schon früher erwähnt, daß seine Transzendentalität nicht als die eines absoluten Subjekts aufgefaßt werden kann, das gewissermaßen das Eröffnete als das seiner eigenen Macht Untertane erfährt und hat. Vielmehr handelt es sich um eine Verwiesenheit, die nicht selbstherrlich sich setzt, sondern die sich als die gesetzte und verfügte erfährt, als die im Abgrund des unsagbaren Geheimnisses gegründete.

Welthaft-geschichtliche Bedingtheit

Darüber hinaus erfährt sich der Mensch in seiner welthaften Tat und auch in seiner theoretisch gegenständlichen Reflexion immer als einer, dem eine geschichtliche Position in seiner Umwelt und Mitwelt vorgegeben ist; vorgegeben, ohne daß er sie sich ausgesucht hätte, obwohl er gerade durch sie Transzendenz ergreift und weiß. Der Mensch weiß immer von seiner geschichtlichen Endlichkeit, von seiner geschichtlichen Herkünftigkeit, von der Kontingenz seiner Ausgangsposition. Damit kommt er aber in die ganz eigentümliche Situation, die gerade das Wesen des Menschen auszeichnet: Insofern er seine geschichtliche Bedingtheit als solche erfährt, ist er schon in einem gewissen Sinne über sie hinaus und kann sie trotzdem nicht eigentlich verlassen. Dieses Gestelltsein zwischen Endlichkeit und Unendlichkeit macht den Menschen aus und zeigt sich noch einmal dadurch, daß sich der Mensch gerade in seiner unendlichen Transzendenz, in seiner Freiheit als der sich Auferlegte und geschichtlich Bedingte erfährt.

Der Mensch ist nie die reine Setzung seiner eigenen Freiheit, die das Material, das in dieser Freiheit auf jeden Fall vorgegeben ist, rein aufzehren oder auch in einer absoluten Autarkie ruhig z. B. von sich abstoßen könnte. Er holt seine welthaften geschichtlichen Möglichkeiten nie adäquat ein, und er kann sich auch von ihnen nicht distanzieren und sich auf die reine Wesenhaftigkeit einer vorgetäuschten Subjektivität oder Innerlichkeit zurückziehen, dergestalt, daß er im Ernst sagen könnte, er wäre von diesem Vorgegebenen seiner Welt und Geschichte unabhängig geworden. Der Mensch ist in einem letzten, unausweichlichen Sinne auch als der Tätige immer noch der Leidende, und seine Selbsterfahrung bietet ihm immer schon in einer nicht mehr gegenständlich adäquat analysierbaren Einheit die Synthese von vorgegebener Möglichkeit der Freiheit und freier Selbstverfügung, von Eigenem und Fremdem, von Tat und Leiden, von Wissen und Tun. Insofern darum die Reflexion das Ganze des Grundes, aus dem heraus und auf den hin das Subjekt sich vollzieht, nie verfügen, nie verwalten, nie einholen kann, ist der Mensch nicht nur in diesem oder jenem Bereich seiner konkreten Wirklichkeit der für sich noch Unbekannte, sondern er ist das Subjekt, das als solches sich selbst im Ursprung und Ziel entzogen ist. Er kommt zu seiner eigentlichen Wahrheit gerade dadurch, daß er diese Unverfügbarkeit seiner eigenen Wirklichkeit als gewußte gelassen aushält und annimmt.

Alle Begriffe, die wir gebraucht haben, sind hier – auf der Reflexionsstufe, auf die wir uns bewußt stellen – nur als Evokationen eines Daseinsverständnisses anzusehen, von dem der Einzelne im konkreten Versuch seines Daseins selber erfahren muß, daß dieses Selbstverständnis in Annahme und Protest im Grunde unausweichlich ist – sowenig die Begriffe, Worte und Sätze, die wir benutzt haben, das Eigentliche und Ursprüngliche dieser Erfahrung von Personalität und Freiheit, Subjektivität, von Geschichte und Geschichtlichkeit, von Verfügtheit usw. wirklich adäquat einholen können oder wollen.

ZWEITER GANG

Der Mensch vor dem absoluten Geheimnis

Dieser zweite Gang ist eine begriffliche Reflexion auf jene ursprünglichere und durch diese Reflexion nicht adäquat einholbare transzendentale Erfahrung, in der der Mensch vor jenes absolute Geheimnis kommt, das wir ,,Gott" nennen. Was hier gesagt werden muß, war im ersten Gang – wenn auch unausdrücklicher – immer schon mitgesagt. Wenn der Mensch wirklich Subjekt ist – das Wesen der Transzendenz, Verantwortung und Freiheit, das als sich selbst anvertrautes Subjekt sich auch schon immer in Unverfügbarkeit hinein entzogen ist –, dann war damit im Grunde schon gesagt, daß der Mensch das auf Gott verwiesene Wesen ist, dessen Verwiesenheit auf das absolute Geheimnis ihm dauernd als Grund und Inhalt seines Wesens von diesem Geheimnis zugesagt ist. Wenn wir den Menschen so begreifen, dann ist natürlich nicht gemeint, daß wir – wenn wir in einem solchen Satz ,,Gott" sagen – von irgendwo anders her als eben durch diese Verwiesenheit auf das Geheimnis selbst wüßten, was mit ,,Gott" gemeint ist. Hier wird Theologie und Anthropologie notwendigerweise eines. Der Mensch weiß explizit nur, was mit ,,Gott" gemeint ist, insofern er diese seine Transzendentalität über alles gegenständlich Angebbare hinaus vor sich kommen läßt, annimmt und reflektierend objektiviert, was mit dieser Transzendentalität schon immer gesetzt ist.

1. MEDITATION ÜBER DAS WORT ,,GOTT"

Es gibt dieses Wort

Es liegt nahe, mit einer kleinen Überlegung zu dem Wort ,,Gott" zu beginnen. Nicht bloß weil es ja sein könnte, daß – im Unterschied zu tausend anderen

Erfahrungen, die sich auch ohne Wort Gehör verschaffen können – in unserem Fall das *Wort* allein imstande ist, das, was es meint, für uns dasein zu lassen, sondern aus einem viel einfacheren Grund kann und muß man vielleicht mit dem Wort „Gott“ das Andenken an Gott selbst beginnen. Man hat nämlich von Gott keine Erfahrung wie von einem Baum, einem anderen Menschen und anderen äußeren Wirklichkeiten, die, wenn sie vielleicht auch nie schlechthin wortlos da sind, doch auch ihr Wort durch sich selbst erzwingen, weil sie in unserem Erfahrungsraum an einer bestimmten Raum-Zeit-Stelle einfach *vor*-kommen und so von sich aus unmittelbar ins Wort drängen. Deshalb kann man sagen, das Einfachste und Unausweichliche in der Gottesfrage ist für den Menschen die Tatsache, daß in seinem geistigen Dasein das Wort „Gott“ gegeben ist. Wir können dieser einfachen, obzwar vieldeutigen Tatsache nicht dadurch entfliehen, daß wir nach der möglichen Zukünftigkeit fragen, ob einmal eine Menschheit existieren könne, in der das Wort „Gott“ schlechthin nicht mehr vorkommt und so entweder die Frage, ob dieses Wort einen Sinn hat und eine Wirklichkeit außerhalb seiner selbst meint, gar nicht mehr aufkommt oder an einem ganz neuen Ort entsteht, an dem das, was früher diesem Wort Ursprünglichkeit verliehen hat, sich neu mit einem neuen Wort Gegenwart verschaffen müßte. Bei uns jedenfalls ist dieses Wort da. Es wird immer auch vom Atheisten neu gesetzt, wenn er sagt, es gebe keinen Gott und so etwas wie Gott habe gar keinen angebbaren Sinn; wenn er ein Gottlosenmuseum gründet, den A*the*ismus zu einem Parteidogma erhebt und sich noch anderes von ähnlicher Art ausdenkt. Auch der Atheist verhilft so dem Wort „Gott“ zu weiterer Existenz. Wollte er das vermeiden, dürfte er nicht nur *hoffen*, daß im Dasein des Menschen und in der Sprache der Gesellschaft dieses Wort einmal schlechterdings verschwindet, sondern er müßte zu diesem Verschwinden dadurch beitragen, daß er es selber totschweigt, sich nicht einmal als A*the*ist erklärt. Aber wie will er das machen, wenn andere, mit denen er reden muß, aus deren Sprachfeld er gar nicht definitiv ausziehen kann, von Gott sprechen und sich um dieses Wort kümmern?

Daß es dieses Wort gibt, das allein ist schon des Nachdenkens wert. Wenn wir auf diese Weise von Gott sprechen, meinen wir natürlich nicht nur das deutsche Wort. Ob man „Gott“ oder lateinisch „deus“ oder semitisch „El“ oder altmexikanisch „teotl“ sagt, das ist hier gleichgültig, obwohl es an sich eine höchst dunkle und schwierige Frage wäre, wie man denn wissen könne, daß mit diesen verschiedenen Wörtern dasselbe oder derselbe gemeint sei, da ja in jedem dieser Fälle nicht einfach auf eine gemeinsame Erfahrung des Gemeinten, unabhängig vom Wort selbst, verwiesen werden kann. Aber lassen wir dieses Problem der Gleichsinnigkeit der vielen Worte für „Gott“ zunächst einmal auf sich beruhen.

Es gibt natürlich auch Namen von Gott oder Göttern, dort, wo man polytheistisch ein Götterpantheon verehrt oder wo – wie im alten Israel – der eine allmächtige Gott einen Eigennamen – Jahwe – trägt, weil man überzeugt ist, mit ihm in der eigenen Geschichte ganz bestimmte eigenartige Erfahrungen gemacht zu haben, die ihn unbeschadet seiner Unbegreiflichkeit und somit seiner Namenlosigkeit doch charakterisieren und ihm so einen *Eigen*namen verleihen. Aber von diesen Gottesnamen im Plural soll hier nicht gesprochen werden.

Was sagt das Wort „Gott"?

Es gibt das Wort „Gott". Das allein ist schon bedenkenswert. Jedoch *über* Gott sagt mindestens das deutsche Wort gar nichts oder nichts mehr aus. Ob das in der ältesten Geschichte des Wortes immer so war, ist eine andere Frage. Heute wirkt das Wort „Gott" jedenfalls wie ein Eigenname. Man muß anderswoher wissen, was oder wer damit gemeint ist. Das fällt uns meistens nicht auf; aber es ist so. Wenn wir – wie es durchaus in der Religionsgeschichte vorkommt – Gott z.B. den „Vater", den „Herrn" oder den „Himmlischen" oder ähnlich nennen würden, dann würde das Wort von sich aus, von seiner Herkunft aus unserer sonstigen Erfahrung und dem profanen Gebrauch heraus etwas über das Gemeinte aussagen. Hier aber sieht es zunächst so aus, als ob das Wort uns anblicke wie ein erblindetes Antlitz. Es sagt nichts *über* das Gemeinte, und es kann auch nicht einfach wie ein Zeigefinger fungieren, der auf ein unmittelbar außerhalb des Wortes Begegnendes hinweist und darum selber nichts darüber sagen muß, so wie wenn wir „Baum", „Tisch" oder „Sonne" sagen. Dennoch ist diese schreckliche Konturlosigkeit dieses Wortes – bei dem die erste Frage wäre: Was soll denn dieses Wort überhaupt sagen? – doch offenbar dem Gemeinten angemessen, gleichgültig, ob das Wort ursprünglich schon so „antlitzlos" gewesen sein mag oder nicht. Ob seine Geschichte von einer anderen Gestalt des Wortes ausging, das mag also dahingestellt sein; jedenfalls spiegelt die jetzige Gestalt des Wortes das wider, was mit dem Wort gemeint ist: der „Unsagbare", der „Namenlose", der nicht in die benannte Welt als ein Moment an ihr einrückt; das „Schweigende", das immer da ist und doch immer übersehen, überhört und – weil es alles im Einen und Ganzen sagt – als Sinnloses übergangen werden kann, das, was eigentlich kein Wort mehr hat, weil jedes Wort nur innerhalb eines Feldes von Wörtern Grenze, Eigenklang und so verständlichen Sinn bekommt. So ist das antlitzlos gewordene, d. h. das von sich selber her an keine bestimmte Einzelerfahrungen mehr appellierende Wort „Gott" doch gerade in der richtigen Verfassung, daß es uns von Gott reden kann, indem es das letzte Wort vor dem Verstummen ist, in welchem wir es durch das Verschwinden alles benennbaren einzelnen mit dem gründenden Ganzen als solchem zu tun haben.

Hat dieses Wort Zukunft?

Es gibt das Wort Gott. Wir kehren zum Ausgangspunkt der Überlegung zurück, eben zur schlichten Tatsache, daß in der Welt der Wörter, durch die wir unsere Welt bauen und ohne die auch die sogenannten Tatsachen für uns nicht sind, auch das Wort „Gott" vorkommt. Selbst für den Atheisten, selbst für den, der erklärt, Gott ist tot, selbst für diesen gibt es, wie wir sahen, Gott wenigstens als den, den er für tot erklären und dessen Gespenst er verscheuchen muß, als den, dessen Wiederkehr er fürchtet. Erst wenn das Wort selbst nicht mehr wäre, d. h., wenn auch die Frage nach ihm gar nicht mehr gestellt werden müßte, dann hätte man vor ihm Ruhe. Aber es ist immer noch da, dieses Wort, es hat Gegenwart. Hat es auch Zukunft? Schon Marx hat gemeint, daß auch noch der Atheismus verschwinden werde, also das Wort „Gott" selbst – bejahend wie verneinend gebraucht – nicht mehr auftreten werde. Ist diese Zukunft des Wortes „Gott" denkbar? Vielleicht ist diese Frage sinnlos, weil echte Zukunft das radikal Neue ist, das nicht vorauskalkuliert werden kann; oder diese Frage ist bloß theoretisch und verwandelt sich in Wirklichkeit sofort in eine Anfrage an unsere Freiheit, ob wir auch weiterhin als Gläubige oder als Ungläubige in gegenseitiger Herausforderung bejahend, verneinend oder zweifelnd morgen „Gott" sagen werden. Wie es auch mit der Frage nach der Zukunft des Wortes „Gott" bestellt sein mag, der Gläubige sieht einfach nur zwei Möglichkeiten und keine dritte: entweder wird das Wort spurlos und ohne Rückstand verschwinden, oder es wird bleiben, so oder so allen eine Frage.

Die Wirklichkeit ohne dieses Wort

Bedenken wir einmal diese zwei Möglichkeiten. Das Wort „Gott" soll verschwunden sein, spurlos und ohne Rest, ohne daß noch eine übriggelassene Lücke sichtbar ist, ohne daß es durch ein anderes Wort, das uns in derselben Weise anruft, ersetzt wird, ohne daß durch dieses Wort auch nur wenigstens eine oder besser die Frage schlechthin gestellt würde, wenn man schon nicht dieses Wort als Antwort geben oder hören will. Was ist dann, wenn man diese Zukunftshypothese ernst nimmt? Dann ist der Mensch nicht mehr vor das eine Ganze der Wirklichkeit als solcher und nicht mehr vor das eine Ganze seines Daseins als solchen gebracht. Denn ebendies tut das Wort „Gott" und nur es – wie immer es phonetisch oder in seiner Herkunft bestimmt sein mag. Gäbe es das Wort „Gott" wirklich nicht, dann wäre auch dieses doppelt eine Ganze der Wirklichkeit überhaupt und des Daseins in der Verschränktheit dieser beiden Aspekte nicht mehr für den Menschen da. Er würde sich restlos über dem je einzelnen an seiner Welt und in seinem Dasein vergessen. Er würde ex supposito nicht einmal ratlos, schweigend und bekümmert vor das

Ganze der Welt und seiner selbst geraten. Er würde nicht mehr merken, daß er nur ein einzelnes Seiendes, aber nicht das Sein überhaupt ist. Er würde nicht merken, daß er nur noch Fragen, aber nicht die Frage nach dem Fragen überhaupt bedenkt; er würde nicht mehr merken, daß er immer nur einzelne Momente seines Daseins neu manipuliert, sich aber nicht mehr seinem Dasein als Einem und Ganzen stellt. Er würde *in* der Welt und *in* sich steckenbleiben, aber nicht mehr jenen geheimnisvollen Vorgang vollziehen, der er *ist* und in dem gleichsam das Ganze des „Systems", das er mit seiner Welt ist, streng sich selbst als Eines und Ganzes denkt, frei übernimmt, so sich selbst überbietet und übergreift in jene schweigende, wie ein Nichts erscheinende Unheimlichkeit hinein, von der her er jetzt zu sich und seiner Welt kommt, beides absetzend und übernehmend.

Der Mensch hätte das Ganze und seinen Grund vergessen, und zugleich vergessen – wenn man das noch so sagen könnte –, daß er vergessen hat. Was wäre dann? Wir können nur sagen: Er würde aufhören, ein Mensch zu sein. Er hätte sich zurückgekreuzt zum findigen Tier. Wir können heute nicht mehr so leicht sagen, daß dort schon Mensch ist, wo ein Lebewesen dieser Erde aufrecht geht, Feuer macht und einen Stein zum Faustkeil bearbeitet. Wir können nur sagen, daß dann ein Mensch ist, wenn dieses Lebewesen denkend, worthaft und in Freiheit das Ganze von Welt und Dasein vor sich und in die Frage bringt, mag er auch dabei vor *dieser* einen und totalen Frage ratlos verstummen. So wäre es ja vielleicht – wer vermag das genau zu wissen – auch denkbar, daß die Menschheit in einem kollektiven Tod bei biologischem und technisch-rationalem Fortbestand stirbt und sich zurückverwandelt in einen Termitenstaat unerhört findiger Tiere. Mag dies eine echte Möglichkeit sein oder nicht, den Glaubenden, den das Wort „Gott" Sprechenden brauchte diese Utopie nicht als eine Desavouierung seines Glaubens zu erschrecken. Denn er kennt ja ein bloß biologisches Bewußtsein und – wenn man es so nennen will – eine tierische Intelligenz, in die die Frage nach dem Ganzen als solchem nicht eingebrochen, der das Wort „Gott" nicht Schicksal geworden ist; und er wird sich nicht so leicht getrauen, zu sagen, was solche biologische Intelligenz zu leisten vermag, ohne in das Schicksal zu geraten, das mit dem Wort „Gott" signalisiert ist. Aber eigentlich existiert der Mensch nur als Mensch, wo er wenigstens als Frage, wenigstens als verneinende und verneinte Frage „Gott" sagt. Der absolute, selbst seine Vergangenheit tilgende Tod des Wortes „Gott" wäre das von niemandem mehr gehörte Signal, daß der Mensch selbst gestorben ist. Es wäre ja vielleicht – wie schon gesagt – ein solcher kollektiver Tod denkbar. Das brauchte nicht außergewöhnlicher zu sein als der individuelle Tod des Menschen und des Sünders. Wo keine Frage mehr wäre, wo die Frage schlechthin gestorben und verschwunden wäre, brauchte man natürlich auch keine Antwort mehr zu geben, dürfte aber auch keine verneinende geben; und man könnte diese Leerstelle, die man als Möglichkeit denkt, auch nicht zum Argument dafür machen, daß das, was mit „Gott" gemeint ist, nicht gegeben sei, weil man sonst ja wieder eine Antwort – wenn auch eben eine verneinende – auf diese Frage gegeben hätte. Daß man also die Frage nach dem Tod des Wortes „Gott“ stellen kann, zeigt nochmals, daß das Wort „Gott“ – auch durch den Protest gegen es – sich noch behauptet.

Das Wort „Gott“ bleibt

Die zweite Möglichkeit, die zu bedenken ist: Das Wort „Gott“ bleibt. Jeder lebt in seinem geistigen Dasein von der Sprache aller. Er macht seine noch so individuelle einmalige Daseinserfahrung nur in und mit der Sprache, in der er lebt, der er nicht entrinnt, deren Wortzusammenhänge, Perspektiven, selektive Aprioris er übernimmt, selbst dort noch, wo er protestiert, wo er selbst an der immer offenen Geschichte der Sprache mitwirkt. Man muß sich von der Sprache etwas sagen lassen, da man mit ihr noch spricht und nur mit ihr gegen sie protestiert. Ein letztes Urvertrauen kann ihr daher sinnvollerweise gar nicht versagt werden, will man nicht absolut verstummen oder sich selbst widersprechen. In dieser Sprache, in der und von der her wir leben und unser Dasein verantwortlich übernehmen, gibt es nun das Wort „Gott“. Es ist aber nicht irgendein zufälliges Wort, das an irgendeinem beliebigen Zeitpunkt der Sprache einmal auftaucht und an einem anderen wieder spurlos verschwindet, wie „Phlogiston“ und andere Worte. Denn das Wort „Gott“ stellt das Ganze der Sprachwelt, in der die Wirklichkeit für uns anwest, in Frage, da es zunächst einmal nach der Wirklichkeit als ganzer in ihrem ursprünglichen Grund fragt und die Frage nach dem Ganzen der Sprachwelt in jener eigentümlichen Paradoxie gegeben ist, die gerade der Sprache eigen ist, weil sie selbst ein Stück der Welt und zugleich deren Ganzes als Bewußtes ist. Redend von etwas, redet die Sprache auch sich selbst, sich selbst als ganze und auf ihren entzogenen und gerade so gegebenen Grund hin. Und ebendies ist signalisiert, wenn wir „Gott“ sagen, auch wenn wir damit nicht einfach dasselbe wie mit Sprache selbst als ganzer, sondern deren ermächtigenden Grund meinen. Aber ebendarum ist das Wort „Gott“ nicht irgendein Wort, sondern das Wort, in dem die Sprache – d.h. das sich aussagende Bei-sich-Sein von Welt und Dasein in einem – sich selber in ihrem Grund ergreift. Dieses Wort *ist*, es gehört in besonderer, einmaliger Weise zu unserer Sprachwelt und somit zu unserer Welt, ist selbst eine Wirklichkeit, und zwar für uns eine unausweichliche. Diese Wirklichkeit mag deutlicher oder undeutlicher, leiser oder lauter redend gegeben sein, sie ist da. Mindestens als Frage.

Das uns aufgegebene ursprüngliche Wort

Es kommt in diesem Augenblick, in diesem Zusammenhang noch nicht darauf an, wie wir auf dieses Wortereignis reagieren, ob annehmend als Verweis auf Gott selbst, ob in verzweifeltem Ingrimm ablehnend, uns durch dieses Wort überanstrengen zu lassen, da es als Teil der Sprachwelt uns, ein Moment der Welt, zwingen will, vor das Ganze der Welt und unser selbst zu kommen, ohne daß wir das Ganze sein oder beherrschen könnten. Und es sei hier und jetzt auch noch ganz offengelassen, wie dieses ursprüngliche Ganze sich zur vielfältigen Welt und zur Vielfalt der Wörter der Sprachwelt genauer bestimmt und verhält.

Nur auf eines kann schon hier noch etwas deutlicher als bisher aufmerksam gemacht werden, weil es das Thema über das Wort „Gott" unmittelbar berührt: Wenn wir recht verstehen, was über das Wort „Gott" bisher gesagt wurde, dann ist es nicht so, daß wir zunächst einmal je als einzelne aktiv handelnd „Gott" denken und das Wort „Gott" *so* zum erstenmal in den Raum unseres Daseins einrücken. Sondern *wir hören erleidend das Wort „Gott"*, es kommt auf uns in der Sprachgeschichte, in die wir, ob wir wollen oder nicht, eingefangen sind, die uns, den einzelnen, stellt und fragt, ohne selbst in unserer Verfügung zu sein. Diese uns zugeschickte Sprachgeschichte, in der das uns fragende Wort „Gott" sich ereignet, ist so nochmals ein Bild und Gleichnis dessen, was sie vermeldet. Wir dürfen nicht meinen, weil der phonetische Klang des Wortes „Gott" je von uns einzelnen abhängt, darum sei das Wort „Gott" auch schon unsere Schöpfung. Es schafft eher uns, weil es uns zu Menschen macht. Das eigentliche Wort „Gott" ist ja nicht einfach identisch mit dem Wort „Gott", das unter tausend und aber tausend anderen Wörtern wie verloren in einem Wörterbuch steht. Denn dieses Wörterbuchwort „Gott" steht nur stellvertretend für das eigentliche Wort, das aus dem wortlosen Gefüge aller Wörter durch ihren Zusammenhang, ihre Einheit und Ganzheit, die selber da ist, für uns anwest und das uns und die Wirklichkeit als ganze vor uns bringt, zumindest fragend. Dieses Wort ist; es ist in unserer Geschichte und macht unsere Geschichte. Es ist ein Wort. Darum kann man es überhören, mit Ohren, die – wie die Schrift sagt – hören und nicht verstehen. Aber dadurch hört es nicht auf dazusein. Schon die Einsicht des alten Tertullian von der „anima naturaliter christiana", d.h. von der aus Herkunft christlichen Seele, leitete sich von dieser Unausweichlichkeit des Wortes „Gott" her. Es ist da. Es kommt aus jenen Ursprüngen, aus denen der Mensch selbst herkommt; man kann sein Ende nur mit dem Tod des Menschen als solchen zusammen denken; es kann noch eine Geschichte haben, deren Gestaltwandel wir uns nicht im voraus denken können, gerade weil es selbst die unverfügbare ungeplante Zukunft offenhält. Es ist die Öffnung in das unbegreifliche Geheimnis. Es überanstrengt uns, es mag uns gereizt machen ob der Ruhestörung in einem Dasein, das den Frieden des Übersichtlichen, Klaren, Geplanten haben will. Es ist immer dem Protest Wittgensteins ausgesetzt, der befiehlt, man solle über das schweigen, worüber man nicht klar reden könne, der aber diese Maxime verletzt, indem er sie ausspricht. Das Wort selbst stimmt – richtig verstanden – dieser Maxime zu; denn es ist ja selbst das letzte Wort vor dem anbetend verstummenden Schweigen gegenüber dem unsagbaren Geheimnis, freilich das Wort, das gesprochen werden muß am Ende allen Redens, soll nicht statt Schweigen in Anbetung jener Tod folgen, in dem der Mensch zum findigen Tier oder zum ewig verlorenen Sünder würde. Es ist das fast bis zum Lächerlichen überanstrengte und überanstrengende Wort. Würde es nicht *so* gehört, dann würde man es als Wort von einer Selbstverständlichkeit und Überschaubarkeit des Alltags hören, als Wort neben anderen Wörtern, und dann hätte man schon etwas gehört, was mit dem wahren Wort „Gott" nur noch den phonetischen Klang gemeinsam hat. Wir kennen das lateinische Wort vom amor fati, der Liebe zum Schicksal. Diese Entschlossenheit auf das Geschick hin heißt eigentlich „Liebe zum zugesagten Wort", d.h. zu jenem fatum, das unser Schicksal ist. Nur diese Liebe zum Notwendigen befreit unsere Freiheit. Dieses fatum ist im letzten das Wort „Gott".

2. DIE ERKENNTNIS GOTTES

Transzendentale und aposteriorische Gotteserkenntnis

Was wir transzendentale Erkenntnis oder Erfahrung Gottes nennen, ist zwar insofern eine *aposteriorische* Erkenntnis, als die transzendentale Erfahrung des Menschen von seiner freien Subjekthaftigkeit sich immer nur in der Begegnung mit der Welt und vor allem der Mitwelt ereignet. Insofern hat die scholastische Tradition recht, wenn sie gegen einen Ontologismus betont, daß der Mensch *nur* eine aposteriorische Erkenntnis Gottes aus der Welt habe, die auch durch die Wortoffenbarung nicht einfach überholt ist, weil ja auch diese noch einmal mit menschlichen Begriffen arbeiten muß. Unsere transzendentale Erkenntnis oder Erfahrung muß also insofern aposteriorisch genannt werden, als jede transzendentale Erfahrung zunächst durch eine kategoriale Begegnung mit konkreten Wirklichkeiten in unserer Welt, in unserer Umwelt und Mitwelt vermittelt ist. Das gilt auch von der Erkenntnis Gottes; und *insofern* haben wir das Recht und die Pflicht, zu sagen, es gibt nur eine aposteriorische Erkenntnis Gottes aus und durch die Begegnung mit der Welt, zu der wir natürlich auch selber gehören.

Dennoch ist die Erkenntnis Gottes eine *transzendentale,* weil die ursprüngliche Verwiesenheit des Menschen auf das absolute Geheimnis, die die Grunderfahrung Gottes ausmacht, ein dauerndes Existential des Menschen als eines geistigen Subjektes ist. Damit ist gegeben, daß jene ausdrückliche, begrifflich-thematische Erkenntnis, an die wir gewöhnlich denken, wenn wir von Gotteserkenntnis oder gar von Gottesbeweisen sprechen, zwar eine in irgendeinem Grad notwendige Reflexion auf diese transzendentale Verwiesenheit des Menschen in das Geheimnis ist, aber nicht der ursprüngliche und gründende Modus der transzendentalen Erfahrung des Geheimnisses selbst. Zum Wesen der menschlichen Erkenntnis gehört notwendigerweise das Denken des Denkens, das Denken eines konkreten Gegenstandes *innerhalb* eines *unendlichen* (scheinbar leeren) Raumes des Denkens an sich, das Wissen des Denkens um sich selbst. Man muß sich daran gewöhnen, zu merken, daß man im Denken und in der Freiheit immer mit mehr umgeht und zu tun hat als mit dem, *worüber* man in Worten und Begriffen redet und *womit* man sich als konkretem Gegenstand des Handelns gerade hier und jetzt abgibt. Wenn man diese Zweipoligkeit des Erkennens und der Freiheit – das gegenständliche Bewußtsein und das subjektive Bewußtsein, den gewollten Willen und den wollenden Willen, um mit Blondel zu sprechen – nicht auseinanderhalten *und* in eine Einheit setzen kann, dann kann man, im Grunde genommen, nicht wissen, worüber wir reden: daß das *Reden* von Gott die Reflexion ist, die auf ein ursprünglicheres, unthematisches, unreflexes Wissen von Gott verweist.

Wir kommen immer nur zu uns selbst und den mit unserer Subjekthaftigkeit gegebenen transzendentalen Strukturen, indem die Welt sich konkret in ganz bestimmter Weise uns zuschickt, indem wir also die Welt erleiden und tun. Das gilt auch von der Gotteserkenntnis. Sie ist in diesem Sinne keine Erkenntnis, die rein in sich begründet wäre; sie ist aber auch nicht einfach ein mystischer Vorgang unserer persönlichen Innerlichkeit, und sie hat, von daher gesehen, auch noch nicht den Charakter einer persönlichen göttlichen Selbstoffenbarung. Aber diesen aposteriorischen Charakter der Gotteserkenntnis würde man verfälschen, wenn man das transzendentale Element in ihr übersehen würde und diese Gotteserkenntnis nach dem Modell einer beliebigen aposteriorischen Erkenntnis auffassen würde, deren Gegenstand rein von außen kommt und auf ein neutrales Erkenntnisvermögen auftrifft. Aposteriorität der Gotteserkenntnis heißt nicht, daß man mit einem neutralen Vermögen der Erkenntnis in die Welt hinausblickt und dann meint, dort direkt oder indirekt unter den gegenständlich auf uns zukommenden Wirklichkeiten auch Gott entdecken oder indirekt beweisen zu können.

Wir sind auf Gott verwiesen. Diese ursprüngliche Erfahrung ist immer gegeben, und sie darf nicht mit der objektivierenden, wenn auch notwendigen Reflexion auf die transzendentale Verwiesenheit des Menschen in das Geheimnis hinein verwechselt werden. Sie hebt den Charakter der Aposteriorität der Gotteserkenntnis nicht auf, aber diese Aposteriorität darf auch nicht in dem Sinne mißverstanden werden, als ob Gott einfach nur als Gegenstand unserer Erkenntnis von außen indoktriniert werden könnte.

Diese Erfahrung als unthematisch und bleibend waltende – die Gotteserkenntnis, die wir immer vollziehen, gerade wenn wir an alles andere denken und mit allem anderen umgehen als mit Gott – ist der dauernde Grund, aus dem jene thematische Gotteserkenntnis erwächst, die wir im explizit religiösen Tun und in der philosophischen Reflexion vollziehen. In dieser entdecken wir nicht Gott, so wie man einen bestimmten Gegenstand unserer innerweltlichen Erfahrung entdeckt, sondern in diesem explizit religiösen Tun auf Gott hin im Gebet und in der metaphysischen Reflexion bringen wir nur ausdrücklich vor uns, was wir im Grunde unseres personalen Selbstvollzugs immer schon von uns selber ungesagt wissen. So wissen wir unsere subjekthafte Freiheit, unsere Transzendenz und die unendliche Eröffnetheit des Geistes auch dort und dann, wo wir sie gar nicht thematisch machen, ja auch dort noch, wo vielleicht eine solche begriffliche, objektivierende, in Sätzen sich aussagende Thematisierung dieses ursprünglichen Wissens gar nicht oder sehr unvollkommen und verzerrt gelingt; ja sogar dort noch, wo man sich weigert, sich überhaupt auf eine solche Thematisierung einzulassen.

Jede ausdrückliche Gotteserkenntnis in Religion und Metaphysik ist so in dem, was sie meint, darum auch immer nur verständlich und echt vollziehbar, wenn alle Worte, die wir dabei machen, Verweise auf die unthematische Erfahrung unserer Verwiesenheit in das unsagbare Geheimnis hinein sind. Und wie das Wesen des transzendierenden Geistes in seiner gegenständlich welthaften Verfaßtheit neben dieser Gegenständlichkeit immer die Möglichkeit bietet – und zwar theoretisch und praktisch –, eben dieser eigenen, sich selbst in Freiheit überantworteten Subjektivität zu entlaufen, so kann der Mensch auch seine transzendentale Verwiesenheit auf das absolute Geheimnis – „Gott" genannt – sich selbst verbergen und so seine eigentlichste Wahrheit niederhalten, wie die Schrift (vgl. Röm 1, 18) sagt.

Die einzelnen Wirklichkeiten, mit denen wir normalerweise in unserem Leben umgehen, werden immer klar verständlich, durchschaubar und manipulierbar, weil wir sie von anderen abgrenzen können. Eine solche Weise der Erkenntnis Gottes gibt es nicht. Weil Gott etwas ganz anderes ist als eine der in unserem Erfahrungsbereich vorkommenden oder aus ihm erschlossenen einzelnen Wirklichkeiten und weil die Erkenntnis Gottes eine ganz bestimmte einmalige Eigenart hat und nicht nur ein Fall des Erkennens im allgemeinen ist, darum ist es sehr leicht, Gott zu übersehen. Der Begriff „Gott" ist nicht ein Ergreifen Gottes, durch das der Mensch sich des Geheimnisses bemächtigt, sondern ein Sich-ergreifen-Lassen von einem anwesenden und sich immer entziehenden Geheimnis. Dieses Geheimnis bleibt Geheimnis, auch wenn es sich dem Menschen eröffnet und so gerade allererst den Menschen als Subjekt dauernd begründet. Von diesem Grund her mag dann natürlich der sogenannte „Begriff Gottes", das ausdrückliche Reden von ihm, das Wort und das, was wir damit meinen und reflex uns zu sagen suchen, vorkommen, und gewiß darf der Mensch sich auch der Anstrengung dieses reflexen Begriffes nicht entziehen. Aber alle metaphysische Ontologie von Gott muß, um wahr zu bleiben, immer wieder dorthin zurückkehren, von woher sie kommt; zurückkehren zur transzendentalen Erfahrung der Verwiesenheit auf das absolute Geheimnis, zur existenziellen Einübung der freien Annahme dieser Verwiesenheit. Sie geschieht im bedingungslosen Gehorsam gegenüber dem Gewissen, dem annehmenden und vertrauenden Waltenlassen der Unverfügbarkeit des eigenen Daseins in Gebet und schweigender Stille.

Da die ursprüngliche Gotteserfahrung keine Begegnung mit einem einzelnen Gegenstand *neben* einem anderen ist, sondern da Gott das absolut in Erhabenheit Entzogene für die transzendentale Erfahrung des menschlichen Subjektes ist, kann über Gott und die Gotteserfahrung, über Kreatürlichkeit und Kreaturerfahrung trotz der Verschiedenheit des jeweils Gemeinten nur in *einer* Aussage gesprochen werden.

Man könnte hier fragen: Wenn aber diese beiden Dinge so miteinander zusammenhängen, dann könnte man über Gott nur etwas sagen, was er *für uns* ist, und nicht etwas über Gott, was er *an sich* ist? Aber wenn wir verstanden haben, was mit einer absolut unbegrenzten Transzendentalität des menschlichen Geistes gemeint ist, dann läßt sich doch sagen, daß eine solche Alternative eines radikalen Unterschiedes einer Aussage über „Gott an sich" und „Gott für uns" gar nicht zu Recht besteht. Was mit der letzten Eigentümlichkeit des menschlichen Subjekts in seiner Freiheit und Unverfügbarkeit – und damit in seiner Kreatürlichkeit – und was mit „Gott" selbst gemeint ist, läßt sich nur durch das Vorkommenlassen jener Grundbefindlichkeit des menschlichen Daseins verstehen, in der sich der Mensch selber hat und sich selbst radikal entzogen ist, indem sich ihm das Geheimnis als Absolutes zusagt und von sich unterscheidend den Menschen fernhält. Man kann darum auch nicht im eigentlichen Sinn einen Begriff von Gott bilden und danach dann fragen, ob so etwas auch in der Wirklichkeit gegeben ist. Der Begriff in seinem ursprünglichen Grund und die Wirklichkeit selbst, die als solche dieser Begriff meint, gehen in einem auf oder werden in einem verborgen.

Die verschiedenen Arten der Gotteserkenntnis und ihre innere Einheit

Bevor wir nun anfangen, von Gotteserkenntnis zu sprechen, müssen wir kurz auf andere Unterscheidungen in der Gotteserkenntnis reflektieren, wie sie in der traditionellen Theologie genannt werden. Man pflegt in der katholischen Theologie *erstens* von einer sogenannten natürlichen Gotteserkenntnis zu reden, in der Gott, wie das Vaticanum I (vgl. DS 3004) sagte, mit dem Licht der natürlichen Vernunft ohne eigentliche Offenbarung wenigstens grundsätzlich erkannt werden kann, und zwar in einer – allerdings richtig zu verstehenden – aposteriorischen Erkenntnis. Neben dieser sogenannten natürlichen Gotteserkenntnis kennt die Schultheologie *zweitens* eine Erkenntnis Gottes durch das, was wir die eigentliche christliche *Wort*offenbarung nennen: eine Erkenntnis Gottes durch seine eigene Offenbarung, die die Erkenntnis des Ergangenseins einer solchen göttlichen Wortoffenbarung schon voraussetzt und dann fragt, was in dieser göttlichen Offenbarung Gott über sich selbst mitgeteilt habe: etwa, daß er der die Schuld des Menschen Vergebende ist, daß er einen allgemeinen übernatürlichen Heilswillen den Menschen gegenüber habe, daß er sich ein geschichtlich konkretes Dasein seiner selbst in dem, was wir Inkarnation nennen, für den Menschen geschaffen habe usw.

Man müßte wohl noch *drittens* von einer Erkenntnis Gottes sprechen, die durch sein sich offenbarendes *Heilshandeln* in der Geschichte der Menschheit und der des einzelnen geschieht, in welcher Erkenntnis das Tun Gottes und seine Existenz in seiner wirkenden Selbstbezeugung auf einmal erkannt werden. Auch dort, wo man für Mystik und ,,Visionen" kein Interesse hat, kann man nicht a priori leugnen, daß es eine Erkenntnis Gottes aus und in der individuellen und kollektiven personalen Existenzerfahrung des Menschen geben kann, die man weder mit dem, was die natürliche Gotteserkenntnis meint, noch mit dem zu identifizieren braucht, was die allgemeine göttliche Selbstoffenbarung im *Wort* und in der bloß worthaft gedachten Offenbarungsgeschichte meint.

Das Vaticanum II hat in seinem Dekret über die göttliche Offenbarung (vgl. Dei Verbum, cap. I) versucht, die geschichtliche Tat, in der und durch die hindurch sich Gott offenbart, und die Offenbarung als göttliche Selbstmitteilung im menschlichen *Wort* möglichst nahe aneinanderzurücken und miteinander zu verschränken. Von da aus gesehen, können wir die dritte, eben genannte Weise der Gotteserkenntnis und die zweite – die Erkenntnis Gottes durch seine eigene gnadenhafte *Wort*offenbarung – zusammensehen. Doch ist das später genauer zu bedenken.

Wenn wir zunächst von der Gotteserkenntnis sprechen wollen, dann geht es vorerst nicht um die Unterscheidung der Schultheologie. Vielmehr zielen wir auf eine ursprünglichere Einheit dieser drei Erkenntnisweisen in der Konkretheit des menschlichen Daseins ab. Das ist auch von einem philosophischen Ansatzpunkt her berechtigt. Wenn wir auf unsere Gotteserkenntnis reflektieren als auf eine in geschichtlicher Verfaßtheit gegebene transzendentale Erfahrung, die aus dem Wesen der menschlichen Erkenntnissituation heraus zwar immer eine im eigentlichen Sinne philosophische Erkenntnis impliziert, aber auch von einer solchen grundsätzlich nicht eingeholt werden kann, dann muß auch unbefangen damit gerechnet werden, daß sie Elemente enthält, die eine nachträgliche theologische Reflexion als gnadenhaft und offenbarungshaft ansprechen wird. All das, was wir hier von der Gotteserkenntnis sagen, ist zwar in Worten gesagt, meint aber eine ursprünglichere Erfahrung. Das ist philosophisch möglich und berechtigt. Auch der Philosoph kann anerkennen, daß seine philosophische Reflexion jene ursprüngliche Erkenntnis gar nicht adäquat einholt.

Das, was wir hier meinen, ist nicht eine natürliche philosophische Gotteserkenntnis, wenn es auch ein solches Element in sich enthält. Mindestens grundsätzlich geht es aber darüber hinaus. Was wir sagen wollen, bezieht sich auf die geschichtlich verfaßte transzendentale Gotteserfahrung, die durch dieses unser Sagen gar nicht streng philosophisch in bloße Metaphysik transponiert werden soll, sondern durch dieses Sagen gleichsam nur angerufen wird. Diese unsere Rede von der Gotteserkenntnis kann die ursprüngliche transzendentale und doch geschichtlich verfaßte Gotteserfahrung nicht nur nicht ersetzen, sondern sie will sie nicht einmal adäquat philosophisch vertreten.

Die Einheit der drei genannten Weisen der Gotteserkenntnis in ihrem ursprünglichen Grund ist auch aus einem theologischen Grunde durchaus zulässig. Es gibt in der konkreten Heilsordnung gerade nach christlich-katholischem Verständnis gar keinen Wesensvollzug des Menschen, der nicht in der Dimension jener Finalisierung des menschlichen Selbstvollzugs auf die Unmittelbarkeit Gottes hin stünde, die wir Gnade nennen, in der wiederum ein Moment eigentlicher – wenn auch transzendentaler – Offenbarung mitgegeben ist.

Im konkreten Vollzug des Daseins gibt es also, weil ja auch die theologische Erkenntnis noch einmal unsere Tat ist, die in Freiheit geschieht, keine Gotteserkenntnis, die rein natürlich wäre. Ich kann zwar an der konkreten Gotteserkenntnis in einer nachträglichen theologischen Reflexion Momente nennen, die ich zur Natur, zum Wesensvollzug des Menschen als solchem rechne und rechnen kann. Aber die konkrete Gotteserkenntnis ist schon immer als Frage, als Anruf, der bejaht oder abgelehnt wird, in der Dimension der übernatürlichen Bestimmung des Menschen. Auch eine Ablehnung einer natürlichen Gotteserkenntnis, ein unthematischer oder thematischer Atheismus, ist, theologisch gesehen, immer und unweigerlich gleichzeitig ein wenigstens unthematisches Nein der Selbstverschließung des Menschen gegenüber jener Ausgerichtetheit des menschlichen Daseins auf die Unmittelbarkeit Gottes. Diese Ausgerichtetheit nennen wir Gnade; sie ist ein unentrinnbares Existential des ganzen Wesens des Menschen auch dann noch, wenn er sich diesem im freien Nein verschließt.

Anders ausgedrückt: Der *konkrete* Vollzug der sogenannten natürlichen Gotteserkenntnis im Ja und im Nein ist – theologisch gesehen – immer mehr als eine bloß natürliche Gotteserkenntnis, sowohl als unthematische, in der ursprünglichen Selbstinterpretation des menschlichen Daseins vollzogene als auch als reflex thematische.

Wir zielen also auf jene konkrete, ursprüngliche, in geschichtlicher Verfaßtheit transzendentale Gotteserkenntnis, die im Modus des Ja oder des Nein unweigerlich im Grunde des Daseins noch im alltäglichsten Leben des Menschen geschieht. Sie ist natürliche und gnadenhafte, erkenntnishafte und offenbarungsglaubenshafte Erkenntnis in einem, so daß die Unterscheidung ihrer Elemente ein nachträgliches Geschäft der Philosophie und Theologie, nicht aber eigentlich ein Ereignis reflexer Art für diese ursprüngliche Erkenntnis selber ist.

Transzendentale Gotteserkenntnis als Erfahrung des Geheimnisses

Die hier gemeinte Erkenntnis Gottes beruht auf jener Subjekthaftigkeit, freien Transzendenz und Unverfügbarkeit für sich selbst, die wir wenigstens anzudeuten suchten. Diese transzendentale Erfahrung, die immer durch eine kategoriale Erfahrung der konkreten, welthaften, raumzeitlichen Einzeldaten unserer Erfahrung (aller, auch der sog. „profanen"!) vermittelt ist, darf nun nicht als ein neutrales Vermögen aufgefaßt werden, durch das unter anderem auch Gott erkannt werden kann. Sie ist vielmehr so sehr die ursprüngliche Weise der Erkenntnis Gottes, daß die hier gemeinte Gotteserkenntnis einfach das Wesen dieser Transzendenz selber ausmacht.

Die Transzendenz, mit der – wenn auch unthematisch und ohne Begrifflichkeit – schon Gott gegeben ist, darf nicht als ein eigenmächtiges aktives Erobern der Erkenntnis Gottes und so auch Gottes selbst aufgefaßt werden. Denn diese Transzendenz erscheint nur als sie selbst in dem Sicheröffnen dessen, woraufhin die Transzendenzbewegung geht. Sie ist durch das da, was sich in ihr als das andere gibt, das diese Transzendenz selbst von sich absetzt und sie für das durch sie konstituierte Subjekt als Geheimnis erfahrbar macht. Subjektivität ist immer schon vom ersten Ansatz her die hörende, die nicht verfügende, die durch das Geheimnis überwältigte, durch das Geheimnis eröffnete Transzendenz. Inmitten ihrer absoluten Unbegrenztheit erfährt sich diese Transzendenz als die leere, als die bloß formale, als durch Endlichkeit notwendig zu sich selbst vermittelte, also als endliche Unendlichkeit. Wenn sie sich nicht als absolutes Subjekt verkennen und vergötzen will, weiß sie sich als die sich selbst aufgegebene, die im Geheimnis gründende, die verfügte Transzendenz. In aller Unendlichkeit erfährt sie sich als die radikal endliche; ja gerade durch diese Unbegrenztheit der Transzendenz ist sie die ihre eigene Endlichkeit erfassen könnende und erfassen müssende Transzendenz.

Die Transzendenz streng als solche weiß – wenn auch als Bedingung der Möglichkeit der kategorialen Erkenntnis, der Geschichte und der konkreten Freiheit – immer nur von *Gott* und sonst nichts. Sie ist nur gegeben in dem Sicheröffnen von ihr selbst her und ist – biblisch gesprochen – vom ersten Ansatzpunkt an ursprünglich die Erfahrung des Erkanntseins durch Gott selbst. Das Wort, das alles sagt, indem es „Gott" sagt, erfährt sich immer in seinem ursprünglichen Wesen als die Antwort, in der das Geheimnis, es selber bleibend, sich dem Menschen zusagt.

Die Einheit von Transzendenz und ihrem Woraufhin kann gerade *nicht* als die Einheit zweier gleichmäßig aufeinander verwiesener Momente aufgefaßt werden, sondern nur als die Einheit des frei und verfügend Begründenden und des Begründeten, die Einheit als Einheit des ursprünglichen Wortes und der Antwort, die je durch das Wort überhaupt ermöglicht ist. Diese Einheit kann nun auf verschiedene Weise beschrieben werden, weil sie – das Erste und Letzte – nur hilflos durch das Zweite und Bedingte ausgesagt werden kann, durch das Zweite und Bedingte, das das Erste nie wirklich umgreift. Man kann immer nur von der Transzendenz sprechen, indem man über ihr Woraufhin redet, und man kann dieses Woraufhin immer nur verständlich machen in seiner Eigenart, indem man von der Eigentümlichkeit der Transzendenz als solcher spricht.

Wollten wir diese ursprüngliche Gotteserkenntnis in der Transzendenz vom subjektiven Pol allein her begreifen, wollten wir also gleichsam die Transzendenz selber uns klarmachen, um von da aus verständlich zu machen, was dieses Woraufhin eigentlich sei, auf das diese Transzendenz ausgeht, dann hätten wir einmal die Schwierigkeit, Intentionalität als solche beschreiben zu müssen, ohne von dem zu reden, woraufhin sie geht; wir hätten zum anderen die Last, eine existenzielle Mystagogie suchen zu müssen, die den einzelnen in seinem konkreten Dasein auf die Erfahrungen, sie beschreibend, aufmerksam macht, in denen gerade er als dieser einzelne die Erfahrung des transzendierenden Sich-selbst-weggenommen-Seins in das unsagbare Geheimnis hinein macht. Da die Deutlichkeit und Überzeugungskraft der vielfältigen einzelnen derartigen Erfahrungen in der Angst, der absolut subjekthaften Sorge, in der unabwälzbaren Freiheitsverantwortung der Liebe, in der Freude usw. bei den einzelnen Menschen entsprechend der Verschiedenheit ihres geschichtlichen Daseins sehr verschieden ist, müßte eine solche Mystagogie in diese eigene erlebte individuelle Transzendenzerfahrung bei den einzelnen Menschen sehr verschieden sein. Eine solche Mystagogie, in der der einzelne Mensch darauf aufmerksam gemacht wird, daß sich in seiner unmittelbaren Hinwendung zur konkreten Welt immer wieder namenlos diese Transzendenzerfahrung wirklich ereignet, könnte beim einzelnen Menschen nur im Einzelgespräch, in einer individuellen Logotherapie möglich sein.

Wir wollen darum hier die Beschreibung der ursprünglichen Gotteserkenntnis versuchen, indem wir sagen, worauf sich diese Transzendenz richtet, wem sie begegnet oder, besser, von woher sie selbst eröffnet ist. Dabei ist es so, daß auch die Nennung dieses Woraufhin oder Wovonher nur begriffen werden kann, wenn sie auch die transzendentale Erfahrung als solche immer wieder hervorruft aus ihrer schweigenden und darum leicht übersehbaren Selbstverständlichkeit.

Wenn wir so auf das Woraufhin und Wovonher der Transzendenz blicken, um auf die ursprüngliche und unthematische Gotteserkenntnis aufmerksam zu machen, ist die Schwierigkeit, sie so vor uns zu bringen, noch nicht behoben. Denn die Namen, die man diesem Woraufhin und Wovonher der Transzendenz in der Geschichte der reflexen Selbstinterpretation des Menschen als des transzendierenden Geistes gegeben hat, sind sehr viele. Und nicht jeder dieser Namen vermittelt jedem einzelnen in der konkreten Erfahrung seiner Existenz in gleicher und gleich eingängiger Weise den reflexen Zugang zu dieser ursprünglichen Gotteserfahrung selber.

Man kann dieses die Transzendenz tragende Woraufhin und Wovonher gleich „Gott" nennen. Man kann von Sein sprechen, vom Grund, von letzter Ursache, vom lichtenden und entbergenden Logos, man kann das Gemeinte noch mit tausend anderen Namen anrufen. Wenn wir „Gott" sagen oder „Urgrund" oder „Abgrund", dann ist natürlich ein solches Wort über das hinaus, was es eigentlich sagen will, immer auch mit Vorstellungen angefüllt, die mit dem eigentlich Gemeinten nichts zu tun haben. Jeder dieser Begriffe hat immer die Patina der Geschichte – auch der individuellen – so sehr an sich, daß man fast nicht mehr das eigentlich Gemeinte unter einem solchen Wort begreifen kann; wenn wir mit der Bibel und mit Jesus selber Gott „Vater" nennen, dann ist uns bei der heutigen Kritik an einem solchen Namen sehr begreiflich, wie mißverständlich oder unverständlich ein solches Wort, in dem Jesus sein letztes Gottverständnis und Gottesverhältnis auszusagen wagte, sein kann.

Der Philosoph mag weiter vor allem darüber nachdenken, wie die transzendentale Verwiesenheit auf das, was er Sein nennt, und die transzendentale Verwiesenheit auf Gott zusammengehören und zu unterscheiden sind.

Weil wir in einer unmittelbaren Weise nur auf die ursprüngliche transzendentale Gotteserkenntnis verweisen wollen, die der reflexen Ontologie adäquat nicht einholbar vorausgeht, dürfen wir hier einen kürzeren, wenn gewiß auch unvorsichtigeren Weg einschlagen, weil die an sich haltende Vorsicht der Philosophie das Wagnis des hier immer ihr vorausliegenden Daseinsverständnisses nicht ersetzen kann.

Darum aber ist die Schwierigkeit, wie wir dieses Woraufhin und Wovonher unserer ursprünglichen Transzendenzerfahrung nennen sollen, noch nicht überwunden. Wir könnten es natürlich mit einer ehrwürdigen und gewiß auch uns verpflichtenden Tradition der ganzen abendländischen Philosophie einfach „das Sein schlechthin", „das absolute Sein", den alles in ursprünglicher Einheit setzenden „Grund des Seins" überhaupt nennen. Sprechen wir aber so von „Sein" und „Seinsgrund", sind wir in der tödlichen Gefahr, daß viele heutige Menschen das Wort vom Sein nur als eine leere und nachträgliche Abstraktion aus der pluralen Erfahrung der unmittelbar begegnenden einzelnen Wirklichkeiten hören können. Wir wollen daher zunächst dieses Woraufhin und Wovonher unserer Transzendenz mit einem anderen Wort zu benennen suchen, einem Wort, das sich natürlich auch nicht für den Schlüssel zu allen Türen halten darf, das aber vielleicht doch das Gemeinte in einer gewissen Umgehung der eben angedeuteten Seinsproblematik deutlich macht. Wir wollen das Woraufhin und Wovonher unserer Transzendenz *„das heilige Geheimnis"* nennen – wenn auch dieses Wort verstanden, vertieft und dann in seiner Identität mit dem Wort „Gott" langsam herausgestellt werden muß, auch wenn wir immer wieder auf andere Worte, die sich sonst in der menschlichen und philosophischen Tradition anbieten, zurückgreifen müssen. Warum wir dieses Geheimnis das ,,heilige" nennen, müssen wir später in einer eigenen Überlegung bedenken.

Wir sprechen von einem Woraufhin der Transzendenzerfahrung und bestimmen diese nicht deswegen als das heilige Geheimnis, um uns möglichst umständlich und vertrackt auszudrücken, sondern aus einem anderen Grund: Würden wir nämlich einfach sagen, ,,Gott" sei das Woraufhin unserer Transzendenz, so wäre dauernd das Mißverständnis zu befürchten, wir sprächen von Gott so, wie er in einer vergegenständlichenden Begrifflichkeit zuvor schon ausgesagt, bekannt und verständlich ist.

Wenn wir ein solches nicht so geläufiges, nicht so fixiertes Wort wie ,,heiliges Geheimnis" zunächst benutzen, um zu sagen, worauf die Transzendenz hingeht und woher sie kommt, dann ist die Gefahr des Mißverständnisses etwas geringer, als wenn wir sagen: ,,Diese Transzendenz geht auf Gott." Die Beschreibung der Erfahrung und des Erfahrenen in einem muß zuerst einmal vorkommen, bevor das so Erfahrene dann ,,Gott" genannt werden kann.

Das Woraufhin der Transzendenz als das Unendliche, Unabgrenzbare und Unnennbare

Das Woraufhin unserer Transzendenzerfahrung, für das wir gewissermaßen erst einen Namen suchen, ist immer schon als das Namenlose, Unabgrenzbare, Unverfügbare anwesend. Denn jeder Name grenzt ab, jeder Name unterscheidet, kennzeichnet etwas, indem – auswählend unter vielen Namen – dem Gemeinten ein bestimmter Name gegeben wird. Der unendliche Horizont (das Woraufhin der Transzendenz), die uns tragende Eröffnung der unbegrenzten Möglichkeiten, diesem und jenem Bestimmten zu begegnen, läßt sich nicht auch wieder mit einem Namen benennen, der dieses Woraufhin unter die Wirklichkeiten einreihen würde, die auf dieses Woraufhin und von diesem Wovonher erfaßt werden. Zwar können und müssen wir auf das Unheimliche, Unfaßbare, niemals in unser Koordinatensystem Einrückbare, niemals durch etwas anderes unterscheidend Abgrenzbare reflektieren. Wir vergegenständlichen es dann, fassen es gewissermaßen als einen Gegenstand unter anderen auf, begrenzen es begrifflich; ja, wir müssen es gerade als das von allen anderen Unterschiedene aussagen, weil es als der absolute Grund von allem bestimmten Seienden eben gerade nicht die nachträgliche Summe dieser vielen einzelnen sein kann. Aber alle notwendige Begrifflichkeit bleibt doch nur wahr, insofern in diesem abgrenzenden und gegenständlich aussagenden Akt über das Woraufhin der Transzendenz als dessen Bedingung der Möglichkeit wiederum ein Akt der Transzendenz auf das unendliche Woraufhin dieser Transzendenz geschieht. Die Reflexion vollzieht selber noch einmal eine ursprüngliche Transzendenz, auf die sie an und für sich nur reflektieren und die sie vergegenständlichen will.

Der Vorgriff der ursprünglichen Transzendenz geht also auf das Namenlose und ursprünglich von sich selbst her Unendliche. Die Bedingung des unterscheidenden Nennens kann wesentlich keinen Namen haben. Wir können diese Bedingung den oder das Namenlose, das oder den von allem Endlichen Unterschiedene(n), den „Unendlichen" nennen, aber wir haben diesem „Woraufhin" damit eben doch keinen Namen gegeben, sondern es als das Namenlose genannt. Wir haben diese Benennung nur dann wirklich verstanden, wenn wir sie als reinen Hinweis auf jenes Schweigen der transzendentalen Erfahrung verstehen. Die Transzendenz geht somit auch auf das Unabgrenzbare. Der Horizont der Transzendenz, ihr Woraufhin, grenzt – indem er sich als das Unerreichbare weitet und so den Raum der einzelnen Gegenstände der Erkenntnis und der Liebe für diese Erkenntnis anbietet – immer wesentlich von sich aus ab gegen alles, was innerhalb seiner als Gegenstand des Begreifens erscheint. Insofern ist selbstverständlich die Absetzung dieses unaussagbaren Woraufhin vom Endlichen nicht nur zu vollziehen, sondern diese Abgrenzung ist die *eine ursprüngliche* Unterscheidung, die überhaupt erfahren wird, weil sie Bedingung der Möglichkeit jedweden Unterscheidens von Gegenständen sowohl vom Horizont der Transzendenz selbst als auch untereinander ist. Aber gerade so wird dieses unsagbare Woraufhin selbst als das Unabgrenzbare gesetzt, denn als Möglichkeitsbedingung alles kategorialen Unterscheidens und Absetzens kann es selbst nicht wieder mit denselben Mitteln der Unterscheidung von anderem abgegrenzt werden.

Von der Unterscheidung her zwischen dem transzendentalen Woraufhin und den einzelnen kategorialen Gegenständen einerseits und der Unterschiedenheit kategorialer Gegenstände unter sich anderseits ist sowohl die Falschheit eines wirklichen *Pantheismus* wie auch eines vulgären – auch im religiösen Bereich vorkommenden – *Dualismus* zu verstehen, der Gott und das Nicht-Göttliche einfach wie zwei Dinge nebeneinandersetzt.

Wenn wir gegen den Pantheismus sagen, Gott und die Welt sind verschieden, so ist dieser Satz radikal mißverstanden, wenn man ihn auf solche dualistische Weise deutet. Der Unterschied zwischen Gott und Welt ist derart, daß das eine den Unterschied des anderen zu sich selber noch einmal setzt und ist und darum gerade in der Unterscheidung die größte Einheit zustande bringt. Denn wenn der Unterschied selbst noch einmal von Gott herkommt, selber nochmals – wenn wir so sagen dürfen – mit Gott identisch ist, dann ist der Unterschied zwischen Gott und Welt ganz anders aufzufassen als derjenige zwischen kategorialen Wirklichkeiten, denen ein Unterschied vorausliegt, weil sie gewissermaßen schon einen sie bergenden und unterscheidenden Raum voraussetzen und keine dieser voneinander kategorial verschiedenen Wirklichkeiten selber den Unterschied zum anderen setzt oder dieser Unterschied ist. Deswegen könnte man den Pantheismus das Gefühl (besser: die transzendentale Erfahrung) davon nennen, daß Gott die absolute Wirklichkeit, der ursprüngliche Grund, das letzte Woraufhin der Transzendenz ist. Hier liegt sein Wahrheitsmoment.

Umgekehrt ist ein religiöser Dualismus, der vulgär und primitiv einfach den Unterschied zwischen Gott und der Wirklichkeit seiner von ihm geschaffenen Welt kategorial begreift, im Grunde sehr unreligiös, weil er nicht einsieht, was Gott eigentlich ist; weil er Gott als ein Moment in einem größeren Ganzen – als Teil der Gesamtwirklichkeit – begreift.

Gott ist durchaus der von der Welt Unterschiedene. Aber er ist eben in der Weise unterschieden, wie dieser Unterschied in der ursprünglichen transzendentalen Erfahrung zur Gegebenheit kommt. In ihr wird dieser merkwürdige, einmalige Unterschied ja so erfahren, daß von diesem Woraufhin und von diesem Wovonher aus die ganze Wirklichkeit getragen wird und überhaupt erst begreifbar ist, so daß gerade der Unterschied noch einmal die letzte Einheit von Gott und Welt bejaht und in dieser Einheit erst der Unterschied verständlich wird.

Diese abstrakt klingenden Dinge sind heute für ein religiös vollziehbares Gottesverständnis fundamental. Denn *den* Gott gibt es wirklich nicht, der als ein einzelnes Seiendes neben anderem Seienden sich auswirkt und waltet und so gewissermaßen selber noch einmal in dem größeren Haus der Gesamtwirklichkeit anwesend wäre. Suchte man einen solchen Gott, dann hätte man einen falschen Gott gesucht. Der Atheismus und ein vulgärer Theismus leiden an derselben falschen Gottesvorstellung; nur lehnt der eine diese ab, während der andere meint, sie dennoch denken zu können. Beides ist im Grunde falsch. Das zweite (die Vorstellung des vulgären Theismus), weil es diesen Gott nicht gibt; das erste (der Atheismus), weil Gott doch die radikalste, ursprünglichste und in einem gewissen Sinne selbstverständlichste Wirklichkeit ist.

Unabgrenzbar ist das Woraufhin der Transzendenz, weil der Horizont nicht im Horizont selbst gegeben sein, das Woraufhin der Transzendenz nicht wirklich als es selbst innerhalb der Reichweite der Transzendenz hereingeholt und so vom anderen unterschieden werden kann. Der letzte Maßstab kann nicht noch einmal gemessen werden. Die Grenze, die allem seine „Definition" gibt, läßt sich nicht wiederum durch eine noch weiter entfernt liegende Grenze bestimmen. Die unendliche Weite, die alles einfängt und alles einfangen kann, läßt sich nicht noch einmal einfangen. So wird aber dieses namenlose und unabgrenzbare, sich nur von sich selbst her von allem anderen absetzende und so alles andere von sich abweisende, alles normierende und alle von ihm verschiedenen Normen abwehrende Woraufhin der Transzendenz zum absolut Unverfügbaren. Es ist immer nur da, indem es verfügt. Es entzieht sich nicht nur physisch, sondern auch logisch jeder Verfügung von seiten des endlichen Subjekts. In dem Augenblick, wo das Subjekt mit Hilfe seiner formalen Logik und Ontologie dieses Namenlose bestimmen würde, geschähe dieses selbst wiederum durch den Vorgriff auf dasjenige, was bestimmt werden soll. Ontologie ist jenes geheimnisvolle Ereignis, in dem die ersten Maßstäbe als die selbst unmeßbaren sich selber zeigen und der Mensch sich als der gemessene weiß. Das Woraufhin der Transzendenz läßt nicht über sich selbst verfügen, weil wir dann wieder über es hinübergreifen und es in einen anderen, weiteren, höheren Zusammenhang einordnen würden; was ja gerade dem Wesen dieser Transzendenz und des eigentlichen Woraufhin dieser Transzendenz widerspricht. Dieses Woraufhin ist die unendliche, stumme Verfügung über uns. Es gibt sich uns im Modus des Sichversagens, des Schweigens, der Ferne, des dauernden Sichhaltens in einer Unausdrücklichkeit, so daß alles Reden von ihm immer – damit es vernehmlich sei – des Hörens auf sein Schweigen bedarf.

Weil das Woraufhin der Transzendenz immer nur in der Erfahrung dieser gleichsam bodenlosen, an kein Ende kommenden Transzendenz gegeben ist, ist der *Ontologismus* in seinem vulgären Sinn vermieden. Denn dieses Woraufhin wird nicht an sich selbst erfahren, sondern nur in der Erfahrung dieser subjektiven Transzendenz ungegenständlich gewußt. Gegebenheit des Woraufhin der Transzendenz ist die Gegebenheit einer solchen Transzendenz, die immer nur als Bedingung der Möglichkeit einer kategorialen Erkenntnis und nicht für sich allein gegeben ist. Wir sehen natürlich durch einen solchen Satz, der zu den fundamentalsten eines wirklichen Gottesverständnisses und einer wirklich richtig angesetzten Gotteserkenntnis gehört, daß die heutige Tendenz, nicht von Gott zu reden, sondern vom Nächsten, nicht von Gottesliebe zu predigen, sondern von der Nächstenliebe, nicht „Gott" zu sagen, sondern „Welt" und „Weltverantwortung", hier eine absolut wahre Grundlage hat, sosehr letztlich dann solche Thesen einer Verbannung Gottes und eines radikalen Schweigens von ihm falsch sind und falsch bleiben und gegen das wahre Wesen des Christentums verstoßen. Aber das Richtige an all diesen Aussagen ist die schlichte Tatsache, daß wir Gott nicht als einen einzelnen Gegenstand unter anderen für sich haben, sondern immer nur als das Woraufhin der Transzendenz, die nur in der kategorialen Begegnung (in Freiheit und Erkenntnis) mit der konkreten Wirklichkeit (die ja gerade gegenüber diesem absolut sich entziehenden Gott als Welt erscheint) zu sich selbst kommt. Darum ist dieses Woraufhin der Transzendenz immer nur im Modus der abweisenden Ferne gegeben. Nie kann man direkt auf es zugehen, nie es unmittelbar ergreifen. Es gibt sich nur, insofern es stumm auf ein anderes, auf ein Endliches als Gegenstand des direkten Anblicks und der unmittelbaren Tat hinweist. Und darum ist dieses Woraufhin der Transzendenz Geheimnis.

Das Woraufhin der Transzendenz als das „heilige Geheimnis"

Wir haben schon einmal vorauseilend das Woraufhin der Transzendenz das *heilige* Geheimnis genannt. Der Grund, weshalb wir es „Geheimnis" nennen mußten, bestand letztlich darin, daß es für uns eben dasjenige ist, was nicht durch einen über es nochmals hinausgreifenden Vorgriff umgriffen und so bestimmt werden kann. Warum charakterisieren wir es aber als das „heilige" Geheimnis?

Wir haben schon im ersten Gang betont, daß wir in unserer Rede von Transzendenz nicht nur und allein die Transzendenz meinen, die die Bedingung der Möglichkeit einer kategorialen Erkenntnis als solcher ist, sondern ebenso die *Transzendenz der Freiheit, des Willens, der Liebe.* Diese Transzendenz, die das Subjekt als freies und personales Subjekt des Handelns in einem unbegrenzten Raum der Tat konstituiert, ist ebenso wichtig und im Grunde nur eine andere Seite der Transzendenz eines geistigen, deswegen erkennenden und gerade deshalb freien Subjektes. Freiheit ist immer die Freiheit eines Subjekts, das mit anderen Subjekten in einer interpersonalen Kommunikation steht. Deswegen ist sie notwendigerweise Freiheit gegenüber einem anderen Subjekt von Transzendenz, die nicht zunächst Bedingung der Möglichkeit sachhafter Erkenntnis, sondern die Bedingung der Möglichkeit des Bei-sich-Seins eines Subjektes bei sich selbst und genauso ursprünglich beim anderen *Subjekt* ist. Die bejahende Freiheit eines Subjektes, das sich selbst aufgegeben ist, gegenüber einem anderen Subjekt heißt aber letztlich Liebe. Wenn wir hier also auf die Transzendenz als Wille, als Freiheit reflektieren, müssen wir auch den Charakter eines liebenden Woraufhin und Wovonher dieser Transzendenz beachten. Es ist das Woraufhin einer absoluten Freiheit, welches Woraufhin als das Unverfügbare, Namenlose und absolut Verfügende in liebender Freiheit waltet. Es ist die Eröffnung meiner eigenen Transzendenz als Freiheit und Liebe. Das Woraufhin der Transzendenz ist aber immer ursprünglich ein Wovonher des sich zuschickenden Geheimnisses. Dieses Woraufhin eröffnet selber unsere Transzendenz; sie wird nicht von uns als einem absoluten Subjekt selbstherrlich gesetzt. Geht also liebend freie Transzendenz auf ein Woraufhin, das selber diese Transzendenz eröffnet, dann können wir sagen, daß das unverfügbare, namenlose, absolut Verfügende selber in liebender Freiheit waltet, und ebendies ist es, was wir meinen, wenn wir „heiliges Geheimnis" sagen.

Denn wie wollte man das Namenlose, Verfügende, uns in unsere Endlichkeit Verweisende und trotzdem in unserer Transzendenz immer durch die liebende Freiheit Bejahte nennen, wenn nicht „heilig"? Und was könnte man „heilig" nennen, wenn nicht dieses, oder wem käme der Name „heilig" ursprünglicher zu als eben diesem unendlichen Woraufhin der Liebe, die vor diesem Unumgreifbaren, Unsagbaren notwendigerweise Anbetung wird?

In der Transzendenz west also im Modus der unverfügten und verfügenden abweisenden Ferne das Namenlose und unendlich Heilige. Dies aber nennen wir das Geheimnis oder (damit die Transzendentalität der freien Liebe über dieser Erkenntnis nicht übersehen werde, sondern beide in ihrer ursprünglichen personalen Einheit gegenwärtig bleiben) etwas ausdrücklicher: das heilige Geheimnis. Und durch diese beiden Worte, die als Einheit verstanden werden und trotzdem eine innere Differenz zueinander haben, ist die Transzendentalität sowohl der Erkenntnis wie der Freiheit und Liebe in gleicher Weise ausgesprochen.

Jede Transzendenzerfahrung ist eine ursprüngliche, nie abgeleitete Erfahrung; und eben diese Unabgeleitetheit und Unableitbarkeit kommt ihr von dem her zu, was in ihr begegnet, d. h. sich zeigt. Die Bestimmung dieses Woraufhin als des „heiligen Geheimnisses" bringt also nicht eine Begrifflichkeit von woanders her bei und so von außen an dieses Woraufhin heran, sondern entnimmt sie dem ursprünglichen „Gegenstand", der sein eigener Grund und der Grund und Horizont seiner Erkenntnis selber ist und sich in der transzendentalen Erfahrung selber von sich her kundmacht.

Wenn wir so den ursprünglichen Begriff des Geheimnisses und des Heiligen erreicht haben und wenn wir mit diesem Wort das Woraufhin der Transzendenz richtig nennen, kann es sich dabei natürlich nicht um eine *Definition* des Wesens des heiligen Geheimnisses handeln. Das Geheimnis ist so undefinierbar wie alle anderen transzendentalen „Begriffe", die keiner Definition zugänglich sind, weil das in ihnen Ausgesagte sich nur in der transzendentalen Erfahrung zeigt und diese als immer schon und überall vorgegebene nichts außerhalb ihrer selber hat, von dem aus sie und ihr Woraufhin bestimmt werden könnte.

Transzendentale Erfahrung und Wirklichkeit

Wir reden oft vom *Begriff* Gottes; wir bringen also – wenn auch nachträglich – das ursprüngliche Woraufhin unserer unthematischen Transzendentalität in einen Begriff, einen Namen. Damit ist die Frage gestellt, ob das, was so in einen Wesensbegriff gebracht wird, nur ein Gedachtes oder auch ein Wirkliches ist. Dazu ist gleich zu sagen, daß es das größte Mißverständnis wäre – das völlig aus der ursprünglichen Erfahrung herausfallen würde –, wenn man dieses Woraufhin als irgendein Gedankliches, eine *Idee,* die ein menschliches Denken sich als sein Gemächte setzte, deuten würde. Dieses Woraufhin ist ja das Eröffnende, Ermächtigende für eben den Transzendenzvorgang, dasjenige, das diesen trägt und nicht seine Setzung ist.

Das ursprüngliche Wissen um das, was „*Sein*" ist, ist hier in diesem Ereignis der Transzendenz gegeben und wird nicht von einem einzelnen, begegnenden Seienden hergenommen. Ein Wirkliches kann ja als ein solches gerade nur in der Erkenntnis begegnen; und eine Aussage über ein Wirkliches als ein grundsätzlich und von vornherein der Erkenntnis Entzogenes ist ein Begriff, der sich selber aufhebt. Die prinzipielle Unerfahrbarkeit als ausgesagte und behauptete rückt selber schon dieses sogenannte absolut Unerfahrbare in den Raum der Erkenntnis ein (denn man denkt ja gerade darüber nach) und hebt es also als solches auf. Daraus ergibt sich, daß das noch nicht Erkannte und das bloß Gedachte defiziente, nachträgliche Modi des Gegenstandes der Erkenntnis sind, die prinzipiell und von vornherein auf das Wirkliche als solches gehen, weil ohne diese Voraussetzung gar nicht gesagt werden könnte, was mit Wirklichem als solchem überhaupt gemeint sei.

Das Woraufhin der transzendentalen, also ursprünglichen und umfassenden Erfahrung und Erkenntnis ist in ihr darum von vornherein als das eigentlich Wirkliche, als die ursprüngliche Einheit von Was und Daß gesetzt. Natürlich kann und muß man sagen, daß die Wirklichkeit des absoluten Geheimnisses sich dem endlichen transzendentalen Geist nicht einfach in einer solchen Begegnung mit ihm eröffnet, wie sie nach dem Modell einer leibhaftigen Erfahrung eines materiellen einzelnen Seienden in der sinnlichen Erfahrung gegeben ist. Wenn man meinen würde, *so* würde Gott erfahren, dann wäre man natürlich im Ontologismus gelandet – von dem wir uns schon abgegrenzt haben – oder hätte etwas behauptet, was in der Tat nicht gegeben ist. Natürlich gründet sich die Bejahung der Wirklichkeit des absoluten Geheimnisses für uns – die endlichen Geister – in der Notwendigkeit, mit der der Vollzug der Transzendenz als unseres Aktes für uns gegeben ist. Damit ist von einer anderen Seite her wieder das gesagt, was wir – trotz und unbeschadet der Transzendentalität der Erfahrung Gottes – von dem aposteriorischen Charakter der Gotteserkenntnis gesagt haben. Wären wir nicht unausweichlich vor uns selbst gebracht, könnten wir vom Akt der Transzendenz absehen, dann entfiele für uns die Notwendigkeit der Bejahung der absoluten Wirklichkeit des Woraufhin der Transzendenz; aber damit entfiele auch die Möglichkeit eines Aktes, in dem die Wirklichkeit dieser Transzendenz geleugnet oder bezweifelt werden könnte. Im Akt der Transzendenz wird die Wirklichkeit des Woraufhin notwendig bejaht, weil in eben diesem Akt und nur in ihm überhaupt erfahren wird, was Wirklichkeit ist.

Das Woraufhin der Transzendenz ist also das heilige Geheimnis als das absolute Sein oder das Seiende absoluter Seinsfülle und Seinshabe.

Einige Bemerkungen zu den Gottesbeweisen

Wir haben von dem absolut seienden, heiligen Geheimnis, das wir mit dem uns vertrauten Namen „Gott" nennen können, und von der Transzendenz auf dieses heilige Geheimnis in einem gesprochen. Beides macht in der ursprünglichen Einheit dieser transzendentalen Erfahrung sich gegenseitig verständlich. Wir brauchen daher nicht mehr genauer auf jene Ursprünglicheres auslegenden Aussagen einzugehen, die man „Gottesbeweise" zu nennen pflegt. So wie sich die Ontologie in dem ursprünglichen Selbstbesitz des erkennenden und frei verfügenden Daseins zur wissenschaftlichen, reflexen Ontologie verhält, so verhält sich auch die ursprüngliche Erfahrung einerseits, die wir nicht in Begriffen sagend vollziehen, auf die wir nur redend verweisen können, zu jener Erkenntnis anderseits, die in einem reflexen Gottesbeweis vollzogen wird.

Die Frage, ob man das, was hier geschieht, „Beweis" nennen soll, ist dabei zweitrangig. Die reflexe Wissenschaft ist – obzwar sie das Abgeleitete und Nachträgliche ist, das seinen Ursprung nie adäquat einholen kann – dennoch durchaus notwendig und verpflichtend. Aber diese reflexe, thematisierte, gegenständlich vorgestellte, mit Begriffen arbeitende Gotteserkenntnis ist doch nicht das erste und Ursprünglichste und kann dieses auch nicht ersetzen.

Wie wir schon gesagt haben, will ein reflexer Gottesbeweis nicht eine Kenntnis vermitteln, in der ein bisher schlechthin unbekannter und darum auch gleichgültiger Gegenstand von außen an den Menschen herangetragen wird, dessen Bedeutung und Gewichtigkeit für den Menschen sich erst nachträglich durch die weiteren Bestimmungen zeigt, die man diesem Gegenstand gibt. Wenn man den Gottesbeweis so auffassen würde, könnte man von vornherein einwenden, von Gott wisse man eben nichts. Und wie sollte einem dann klargemacht werden, daß man sich mit einer solchen Frage beschäftigen *müsse*? Theologie, Ontologie, natürliche Gotteserkenntnis usw. können aber nur mit dem Anspruch auftreten, von jedem Menschen wichtig genommen zu werden, wenn und insofern dem Adressaten klargemacht werden kann, daß er mit dieser Frage immer schon befaßt ist.

Ein theoretischer Gottesbeweis will also nur ein reflexes Bewußtsein darüber vermitteln, daß der Mensch immer und unausweichlich in seiner geistigen Existenz mit Gott zu tun hat, ob er darauf reflektiert oder nicht, ob er das frei annimmt oder nicht. Das eigentümliche Verhältnis nachträglicher Begründung des Gründenden und immer schon Anwesenden – des heiligen Geheimnisses – macht Eigenart, Selbstverständlichkeit und Schwierigkeit des reflexen Gottesbeweises aus. Es wird gewissermaßen das Begründende nochmals begründet, das stillschweigend, namenlos Anwesende nochmals benannt.

Die reflexen Gottesbweise laufen darauf hinaus, daß jede Erkenntnis – sogar im Zweifel, in der Frage und noch in der Weigerung, sich auf Metaphysik einzulassen – vor dem Hintergrund des bejahten heiligen Geheimnisses oder des Seins überhaupt geschieht als des Horizonts des asymptotischen Woraufhin und des fragenden Grundes von Akt und seinem „Gegenstand". Dabei bleibt es eine relativ zweitrangige Frage, wie man dieses namenlos abweisend Anwesende nennt, „heiliges Geheimnis", „Sein" schlechthin oder – im Hervorkehren der Freiheitsseite dieser Transzendenz und der personalen Struktur dieses Aktes – „absolutes Gut", „personales absolutes Du", „Grund schlechthinniger Verantwortung", „letzter Horizont von Hoffnung" usw. In allen sogenannten Gottesbeweisen wird nur in einer reflexen systematischen Begrifflichkeit das Eine und Einzige vorgestellt, sich vorgestellt, was immer schon vollzogen wird: Indem der Mensch die gegenständliche Wirklichkeit seines

Alltags erreicht im tätigen Zugriff und im denkend umgreifenden Begriff, vollzieht er als Bedingung der Möglichkeit solchen zugreifenden Begreifens den unthematischen, ungegenständlichen Vorgriff auf die unbegreifliche, unumgreifliche eine Fülle der Wirklichkeit, die in ihrer ursprünglichen Einheit zugleich Bedingung der Erkenntnis und des einzelnen gegenständlich Erkannten ist und als solche Bedingung unthematisch immer bejaht wird, selbst noch im Akt, der dies thematisch bestreitet.

Natürlich erfährt der einzelne Mensch diese unentrinnbare Grundverfassung am besten in der in ihm gerade individuell besonders dicht waltenden Grundbefindlichkeit seines Daseins; und der einzelne Mensch muß daher, soll er wirklich diese Reflexion darauf – „Gottesbeweis" genannt – verstehen, gerade auf dasjenige reflektieren, das *ihm* die deutlichste Erfahrung ist: auf die unumgreifbar lichte Helle seines Geistes; auf die Ermöglichung der absoluten Fraglichkeit, die der Mensch sich selbst gegenüber, sich gleichsam nichtigend, vollzieht und in der er sich selbst radikal übergreift; auf die nichtigende Angst, die etwas ganz anderes ist als eine gegenständliche Furcht und dieser als Bedingung ihrer Möglichkeit vorausliegt; auf die Freude, die keinen Namen mehr hat; auf die sittliche Verpflichtung absoluter Art, in der der Mensch wirklich von sich abspringt; auf die Erfahrung des Todes, in der er um sich in seiner absoluten Entmächtigung weiß. Auf diese und viele andere Weisen der transzendentalen Grunderfahrung des Daseins reflektiert der Mensch, ohne daß er, der sich ja in seiner Fraglichkeit als Endlicher erfährt, sich mit diesem Grund identifizieren könnte, der in dieser Erfahrung als das Innerste und zugleich absolut Verschiedene zumal sich gibt. Diese Grundverfassung und ihr Woraufhin wird in den ausdrücklichen Gottesbeweisen nur thematisiert.

Die Erfahrung, daß der Vollzug jedes Urteils als Tat in dem Getragen- und Bewegtsein durch das Sein schlechthin geschieht, das nicht von Gnaden dieses Denkens lebt, sondern als das Tragende und nicht als das durch das Denken Erdachte waltet, diese Erfahrung wird thematisiert in dem metaphysischen Kausalprinzip, das darum nicht mit dem naturwissenschaftlichen, funktionalen Kausalgesetz verwechselt werden darf, nach dem jedem Phänomen als „Wirkung" ein anderes Phänomen von quantitativer Gleichheit als „Ursache" zugeordnet wird. Das metaphysische Kausalprinzip – richtig verstanden – ist nicht eine Extrapolation des naturwissenschaftlichen Naturgesetzes, ist auch keine Extrapolation jenes kausalen Denkens, das wir im Alltag verwenden, sondern gründet in der transzendentalen Erfahrung des Verhältnisses zwischen der Transzendenz und ihrem Woraufhin. Das metaphysische Kausalprinzip, das bei den Gottesbeweisen in der traditionellen Art angewendet wird, ist nicht, obwohl auch viele Scholastiker das so konzipieren, ein allgemeines Prinzip, das hier auf einen bestimmten einzelnen Fall neben anderen angewendet wird, sondern nur der Hinweis auf die transzendentale Erfahrung, in der das Verhältnis zwischen Bedingtem und Endlichem einerseits und seinem unumgreifbaren Wovonher unmittelbar anwest und durch seine Anwesenheit erfahren wird.

Wir brauchen hier die üblichen Gottesbeweise der Schultheologie und der christlichen Schulphilosophie im einzelnen nicht zu behandeln. Wir brauchen also nicht von einem kosmologischen oder teleologischen oder kinesiologischen oder axiologischen oder deontologischen oder noetischen oder moralischen Gottesbeweis zu sprechen. Alle diese Beweise nennen ja nur bestimmte Wirklichkeiten kategorialer Art in der menschlichen Erfahrung und stellen diese ausdrücklich in den Raum jener menschlichen Transzendenz, innerhalb deren sie als solche überhaupt nur verstanden werden können, führen gewissermaßen alle diese Wirklichkeiten kategorialer Art und die Akte ihrer Erkenntnis auf die gemeinsame Bedingung der Möglichkeit solcher Erkenntnis und solcher Wirklichkeit in einem zurück. Und insofern können die verschiedenen Gottesbeweise eigentlich nur den einen Gottesbeweis von den verschiedenen Absprungsrampen derselben transzendentalen Erfahrung aus deutlich machen.

3. GOTT ALS PERSON

Analoges Reden von Gott

Über Transzendenzerfahrung kann man nur durch das Nachträgliche zu ihr reden. Daher kommt es, daß wir immer in einem merkwürdigen „einerseits – anderseits", „sowohl – als auch" davon reden müssen. Diese Weise des Redens über Gott kommt eben davon her, daß wir mit nachträglichen, kategorialen, das Kategoriale gegenseitig aufhebenden Begriffen von Gott sprechen müssen, wenn wir die ursprüngliche transzendentale Verwiesenheit auf Gott explizit thematisch machen. Wenn wir sagen, Gott ist das Innerste und von innen her Tragende des endlichen Subjekts und seiner ihm begegnenden welthaften Wirklichkeit, und gleichzeitig sagen, er ist der in absolutem, unberührbarem Selbstbesitz Waltende, er geht nicht auf in der Funktion, Horizont unseres Daseins zu sein, dann ist dieses „einerseits – andererseits", diese dialektische Doppelaussage, die nie durch eine höhere begrifflich überboten werden kann, nicht das Ursprüngliche, sondern sie kommt daher, daß die ursprüngliche Transzendenzerfahrung thematisiert, übersetzt, gleichsam in ihren eigenen Raum als Einzelgegenstand selbst hineingerückt werden muß.

All diese Aussagen, die wir gerade von Gott gemacht haben, sind in dem Sinne gemeint, daß das vom Innersten jeder Wirklichkeit her Tragende und Gründende sich einerseits im Getragenen und Gegründeten kundtut und von diesem her genannt werden kann. Sonst kann ein Verhältnis von Grund und Begründetem gar nicht begriffen werden. Dieser Grund ist doch nur als Grund gegeben und kann somit nicht wiederum in ein gemeinsames vorgeordnetes System mit dem Begründeten zusammen einbezogen werden. Eine Beziehung zu ihm ist real und erkennend immer die Transzendenz und Herkunft zum und vom absoluten Geheimnis her. So ist eine Aussage über dieses Geheimnis immer eine ursprüngliche, nicht mehr von uns selbst verwaltbare Schwebe zwischen der weltlichen Herkunft unserer reflektierten Aussage und der Ankunft dort, wohin diese Aussage eigentlich zielt, nämlich auf das Woraufhin der Transzendenz. Eine Schwebe, die als solche von uns nicht in einer logisch nachträglichen Mittelposition zwischen einem univoken Ja und einem äquivoken Nein hergestellt wird, sondern eine Schwebe, die wir selber ursprünglich als geistige Subjekte in unserem Selbstvollzug sind und die wir mit dem traditionellen Wort „Analogie" nennen können, wenn wir das mit diesem Wort Gemeinte in seinem ursprünglichen Sinn begreifen.

Wir dürfen dann das Wort „Analogie" nicht als einen Zwitter zwischen Univokation und Äquivokation verstehen. Wenn ich einen Schreibtisch „Schreibtisch" nenne, dann habe ich einen univoken Begriff verwandt, d.h., ich beziehe ihn auf die damit gemeinten Möbel im gleichen Sinne, weil ich individuelle Verschiedenheiten von vornherein ausgelassen, von ihnen abstrahiert habe. Ich nehme also eine univoke, genau gleichsinnige Prädikation vor. – Wenn ich das Geld, das ich an den Staat abliefern muß, „Steuer" nenne und mit ebendiesem Wort auch das bezeichne, womit man ein Boot steuern kann, dann hat das Wort „Steuer" in diesen Fällen einen ganz verschiedenen, einen äquivoken Sinn. Zwei Begriffe sind gegeben, die für unser Verständnis nichts miteinander zu tun haben.

In der Schulphilosophie wird die sogenannte analogia entis häufig so dargestellt, als ob sie ein nachträgliches Mittleres zwischen Univokation und Äquivokation sei; als ob man etwas über Gott sagen müsse und dann doch einsehen würde, daß man das eigentlich nicht könne, weil das ursprüngliche Verständnis dieser Aussageinhalte anderswoher stammt, von etwas, was nicht viel mit Gott zu tun habe. So müsse man also analoge Begriffe bilden, die ein Mittelding zwischen univok und äquivok seien.

So ist es aber nicht. Die Transzendenz ist das Ursprünglichere gegenüber den kategorialen, univoken Einzelbegriffen; denn die Transzendenz – dieser Übergriff auf den unbegrenzten Horizont unserer ganzen geistigen Bewegung – ist ja gerade die Bedingung, der Horizont, der tragende Grund, durch den wir einzelne Erfahrungsgegenstände miteinander vergleichen und einordnen. Diese transzendentale Bewegung des Geistes ist das Ursprüngliche, und eben sie wird mit analogia auf andere Weise bezeichnet. Deswegen hat Analogie mit der Vorstellung einer nachträglichen, ungenauen Mittelposition zwischen klaren Begriffen und solchen, die mit demselben phonetischen Klang zwei ganz verschiedene Dinge bezeichnen, nichts zu tun.

Aus dem Wesen der transzendentalen Erfahrung ergibt sich vielmehr (weil sie die Bedingung der Möglichkeit aller kategorialen Erkenntnis einzelner

Gegenstände ist), daß die analoge Aussage das Ursprünglichste unserer Erkenntnis überhaupt bedeutet, so daß äquivoke und univoke Aussagen (sosehr sie uns aus unserer Wissenschaft und unserem alltäglichen Umgang mit Erfahrungswirklichkeiten vertraut sind) defiziente Modi jenes ursprünglicheren Verhältnisses sind, in dem wir zu dem Woraufhin unserer Transzendenz stehen. Und jenes ursprünglichere Verhältnis ist eben das, was wir Analogie nennen – schwebend zwischen einem kategorialen Ausgangspunkt und der Unbegreiflichkeit des heiligen Geheimnisses: Gott. Wir selber – so könnte man sagen – existieren analog durch unser Gründen im heiligen Geheimnis, das sich uns immer entzieht, indem es uns selber immer konstituiert durch sein Aufgehen und durch sein Uns-selber-Einweisen in die konkreten, uns begegnenden Einzelwirklichkeiten kategorialer Art innerhalb des Raumes unserer Erfahrung, die dann umgekehrt wiederum die Vermittlung, der Absprungspunkt für unser Wissen um Gott sind.

Über das Personsein Gottes

Die Aussage, daß Gott Person, daß er ein persönlicher Gott sei, gehört zu den grundlegenden christlichen Aussagen über Gott. Aber sie macht dem heutigen Menschen mit Recht besondere Schwierigkeiten. Wenn wir von Gott sagen, er sei Person (in einem Sinne, der mit der Frage der sogenannten Dreipersönlichkeit Gottes noch nichts zu tun hat), dann ist die Frage nach dem Personcharakter Gottes selber wieder eine doppelte Frage: Wir können fragen, ob Gott an und für sich Person genannt werden müsse, und wir können fragen, ob er nur uns gegenüber Person sei und ob er im Bezug auf uns sich in seiner absoluten transzendenten Ferne verbirgt. Dann müßten wir zwar sagen, daß er Person sei, aber deshalb noch längst nicht jenes personale Verhältnis zu uns aufnähme, das wir in unserem religiösen Verhalten, im Gebet, in unserem glaubenden, hoffenden, liebenden Zuwenden zu Gott voraussetzen. Auf die eigentlichen Schwierigkeiten, die eine solche Aussage von Gott als Person dem Menschen von heute macht, werden wir erst kommen, wenn wir eigens über das Verhältnis zwischen Gott und dem Menschen, über die gnadenhafte Selbstmitteilung Gottes an den Menschen als transzendentale Verfaßtheit des Menschen zu sprechen haben werden.

Sehen wir von diesen Schwierigkeiten zunächst einmal ab, dann ist die Aussage, Gott sei Person, sei absolute Person, die als solche allem, was sie als das von ihr Unterschiedene setzt, in absoluter Freiheit gegenübertritt, eigentlich eine Selbstverständlichkeit; genauso, wie wenn wir sagen, Gott sei das absolute Sein, der absolute Grund, das absolute Geheimnis, das absolute Gut, der absolute endgültige Horizont, innerhalb dessen sich das menschliche Dasein in Freiheit, Erkenntnis und Handeln abspielt. Es ist ja zunächst einmal selbstverständlich, daß der Grund einer Wirklichkeit, die es gibt, diese von ihm begründete Wirklichkeit in absoluter Fülle und Reinheit in sich vorweg besitzen muß, weil sonst dieser Grund gar nicht der Grund des Begründeten sein könnte; weil er sonst letztlich das leere Nichts wäre, das – wenn man das Wort wirklich ernst nimmt – nichts sagen würde, nichts gründen könnte.

Natürlich bedeutet jene Subjekthaftigkeit und Personalität, die wir als unsere eigene erfahren, jene individuelle und begrenzte Eigentümlichkeit, durch die wir uns von anderen unterscheiden, jene Freiheit, die sich unter tausend Bedingungen und Notwendigkeiten erst vollziehen muß, eine endliche Subjekthaftigkeit in Begrenzung, die wir in dieser Begrenztheit von ihrem Grund, Gott nämlich, nicht aussagen können, und es ist selbstverständlich, daß eine solche individuelle Personalität Gott, dem absoluten Grund von allem und jedem in radikaler Ursprünglichkeit, nicht zukommen kann. Wenn man also in diesem Sinne sagen wollte, Gott sei keine individuelle Person, weil er sich ja gar nicht von einem anderen abgegrenzt und durch ein anderes begrenzt erfahren kann, weil er jeden Unterschied von sich nicht erfährt, sondern selber setzt und so der Unterschied gegenüber anderen letztlich selber ist, dann hat man darin recht, daß man so von Gott Personalität nicht aussagen kann.

Aber wenn man so vorgeht, dann könnte man dasselbe hinsichtlich jedes transzendentalen Begriffes tun, der auf Gott angewendet wird. Wenn ich sage, Gott ist der ursprüngliche Sinn, der tragende Grund, die absolute Helle, das absolute Sein usw., dann muß ich ja wissen, was Grund, Sinn usw. bedeuten soll, und kann alle diese Aussagen nur in einem analogen Sinne machen, d. h. in jener Bewegung, in der das begreifende Subjekt sein Begreifen gleichsam einmünden läßt in das heilige, unsagbare und unumgreifbare Geheimnis. Wenn man überhaupt etwas von Gott aussagen kann, dann muß man auch den Begriff „Personalität" von ihm aussagen. Selbstverständlich ist der Satz „Gott ist Person" nur dann von Gott aussagbar und wahr, wenn wir diesen Satz, indem wir ihn sagen und verstehen, entlassen in das unsagbare Dunkel des heiligen Geheimnisses. Selbstverständlich wissen wir gerade als Philosophen nur, was mit diesem Satz genauer und konkreter gemeint ist, wenn wir, einer letzten Maxime echten Philosophierens folgend, das philosophisch Apriorische in seiner leeren Formalität und formalen Leere nicht willkürlich füllen oder auch willkürlich leer lassen, sondern uns die Erfüllung dieser formalen Aussage durch unsere geschichtliche Erfahrung geben lassen und sc eben Gott in der Weise Person sein lassen, wie er uns in der individuellen Geschichte, der Tiefe unseres Gewissens und in der Gesamtgeschichte der Menschheit tatsächlich begegnen will und begegnet ist.

Man darf also diese formale Leere und leere Formalität des transzendentalen Begriffes der Person, von Gott ausgesagt, nicht noch einmal zum Götzen machen und sich von vornherein weigern, ihn füllen zu lassen durch die personale Erfahrung im Geber, in der personalen individuellen Geschichte, in der uns Gott nahekommt, in der christlichen Offenbarungsgeschichte. Von daher ist eine gewisse religiöse Naivität, die die Personalität Gottes fast in einem kategorialen Sinn versteht, doch wiederum auch gerechtfertigt.

Der Grund unserer geistigen Personalität, der sich in der transzendentalen Konstitution eben dieser unserer geistigen Person immer gerade als Grund unserer Person zusagt und in einem entzieht, hat sich damit selber schon als Person zugesagt. Die Vorstellung, der absolute Grund aller Wirklichkeit sei so etwas wie ein sich selbst entzogenes sachhaftes Weltgesetz, eine sich selbst nicht gegebene dinghafte Sachstruktur, eine Quelle, die sich selbst entleert, ohne sich zu besitzen, Geist und Freiheit aus sich entläßt, ohne selbst Geist und Freiheit zu sein, eine Vorstellung gleichsam von einem blinden Urgrund der Welt, der uns nicht anblicken kann, auch dann nicht, wenn er wollte, ist eine Vorstellung, deren Modell aus dem Zusammenhang der sachhaften Weltdinge entnommen ist und nicht von dort herkommt, wo eine ursprüngliche transzendentale Erfahrung ihren eigentlichen Ort hat: nämlich von der subjekthaften freien Selbsterfahrung des endlichen Geistes, der sich als solcher in dieser seiner Konstitution immer als der von einem anderen Herkünftige und als von einem anderen her sich Zugesagte erfährt, von einem anderen her also, das er nicht als sachhaftes Prinzip mißdeuten kann.

4. DAS VERHÄLTNIS DES MENSCHEN ZU SEINEM TRANSZENDENTEN GRUND: KREATÜRLICHKEIT

Was das Thema der Kreatürlichkeit als der Charakterisierung unseres Verhältnisses zu Gott angeht, so haben wir es hier nur in seinen letzten und sehr formalisierten Grundzügen zu bedenken, da ja erst durch die ganze christliche Botschaft dieses Verhältnis zu Gott ganz ausgesagt ist. Hinsichtlich dieser sehr formalen, grundlegenden Eigentümlichkeiten sei zunächst dieses Verhältnis selbst besprochen, insofern es in seinem letzten Wesen als Verhältnis der Kreatürlichkeit charakterisiert werden kann.

An dieser Stelle haben wir wohl das Recht, die Frage auf sich beruhen zu lassen, ob dies eine rein philosophische Aussage ist, in der Aussage und Gegenstand zugleich bloß natürlich sind, oder ob es sich zwar um eine philosophische Aussage eines philosophischen Subjekts handelt, wobei aber der Gegenstand dieser Aussage – wenn auch nur nachträglich theologisch interpretierbar – eine Wirklichkeit ist, die durch das gnadenhafte Tun Gottes mitkonstituiert ist, oder ob diese Aussage von unserer Kreatürlichkeit sogar nach ausgesagtem Gegenstand und aussagendem Subjekt ganz dem Bereich der Offenbarungstheologie angehört. Es wird ja in der Schultheologie immer wieder die Frage behandelt, ob die Lehre des Vaticanum I, daß Gott mit dem sogenannten Licht der natürlichen Vernunft erkannt werden könne, sich auch auf Gott beziehe, insofern er gerade in einem strengen Sinne nicht nur irgendein Urgrund der Welt, sondern der Schöpfer der Welt ist, ob unsere im strengen Sinne gemeinte Kreatürlichkeit auch zu jenen Daten gehört, die nach der Lehre des Vaticanum I (DS 3004) mit dem Licht der natürlichen Vernunft erkannt werden können. Auf diese Frage gibt uns das Vaticanum I keine Antwort; es lehrt zwar, daß Gott der Schöpfer aller Dinge ist, die er aus nichts hervorgebracht habe und dauernd hervorbringe; ob diese Aussage aber eine bloß philosophische sein könne oder nur innerhalb des Rahmens einer Offenbarung – also der persönlichen Selbstmitteilung Gottes – gemacht werden könne, darüber spricht das Vaticanum I nicht.

Kein Einzelfall eines kausalen Verhältnisses

In unserer transzendentalen Erfahrung, die uns auf das unsagbare heilige Geheimnis notwendig und unentrinnbar hinweist, ist jedenfalls das gegeben, was Kreatürlichkeit ist und als was sie darin unmittelbar erfahren ist. Das Wort von der Kreatürlichkeit interpretiert diese ursprüngliche Erfahrung des Verhältnisses zwischen uns und Gott in der richtigen Weise. In Analogie oder in Weiterführung einer Aussage, die wir schon gemacht haben, sagen wir, daß mit Kreatürlichkeit nicht ein Einzelfall eines allgemeinen kausalen Verhältnisses zwischen zwei Wirklichkeiten gemeint ist, kein Verhältnis, das – wenngleich ein wenig anders – sich auch sonst findet. Im ersten und ursprünglichen Ansatz ist mit Kreatürlichkeit ein Verhältnis gemeint, dessen Wesen wir nur ablesen können innerhalb der transzendentalen Erfahrung als solcher und nicht an dem Begründetsein einer Sache an oder in einer anderen neben ihr, nicht an dem empirischen Phänomen, das darin besteht, daß im Bereich unserer kategorialen Erfahrung ein Phänomen funktional mit einem anderen zusammenhängt. Wenn man meinen würde, Kreatürlichkeit sei die Extrapolation eines solchen funktionalen Verhältnisses zweier kategorialer Wirklichkeiten, die uns innerhalb unseres Erfahrungsbereiches begegnen, dann hätte man im ersten Ansatz schon das verfehlt, was mit Kreatürlichkeit gemeint ist. Kreatürlichkeit ist gerade nicht einer von vielen Fällen eines kausalen oder funktionalen Zusammenhangs zwischen zwei Dingen, die beide in einer übergeordneten Einheit stehen. Kreatürlichkeit besagt ein absolut einmaliges, nur einmal vorkommendes, und darum seinen eigenen einmaligen Platz habendes Verhältnis, das uns eben nur in dieser transzendentalen Erfahrung als solcher vermittelt wird. Genauso wie das metaphysische Kausalprinzip nicht als Extrapolation des naturwissenschaftlichen funktionalen Kausalgesetzes betrachtet werden kann, so kann die Kreatürlichkeit nicht als Fall, Anwendung, Extrapolation, Steigerung eines solchen innerweltlichen ursächlichen oder funktionalen Zusammenhangs gedacht oder betrachtet werden.

Was also mit kreatürlicher Herkunft eigentlich gemeint ist, wird im Vorgang der Transzendenz ursprünglich erfahren. Damit ist schon gegeben, daß das Wort „Kreatürlichkeit", „Geschaffensein", „Schöpfung" im ersten Ansatz nicht auf einen früheren Zeitpunkt zurückverweist, an dem die Erschaffung des betreffenden Geschöpfes einmal geschehen ist. Es meint vielmehr einen dauernden, immer aktuell bleibenden Vorgang, der bei jedem Seienden jetzt ebenso wie in einem früheren Zeitpunkt seines Daseins geschieht, wenn auch eben diese dauernde Schöpfung die eines sich selber *zeitlich* erstreckenden Seienden ist. Schöpfung und Kreatürlichkeit bedeuten also im ersten Ansatz nicht das Ereignis in einem Augenblick (dem ersten eines zeitlichen Seienden), sondern die Setzung dieses Seienden und seiner Zeit selber, welche Setzung gerade nicht in die Zeit eingeht, sondern deren Grund ist.

Kreatürlichkeit als radikaler Unterschied und radikale Abhängigkeit von Gott

Um zu verstehen, was mit Kreatürlichkeit als dem Grundverhältnis des Menschen zu Gott gemeint ist, setzen wir also wieder bei seiner transzendentalen Erfahrung an. Der Mensch als geistige Person bejaht implizit in jeder Erkenntnis und jeder Tat als realen Grund das absolute Sein und dieses als Geheimnis. Diese absolute, unumgreifbare Wirklichkeit, die immer der ontologisch sich verschweigende Horizont aller geistigen Begegnung mit Wirklichkeiten ist, ist damit immer auch unendlich verschieden vom begreifenden Subjekt. Sie ist auch verschieden vom einzelnen endlichen Begriffenen. Als solche ist sie in jeder Aussage, in jeder Erkenntnis und in jeder Tat gegeben.

Dementsprechend können wir – von diesem Grundansatz ausgehend – das Verhältnis zwischen dem Begreifenden und Ergriffenen als endlichem Seienden und dem absoluten Unendlichen nun von *zwei Seiten her* bestimmen: Gott muß als der Absolute und Unendliche schlechthin unterschieden sein. Sonst wäre er Gegenstand des begreifenden Erkennens, nicht aber der Grund solchen Begreifens. Das ist und bleibt er auch dort noch, wo er in metaphysisch begrifflicher Reflexion genannt und objektiviert wird. Er kann also darum auch der endlichen Wirklichkeit, „Welt" genannt, nicht bedürfen, weil er sonst nicht wirklich radikal von ihr verschieden, sondern ein Stück eines höheren Ganzen wäre, wie es im Pantheismus verstanden wird. Und umgekehrt, die Welt muß radikal von Gott abhängen, ohne ihn von ihr abhängig zu machen, wie der Herr vom Diener abhängig ist. Sie kann schlechterdings nichts von ihm Unabhängiges an sich tragen, sowenig wie die Gesamtheit der Weltdinge in ihrer Vielfalt und Einheit ohne den Vorgriff der Transzendenz des Geistes auf Gott erkannt werden kann. Diese Abhängigkeit muß von Gott freigesetzt sein, weil sie als endliche und werdende nicht notwendig sein kann und die Notwendigkeit des Gesetzten, wenn sie doch gegeben wäre, nur von der Notwendigkeit der Setzung in Gott herrühren könnte, eine Notwendigkeit, die die Welt zu einer Notwendigkeit Gottes machen, ihn also nicht unabhängig von der Welt sein ließe. Diese radikale Abhängigkeit muß eine dauernde sein, also nicht nur den Moment eines Anfangs betreffen, weil das Endliche ja jetzt und immer auf das Absolute als seinen Grund verweist.

Dieses eigentümliche Verhältnis zwischen Gott und der Welt nennt die christliche Lehre die Geschaffenheit der Welt, ihre Kreatürlichkeit, ihr dauerndes Sich-selbst-zugeschickt-Werden aus der freien Setzung des personalen Gottes. Diese Setzung hat also gerade nicht einen schon vorhandenen Stoff als Voraus-setzung, und in diesem Sinne ist sie „aus nichts". Schöpfung „aus nichts" will, im Grunde genommen, sagen: Schöpfung restlos von Gott her, aber so eben, daß in dieser Schöpfung die Welt radikal von Gott abhängig ist und dennoch Gott nicht von der Welt abhängig wird, sondern der ihr gegenüber freie, in sich selbst gründende bleibt. Überall dort, wo wir ein kausales Verhältnis kategorialer, innerweltlicher Art antreffen, ist es ja so, daß das Gewirkte zwar aus seinem Begriff heraus von seiner Ursache abhängig ist, aber diese Ursache selber doch in einer merkwürdigen Weise auch von ihrer Wirkung abhängig ist, weil sie diese Ursache selber nicht sein kann, ohne das Bewirkte zu bewirken. So ist es beim Verhältnis von Gott und der Kreatur nicht, denn sonst wäre Gott eben wiederum ein Moment *innerhalb* unseres kategorialen Erfahrungsbereichs und nicht das absolut Entzogene eines Woraufhin der Transzendenz, innerhalb deren das einzelne Endliche erfaßt wird.

Radikale Abhängigkeit von Gott und echter Selbstand

Gott setzt selbst das Gesetzte und seinen Unterschied von ihm selbst. Aber eben dadurch, daß Gott das Gesetzte und dessen Unterschied von ihm selbst setzt, ist das Gesetzte von Gott verschiedene, echte Wirklichkeit und kein bloßer Schein, hinter dem sich Gott und seine eigene Wirklichkeit verbergen. Radikale Abhängigkeit und echte Wirklichkeit des von Gott herkünftig Seienden wachsen im gleichen und nicht im umgekehrten Maße. In unserer menschlichen Erfahrung ist es ja so, daß etwas, je mehr es von uns abhängig ist, um so weniger von uns verschieden ist, um so weniger eigene Wirklichkeit und Selbstand hat. Im kategorialen Bereich wachsen radikale Abhängigkeit der Wirkung von der Ursache und Eigen- und Selbstand des Verursachten im umgekehrten Maße.

Aber wenn wir auf das eigentliche transzendentale Verhältnis zwischen Gott und der Kreatur reflektieren, dann zeigt sich eben, daß hier echte Wirklichkeit und radikale Abhängigkeit schlechterdings nur zwei Seiten ein und derselben Wirklichkeit sind und darum eben im selben und nicht im umgekehrten Maße wachsen. Wir und die Seienden unserer Welt sind wirklich und wahrhaft und von Gott verschieden nicht obwohl, sondern weil wir von Gott und nicht von irgend jemand anderem gesetzt sind. Schöpfung ist die einzige und einmalige unvergleichliche Weise, die das andere als Möglichkeit eines tätigen Aus-sich-Heraustretens nicht voraussetzt, sondern eben dieses andere als anderes schafft, indem sie es im gleichen Maße als Begründetes bei sich hält und in seine Eigenheit entläßt. Natürlich kann den Begriff der Schöpfung im letzten nur der vollziehen, der die Erfahrung seiner eigenen auch vor Gott und auf ihn hin gültigen Freiheit und Verantwortung nicht nur in der Tiefe seiner Existenz macht, sondern sie auch in der Tat seiner Freiheit und in der Reflexion frei annimmt. Was es eigentlich heißt, etwas anderes als Gott und trotzdem radikal bis ins allerletzte herkünftig von ihm zu sein, was es heißt, daß diese radikale Herkünftigkeit gerade die Eigenständigkeit begründet, das läßt sich nur dort erfahren, wo eine geistige, kreatürliche Person ihre eigene Freiheit noch einmal auf Gott hin und von ihm her als Wirklichkeit erfährt. Erst dort, wo man sich als freies Subjekt vor Gott verantwortlich erfährt und diese Verantwortung übernimmt, begreift man, was Eigenständigkeit ist und daß sie im selben Maße wächst und nicht abnimmt mit der Herkünftigkeit von Gott. Nur an diesem Punkt geht uns auf, daß der Mensch in einem selbständig und von seinem Grunde her abhängig ist.

Die transzendentale Erfahrung als der ursprüngliche Ort der Kreatürlichkeitserfahrung

Der ursprüngliche Ort der Kreatürlichkeitserfahrung ist ja nicht die in leerer Zeitlichkeit verlaufende, reihende Kette der Phänomene, sondern die transzendentale Erfahrung, in der das Subjekt und seine Zeit selber als vom unbegreiflichen Grund getragen erfahren werden. Die christliche Glaubenslehre sagt darum diese Kreatürlichkeit immer aus unter der Gott anbetenden Erfahrung der eigenständigen, verantwortlichen, eigenen Wirklichkeit, die restlos in die unverfügbare Verfügung des Geheimnisses schlechthin überantwortet und so uns gerade selber aufgebürdet ist. Kreatürlichkeit bedeutet darum immer auch die Gnade und den Befehl, jene Schwebe der Analogie, die das endliche Subjekt ist, aufrechtzuerhalten und anzunehmen, sich selbst zu denken, zu verstehen, anzunehmen als das wahrhaft Wirkliche und sich selbst Aufgetragene und so gerade schlechthin Herkünftige und in das absolute Geheimnis als seine Zukunft Verwiesene. Immer wird darum dieses Subjekt der Schwebe, der Analogie in Versuchung sein, eines der beiden Momente dieser unverfügbaren Einheit zu verlieren. Entweder versteht sich der Mensch nur als leerer Schein, durch den hindurch die Gottheit ihr eigenes ewiges Spiel treibt, entweder entflieht er seiner Verantwortung und seiner Freiheit wenigstens in Richtung auf Gott hin, wälzt sich und sein Dasein so auf Gott ab, daß seine Last nicht mehr in Wahrheit die wirklich eigene bleibt, oder – das ist die andere Möglichkeit dieses Mißverständnisses – er versteht die Wahrheit und wirkliche Wirklichkeit, die wir sind, so, daß sie nicht mehr in Wahrheit von Gott herkommt, sondern unabhängig von ihm immer noch etwas bedeutet und so Gott in einem falschen Sinne Partner des Menschen würde: nämlich so, daß dieser Unterschied zwischen ihm und uns und damit die Möglichkeit einer wirklichen Partnerschaft nicht noch einmal von ihm selbst gesetzt wäre, sondern ihm und unserem Verhältnis zu ihm vorausläge.

Kreatürlichkeitserfahrung als Entnuminisierung der Welt

Die christliche Lehre von der Kreatürlichkeit der Welt, die sich zunächst und ursprünglich gerade in der Setzung der freien Subjekthaftigkeit endlicher Personen ereignet, sieht hierin nicht einen seltsamen, fast nicht mehr erklärbaren Sonderfall. Sie bedeutet vielmehr gerade jene Entmythologisierung und Entnuminisierung der Welt, die für das christliche Daseins- und Weltverständnis – und nicht nur für ein modernes Daseinsgefühl – bestimmend ist.

Insofern die Welt, von Gott in seiner Freiheit gesetzt, zwar von ihm herkünftig ist, aber nicht in der Weise, in der Gott sich selber hat, ist sie wirklich nicht Gott. Darum wird sie mit Recht nicht als die „heilige Natur", sondern als der Stoff für die schöpferische Macht des Menschen betrachtet. Der Mensch erfährt nicht so sehr an dieser Natur – an ihrer dumpfen und durch sie selbst nicht erfahrenen Endlichkeit –, sondern an sich selbst und an der Welt nur als der durch ihn erkannten und frei verwalteten in seiner eigenen unbegrenzten geistigen Offenheit seine Geschöpflichkeit und begegnet darin Gott.

Mit dieser Bemerkung ist natürlich das richtige Verhältnis des Menschen zur „Natur" als seiner Umwelt noch nicht adäquat beschrieben. Dieses Verhältnis hat noch viele andere Eigentümlichkeiten, die mit der Entnuminisierung der Welt noch nicht gekennzeichnet sind, und es hat selbst auch eine Geschichte, deren Möglichkeiten wir heute ja nicht nur positiv erfahren. Doch kann uns dieses Thema – trotz seiner Bedeutung – hier nicht weiter beschäftigen.

5. DIE ANTREFFBARKEIT GOTTES IN DER WELT

Die Spannung zwischen transzendentalem Ansatz und geschichtlicher Religion

Die Frage nach der Antreffbarkeit Gottes und seines Handelns an uns in unserer konkreten geschichtlichen, welthaften Erfahrung bietet heute besondere Schwierigkeiten. Gott erschien uns bisher gerade als der tragende Grund von allem, was uns in dem letzten Horizont, der er selbst ist und den er allein bildet, begegnen kann. Als der, der nicht mit dem Begründeten in ein beides umfassendes System eingeordnet werden kann, erschien er uns als der immer Transzendente, der allem Gesetzten Vorausgesetzte, der darum nicht wiederum als ein Gesetztes, d.h. als ein von uns Umgriffenes oder Umgreifbares, gedacht werden darf. Damit aber scheint sich als Folge das zu ergeben, was vielleicht die Grundschwierigkeit der heutigen Menschen gegenüber einer konkret praktizierten Religion ausmacht. Gott kann als unsagbare unumgreifbare Voraussetzung, als Grund und Abgrund, als unsagbares Geheimnis in seiner Welt nicht antreffbar sein, er scheint in die Welt, mit der wir umgehen, nicht einrücken zu können, weil er ja dadurch gerade das würde, was er nicht ist: ein einzelnes, neben dem es anderes gibt, das er nicht ist. Wollte er in seiner Welt erscheinen, so würde er anscheinend sofort aufhören, er selber zu sein, der Grund aller Erscheinung, der selbst keine Erscheinung ist und hat. Gott scheint per definitionem nicht innerweltlich sein zu können. Wenn man zu schnell sagt, das brauche er ja nicht, er sei ja immer als der Überweltliche zu denken, dann hat man diese wirklich radikale Schwierigkeit wahrscheinlich noch gar nicht gespürt. Die Schwierigkeit besteht nämlich darin, daß Gott per definitionem nicht da sein zu können scheint, wo wir per definitionem sind. Jede Objektivation Gottes scheint als raumzeitlich Angebbares, als Bestimmbares, das hier und jetzt ist, wesentlich nicht Gott zu sein, sondern etwas, das von uns als Phänomen aus anderen innerweltlich angebbaren oder zu postulierenden Phänomenen hergeleitet werden muß.

Aber die Religion – so, wie wir sie kennen – als Religion des Gebetes um Gottes Eingreifen, als Religion des Wunders, als Religion einer von anderer Geschichte abgehobenen Heilsgeschichte, als Religion, in der es im Unterschied zu anderen bestimmte Subjekte göttlicher Vollmacht geben soll, als Religion eines inspirierten Buches, das von Gott kommt, als Religion eines bestimmten Wortes, das Gott aussagen soll im Unterschied von anderen Worten, als Religion bestimmter auch von Gott autorisierter Propheten und Offenbarungsträger, als Religion auch eines Papstes, der sich Stellvertreter Jesu Christi nennt (wobei dann dieses Wort „Jesus Christus" doch wieder mehr oder minder gleich gehört wird wie das Wort „Gott") – eine solche Religion gibt doch innerhalb unserer Erfahrung gegebene Phänomene als bestimmte eigentümliche Objektivationen und Manifestationen Gottes an, so daß Gott gleichsam auf diese Weise innerhalb unserer kategorialen Erfahrungswelt an ganz bestimmten Punkten im Unterschied zu anderen erscheint.

Eine solche Religion scheint mit unserem transzendentalen Ansatz, auf den wir auf der anderen Seite nicht verzichten können, wollen wir überhaupt heute noch von Gott reden, von vornherein unvereinbar. Religion, so, wie sie von den Menschen konkret praktiziert wird, scheint immer und unweigerlich zu sagen: „Hier ist Gott und nicht da", „das ist seinem Willen entsprechend und dieses nicht", „hier hat er sich geoffenbart und da nicht". Religion als konkret praktizierte scheint gar nicht auf eine Kategorialisierung

Gottes verzichten zu wollen und zu können. Religion, die darauf verzichtet, scheint sich in einen Nebel hinein aufzulösen, der vielleicht existiert, aber mit dem man praktisch religiös nicht leben kann. Unser Grundansatz scheint umgekehrt zu sagen, Gott ist überall, insofern er das alles Begründende ist, und er ist nirgends, insofern alles Begründete kreatürlich ist und alles, was so innerhalb unserer Erfahrungswelt auftritt, von Gott verschieden ist, getrennt durch einen absoluten Graben zwischen Gott und Nichtgöttlichem.

Hier liegt – wenn auch in einer sehr formalisierten Aussage ausgedrückt – heute wohl die Grundschwierigkeit für uns alle. Wir alle (selbst noch der über die qualvolle Nichtigkeit seines Daseins erschreckte und bekümmerte Atheist) scheinen in dem Sinne fromm sein zu können, daß wir das Unsagbare schweigend verehren; wissend, daß es ein solches gibt. Es kommt uns nur zu leicht als eine unfromme Indiskretion gegenüber diesem gleichsam schweigend-frommen Auf-sich-beruhen-Lassen des absoluten Geheimnisses vor, beinahe als eine Geschmacklosigkeit, wenn wir nicht nur über das Unsagbare reden, sondern wenn wir darüber hinaus in der normalen Frömmigkeit innerhalb unserer Erfahrungswelt auf dieses und jenes Bestimmte gleichsam mit dem Finger hinweisen und sagen: Da ist Gott. Daß an dieser Schwierigkeit die geschichtliche Offenbarungsreligion, die das Christentum ist, ihre grundsätzlichste und allgemeinste Bedrohtheit hat, ist selbstverständlich. Um dieser Schwierigkeit gerecht zu werden, müssen wir behutsam und in vielen Schritten vorangehen.

Unmittelbarkeit zu Gott als vermittelte Unmittelbarkeit

Es ist leicht einzusehen, daß es eine wie immer näherhin zu verstehende Unmittelbarkeit zu Gott als solchem selbst entweder gar nicht geben kann oder daß sie nicht dadurch schon unmöglich sein kann, daß sie auch wieder in irgendeinem Sinne vermittelt ist. Wenn es überhaupt eine Unmittelbarkeit zu Gott gibt – d.h., wenn wir wirklich mit ihm selbst als solchem etwas zu tun haben können –, kann diese Unmittelbarkeit nicht davon abhängen, daß das Nichtgöttliche schlechterdings verschwindet. Natürlich kann es ein religiöses Pathos geben, das beinahe von diesem Grundaffekt lebt, daß Gott dadurch aufgeht, indem die Kreatur verschwindet. Dieses Gefühl, gleichsam vergehen zu müssen, wenn Gott sich selber zeigen will, ist durchaus ein verständliches Empfinden, das auch im Alten Testament immer wieder bezeugt wird. Der naiv Fromme, der Gott sich kategorial vorstellt, hat hierbei natürlich keine Schwierigkeit; sowenig er eine Schwierigkeit darin sieht, daß er eine Freiheit hat, obwohl er der auch in seiner Freiheit (als Vermögen und auch als Akt) von Gott selbst Geschaffene ist. Aber in dem Augenblick, wo wir erfahren, daß wir die radikal von Gott Herkommenden, die bis in die letzte

Faser unserer Wirklichkeit von ihm Abhängigen sind, zu realisieren, daß wir auch eine Freiheit Gott gegenüber haben, das ist wahrhaftig keine Selbstverständlichkeit.

Die Unmittelbarkeit zu Gott kann, wenn sie überhaupt nicht von vornherein ein absoluter Widerspruch sein soll, nicht davon abhängen, daß das Nicht-Göttliche schlechterdings verschwindet, wenn Gott nahekommt. Gott braucht als er selber nicht dadurch einen Platz zu finden, daß ein anderes, das er nicht ist, den Platz räumt. Denn mindestens einmal das Anwesen Gottes als des transzendentalen Grundes und Horizontes alles Seienden und Erkennenden (das doch auch eine Ankunft Gottes, eine Unmittelbarkeit zu ihm ist) geschieht ja gerade durch und in der Gegebenheit des endlichen Seienden.

Vermitteltheit und Unmittelbarkeit sind nicht einfach Gegensätze; es gibt eine echte Vermittlung zur Unmittelbarkeit bezüglich Gottes. Und dort, wo nach christlichem Glaubensverständnis die radikalste, absolut unmittelbare Selbstmitteilung Gottes in seinem eigensten Sein uns selbst gegeben ist (nämlich in der unmittelbaren Anschauung Gottes als der Vollendung des begnadeten, endlichen Geistes), ist diese radikalste Unmittelbarkeit immer noch in einem gewissen Sinne vermittelt durch das sie und dadurch auch sich selbst erfahrende endliche Subjekt. In diesem unmittelbarsten Aufgehen Gottes verschwindet es nicht und wird nicht gleichsam verdrängt, sondern es kommt gerade zu seiner Vollendung und also zur subjekthaften höchsten Eigenständigkeit, die gerade ja Voraussetzung und Folge zugleich dieser absoluten Unmittelbarkeit zu Gott und von ihm her ist.

Ein Endliches als solches, insofern es als dieses bestimmte einzelne innerhalb des transzendentalen Horizontes erscheint, kann nicht Gott so repräsentieren, daß dadurch, daß es gegeben ist, auch Gott als er selbst schon anwesend wäre über jene Möglichkeit einer Vermittlung unserer transzendentalen Erfahrung hinaus. Abgesehen davon, daß transzendentale Erfahrung und solche Verwiesenheit auf Gott durch jedwedes kategoriale Seiende vermittelt werden kann, muß aufrechterhalten werden, daß ein bestimmtes einzelnes innerhalb des transzendentalen Horizontes nicht so Gott vermitteln kann, daß einfach dadurch, daß *es* gegeben wäre, diese Anwesenheit Gottes über seine Transzendentalität hinaus einen solchen Charakter bekommen könnte, wie wir es in einer vulgären Interpretation des religiösen Phänomens vorauszusetzen scheinen. Das verbietet einfach der absolute Unterschied, der zwischen dem heiligen Geheimnis als dem Grund einerseits und allem Begründeten anderseits notwendig obwaltet. Das einzelne Seiende als solches kann in seiner kategorialen Einzelheit und Begrenztheit Gott insofern vermitteln, als an seiner Erfahrung die transzendentale Erfahrung Gottes sich ereignet. Dabei ist aber freilich noch unklar, warum und inwiefern diese Art von Vermittlung einem bestimmten kategorialen Seienden eher als einem anderen zukommen solle; und erst wenn wir das sagen können, kann es ja so etwas wie eine konkrete und konkret praktizierte Religion mit ihrem kategorialen Religiösen überhaupt erst geben.

Die Alternative: „Andacht zur Welt" oder wahre Selbstmitteilung Gottes

Wir stehen also immer noch vor dem ungelösten Problem, das uns beschäftigt. Denn entweder – so scheint es zu sein – ist unter den genannten Voraussetzungen dann Religion der Respekt vor den kategorialen Strukturen der Welt, insofern diese alle zusammen einen transzendentalen Verweis auf ihren Urgrund haben; und in dieser Weise von „Religion" käme Gott eigentlich nur indirekt ins Spiel. Das ist die eine Seite der Alternative. Man könnte diese Alternative Andacht und Respekt des Menschen vor der Welt nennen, vor der Welt in ihren eigenen, sachgemäßen, natürlich auch zwischenmenschlichen Strukturen und mit einem Wissen davon, daß diese Welt einen letzten Verweis auf ihren transzendentalen Grund und Abgrund, „Gott" genannt, hat. Es bliebe eine göttlich umfaßte „Andacht zur Welt" die eigentliche Religion. Der eine würde die Natur als das Göttliche verehren, der andere würde die Welt als den Bauplatz und die Baustelle seiner eigenen Selbstbefreiung und seines eigenen tätigen Selbstverständnisses erfahren, der dritte wäre vielleicht ein Wissenschaftler, der die Wirklichkeit in ihrer durchschauten Wahrheit als schön empfindet. All das wäre ja denkbar mit einer letzten Beziehung auf das unsagbar schweigende Woraufhin und Wovonher, das man erzitternd und vor einem letzten Verstummen „Gott" nennen könnte. Damit hätten wir das beschrieben, was vielleicht „natürliche Religion" genannt werden könnte: „natürlich", weil Natur und übernatürliche Gnade hier im gegenseitigen Verhältnis sehr schwer gegeneinander deutlich abzuheben sind.

Oder ist die Religion doch mehr als „Andacht zur Welt"? Gibt es die Möglichkeit einer Unmittelbarkeit zu Gott, in der er, ohne daß er durch Kategorialisierung aufhört, wirklich er selber zu sein, nicht mehr bloß als die immer entzogene Bedingung der Möglichkeit eines subjekthaften Umgangs mit der Welt erscheint, sondern sich als solcher gibt und diese seine Selbstmitteilung angenommen werden kann? Es wird sich zeigen, daß dieses „übernatürliche" Wesen der Religion und der schon im ersten Wesensansatz gegebene Unterschied dieser Religion gegenüber jener, die wir eben „natürliche Religion" genannt haben, nicht unter einen univoken Begriff von Religion gebracht werden können. Hier ist festzustellen, daß es eine „Gegenwart" Gottes als Bedingung und Gegenstand dessen, was wir Religion im üblichen Sinne zu nennen pflegen, mindestens im Christentum nur insofern geben kann, als die Repräsentation dieser Anwesenheit Gottes im menschlichen Wort, im Sakrament, in einer Kirche, in einer Offenbarung, in einer Schrift usw. wesenhaft nichts anderes sein kann als der kategoriale Verweis auf die transzendentale Gegenwart Gottes. Wenn anders Gott er selbst auch in seiner Vermittlung zu uns bleiben soll, wenn er als die eine unendliche Wirklichkeit und als das unsagbare Geheimnis uns vermittelt unmittelbar gegeben sein soll und in diesem Sinne Religion möglich sein soll, dann muß dieses Ereignis auf dem Boden der transzendentalen Erfahrung als solcher geschehen, muß eine Modalität dieses transzendentalen Verhältnisses sein, das durchaus eine Unmittelbarkeit zu Gott erlaubt. Und die kategoriale Erscheinung und Konkretheit dieser Unmittelbarkeit kann nicht in ihrer kategorialen Endlichkeit als solcher, sondern nur in ihrem Verweischarakter auf die Modalität dieses transzendentalen, Unmittelbarkeit gebenden Verhältnisses zu Gott gegeben sein.

Es muß später genauer gefragt werden, in welcher Weise es genau *diesen* Modus einer transzendentalen Verwiesenheit des Menschen auf Gott gibt. Wenn sich bei der Beantwortung dieser Frage zeigen wird, daß die christliche Interpretation der transzendentalen Erfahrung Gottes darin besteht, daß das heilige Geheimnis im Modus einer absoluten und vergebenden Nähe und eines absoluten Selbstangebotes anwest und nicht nur als die abweisende, uns in unsere Endlichkeit einsetzende Ferne – auch wenn das alles nur durch Gnade und in der Freiheit einer solchen Selbstmitteilung von Gott her geschieht –, dann wird zu fragen sein, warum eine solche absolute Unmittelbarkeit zu Gott nicht schon von vornherein jede andere denkbare, kategorial vermittelte religiöse Gegebenheit Gottes überholt hat, so wie sie scheinbar von der konkreten Religion, von einer Religion des Wunders, des machtvollen Eingreifens Gottes in diese Welt, von einer Religion der Gebetserhörung, des Bundes, der bestimmten sakramentalen Zeichen usw., in denen die Gnade sich ereignet, gedacht wird. Es wird zu sagen sein, warum all dies, was das gängige Selbstverständnis der Religion als Gegenwart und Verlautbarung Gottes in der Geschichte erkennt, nur dann eine wirkliche Gegenwart Gottes an sich selbst – also wirklich religionsbegründend – ist, wenn und insofern diese Erscheinungen Gottes in unserer raumzeitlichen Welt als konkrete Geschichtlichkeit jener transzendentalen Selbstmitteilung Gottes vollzogen werden. Sonst wären sie Mirakel und nicht die Wunder der geschichtlichen Offenbarung Gottes.

Gottes Handeln durch Zweitursachen

Ferner aber ist hier das zu sagen, was schon Thomas von Aquin gesagt hat, wenn er betonte, daß Gott durch zweite Ursachen wirke. Natürlich ist dieser Satz sehr differenziert zu verstehen. Die Unmittelbarkeit zu Gott, seine Vermitteltheit, seine Anwesenheit und seine Entzogenheit sind von vornherein differenzierte Größen, schon darum, weil Geist als Transzendenz nicht die Auszeichnung jedweden innerweltlichen Seienden ist, aber hier kommt es uns zunächst auf den genannten Satz bei Thomas an. Er besagt, wenn man ihn nicht verharmlost, daß Gott *die* Welt wirkt und nicht eigentlich *in der* Welt wirkt. Daß er die Kette der Ursächlichkeiten trägt, nicht aber sich als ein Glied durch sein Handeln in dieser Kette der Ursachen als eine unter ihnen hineinschiebt. Die Kette selbst als ganze, also die Welt in ihrer Verflochtenheit und nicht nur in ihrer abstrakt formalen Einheit, sondern auch in ihrer konkreten Differenzierung und den tiefgreifenden Unterschieden der Momente am Ganzen der Weltwirklichkeit, ist die Selbstoffenbarung des Grundes. Und er selber ist in dieser Ganzheit als solcher nicht unmittelbar zu finden. Denn eben der Grund kommt nicht innerhalb des Begründeten vor, wenn er wirklich der radikale, also der göttliche Grund und nicht eine Funktion in einem Geflecht von Funktionen ist. Wenn es darum dennoch eine Unmittelbarkeit Gottes zu uns geben soll, wenn wir ihn als ihn selber da, wo wir in unserer kategorialen raumzeitlichen Welt sind, finden sollen, dann muß diese Unmittelbarkeit in sich und in ihrer kategorial geschichtlichen Objektivierung von vornherein in diese Welt eingestiftet sein, dann muß die konkrete Unmittelbarkeit Gottes zu uns, wie sie die konkrete Religion voraussetzt und vollzieht, ein Moment und eine Modalität der transzendentalen und gleichzeitig geschichtlich vermittelten Unmittelbarkeit zu Gott sein.

Ein besonderes „Eingreifen" Gottes kann darum nur als geschichtliche Konkretheit der transzendentalen Selbstmitteilung Gottes verstanden werden, die der konkreten Welt immer schon innerlich ist. Ein solches „Eingreifen" Gottes geschieht immer erstens aus der grundsätzlichen Offenheit eines endlichen Materials und biologischen Systems auf den Geist und seine Geschichte hin und zweitens aus der Offenheit des Geistes auf die Geschichte des transzendentalen Verhältnisses zwischen Gott und der kreatürlichen Person in beiderseitiger Freiheit, so daß jedes wirkliche Eingreifen Gottes in seine Welt in all seiner freien Unableitbarkeit immer nur das geschichtliche Konkretwerden jenes „Eingreifens" ist, in dem Gott als der transzendentale Grund der Welt sich in dieser Welt als den sich selbst mitteilenden Grund von vornherein eingestiftet hat.

Wie Gott wirklich Gott sein könne und nicht einfach ein Moment der Welt und wie wir ihn dennoch gerade in unserem religiösen Verhältnis zur Welt nicht als den außerhalb der Welt stehenden denken müssen, das ist für ein heutiges Verständnis des Christentums ein fundamentales Problem. Das Dilemma einer „Immanenz" oder „Transzendenz" Gottes muß überwunden werden, ohne daß das eine oder das andere Anliegen geopfert wird. Wir sind der formalen Struktur dieses eigentümlichen Verhältnisses von transzendentaler Entzogenheit und kategorialer Vorfindlichkeit schon mindestens zweimal in unseren bisherigen Überlegungen begegnet. Sowohl unsere unzurückführbare Subjekthaftigkeit wie die verantwortliche Freiheit erschienen uns als Grundexistentiale des Menschen, die wir immer erfahren, die sich selbstverständlich auch immer wieder eine raumzeitlich-konkrete kenrick

August 13, 1987

Fr. Trapp,

Fr. Adrian Dwyer's library was recently given to Kenrick and in sorting through his books we came upon this German volume of Rahner. As it is already in our collection we are looking for a Dogmatic-sort of faculty-type person who can give it a good home. Would that be you? If not, please return it to us so that we can continue our search.

Thank you,

Kenrick Library Staff

Objektivation geben und die dennoch nicht ein Vorfindliches sind, das einfach neben anderen als einzelner Gegenstand ergriffen und abgegrenzt werden kann. Dasselbe analog formal schwebende Verhältnis obwaltet (und zwar letztlich aus denselben Gründen), wenn wir fragen, ob Gott in seiner Welt sich greifbar melde, ob er z. B. erhöre, Wunder tue, in die Geschichte machtvoll eingreife usw. Wenn wir diese Fragen mit Ja beantworten (sofern wir religiöse Menschen sind), dann ist damit eben dennoch nicht gemeint, daß das unmittelbar Vorfindliche dieses „Eingreifens" als solches nicht in einem funktionalen Zusammenhang mit der Welt stünde, daß es nicht kausal erklärt werden könne oder außerhalb eines religiösen transzendentalen Verhältnisses zu Gott unter Umständen nicht *dadurch* in diesen funktionalen Zusammenhang einbezogen werden könnte, daß es als das „*Noch*-nicht-Erklärte", als das mit Recht Unberücksichtigte vernachlässigt, aber nicht grundsätzlich aus dem funktionalen Zusammenhang der Welt herausgenommen wird. Es ist mit dieser kategorialen Gegebenheit Gottes nur gesagt, daß dort, wo das Subjekt wirklich Subjekt mit seiner transzendentalen religiösen Erfahrung bleibt und als solches sich vollzieht, diese Objektivationen des Eingreifens Gottes einen Stellenwert innerhalb dieser transzendentalen Erfahrung Gottes erhalten, der zwar durchaus diesen Phänomenen an sich zukommt, aber eben *insofern* sie in diesem subjekthaften Zusammenhang in aller Wahrheit stehen und darum in dieser ihrer ihnen zukommenden Eigentümlichkeit auch nur innerhalb dieses Zusammenhangs erkannt werden können.

Veranschaulichen wir das Gemeinte an einem Beispiel, das der bescheidensten Art des Eingreifens Gottes in seiner Welt angehört, darum freilich die spezifischere Weise einer höheren Art göttlichen „Eingreifens" nicht völlig zur Darstellung bringen kann und will. Es fällt mir ein „guter Gedanke" ein, der eine auch innerweltlich nachweisbare, sachlich richtige, wichtige Entscheidung zur Folge hat. Ich betrachte diesen guten Gedanken als eine Erleuchtung Gottes; darf ich das? Ich mag zu einer solchen Beurteilung durch die Plötzlichkeit oder durch die Unmöglichkeit, eine kausale oder funktionale Erklärung für das Entstehen dieses guten Gedankens zu finden, veranlaßt sein; meine Beurteilung ist aber im letzten nicht durch einen solchen subjektiven Eindruck gerechtfertigt. Im Gegenteil, ich habe das Recht, ja sogar die Pflicht, diesen Einfall zu erklären, auf mir nicht bewußte Assoziationen, auf eine vielleicht nicht genau analysierbare physiologische und psychologische Verfassung in diesem Augenblick zurückzuführen, ihn als Funktion meiner selbst, meiner Geschichte, meiner Mit- und Umwelt, der Welt schlechthin zu betrachten. Ich mag ihn also erklären, d. h. ihn mit all den konkreten Eigentümlichkeiten, die er im einzelnen an sich trägt, eingliedern in das Ganze der Welt, die nicht Gott ist. Und ich kann deswegen insofern an diesem „guten Gedanken" keine besondere Anwesenheit Gottes in der Welt, kein „Eingreifen" Gottes in die Welt ablesen.

In dem Augenblick aber, in dem ich einerseits mich als das transzendentale

Subjekt in meiner Verwiesenheit auf Gott erfahre und annehme und anderseits diese konkrete Welt in all ihrer Konkretheit trotz aller funktionalen Verflechtung aller ihrer Momente als die konkrete Welt annehme, an der geschichtlich mein konkretes Verhältnis zum absoluten Grund meines Daseins mir aufgeht und ich ihn frei realisiere, erhält dieser „gute Gedanke" innerhalb dieses subjekthaften transzendentalen Verhältnisses zu Gott objektiv eine ganz bestimmte Bedeutung positiver Art, und ich kann und muß sagen: Er ist als Moment der vom Grunde freigesetzten einen Welt als meiner Welt eines subjekthaften Verhältnisses zu Gott in dieser seiner positiven Bedeutung von Gott gewollt und in diesem Sinne eine „Erleuchtung" Gottes. Natürlich könnte man von da aus zunächst einwenden, auf diese Weise könne alles als eine besondere Schickung, als ein Eingreifen Gottes betrachtet werden, vorausgesetzt nur, ich nehme die konkrete Konstellation meines Lebens und der Welt so an, daß sie eine positiv heilshafte Konkretisation meines transzendentalen Verhältnisses zu Gott in Freiheit wird. Aber diesem Einwand kann unbefangen die Gegenfrage gestellt werden, warum dies denn nicht so sein dürfe.

Wenn und insofern etwas nicht bloß in der Theorie, sondern im konkreten Vollzug der Freiheit positiv in das freie Verhältnis zu Gott als dessen Objektivation und Vermittlung eingegliedert wird, ist es tatsächlich eine Eingebung, eine wenn auch noch so kleine Machttat der Vorsehung Gottes, wie wir das religiös zu nennen pflegen, ein besonderes Eingreifen Gottes. Aber eben diese meine tatsächlich subjekthafte richtige Reaktion in Freiheit auf diese oder jene bestimmte, an sich funktional erklärbare Konstellation meines Freiheitsraums, die mein Verhältnis zu Gott konkret vermittelt, hängt trotz der Subjekthaftigkeit meiner eigenen Entscheidung und Reaktion von Faktoren ab, die günstig oder ungünstig sein können und die doch in dieser Verschiedenheit nicht einfach schlechthin meiner Verfügung unterworfen sind. Insofern aber kann und muß man mit Recht eine bestimmte heilshaft sich auswirkende Situation im Unterschied von einer anderen, die es an sich auch sein könnte, aber eben nicht ist, faktisch als eine besondere Schickung Gottes, als sein Eingreifen, als eine Erhörung, als eine besondere Gnade betrachten, auch wenn die gegenteilige Situation, von der Freiheit des Menschen durch richtige Beantwortung manipuliert, zu einer solchen besonderen Tat Gottes gemacht werden könnte, aber faktisch eben nicht gemacht worden ist. Weil die Freiheitsreaktion des Subjekts als eines solchen selbst noch einmal in aller Wahrheit für das Subjekt selbst das ihm Zugeschickte ist, ohne daß ihr dadurch der Charakter der eigenen verantwortlichen und unabwälzbaren Tat genommen würde, trägt die gute Entscheidung mit all dem, was sie als ihre Vermittlung voraussetzt, mit Recht den Charakter des Eingreifens Gottes, auch wenn dieses sich durch die Freiheit des Menschen hindurch ereignet und so in dem Grade funktional erklärt werden kann, wie die Freiheitsgeschichte erklärbar ist, insofern sie sich auf raumzeitlich objektivierten Momenten aufbaut.

DRITTER GANG

Der Mensch als das Wesen der radikalen Schuldbedrohtheit

1. DAS THEMA UND SEINE SCHWIERIGKEITEN

Schuld und Sünde sind zweifellos ein zentrales Thema für das Christentum; denn dieses versteht sich ja als Erlösungsreligion, als das Ereignis der Vergebung der Schuld durch Gott selbst in seiner Tat an uns in Jesus Christus – in seinem Tod und seiner Auferstehung. Das Christentum begreift den Menschen als das Wesen, dessen schuldige Freiheitstat nicht seine „Privatangelegenheit" ist, die er selbst aus eigener Vollmacht und Kraft wieder bereinigen könnte, sondern die vielmehr (so sehr sie unabwälzbar der freien Subjektivität des Menschen zugehört), einmal gesetzt, nur von Gottes Tat wirklich überwunden werden kann. Insofern wäre jede Einführung in den Begriff des Christentums mangelhaft, wäre nicht von der Schuld und der Verlorenheit des Menschen, von der Notwendigkeit einer Rettung aus einem radikalen Unheil, von Erlösungsbedürftigkeit und Erlösung die Rede.

Wenn man solche Begriffe wie „Erlösungsbedürftigkeit", „Erlösung", „Rettung", „Befreiung aus dem Unheil" hört, so ist es von vornherein empfehlenswert, ihnen keinen zeitlichen Index anzuhängen. Ob wir in Schuld fallen können oder in Schuld gefallen sind, ob die Erlösung ein „existentiales Moment" in unserem Dasein oder ein zeitlich fixierbarer Vorgang nach einem anderen – der Schuld – ist usw., dies sind auf jeden Fall sekundäre Fragen. Wir werden immer wieder zu sagen haben, daß wir diese Welt nicht in dem Sinne christlich interpretieren können, daß früher einmal eine sehr böse, schuldbeladene Welt gewesen sei und daß sie dann empirisch greifbar durch die Erlösung Jesu Christi wesentlich anders geworden wäre. Wenn wir von der Schuld des Menschen, von seiner Verlorenheit, von der Notwendigkeit einer Rettung aus dem Unheil, von der Erlösungsbedürftigkeit und Erlösung sprechen, dann müssen wir uns mindestens methodisch zunächst einmal sagen, daß solche Begriffe nicht von vornherein mit einem Zeitindex verbunden werden dürfen.

Die Verdecktheit der Frage für den heutigen Menschen

Das Thema von dem Menschen als dem Wesen der radikalen Schuldbedrohtheit ist sicher heute mit einer besonderen Schwierigkeit behaftet: Man wird nicht sagen können, daß heute ganz unmittelbar und in einer deutlichen Greifbarkeit seines Bewußtseins den Menschen die Frage bewege, ob und wie er als Sünder in seiner individuellen Heils- und Unheilsgeschichte einen gnädigen Gott finde, wie er vor Gott und durch Gott gerechtfertigt werde. In diesem Sinne fürchtet der normale Mensch heute Gott nicht, und die Frage nach seiner individuellen Rechtfertigung, die einmal bei Augustinus und auch wieder in der Reformationszeit die Frage des Stehens und Fallens der Kirche war, diese Frage bewegt den Menschen von heute nicht sehr oder vielleicht gar nicht. Es mag natürlich durchaus sein, daß es in der Tiefe des individuellen Gewissens und an wirklich entscheidenden Stellen der individuellen Persongeschichte ganz anders ist. Aber nach dem ersten Alltagseindruck hat der Mensch von heute nicht das deutliche Bewußtsein davon, daß er mit einer unabwälzbaren Schuld beladen vor Gott stehe als der Verdammungswürdige, der durch das unberechenbare Wunder des göttlichen Freispruchs, durch die Gnade Gottes allein dennoch gerettet und von Gott aufgenommen werde. So hat noch Luther, so hat Pascal gedacht und unmittelbar empfunden. Daß *wir* unmittelbar noch so empfinden, können wir wirklich nicht sagen. Die modernen Sozialwissenschaften haben tausend Mittel und Wege, das Erlebnis der Schuldigkeit des Menschen vor Gott zu „entlarven" und als falsches Tabu zu zerstören. Der Mensch von heute hat zwar durchaus keinen sonderlich positiven Eindruck von der eigenen sittlichen Verfassung und der der anderen. Er erlebt seine ganze Endlichkeit, Brüchigkeit, Undurchschaubarkeit auch auf dem Gebiet der sittlichen Maximen. Er kann aber, wenn er will, sehr viele sittliche Normen als durch die Gesellschaft vermittelte betrachten, als Tabus, die es zu durchschauen und abzubauen gilt. Dennoch ist es nicht so, daß dadurch die Erfahrung des Sittlichen als solchen verschwindet. Man braucht es nicht Sittlichkeit zu nennen, man braucht es nicht unter eine Konzeption aus einer bürgerlichen Moral zu subsumieren; aber daß der Mensch verantwortlich ist, sich selber aufgegeben ist, daß er die Erfahrung macht, mindestens in gewissen Vollzügen seines Daseins mit sich und seinem ursprünglichen Selbstverständnis in Konflikt kommen zu können und zu kommen, das läßt sich nicht leugnen. Selbst derjenige, der alle diese Erfahrungen als eine Wirklichkeit bekämpfen würde, die den Menschen nur in Angstneurosen stürzt, würde es ja wiederum mit dem Pathos tun, daß er das tun *müsse.*

Der Mensch ist also in einer transzendentalen Notwendigkeit ein *sittliches*

Wesen. Dieser fordernden Wirklichkeit, diesen „Tafeln seines Daseins" gegenüber erlebt er seine Endlichkeit, Brüchigkeit und Durchschaubarkeit. Aber was folgt aus der doch immer wieder erfahrenen Differenz zwischen dem, der man sein soll, und dem, der man ist? Gewiß hat der Mensch apokalyptische Ausmaße des Bösen in der Welt erlebt, und er traut, mit dem geschärften Blick des Psychologen, Analytikers und Soziologen ausgerüstet, auch sich selbst nicht ganz über den Weg. Aber aus eben dieser skeptischen Nüchternheit heraus bringt er heute dem Guten und dem Bösen gegenüber jenes Pathos nicht mehr auf, mit dem früher die Botschaft von der Schuld und der Schuldvergebung verkündigt wurde. Er sieht das, was man Schuld nennt, als ein Stück jener allgemeinen Misere und Absurdität des menschlichen Daseins, denen gegenüber der Mensch nicht Subjekt, sondern Objekt ist, je mehr Biologie, Psychologie und Soziologie die Ursachen des sogenannten sittlich Bösen erforschen. Und darum hat der Mensch von heute eher den Eindruck, daß Gott den unerfreulichen Zustand der Welt vor den Menschen rechtfertigen müsse, daß der Mensch eher das Opfer und nicht die Ursache dieser Verfassung der Welt und der Menschheitsgeschichte sei; auch dort noch, wo das Leid durch den Menschen als freies Subjekt zwar verursacht zu sein scheint, aber auch dieser Handelnde noch einmal das Produkt seiner Physis und seiner sozialen Situation ist.

Der Mensch hat heute also eher den Eindruck, daß Gott gerechtfertigt werden müsse, als daß der Mensch selber vor und durch Gott aus einem Ungerechten ein Gerechtfertigter werden müsse. Damit ist auch gegeben, daß der Tod dort, wo ihm noch eine ernsthafte existentielle und religiöse Bedeutung zuerkannt wird, nicht oder kaum als der Moment des unerbittlichen Ans-Licht-Kommens der guten oder bösen, aber niemals abwälzbaren Verfassung des einzelnen Menschen gesehen wird. Er wird eben nicht als Gericht verstanden, sondern entweder als der Punkt, in dem nun endlich alle Verwirrtheit des menschlichen Daseins sich löst, oder als das endgültige, nackte Zu-sich-selber-Kommen der Absurdität des Daseins, die keine Lösung findet.

Diese geschilderte epochale Schwierigkeit kann aber im Grund doch nur für den Menschen die Aufforderung sein, in ernstem Mißtrauen gegen sein eigenes durchschnittliches Empfinden – das ja ganz gewiß nicht einfach der selbstverständliche Maßstab für alles ist – sich der Botschaft des Christentums vom Menschen als Sünder zu stellen und sich zu fragen, ob diese Botschaft nicht im letzten doch das sagt, was er in einer falschen Harmlosigkeit nicht hört, obwohl er es auch von der innersten Mitte seines Daseins und Gewissens her hören müßte. Eine Flucht in eine falsche Harmlosigkeit ist ja auch dann noch nicht vermieden, wenn man sich auf die Vorstellung einer allgemeinen Absurdität des Daseins zurückzieht oder wenn man alle diese uns bedrückenden, uns selbst entfremdenden Situationen als Reibungserscheinungen einer Entwicklung versteht, die im Grunde eben doch nach oben geht.

Wir müssen doch mindestens damit rechnen, daß in der Botschaft des Christentums wenigstens ebensoviel Wahrheit menschlichen Daseinsverständnisses laut wird, als man selber zu hören vermag, wenn man bloß der Stimme seines eigenen Gewissens oder der Stimme eines epochalen Zeitverständnisses zu lauschen versucht.

Der Zirkel zwischen Erfahrung von Schuld und von Vergebung

Zu dieser Schwierigkeit epochaler Natur tritt aber noch eine grundsätzliche Problematik: Es ist zu fragen, ob das Thema überhaupt schon an dieser Stelle behandelt werden kann. Man könnte sagen, ein Verständnis für das eigentliche Wesen der Schuld sei erst dann möglich, wenn schon von der absoluten und vergebenden Nähe Gottes durch seine Selbstmitteilung gesprochen worden ist; die eigentliche Wahrheit der Schuld des Menschen könne ihm nur dort aufgehen, wo er seine Vergebung, seine Errettung aus dieser Schuld erfährt. Denn nur bei einer radikalen Partnerschaft und Unmittelbarkeit zu Gott in dem, was wir Gnade, Selbstmitteilung Gottes nennen, könne man erfassen, was die Schuld als Selbstverschließung gegenüber diesem Angebot absolut göttlicher Selbstmitteilung ist; und nur im Vorgang der Vergebung, die vom Menschen vorgelassen und angenommen wird, könne begriffen werden, was Schuld sei, die vergeben wird; denn zu ihr gehöre, daß ihre Strafe, die sie selbst mitbringt, gerade in der Blindheit gegenüber ihrem eigenen Unwesen besteht. Was diese grundsätzliche Schwierigkeit angeht, so besteht natürlich ein unaufhebbarer Zirkel zwischen Erfahrung der Schuld und Erfahrung der Vergebung dieser Schuld, und das eine und das andere sind immer vom jeweils anderen abhängig, um zu ihrem vollen Wesen und ihrem vollen Verständnis zu kommen. Schuld hat selber ihre letzte Radikalität darin, daß sie im Angesicht eines liebenden, sich selbst mitteilenden Gottes geschieht, und nur dort, wo der Mensch das weiß und diese Wahrheit als seine zuläßt, kann er auch die Schuld in ihrer Tiefe verstehen. Insofern besteht ein Zirkel gegenseitiger Erhellung und gegenseitigen Verständnisses. Aber in der notwendigerweise zeitlich verlaufenden Rede des Menschen über die gegenseitig sich bedingenden Momente dieses Zirkels muß von einem nach dem anderen gesprochen werden, obwohl man weiß, daß man das erste nur dann richtig verstanden hat, wenn man vom zweiten geredet hat. Und ein solches Hintereinander kann auch so geschehen, daß man zuerst von der Schuld und dann von ihrer Vergebung spricht.

2. FREIHEIT UND VERANTWORTLICHKEIT DES MENSCHEN

Zu den Existentialien des menschlichen Daseins gehören Verantwortlichkeit und Freiheit des Menschen. Das Grundwesen dieser Freiheit besteht (weil es eben am subjektiven Pol des menschlichen Daseins und seiner Erfahrung und nicht innerhalb der kategorialen Gegebenheiten angesiedelt ist) nicht in einem partikulären Vermögen des Menschen neben anderen, durch das er dieses oder jenes in willkürlicher Auswahl tun oder lassen kann. So interpretieren wir zwar von einem pseudoempirischen Verständnis der Freiheit aus nur zu leicht unsere Freiheit. Aber in Wirklichkeit ist die Freiheit zunächst einmal die Überantwortetheit des Subjekts an sich selber, so daß die Freiheit in ihrem Grundwesen auf das Subjekt als solches und ganzes geht. In der wirklichen Freiheit meint das Subjekt immer sich selbst, versteht und setzt sich selbst, tut es letztlich nicht *etwas*, sondern *sich selbst*.

Freiheit bezieht sich auf das eine Ganze des menschlichen Daseins

Damit ist ein Doppeltes gegeben: Einmal bezieht sich die Freiheit auf das eine Ganze des menschlichen Daseins, auch wenn selbstverständlich dieses eine Ganze eine räumliche und zeitliche Gedehntheit und Gestreutheit hat. Die Freiheit als das Vermögen des Subjekts, über sich selbst zu befinden als Eines und Ganzes, ist natürlich nicht ein Vermögen, das hinter einer bloß physischen, biologischen, äußeren geschichtlichen Zeitlichkeit des Subjekts liegt. Das wäre eine gnostische Auffassung der Freiheit, die natürlich ihren sehr tiefsinnigen sachlichen Grund auch für diesen Irrtum hat. Selbst ein so tiefer Geist und ein so entschiedener Christ, wie es Origenes war, hat ja teilweise dieser Versuchung nachgegeben und hat dieses konkrete geschichtliche Leben als den bösen sekundären Reflex einer Freiheit aufgefaßt, die sich eigentlich prähistorisch in einem ganz anderen vorleiblichen Daseinsraum bestätigt und entschieden hat.

Die Freiheit ist das Vermögen des einen Subjektes über sich als Eines und Ganzes. Sie kann nicht einfach gleichsam in einzelne Stücke aufgeteilt werden; sie ist nicht das neutrale Vermögen, das einmal dieses und einmal das andere tut. Aber trotzdem ist diese Freiheit als Freiheit des Subjekts über sich selbst, auf sich selbst, aus sich, als das eine Ganze nicht eine Freiheit, die hinter einer bloß physischen, biologischen, äußeren geschichtlichen Zeitlichkeit des Subjekts lebt, sondern sie vollzieht sich selber als diese subjekthafte Freiheit im Durchgang durch diese Zeitlichkeit, die die Freiheit selber setzt, um sie selber zu sein. Natürlich ist eine solche Konzeption viel differenzierter, viel komplexer, viel weniger durchschaubar als die primitive kategoriale Konzeption der Freiheit als Vermögen, dieses oder jenes nach Belieben zu tun, und ist auch komplexer und schwieriger durchschaubar als eine gnostische Freiheitskonzeption. Aber es ist nun einmal so, daß in einer echten ontologischen Anthropologie das Komplexe, das Schwierige, das gar nicht in seiner Identität und Einheit radikal Durchschaubare das Wahre ist. Freiheit ist Freiheit in und durch raumzeitliche Geschichte und ist darin gerade und so Freiheit des Subjekts zu sich selbst.

Die Einheit des einen Daseinsvollzugs in Freiheit ist zwar kein unmittelbar empirisch und kategorial ausweisbares Einzeldatum unserer Erfahrung. Diese Einheit – und damit das wahre Wesen der subjekthaften Freiheit – geht genauso den Einzelakten und Vorkommnissen des menschlichen Lebens als Bedingung ihrer Möglichkeit voraus, wie die Subjekthaftigkeit des Menschen keine nachträgliche Summe der Einzelwirklichkeiten des Menschen empirischer Art ist. Die Freiheit ist also nicht ein an sich selbst neutral bleibendes Vermögen, dieses und dann jenes zu tun, so daß die Ergebnisse dieser Einzeltaten nachträglich zusammenaddiert würden, weil sie – in sich vergangen – nur noch in der Rechnung Gottes und des Menschen bestünden und so der Freiheit nachträglich noch einmal aufgebürdet würden. Die Freiheit ist nicht wie ein sich immer gleichbleibendes Messer als Vermögen des Schneidens, das beim Schneiden immer dasselbe Messer bleibt. Die Freiheit hat einmal – wenn auch in Zeitlichkeit und Geschichte – einen einzigen, einmaligen Akt, den Selbstvollzug des einen Subjekts selbst, der immer und überall durch eine gegenständliche, weltliche und geschichtliche Vermittlung der einzelnen Taten hindurchgehen muß, aber das Eine meint und das Eine vollzieht: das eine Subjekt in der einmaligen Ganzheit seiner Geschichte.

Freiheit als das Vermögen des Endgültigen

Es gibt ein weiteres Mißverständnis, das in die religiöse Vorstellungswelt hineinreicht und falsch gestellte Probleme mit sich bringt: Freiheit ist nicht das Vermögen, dieses und dann jenes zu tun, so daß das zweite das Gegenteil und die Aufhebung des ersten bedeutet, so daß – wenn dies in physikalischer Zeitlichkeit von sich aus ununterbrochen weiterginge – Vollendung nur als äußerer Abbruch dieser an und für sich ins Unendliche sich zeitigenden Reihe einzelner sogenannter freier Taten gedacht werden könnte, indem nämlich dieser sich ewig weiter zeitigenden Freiheit von Gott äußerlich durch den Tod ihr Raum genommen würde.

Freiheit ist aber nicht das Ewig-weitermachen-Können in ewig neuem Umdisponieren. Freiheit hat vielmehr gerade eine Notwendigkeit an sich, die dem im üblichen Sinne physikalisch Notwendigen nicht anhaftet, weil Freiheit das Vermögen der Subjekthaftigkeit ist, also des Subjektes, das nicht ein zufälliger Schnittpunkt nach vorn und nach rückwärts ins Unbestimmte verlaufender Kausalketten, sondern das Unzurückführbare ist. Darum ist die

Freiheit gerade nicht die Fähigkeit des Immer-wieder-Revidierbaren, sondern das einzige Vermögen des Endgültigen, das Vermögen des durch diese Freiheit in seine Endgültigkeit und Unwiderruflichkeit zu bringenden Subjekts; in diesem Sinne und von daher ist die Freiheit das Vermögen des Ewigen. Wenn man wissen will, was Endgültigkeit ist, dann muß man jene transzendentale Freiheit erfahren, die wirklich Ewiges ist, weil sie gerade Endgültigkeit setzt, die von innen her nicht mehr anders sein kann und anders sein will.

Die Freiheit ist nicht, damit alles immer wieder anders werden könne, sondern damit etwas wirklich Gültigkeit und Unausweichlichkeit erhalte. Freiheit ist gewissermaßen das Vermögen der Stiftung des Notwendigen, des Bleibenden, des Endgültigen, und überall dort, wo keine Freiheit ist, ist immer nur etwas gegeben, was von sich aus sich selber immer wieder weiter fortzeugt und übersetzt und nach hinten und vorn in etwas anderes auflöst. Freiheit ist das Ereignis des Ewigen, dem wir freilich, weil wir selber die sich in Freiheit noch Ereignenden sind, nicht von außen zuschauend beiwohnen; sondern im Erleiden der Vielfältigkeit der Zeitlichkeit tun wir dieses Ereignis der Freiheit, bilden wir die Ewigkeit, die wir selber sind und werden.

Transzendentale Freiheit und ihre kategorialen Objektivationen

Diese Freiheit als Freiheit des sich Ereignens der Endgültigkeit des Subjekts ist eine transzendentale Freiheit und transzendentale Freiheitserfahrung. Ein Moment also am Subjekt selber, das das Subjekt nicht in seinem Selbst als solchem unmittelbar vor sich bringen, objektivieren kann. Diese Freiheit ist darum nicht ein empirisches Einzeldatum, das die aposteriorischen Anthropologien neben anderen Gegenständen vorzeigen könnten. Wenn wir auf die Freiheit zu reflektieren anfangen, dann ist dieser Akt am subjektiven Pol selber wieder Freiheit, und in diesem Akt der suchenden Reflexion auf eine frühere Freiheit können wir gewissermaßen immer nur die Objektivationen dieser Freiheit finden, die als solche durchaus funktional nach vorn und hinten, nach oben und unten in die Pluralität der Erfahrungswelt gegenständlicher Art von neuem aufgelöst werden können, so daß die Freiheit nicht mehr vorfindbar ist. Und im selben Augenblick hat sie sich aber am subjektiven Pol dieses Aktes des Suchens nach objektivierter Freiheit schon selber wieder vollzogen. Die Freiheit ereignet sich darum von ihrem Wesen als Ereignis des Subjektes her gerade nicht in der vereinzelnden, isolierenden und auf diese Weise beobachtbaren Empirie der einzelnen Wissenschaften, denn darin ist im Grunde nichts frei als das die Wissenschaft treibende Subjekt, dem es bei dieser Art von Wissenschaft immer um etwas anderes als um das Subjekt selbst geht. Daß wir frei sind und was Freiheit eigentlich meint, haben wir immer schon erfahren, wenn wir anfangen, reflex danach zu fragen.

Mit alldem ist natürlich nicht geleugnet, sondern positiv mitgesagt, daß der Mensch in vielfältiger Weise das der Notwendigkeit ausgesetzte Wesen ist. Und die Aussage, daß er auch immer das bedingte, das herkünftige, das von seiner Umwelt manipulierte Wesen ist, bezieht sich nicht einfach auf einen regionalen, abgrenzbaren Bereich seines Daseins, *neben* dem es den Raum der Freiheit gäbe, sondern diese beiden Aspekte lassen sich konkret im Menschen nie adäquat voneinander trennen. Denn dort, wo ich als Subjekt frei handle, handle ich immer in eine objektive Welt hinein, gehe ich immer gleichsam von meiner Freiheit weg in die Notwendigkeiten dieser Welt hinein; und dort, wo ich Notwendigkeiten erleide, erkenne, analysiere, in Zusammenhänge bringe, tue ich das als das Subjekt der Freiheit, und mindestens der Akt der Erkenntnis des Notwendigen ist ein subjektiver Akt, den das Subjekt selber aktiv tut, verantwortet und eben frei auf sich selber nimmt. All das wird ja gerade damit in radikalster Weise gesagt, wenn betont wird, daß die Freiheit kein kategoriales, in Raumzeitlichkeit unmittelbar empirisch beobachtbares Einzeldatum der menschlichen Erfahrung sei.

Das Subjekt hat bezüglich der einzelnen Freiheitshandlungen im Leben nie eine absolute Sicherheit hinsichtlich der subjekthaften und damit sittlichen Qualität dieser einzelnen Handlungen, weil diese als real und erkenntnismäßig objektivierte immer schon die nicht mehr reflex adäquat auflösbare Synthese von ursprünglicher Freiheit und angenommener Notwendigkeit sind. Darum weiß zwar das Subjekt in seiner ursprünglichen transzendentalen Subjekterfahrung, wer es ist, aber es kann niemals dieses ursprüngliche Wissen in ein bestimmtes thematisch satzhaftes Wissen *von absoluter Sicherheit* der Aussage objektivieren, um sich selbst auszusagen und über sich selbst zu urteilen, wer und was es durch die konkrete Vermitteltheit seiner kategorialen Taten geworden sei. Das freie Subjekt ist immer schon ursprünglich in seiner Freiheit bei sich und gleichzeitig sich in seiner Freiheit durch das Gegenständliche entzogen, durch das es sich notwendig zu sich selbst vermitteln muß.

3. DIE MÖGLICHKEIT DER ENTSCHEIDUNG GEGEN GOTT

Bei unseren Überlegungen über das Wesen subjekthafter Freiheit kommt es darauf an, zu begreifen, daß die Freiheit der Selbstverfügung eine Freiheit gegenüber dem Subjekt als ganzem ist, eine Freiheit zur Endgültigkeit und eine Freiheit, die in einem freien absoluten Ja oder Nein gegenüber jenem Woraufhin und Wovonher der Transzendenz vollzogen wird, das wir „Gott" nennen. Und hier kommen wir – soweit das in einer mehr philosophisch-anthropologischen Weise überhaupt möglich ist – erst in die Nähe dessen, was in einem theologischen Sinne Schuld bedeutet.

Unthematische Bejahung oder Verneinung Gottes in jeder Freiheitstat

Freiheit oder Subjekthaftigkeit, die der „Gegenstand" der Freiheit selber ist, Freiheit zur Endgültigkeit und Freiheit für oder gegen Gott hängen miteinander zusammen. Denn die Transzendenz in der abweisenden Anwesenheit des sich uns zuschickenden absoluten Geheimnisses ist die Bedingung der Möglichkeit für Subjekthaftigkeit und Freiheit. Weil dieser Horizont absoluter Transzendentalität, „Gott" genannt, das Wovonher und Woraufhin unserer geistigen Bewegung ist, sind wir ja überhaupt erst Subjekte und damit frei. Denn überall dort, wo ein solcher unendlicher Horizont nicht gegeben ist, ist das betreffende Seiende schon in einer bestimmten inneren Eingegrenztheit in sich befangen, ohne das selber ausdrücklich zu wissen, und ist deswegen auch nicht frei.

Nun ist entscheidend für uns, daß diese Freiheit als Ja oder Nein eine Freiheit gegenüber ihrem eigenen Horizont impliziert. Natürlich ist menschlich, gegenständlich, geschichtlich, in konkreter Personalität vermittelte Freiheit immer auch eine Freiheit an einem kategorialen Objekt; Freiheit geschieht in der Vermittlung durch die konkret begegnende Welt und vor allem durch die Person des anderen, selbst dort noch, wo sich diese Freiheit anschickt, unmittelbar und thematisch Freiheit Gott gegenüber sein zu wollen. Gerade auch in einem solchen Akt eines thematischen Ja oder Nein gegen Gott ist ja dieses Ja nicht unmittelbar zum Gott der ursprünglichen transzendentalen Erfahrung gesetzt, sondern nur zu dem Gott thematischer, kategorialer Reflexion, zum Gott im Begriff, vielleicht sogar nur zu Gott im Götzen, aber nicht unmittelbar und allein zum Gott der transzendentalen Anwesenheit.

Weil aber in jedem Akt der Freiheit, der sich kategorial mit einem ganz bestimmten Gegenstand, einem ganz bestimmten Menschen beschäftigt, immer noch als Bedingung der Möglichkeit eines solchen Aktes die Transzendenz auf das absolute Woraufhin und Wovonher aller unserer geistigen Akte – auf Gott hin also – gegeben ist, kann und muß in jedem solchen Akt ein *unthematisches Ja oder Nein* zu diesem Gott der ursprünglichen transzendentalen Erfahrung gegeben sein. Mit Subjekthaftigkeit und Freiheit ist gegeben, daß diese Freiheit nicht nur eine solche gegenüber dem Gegenstand kategorialer Erfahrung im absoluten Horizont Gottes, sondern – wenn auch immer nur vermittelt – eine in Wahrheit gegenüber Gott und auf ihn selbst hin sich entscheidende Freiheit ist. In diesem Sinne begegnen wir in einer radikalen Weise überall Gott als der Frage an unsere Freiheit, begegnen wir ihm unausgesprochen, unthematisch, unobjektiviert, ungesagt in allen Weltdingen und deswegen vor allem im Nächsten. Dies schließt eine Verpflichtung zu einer Thematisierung nicht aus. Diese gibt uns aber die Beziehung zu Gott in unserer Freiheit nicht ursprünglich, sondern ist die Thematisierung und Objektivierung der Bezogenheit unserer Freiheit auf Gott, die im ursprünglichen Wesen des Subjekts als solchem mitgegeben ist.

Der Horizont der Freiheit als ihr „Gegenstand“

Warum ist nun der transzendentale Horizont unserer Freiheit nicht nur die Bedingung der Möglichkeit von Freiheit, sondern auch ihr eigentlicher „Gegenstand“? Warum handeln wir in der Freiheit nicht bloß mit uns selber, warum handeln wir nicht nur unserer Mitwelt und der personalen Umwelt gegenüber entweder wirklichkeitsgerecht oder wirklichkeitszerstörend unter jenem unendlich weiten Horizont der Transzendenz, von dem her wir uns selbst und unserer Mit- und Umwelt frei gegenübertreten? Warum ist überdies dieser Horizont auch „Gegenstand“ dieser Freiheit im Ja und Nein zu ihm selber, wo er doch per definitionem auch noch einmal die Bedingung der Möglichkeit des Nein zu ihm selber ist, also als Bedingung der Möglichkeit der Freiheit notwendig und unausweichlich bejaht und als unthematischer „Gegenstand“ verneint werden kann und so im Akt dieser verneinenden Freiheit der reale absolute Widerspruch gegeben ist, indem Gott zugleich bejaht und verneint wird? Wieso wird diese letzte Ungeheuerlichkeit zugleich sich entzogen und dadurch in die Zeitlichkeit hinein relativiert, daß ein solcher personaler Vollzug im Ja und Nein auf Gott hin notwendig am endlichen Material unseres Lebens und dessen zeitlicher und gegenständlicher Gedehntheit objektiviert und durch dieses Material vermittelt wird? Das ist die Frage.

Die Möglichkeit des absoluten Widerspruchs

Die reale Möglichkeit eines solchen absoluten Widerspruchs in der Freiheit ist zu bejahen. Sie kann natürlich bestritten und angezweifelt werden. In der Vulgärtheologie des Alltags geschieht diese Bestreitung und Bezweiflung überall dort, wo man sagt, es sei doch nicht anders denkbar, als daß der unendliche Gott in seiner souveränen Sachlichkeit die kleine Verbiegung einer endlichen Wirklichkeit, den Verstoß gegen eine konkrete, bloß endliche Wesensstruktur doch eben nur so einschätzen könne, wie sie ist, nämlich als endlich. Der „Wille“, gegen den eine solche Sünde wirklich verstößt, sei doch nur die von Gott gewollte endliche Wirklichkeit, und ein Verstoß gegen Gottes Willen darüber hinaus mache fälschlich Gottes Willen zu einer kategorialen Einzelwirklichkeit neben dem Gewollten. Wo soll, von da aus gesehen, wirklich jener radikale Ernst der Freiheitsentscheidung herkommen, den doch der christliche Glaube mindestens dem Ganzen des menschlichen Daseins zuerkennt?

Dennoch besteht diese Möglichkeit, in dem freien, wesenswidrigen Umgang mit der kategorialen Erfahrungswirklichkeit, die innerhalb des Raumes der Transzendenz steht, gegen das letzte Woraufhin dieser Transzendenz selber zu verstoßen. Würde diese Möglichkeit nicht bestehen, dann wäre es mit einer wirklichen Subjekthaftigkeit der Freiheit, mit ihrer Eigentümlichkeit, daß es ihr um das *Subjekt* selbst und nicht um diese oder jene Sache geht, im Grunde genommen doch vorbei. Geht es um das Subjekt, weil dieses Transzendentalität ist, und sind die einzelnen innerweltlichen Seienden, die uns im Horizont der Transzendenz begegnen, nicht Vorkommnisse innerhalb eines Raumes, der vom Eingeräumten selbst unberührt bleibt, sind vielmehr diese konkreten Wirklichkeiten die geschichtliche Konkretheit der unsere Subjektivität tragenden Transzendenz, dann ist die Freiheit gegenüber den begegnenden einzelnen Seienden immer auch eine Freiheit gegenüber dem Horizont, dem Grund und Abgrund, der diese Wirklichkeiten zu einem inneren Moment unserer Freiheit werden läßt.

Freiheit des Ja oder Nein zu Gott

In dem Maß und aus dem Grund, in denen das Woraufhin und Wovonher der Transzendenz dem Subjekt als erkennendem nicht gleichgültig sein kann, in demselben Maße und aus demselben Grund hat es auch die Freiheit ursprünglich und unvermeidlich mit Gott zu tun. Freiheit ist Freiheit des Ja oder Nein zu Gott und darin und dadurch Freiheit zu sich selbst. Ist das Subjekt gerade durch seine transzendentale Unmittelbarkeit zu Gott getragen, dann kann wirklich subjekthafte Freiheit, die über das Subjekt als ganzes auf Endgültigkeit hin verfügt, nur im Ja oder Nein zu Gott geschehen, weil nur von daher überhaupt das Subjekt als solches und ganzes betroffen werden kann. Freiheit ist die Freiheit des Subjekts zu sich selbst in seiner Endgültigkeit und so Freiheit zu Gott, sowenig thematisch dieser Grund der Freiheit im einzelnen Akt der Freiheit sein mag, sosehr gleichsam dieser Gott, mit dem wir es in unserer Freiheit zu tun haben, explizit thematisch im menschlichen Wort, im menschlichen Begriff angerufen und angezielt sein mag.

Dazu kommt noch ein Zweites, das wir hier nur vorgreifend andeuten können: Wenn die gnadenhafte und geschichtliche Konkretheit unserer Transzendenz nicht einfach nur das ist, was wir bisher von ihr gesagt haben, sondern in der angebotenen Selbstmitteilung Gottes an uns und in der absoluten Nähe des heiligen Geheimnisses als des sich selbst Mitteilenden und sich nicht Versagenden besteht, dann erhält die Freiheit in der Transzendenz und im Ja und Nein auf deren Grund hin eine Unmittelbarkeit zu Gott, durch die sie in radikalster Weise zum Vermögen des Ja und Nein zu Gott wird, in einer Weise, wie sie mit dem abstrakt-formalen Begriff der Transzendenz auf Gott als den bloß fernen und abweisenden Horizont des Daseinsvollzugs noch nicht gegeben wäre und deswegen von diesem gleichsam bloß abweisenden Horizont unserer Transzendenz allein auch nicht abgeleitet zu werden braucht.

Der Mensch kann also als Wesen der Freiheit so sich selbst verneinen, daß er in aller Wirklichkeit zu Gott selbst nein sagt, und zwar zu Gott selbst und nicht bloß zu irgendeiner verzerrten oder kindlichen Vorstellung von Gott. Zu Gott selbst, nicht bloß zu irgendeiner innerweltlichen Maxime des Handelns, die wir mit Recht oder Unrecht als „Gesetz Gottes" ausgeben. Ein solches Nein zu Gott ist gemäß dem Wesen der Freiheit ursprünglich und primär ein Nein zu Gott in dem einen und ganzen Daseinsvollzug des Menschen in seiner einen und einmaligen Freiheit. Ein solches Nein zu Gott ist nicht ursprünglich das bloß moralische Fazit, das wir aus den guten oder bösen Einzeltaten zusammenrechnen, sei es, daß wir alle diese Posten als gleichberechtigt behandeln, sei es, daß man meint, in diesem Fazit komme es auf den zeitlich letzten Einzelposten in unserem Leben allein an, als ob dieser eben bloß als der zeitlich letzte und nicht insofern von absoluter Bedeutung sei, als er eben die ganze eine Freiheitstat eines ganzen Lebens in sich hineinintegriert.

Die Verhülltheit der Entscheidung

Weil die Freiheit Inhalt einer subjekthaften transzendentalen Erfahrung und nicht ein isolierbares Datum unserer gegenständlichen Empirie ist, können wir im einzelnen Dasein von uns aus nie mit Sicherheit auf einen bestimmten Punkt unseres Lebens hinweisen und sagen: Genau hier und nicht irgendwo anders hat sich ein wirklich radikales Ja oder Nein gegen Gott ereignet. Aber auch wenn wir das gerade nicht können, weil wir die ursprüngliche, transzendentale, subjekthafte Freiheit so nicht objektivieren können, wissen wir, daß das Ganze des Lebens eines freien Subjekts unweigerlich eine Antwort auf die Frage ist, in der sich Gott als Wovonher der Transzendenz uns selber zuschickt. Und wir wissen, daß eine solche Antwort auch ein radikales Nein auf dieses schweigende, abwesend-anwesende heilige Geheimnis und auf dieses – durch die Gnade – in absolute Nähe sich geben wollende Geheimnis sein kann. Die Eigenart aber dieser transzendentalen Gegebenheit Gottes als das, worum es in der Freiheit geht, macht verständlich, daß dieses Nein in jener Harmlosigkeit versteckt sich ereignen kann, in der das unbedeutend Innerweltliche dieses Verhältnis zu Gott vermittelt. Unter dem scheinbar größten Verbrechen kann sich u.U. nichts verbergen, weil es nur ein Phänomen vorpersonaler Situation sein kann, und hinter der Fassade bürgerlicher Wohlanständigkeit kann sich ein letztes verbittertes und verzweifeltes, aber wirklich subjekthaft getanes und nicht nur leidhaft erlittenes Nein zu Gott verstecken.

Die Ungleichheit von Ja oder Nein

Natürlich darf das Nein der Freiheit Gott gegenüber, da es von einem transzendental notwendigen Ja zu Gott in der Transzendenz getragen ist und sonst gar nicht sein könnte – also freie Selbstzerstörung des Subjekts und innere Widersprüchlichkeit seines Aktes bedeutet –, nie als eine existenzial-ontologisch gleichmächtige Möglichkeit der Freiheit neben der des Ja zu Gott aufgefaßt werden. Das Nein ist eine Möglichkeit der Freiheit, aber diese Möglichkeit der Freiheit ist immer auch das gleichzeitig Mißglückte, Mißratene, Steckenbleibende, sich selbst gleichsam Verneinende und Aufhebende. Ein solches Nein kann den Schein an sich tragen, als ob nur durch eben dieses Nein das Subjekt sich wirklich radikal behaupte. Dieser Schein kann darum gegeben sein, weil das Subjekt ein kategoriales Ziel in Freiheit absolut setzt und daran dann alles andere absolut mißt, statt sich bedingungslos an das unsagbare heilige Geheimnis abzugeben, über das wir nicht mehr verfügen, von dem her wir bedingungslos verfügt werden. Aber ein solches Nein, sosehr es den Schein einer absoluten Tat haben kann, sosehr es, kategorial gesehen, diese Absolutheit einer Entscheidung besser repräsentieren mag als das Ja zu Gott, ist deshalb doch nicht gleichberechtigt und gleich mächtig neben dem Ja zu Gott, weil alles Nein jenes Leben, das es hat, immer dem Ja entlehnt, weil das Nein immer nur vom Ja her verständlich wird und nicht umgekehrt. Auch die transzendentale Möglichlichkeit des Nein der Freiheit lebt von jenem notwendigen Ja; jedes Erkennen und jedes freie Handeln lebt von jenem Woraufhin und Wovonher der Transzendenz. Aber eine solche reale Unmöglichkeit und Widersprüchlichkeit in sich selbst müssen wir in diesem Nein gelten lassen: die Widersprüchlichkeit, daß dieses Nein wirklich zu dem transzendentalen Horizont unserer Freiheit sich verschießend Nein sagt und dabei gleichzeitig von einem Ja zu diesem Gott lebt.

Zur Auslegung eschatologischer Aussagen

Wir haben damit die Möglichkeit eines radikalen, subjekthaften und zur Endgültigkeit entschlossenen Nein Gott gegenüber natürlich nicht erklärt. Wir werden diese Möglichkeit als „Geheimnis der Bosheit" stehenlassen müssen. Der Mensch hat in radikalster, existentieller Einmaligkeit, die er ist, damit zu rechnen, daß dieses Geheimnis der Bosheit in ihm nicht nur eine Möglichkeit ist, sondern auch zur Wirklichkeit wird, und zwar nicht insofern, als eine unheimliche apersonale Macht als zerstörerisches Geschick in sein Leben einbricht, sondern diese Möglichkeit eines Nein zu Gott selber kann eine Wirklichkeit bei ihm werden in dem Sinne, daß er in seiner Subjekthaftigkeit – die er gar nicht mehr von sich unterscheiden und abwälzen kann – wirklich böse ist und dieses Böse als das versteht, was er ist und endgültig sein will. Die christliche Lehre von der Möglichkeit einer solchen Schuld als eines Nein zu Gott in der radikalsten Auslegung und Aufrechterhaltung wirklich subjekthafter Freiheit sagt dem einzelnen eine der zwei letzten Möglichkeiten seines Daseins als wirklich seine eigenste zu.

Aber diese christliche Lehre sagt – wenigstens grundsätzlich – nichts darüber, in welchem konkreten einzelnen und in welchem Maße in der Menschheit als ganzer diese Möglichkeit Wirklichkeit geworden ist. Die christliche Botschaft sagt nichts darüber aus, ob auch in einigen oder vielen das Böse eine absolute und auch die letzte *Vollendung* des Lebens bestimmende Wirklichkeit geworden ist. Der Mensch wird durch sein Gewissen und durch die christliche Botschaft, die ihm die Verkürzung dieser Gewissenszusage verbietet, über seine Möglichkeiten und Aufgaben unterrichtet, er wird in den Vorgang der Entscheidung seines Daseins hineingesetzt, aber dem einzelnen wird nicht gesagt, wie diese seine individuelle Geschichte oder die der Gesamtmenschheit tatsächlich ausgeht. Auch die Schilderungen der Schrift vom Ende brauchen nicht zwingend als Reportagen von dem betrachtet zu werden, was später einmal sein wird. Wenn wir eine genaue Hermeneutik eschatologischer Aussagen richtig anwenden, können diese Schilderungen der Schrift vom Ende des einzelnen Menschen und der Gesamtmenschheit durchaus als Aussagen über die Möglichkeiten des Menschen und als Einweisung in den absoluten Ernst der Entscheidung verstanden werden. Wir brauchen uns in einer wirklichen Theologie nicht den Kopf zu zerbrechen, ob und wie viele Menschen ewig verlorengehen, ob und wie viele Menschen sich tatsächlich in ihrer letzten ursprünglichen Freiheit wirklich gegen Gott entscheiden. Das brauchen wir nicht zu wissen, und wir brauchen die Schrift auch nicht so zu lesen. Gott sagt auch in seiner Offenbarung über die Eschatologie nicht aus, was später einmal kommt, sondern diese eschatologischen Aussagen sind im Grunde Aussagen über den *jetzt* existierenden Menschen, insofern er in dieser Doppeltheit seiner Zukunft steht. In diesem Sinne allerdings hat die Botschaft des Christentums als radikale Interpretation der subjekthaften Freiheitserfahrung einen absolut tödlichen Ernst. Sie sagt jedem von uns, nicht dem anderen, sondern je mir: Du kannst durch dich selbst, durch den, der du in deiner innersten Mitte bist und endgültig sein willst, der sein, der sich in die absolute, tote, endgültige Einsamkeit des Nein Gott gegenüber einschließt. Und wir können alle Schilderungen der Schrift und der Tradition über das Wesen der Hölle als plastische Vorstellung und Ausmalung dieser eigentlichen Verlorenheit auffassen und brauchen darin nicht mehr zu suchen, vorausgesetzt nur, daß wir dabei das bleibend weltbezogene Wesen des geistigen Subjekts und die damit gegebene Widersprüchlichkeit einer endgültig gewordenen Freiheitsentscheidung *gegen* die gottgesetzten Strukturen dieser Weltwirklichkeit nicht übersehen.

Die Möglichkeit der Sünde als bleibendes Existential

Der Mensch trifft sich immer schon in einer vollzogenen Freiheit an, wenn er beginnt, auf sich selbst zu reflektieren, in einer vollzogenen Freiheit selbst dort noch, wo er über eine noch zu vollziehende weitere Entscheidung in höchst reflexer Weise mit sich zu Rate geht. Diese schon getroffene Entscheidung der Freiheit ist auch dort, wo sie objektiviert und reflektiert ist, die nicht mehr durch Reflexion adäquat auflösbare Synthese von ursprünglicher Freiheit und der Notwendigkeit des Freiheits-Materials. Auch die kommende Entscheidung ist bei aller Reflektiertheit mitbestimmt durch die vorausgehende in ihrer Undurchlässigkeit für eine nachträgliche Reflexion. Daher ist der tatsächliche Freiheitszustand für eine absolute Reflexion, für eine Gewissenserforschung, die sich als eine endgültige Aussage von absoluter Sicherheit verstehen wollte, für sich selbst unzugänglich. Der Mensch weiß nie mit einer absoluten Sicherheit, ob das objektiv Schuldhafte seines Handelns, das er eventuell eindeutig feststellen kann, die Objektivation der eigentlichen, ursprünglichen Freiheitsentscheidung im Nein gegen Gott oder nur das als Leiden auferlegte, Notwendigkeit an sich tragende Material einer freien Manipulation ist, deren letzte Eigenart sich einem groben empirischen Beobachten entzieht, aber durchaus ein Ja zu Gott sein kann. Wir wissen nie mit letzter Sicherheit, ob wir wirklich Sünder sind. Wir wissen aber mit letzter Sicherheit, auch wenn diese verdrängt werden kann, daß wir es wirklich sein *können*, auch dort noch, wo der bürgerliche Alltag und die reflektierte Manipulation unserer Motive durch uns selbst uns ein gutes Zeugnis auszustellen scheinen.

Da die Freiheit in ihrem ursprünglichen Wesen auf das ursprüngliche eine Ganze des Daseinsvollzugs geht, also erst endgültig vollzogen ist, wenn sie sich tätig, durch die Tat des Lebens in die absolute Entmächtigung des Todes hineinbegeben hat, ist die Möglichkeit der Sünde ein Existential, das unüberwindlich dem Ganzen des irdischen Lebens des Menschen anhaftet.

Die bleibende Bedrohtheit des freien Subjekts durch sich selbst ist nicht das Charakteristikum einer bestimmten Lebensphase, die innerhalb des irdischen Lebens überwunden werden könnte, sondern diese Bedrohtheit ist wirklich ein bleibendes, in dieser einen zeitlichen Geschichte nie überholbares Existential, das immer und überall zu dem einen und ganzen und doch geschichtlichen Vollzug der einen subjekthaften Freiheit gehört.

Die bleibende Souveränität Gottes

Die in alldem ausgesagte radikale Bedeutsamkeit der Freiheit für die Endgültigkeit des Menschen begrenzt natürlich nicht die Souveränität Gottes dieser Freiheit gegenüber. Denn Gott ist ja nicht ein kategoriales Gegenüber zu dieser Freiheit, so daß Gott und Freiheit sich gegenseitig den Platz streitig machen müßten. Der böse Wille widerspricht zwar Gott innerhalb jenes Unterschiedes, der zwischen Gott und der Kreatur in transzendentaler Einmaligkeit obwaltet, und dieser Unterschied – hier Gott, dort Subjekt kreatürlicher Art – erreicht gerade in der Tat der Freiheit sein eigentliches Wesen und das Wesen eines subjekthaften Seienden. Alle anderen Unterschiede zwischen Gott und einem kreatürlichen, bloß *sach*haften Seienden können daher nur als defiziente Modi dieses eigentlichen Unterschiedes betrachtet werden. Dieser Unterschied wird in der Tat der Freiheit gesetzt, beim guten genauso wie beim bösen Tun, weil auch beim guten (ja bei ihm erst recht) etwas gesetzt wird, dem der Charakter des freien In-sich-selber-Gründens ebensosehr, ja noch mehr zukommen muß als dem sittlich schlechten einer freien Setzung. Aber eben dieses freie, subjekthafte, sich selbst in Endgültigkeit setzende Subjektsein im Unterschied Gott gegenüber ist eigentlich der gemeinte Fall eines Unterschiedes zwischen Gott und einem anderen. Dieser darf nicht nach dem Modell eines Unterschiedes zwischen zwei kategorialen Seienden gedacht werden. Er macht vielmehr gerade jenen einmaligen radikalen Unterschied aus, wie er eben nur zwischen einem Subjekt von Transzendenz und dem unendlichen, unumfaßbaren Woraufhin und Wovonher dieser Transzendenz – Gott genannt – besteht.

Aber eben dieser Unterschied ist von Gott selber gesetzt, und darum bedeutet das Selbständige, das gerade diese radikale Differenz zwischen Gott und der Kreatur erst vollzieht, keine Begrenzung der Souveränität Gottes. Denn er erleidet diesen Unterschied nicht, sondern macht ihn erst möglich. Er setzt ihn, er erlaubt ihn, er gibt ihm gewissermaßen die Freiheit des eigenen Selbstvollzuges dieser Unterschiedenheit. Und darum kann Gott durchaus – und wenigstens von uns her gesehen ohne Sinnwidrigkeit – in seiner absoluten Souveränität die Freiheit als gute oder als böse Freiheit setzen, ohne dadurch die Freiheit selbst zu zerstören.

Daß wir als Subjekte einer noch werdenden Freiheit nicht wissen, ob Gott alle Freiheit – wenigstens endgültig – in eine gute Entscheidung gesetzt hat oder nicht, ist als eine an der Erfahrung ablesbare Tatsache gehorsam hinzunehmen, so wie wir unser Dasein selbst gehorsam übernehmen müssen. Was hier das Eigentümliche der Freiheit in ihrem Verhältnis Gott gegenüber ist, das erfahren wir ja schon in unserer Daseinserfahrung überhaupt: daß wir sie als Wesenskontingenz erfahren und gleichzeitig als eine Notwendigkeit für uns selber. Der Mensch hat weder die Möglichkeit noch das Recht, die Eintrittskarte ins Dasein zurückzugeben, die er ja selbst dann noch benutzt und nicht verfallen läßt, wenn er durch einen Selbstmordversuch sich auszulöschen sucht. Und dieses merkwürdige Verhältnis von Kontingenz und Notwendigkeit für uns kommt eben in der Setzung unserer freien Unterschiedenheit von Gott eigentlich nur zu ihrem Höhepunkt, ist ganz das Eigene und so gerade das von Gott Gesetzte.

Ist aber einmal Freiheit von Gott gewollt und gesetzt und ist so Subjektivität gegeben, ohne daß diese die Souveränität Gottes begrenzt, dann ist eben Möglichkeit und Notwendigkeit der freien Entscheidung Gott gegenüber unausweichlich da, weil diese gerade das Wesen der Freiheit ausmacht. Ob und wie diese Freiheit wahrgenommen werden kann oder nicht, in jenen Randfällen des bloß biologischen Vorhandenseins des Menschen, bei denen *wir* keine konkrete Möglichkeit der Wahrnehmung der Subjekthaftigkeit erkennen (z.B. bei Debilen, die – mindestens bürgerlich gesehen – nie zum Gebrauch der Vernunft zu kommen scheinen), das ist eine Frage, die uns hier nicht beschäftigen kann. Man darf das Grundsätzliche, das in der Mitte der Existenz erfahren wird, nicht konzipieren von solchen Randfällen her. Uns ist je unsere eigene Freiheit zugesprochen, und in dieser Situation erhält eben die theologische christliche Aussage von dem Menschen als Freiheitssubjekt für uns konkret eine unausweichliche Bedeutung und einen radikalen Ernst.

4. DIE „ERBSÜNDE“

Die Mitwelt als Raum des Freiheitsvollzugs

Soll die christliche Lehre von der Möglichkeit einer radikalen Schuld im Dasein des Menschen wirklich eingeholt werden, dann muß auch bedacht werden, daß der Mensch gerade *als* freies Subjekt und nicht bloß *daneben* das Wesen der Weltlichkeit, der Geschichte und der Mitwelt ist. Das aber bedeutet, daß er immer und unausweichlich seine personale, unabwälzbare, je ihm zugehörende Freiheitstat in einer Situation vollzieht, die er vorfindet, die ihm auferlegt ist, die letztlich die Voraussetzung seiner Freiheit ist; daß er sich in einer Situation als Freiheitssubjekt vollzieht, die selber immer geschichtlich und zwischenmenschlich bestimmt ist.

Diese Situation ist nicht nur eine äußere, die im Grunde genommen gar nicht in die Freiheitsentscheidung als solche einginge; sie ist nicht äußeres Material, an dem eine Gesinnung, eine Haltung, eine Entscheidung sich bloß so vollzöge, daß das Material dieser Freiheitsentscheidung wieder von dieser Entscheidung gleichsam abfiele; sondern die Freiheit nimmt unweigerlich das Material, an dem sie sich vollzieht, als inneres, konstitutives und durch sie selbst ursprünglich mitbestimmtes Moment in die Endgültigkeit des sich frei gesetzt habenden Daseins auf.

Die ewige Gültigkeit des freien Subjekts durch seine Freiheit ist die Endgültigkeit seiner irdischen Geschichte selber und darum innerlich auch mitbestimmt durch die auferlegten Momente, die die Zeitsituation des Freiheitssubjektes ausgemacht haben; mitbestimmt durch die freie Geschichte aller anderen, die diese je eigene Mitwelt konstituieren. Die christliche Deutung dieser Situation des Freiheitssubjekts sagt bei aller radikalen Abwehr einer Verharmlosung unserer eigenen geschichtlichen Entscheidung in Freiheit, daß diese mitweltlich bestimmte Situation für den einzelnen in seiner freien Subjekthaftigkeit und personalsten Individualgeschichte unausweichlich mitgeprägt ist durch die Freiheitsgeschichte aller übrigen Menschen. Somit bedeutet in diesem durch die ganze Mitwelt bestimmten individuellen Situationsraum der Freiheit auch die fremde Schuld ein bleibendes Moment.

Die Leibhaftigkeit und Objektivation der ursprünglichen Freiheitsentscheidung eines jeden partizipiert an dem Wesen der ursprünglichen Freiheitsentscheidung, wobei es zunächst gleichgültig ist, ob diese gut oder böse war. Sie ist aber nicht einfach die ursprüngliche Güte oder Bosheit dieser subjekthaften ursprünglichen Freiheitsentscheidung. Sie partizipiert nur an ihr und steht darum unvermeidlich im Modus der Zweideutigkeit: Ob sie nämlich wirklich die geschichtlich-leibhaftige Objektivation einer bestimmten guten oder bösen Freiheitsentscheidung *ist* oder ob es nur so aussieht, weil diese Objektivation nur durch vorpersonale Notwendigkeiten entstanden ist, bleibt für uns innerhalb der laufenden Geschichte immer dunkel.

Diese Objektivation der Freiheitsentscheidung ist ferner im Modus einer offenen weiteren Determinierbarkeit gegeben. Denn diese in die Objektivität einer gemeinsamen Freiheitssituation hineingewirkte Objektivation der Freiheitsentscheidung eines Menschen kann ein inneres Moment an der Freiheitsentscheidung eines anderen werden, in welcher diese Objektivation einen völlig anderen Charakter bekommen kann, ohne deshalb aufzuhören, das Resultat der ersten Freiheitshandlung zu sein.

Es gibt Objektivationen fremder Schuld

Zu solchen so gesetzten Momenten der Situation der individuellen Freiheit gehören nach christlicher Lehre auch Objektivationen der Schuld. Das scheint zunächst wie eine bare Selbstverständlichkeit zu klingen. Denn jeder Mensch hat den Eindruck, in einer Welt sich selber zu entscheiden, sich und Gott finden zu müssen, die durch die Schuld und das schuldhafte Versagen anderer mitbestimmt ist. Er weiß aus seiner eigenen transzendentalen Erfahrung, daß es Freiheit gibt, daß eine solche Freiheit sich weltlich, raumzeitlich und geschichtlich objektiviert, er weiß, daß solche Freiheit auch die Möglichkeit der radikal-bösen Entscheidung hat, und er nimmt an, daß in dieser zweifellos recht unzulänglichen und leidhaften Welt sich Objektivationen von tatsächlich geschehenen wirklich subjekthaft-bösen Entscheidungen finden.

Diese Meinung liegt sehr nahe; aber wenn wir sie richtig und vorsichtig bedenken, kann sie außerhalb einer möglichen absoluten Erfahrung des eigenen subjekthaften und doch in die Welt sich objektivierenden Bösen eigentlich nur eine Wahrscheinlichkeit in Anspruch nehmen. Man könnte ja zunächst einmal annehmen, daß es zwar immer die andrängende und drohende Möglichkeit eines wirklich subjekthaften Bösen in der Welt gegeben hat, daß diese Möglichkeit aber nicht Wirklichkeit geworden ist. Man könnte annehmen, daß die leidschaffenden und in der Entwicklung der Menschheit immer wieder aufzuarbeitenden ungünstigen Freiheitssituationen nie einer wirklich subjekthaft-bösen Entscheidung entspringen, sondern Vorläufigkeiten einer tief unten ansetzenden Entwicklung nach oben sind, die noch nicht abgeschlossen ist. Man könnte annehmen, daß es vielleicht sich notwendig objektivierende böse Freiheitsentscheidungen in der Welt gegeben hat, diese aber durch eine nachträgliche Änderung dieser selben subjektiven Freiheit wieder verbessert und umgeformt wurden, so daß sie keine dem Wesen einer guten Freiheitsentscheidung anderer entgegenstehende widrige Bedeutung für andere mehr haben.

All diese Möglichkeiten mögen sehr unwahrscheinlich erscheinen. Es mag für den Menschen, der sich in einem subjektiv ehrlichen Urteil nicht nur als möglichen, sondern als wirklichen Sünder vor sich läßt, absurd erscheinen, anzunehmen, nur er in der ganzen Menschheitsgeschichte sei ein solcher Sünder, bloß weil er nur über sich eine Urteilsmöglichkeit hat, die anderen gegenüber nicht oder mindestens weniger deutlich und sicher gewährt ist. Es mag einem solchen Menschen, der seine eigene subjektive Schuldhaftigkeit schon wirklich erfahren hat, absurd vorkommen zu glauben, nur er allein habe in Freiheit Sinnwidriges in diese Welt durch seine Taten eingestiftet, das von ihm nicht mehr restlos aufgefangen und aufgearbeitet werden kann.

Alle Erfahrung des Menschen weist in die Richtung, daß es in der Welt tatsächlich Objektivationen personaler Schuld gibt, die als Material der Freiheitsentscheidung eines anderen Menschen diese bedrohen, versucherisch auf sie einwirken und die Freiheitsentscheidung leidvoll machen. Und da das Material der Freiheitsentscheidung immer ein inneres Moment der Freiheitstat selber wird, bleibt auch die endliche gute Freiheitstat, insofern ihr eine absolute Aufarbeitung dieses Materials und eine restlose Umprägung nicht gelingt, immer auch von dieser schuldhaft mitbestimmten Situation her selber zweideutig, behaftet mit Auswirkungen, die eigentlich nicht angestrebt werden können, weil sie in tragische Ausweglosigkeiten führen und das in eigener Freiheit gemeinte Gute verhüllen.

Die ursprüngliche und bleibende Mitbestimmtheit durch fremde Schuld

Diese eigentlich selbstverständliche Erfahrung des Menschen wird nun aber durch die Botschaft des Christentums vor Verharmlosung geschützt, daß diese Mitbestimmtheit der Situation jedes Menschen durch fremde Schuld als eine allgemeine, bleibende und darum auch ursprüngliche ausgesagt wird. Es gibt für den einzelnen Menschen keine Inseln, deren Natur nicht schon mitgeprägt ist durch die Schuld anderer, direkt oder indirekt, nahe oder von ferne. Es gibt für die Menschheit in ihrer konkreten diesseitigen Geschichte auch keine reale Möglichkeit – wenn auch ein asymptotisches Ideal –, diese Schuldbestimmtheit der Freiheitssituation jemals endgültig zu überwinden. Die

Menschheit kann und wird in ihrer Geschichte zwar immer aufs neue, auch mit sehr realen Erfolgen und durchaus pflichtmäßig – so daß die Verletzung dieser Pflicht selbst wieder radikale Schuld vor Gott wäre –, sich bemühen, diese Schuldsituation zu verändern. Aber diese wird nach der Lehre des Christentums immer eine durch Schuld mitbestimmte bleiben, und noch die idealste, sittlichste Freiheitstat eines Menschen geht tragisch ein in die Konkretheit ihrer Erscheinung, die – weil mitbestimmt durch die Schuld – auch die Erscheinung ihres Gegenteils ist.

Durch dieses Nein sowohl zu einem idealistischen wie auch zum kommunistischen Zukunftsoptimismus glaubt das Christentum nicht nur der Wahrheit Zeugnis zu geben, sondern auch einer diesseitig „besseren Welt" am besten zu dienen. Es glaubt der Welt genügend sittliche Imperative und Verpflichtungen bis zur Verantwortung vor Gott, bis zur Gefahr einer *ewigen* Schuld angeboten zu haben. Es meint, daß sein geschichtlicher Pessimismus darum auch der Verbesserung der Welt hier und jetzt am meisten dient, weil die Utopie, eine in reiner Harmonie schwingende Welt sei durch den Menschen selbst machbar, unweigerlich nur zu noch größeren Gewalttätigkeiten und Grausamkeiten führt, als die es sind, die man aus der Welt herausschaffen will. Natürlich kann ein solcher Pessimismus die Entschudigung dafür werden, nichts zu tun, den Menschen auf das ewige Leben zu vertrösten und die religiöse Haltung wirklich nicht nur als Opium des Volkes, sondern auch noch als Opium für das Volk anzubieten. Aber das ändert nichts an der Tatsache, daß der radikale Realismus, der sich in diesem so formulierten Pessimismus des Christentums hinsichtlich unserer Freiheitssituation ausspricht, wahr ist und deswegen nicht vertuscht werden darf.

Die christliche Rede von der „Erbsünde"

Eine solche allgemeine, bleibende und unüberholbare Schuldmitbestimmtheit der Freiheitssituation eines jeden einzelnen und dann natürlich auch jeder Gesellschaft ist nur denkbar, wenn diese Schuldbestimmtheit der Freiheitssituation als nichteliminierbare auch eine *ursprüngliche* ist, d.h. in den Ursprung der Geschichte – so weit dieser Ursprung der einen Menschheitsgeschichte als menschlich gesetzter zu denken ist – schon immer eingestiftet ist. Die Universalität und Unüberholbarkeit der Schuldbestimmtheit der Freiheitssituation in der einen Menschheitsgeschichte impliziert eine ursprüngliche, schon am Anfang mitgegebene Schuldbestimmtheit der Menschheitssituation, impliziert eine „Erbsünde".

Die „Erbsünde" besagt selbstverständlich nicht, daß die personale ursprüngliche Freiheitstat am eigentlichen Ursprung der Geschichte in ihrer sittlichen Qualität auf die Nachkommen übergegangen sei. Eine solche Konzeption, daß uns die personale Tat „Adams" oder der ersten Menschengruppe so angerechnet werde, daß sie gleichsam biologisch auf uns übergegangen sei, hat mit dem christlichen Dogma von der Erbsünde schlechterdings nichts zu tun.

Wir erreichen das Wissen, die Erfahrung und den Sinn dessen, was Erbsünde ist, zunächst einmal von einer religiös-existentialen Interpretation unserer eigenen Situation, von uns selbst her. Wir sagen zunächst: Wir sind die, die unentrinnbar unsere eigene Freiheit subjekthaft in einer Situation vollziehen müssen, die durch Schuldobjektivationen mitbestimmt ist, und zwar so, daß diese Mitbestimmtheit zu unserer Situation bleibend und unentrinnbar gehört. Dies kann man sich schon an sehr banalen Beispielen verdeutlichen: Wenn man eine Banane kauft, reflektiert man nicht darauf, daß deren Preis an viele Voraussetzungen gebunden ist. Dazu gehört u. U. das erbärmliche Los von Bananenpflückern, das seinerseits mitbestimmt ist durch soziale Ungerechtigkeit, Ausbeutung oder eine jahrhundertealte Handelspolitik. An dieser Schuldsituation partizipiert man nun selbst zum eigenen Vorteil. Wo hört die personale Verantwortung für die Ausnützung einer solchen schuldmitbestimmten Situation auf, wo fängt sie an? Das sind schwierige und dunkle Fragen.

Um zu einem wirklichen Verständnis der Erbsünde zu kommen, gehen wir von der Tatsache aus, daß unsere eigene Freiheitssituation in einer uneliminierbaren Weise durch fremde Schuld mitgeprägt ist. Das bedeutet aber, daß diese Schuldmitbestimmtheit in ihrer Universalität und Unentrinnbarkeit nicht denkbar ist, wenn sie nicht schon vom Anfang der Freiheitsgeschichte der Menschheit her mitgegeben wäre. Denn gäbe es das nicht, wäre also diese Schuldbestimmung unserer Situation nur ein partikuläres Ereignis, dann könnte man nicht diese Radikalität der Anerkennung einer universalen und nicht überholbaren Schuldmitbestimmtheit unserer Freiheitssituation aufrechterhalten. Man muß diese Schuldmitbestimmung der menschlichen Freiheitssituation in den Ursprung der Geschichte selber eingestiftet denken. Die Universalität und Unüberholbarkeit der Schuldbestimmtheit der Freiheitssituation in der einen Menschheitsgeschichte impliziert in diesem Sinne eine „Erbsünde", wie sie das traditionelle Wort nennt.

„Erbsünde" und persönliche Schuld

„Erbsünde" im christlichen Sinne besagt in keiner Weise, daß die personale, ursprüngliche Freiheitstat des oder der ersten Menschen als unsere sittliche Qualität auf uns übergehe. Es wird uns in der „Erbsünde" nicht die Sünde Adams angerechnet. Personale Schuld aus ursprünglicher Freiheitstat ist nicht zu übertragen; denn sie ist ja das existenzielle Nein der personalen Transzendenz auf Gott hin oder gegen ihn. Und das ist seinem Wesen nach unübertragbar, genauso wie die formale Freiheit eines Subjektes auch. Diese Freiheit ist ja gerade dasjenige, worin jemand der Einmalige, Unvertretbare wird, der sich weder nach rückwärts noch nach vorwärts, noch in seine Umwelt gleichsam weganalysieren und so sich von sich selbst entlasten kann. Für die katholische Theologie bedeutet „Erbsünde" also in keiner Weise, daß die sittliche Qualität der Handlungen des (der) ersten Menschen auf uns übergegangen wäre, sei es durch eine forensische Anrechnung Gottes, sei es durch einen irgendwie gedachten biologischen Erbgang.

Es ist dabei von vornherein selbstverständlich, daß das Wort Sünde, wenn es für die personale schlechte Entscheidung eines Subjekts gebraucht wird und wenn es anderseits für eine Unheilssituation verwendet wird, die von fremder Entscheidung sich herleitet, in keiner Weise univok, sondern nur in einem analogen Sinn gebraucht wird. Man könnte nun Theologie und Verkündigung der Kirche kritisch befragen, warum sie ein so mißverständliches Wort benutzt. Darauf wäre zunächst zu antworten, daß man das Bleibende, Gültige und den existenziellen Sinn des Dogmas von der Erbsünde durchaus auch ohne dieses Wort aussagen könnte. Anderseits ist aber mit der Tatsache zu rechnen, daß es eine gewisse Sprachregelung in der Theologie und Verkündigung gibt und geben muß und daß eben die Geschichte der Formulierung der Glaubenserfahrung *de facto* so verlaufen ist, daß dieses Wort da ist und auch nicht durch die private Willkür des einzelnen abgeschafft werden kann.

Daher sollte man – in Predigt und Unterricht – nicht unmittelbar von diesem Wort ausgehen, das man dann nachträglich mühsam modifizieren muß, sondern man sollte sich so viel Theologie erarbeiten, daß man von der Erfahrung und der Beschreibung der menschlichen existenziellen Situation aus die *Sache* mehr oder minder zu sagen vermag, ohne zunächst dieses Wort zu verwenden. Erst anschließend wäre darauf hinzuweisen, daß diese sehr reale Wirklichkeit des eigenen Lebens und der eigenen Situation im kirchlichen Sprachgebrauch mit „Erbsünde" bezeichnet wird.

Dann wäre von vornherein verständlich, daß „Erbsünde" auf jeden Fall hinsichtlich der Freiheit, der Verantwortlichkeit, der Tilgungsmöglichkeit und der Tilgungsweise, der Denkbarkeit von Schuldfolgen – Strafe genannt – wesentlich verschieden ist von dem, was wir meinen, wenn wir von personaler Schuld und Sünde sprechen und sie von der transzendentalen Erfahrung der Freiheit in uns selber her als möglich oder gegeben erfassen.

Die „Erbsünde" im Lichte der Selbstmitteilung Gottes

Das Wesen der Erbsünde ist allein richtig und vom Verständnis der Auswirkung einer Schuld eines bestimmten oder bestimmter Menschen auf die Freiheitssituation anderer Menschen zu begreifen, weil eine solche Auswirkung bei der Einheit der Menschheit, bei der Geschichtlichkeit und Welthaftigkeit des Menschen, bei der notwendigen weltlichen Vermitteltheit jeder ursprünglichen Freiheitssituation notwendigerweise gegeben ist.

Das Eigentümliche der christlichen Lehre von der Erbsünde liegt bei Voraussetzung der eben genannten welthaften und die Situation anderer Freiheiten mitbestimmenden Grundstruktur der Freiheitstat in einem Doppelten:

1. Die Schuldbestimmtheit *unserer* eigenen Situation ist ein Moment der Freiheitsgeschichte der Menschheit, das in ihren Anfang eingestiftet ist, weil sonst die Universalität dieser Schuldbestimmtheit der Freiheitssituation und der Freiheitsgeschichte aller Menschen nicht erklärt wird.

2. Die *Tiefe* dieser Schuldbestimmtheit, die den Freiheits*raum* – nicht unmittelbar die Freiheit als solche – bestimmt, muß bemessen werden von dem theologischen Wesen der Sünde her, durch die diese Schuldmitbestimmtheit der menschlichen Situation gegründet wurde.

Ist diese persönliche Schuld am Anfang der Menschheitsgeschichte ein Nein gegenüber dem absoluten Selbstangebot Gottes zur absoluten Selbstmitteilung seines göttlichen Lebens (worüber später ausführlich zu handeln sein wird), dann sind die Folgen als Schuldbestimmtheit unserer Situation anders, als wenn es ein freies Nein bloß gegenüber einem göttlichen Gesetz – wenn auch im Horizont Gottes selbst – gewesen wäre. Die göttliche Selbstmitteilung (Rechtfertigungsgnade genannt) ist das Radikalste und Tiefste an der existentialen Freiheitssituation des Menschen. Sie liegt als göttliche Gnade der Freiheit als Bedingung ihrer *konkreten* Handlungsmöglichkeit voraus. *Selbst*mitteilung des schlechthin *heiligen* Gottes bezeichnet eine den Menschen heiligende Qualität im voraus zu seiner freien, guten Entscheidung; und darum erhält das *Fehlen* einer solchen heiligenden Selbstmitteilung den Charakter eines Nicht*seinsollenden* und ist nicht bloß eine Minderung in den Freiheitsmöglichkeiten, wie sie sonst als „Erbschaden" gegeben sein kann. Da für den Menschen *als* „Nachkommen Adams" ein solches Fehlen in seiner Freiheitssituation gegeben ist, kann und muß in einem allerdings bloß analogen Sinn von einer Erb*sünde* gesprochen werden, obwohl es sich um ein Moment an der Freiheits*situation* und nicht an der Freiheit eines einzelnen als solchem handelt. Wie dieser einzelne auf diese durch die Schuldtat am Anfang der Menschheitsgeschichte mitbestimmte Situation reagiert, ist nochmals – sosehr diese Situation bedrohend und verderblich ist – eine Frage an seine Freiheit, zumal an die im Raum des göttlichen Selbstangebots sich vollziehende. Dieses Selbstangebot Gottes bleibt ja trotz der Schuld am Anfang der Menschheit propter Christum und auf ihn hin immer bestehen, auch wenn es nicht mehr wegen und von „Adam", also nicht mehr von einem unschuldigen Beginn der Menschheit her, gegeben ist. Es bleibt auch in der schuldmitbestimmten Situation ein ebenso radikales Existential in der Freiheitssituation des Menschen wie das, was wir „Erbsünde" nennen.

Was mit „Erbsünde" gemeint ist, wird also aus einem doppelten Grunde erkannt: einerseits von der Universalität der Schuldbestimmtheit der Freiheitssituation *jedes* Menschen und von der daher erkannten Ursprünglichkeit dieser Schuldbestimmtheit in der Geschichte der Menschheit her; zweitens aus der in der Offenbarungs- und Heilsgeschichte wachsenden reflexen Einsicht in das Wesen des Verhältnisses zwischen Gott und den Menschen und aus der damit gegebenen Eigenart sowohl der Bedingungen der Möglichkeit dieses Verhältnisses als auch der Tiefe der Schuld, wenn und wo eine solche gegeben ist und welche – wenn sie gegeben ist – ein „Nein" zu dem den Menschen von Gott her gegebenen heiligenden Selbstangebot impliziert.

Zur Hermeneutik der Schriftaussagen

Was wir „Erbsünde" nennen, ist also durchaus in seiner Tatsache und in seinem Wesen von dem aus erreichbar, was der Mensch von sich in der Heilsgeschichte – insofern sie in Christus endgültig zu sich selber gekommen ist – erfährt. Von hier aus ist es auch verständlich, daß die biblische Lehre von der Erbsünde im Alten und im Neuen Testament deutlich voneinander verschiedene Entwicklungsphasen aufweist. Erst mit der Radikalisierung der reflexen Erkenntnis der Unmittelbarkeit zu Gott bei einem positiven Verhältnis zu ihm konnte aus einer Universalität der Sündenfolgen eine Erkenntnis der Erbsünde werden. Die biblische Erzählung von der Sünde des ersten (oder der ersten) Menschen braucht gar nicht als eine historische Reportage verstanden zu werden. Die Darstellung der Sünde der ersten Menschen ist vielmehr der ätiologische Rückschluß aus der Erfahrung der existentiellen und heilsgeschichtlichen Situation des Menschen auf das, was „im Anfang" geschehen sein muß, wenn die jetzige Freiheitssituation so ist, wie sie erfahren wird und unverstellt angenommen wird. Ist dem so, dann ist auch ohne weiteres verständlich, daß alles, was sich durch diesen ätiologischen Rückschluß von der gegenwärtigen Situation auf ihren Ursprung nicht erreichen läßt, in der plastischen Darstellung dieser Ereignisse am Urbeginn der Menschheit Darstellungsmittel, Aussageweise, aber nicht Aussageinhalt ist. Die Aussage mag in der Form eines Mythos geschehen, weil dieser durchaus ein legitimes Darstellungsmittel für letzte Erfahrungen des Menschen ist, das gar nicht ohne weiteres durch eine andere Aussageweise radikal ersetzt werden kann. Auch die abstrakteste Metaphysik und Religionsphilosophie muß mit bildhaften Vorstellungen arbeiten, die nichts anderes sind als verkürzte, abgeblaßte Mythologeme.

Erbsünde sagt darum gar nichts anderes als den geschichtlichen Ursprung unserer heutigen, durch die Schuld mitbestimmten, universalen und nach vorn nicht überholbaren Freiheitssituation, insofern, als diese Situation eine Geschichte hat, in der die göttliche Selbstmitteilung als Gnade den Menschen wegen dieser universellen Schuldbestimmtheit seiner Geschichte nicht von „Adam", dem Anfang der Menschheit, her zukommt, sondern vom Ziel der Geschichte, von dem Gottmenschen Jesus Christus.

Die „Folgen der Erbsünde"

Insofern diese unsere Freiheitssituation unentrinnbar durch Schuld mitbestimmt ist und diese Schuld all dasjenige mitprägt, was in dieser Freiheitssituation an Einzelmomenten gegeben ist, ist auch klar, daß die gesamte Begegnung des Menschen in seiner Freiheit mit der ihn bestimmenden Mit- und Umwelt anders wäre, wenn seine Situation nicht durch diese Schuld mitbestimmt wäre. Insofern sind zweifellos die Arbeit, die Unwissenheit, die Krankheit, das Leid, der Tod – wie sie uns konkret begegnen – Eigentümlichkeiten unseres menschlichen Daseins, die *so*, wie wir sie tatsächlich erfahren, in einem Dasein ohne Schuld nicht gegeben wären.

In diesem Sinne kann und muß durchaus gesagt werden, daß diese Existentialien Folge der Erbsünde sind. Damit ist aber umgekehrt nicht gesagt, daß alles, was uns an diesen Eigentümlichkeiten der menschlichen individuellen und kollektiven Geschichte begegnet, schlechterdings nichts sei als nur Folge der Sünde oder daß wir uns von den gegenteiligen Existentialien, wie sie in einem schuldfreien Daseinsraum auftreten würden, eine konkrete Vorstellung machen könnten. Selbstverständlich hätte auch der schuldlose Mensch sein Leben durch Freiheit hindurch in eine Endgültigkeit hinein vollzogen, wäre in diesem Sinne „gestorben". Selbstverständlich können wir uns diese auf eine Vollendung hinsteuernde Daseinsweise ohne deren Mitprägung durch die Schuld konkret nicht vorstellen, und alle Aussagen der Schrift darüber bleiben asymptotische Hinweise auf diese Verfaßtheit des Daseins ohne Schuld, die kein Mensch konkret erlebt hat und die wir doch postulieren müssen, wenn wir unsere Sündigkeit und unsere sündenmitbestimmte Situation nicht auf Gott abwälzen wollen.

Wenn das Wesen der Sünde ein Vollzug der transzendentalen Freiheit im „Nein" gegen Gott ist, dann kann sie von einem Menschen auch dort vollzogen werden, wo die theoretische und praktische Vermittlung dieser transzendentalen Freiheit sehr bescheiden ist. So wie der Mensch in dem ersten Akt, in dem er als Mensch auftrat, vielleicht Feuer machte oder ein Werkzeug handhabte und ganz in dieser Beschäftigung aufzugehen schien, schon das Wesen der Transzendenz war oder eben nicht Mensch genannt werden kann, so ist diesem Wesen auch bei den einfachsten zivilisatorischen Verhältnissen durchaus jene Möglichkeit eines „Ja" oder „Nein" Gott gegenüber zuzuerkennen, wie sie die christliche Lehre dem (oder den) „ersten Menschen" zuerkennt. Da ein solches „Nein" Gott gegenüber vom Ursprung der menschlichen Freiheit her als Akt ursprünglicher Selbstinterpretation und nicht als Akt neben vielen andern gedacht werden muß, besteht auch keine Notwendigkeit, den schuldlosen Menschen durch längere Zeit als in einem historischen Paradies lebend zu denken und das in der Genesis wirklich Gemeinte als bloßen Mythos abzulehnen.

VIERTER GANG

Der Mensch als das Ereignis der freien, vergebenden Selbstmitteilung Gottes

Im vierten Gang unserer Überlegungen kommt erstmals das Eigentliche der christlichen Botschaft zur Aussage. Was wir in den drei ersten Gängen unserer Überlegungen gesagt haben, war zwar Voraussetzung, ohne die die christliche Botschaft über den Menschen unmöglich wäre. Aber es war in sich noch nicht so spezifisch christlich, daß man denjenigen, der diese Aussagen als sein eigenes Selbstverständnis annimmt, schon einen Christen in der Dimension eines ausdrücklichen und reflexen Bekenntnisses nennen könnte.

Wir kommen nun aber in die innerste Mitte des christlichen Daseinsverständnisses, wenn wir sagen: Der Mensch ist das Ereignis einer freien, ungeschuldeten und vergebenden, absoluten Selbstmitteilung Gottes.

1. VORBEMERKUNGEN

Zum Begriff ,,Selbstmitteilung"

Wenn wir von Selbstmitteilung Gottes sprechen, dürfen wir dieses Wort nicht so verstehen, als ob Gott in irgendeiner Offenbarung etwas *über* sich selber sagen würde. Das Wort ,,Selbstmitteilung" will wirklich bedeuten, daß Gott in seiner eigensten Wirklichkeit sich zum innersten Konstitutivum des Menschen selber macht. Es handelt sich also um eine *seinshafte* Selbstmitteilung Gottes. Allerdings darf dieses ,,seinshaft" – das ist die andere Seite eines möglichen Mißverständnisses – nicht in einem bloß objektivistischen, gleichsam gegenständlich-sachhaften Sinn verstanden werden. Eine Selbstmitteilung Gottes als des personalen, absoluten Geheimnisses an den Menschen als das Wesen der Transzendenz meint von vornherein eine Mitteilung an ihn als geistig personales Wesen. Wir wollen also zunächst sowohl das Mißverständnis eines bloßen – wenn auch vielleicht von Gott bewirkten – Redens *über* Gott wie auch dasjenige einer rein sachhaften, dinglich gedachten Selbstmitteilung Gottes vermeiden.

Ausgang von der christlichen Botschaft

Gegen die Möglichkeit, schon an dieser Stelle von der freien, vergebenden Selbstmitteilung Gottes zu sprechen, könnte man einwenden, daß diese Einsicht erst das Ergebnis der Heils- und Offenbarungsgeschichte ist, die ihren irreversiblen Höhepunkt in dem Gott-Menschen Jesus Christus hat. Davon werden wir aber erst im fünften oder sogar im sechsten Gang unserer Überlegungen handeln. Wir haben aber dennoch das Recht, schon hier den eigentlichen Ursprung und die Mitte dessen zu bedenken, was das Christentum eigentlich ist, vermittelt und meint: eben diese absolute und ungeschuldete und – nach dem dritten Gang ist dies hinzuzufügen – vergebende Selbstmitteilung. Denn gerade wenn wir – als geschichtliche Wesen – zu unserem Selbstverständnis kommen, begreifen wir unsere Vergangenheit vom Ereignis unserer Gegenwart her.

Um zu sehen, was mit dem Hauptsatz des vierten Ganges gemeint ist, setzen wir also in einem gewissen Unterschied zum Vorhergehenden bei der ausdrücklichen christlichen Botschaft an. Die christliche Botschaft ist gewiß das Ergebnis einer langen Entwicklung der Menschheits- und Geistesgeschichte. Der Christ interpretiert sie mit Recht als eine Geschichte des Heiles und der fortschreitenden, in Christus zu ihrem Höhepunkt gekommenen Offenbarung Gottes. Aber eben in diesem Stadium, in dem nach christlicher Überzeugung diese Geschichte ihr eigenes, höchstes Selbstverständnis und eine Irreversibilität erreicht hat, trifft die Botschaft auf *uns,* und niemand wird leugnen können, daß unsere eigene geschichtliche Situation derart ist, daß wir die Pflicht haben – wenn anders wir geschichtlich existieren –, diese Botschaft zu hören, mit ihr uns ins Einverständnis zu setzen oder sie ausdrücklich und verantwortet zu leugnen.

2. WAS MEINT „SELBSTMITTEILUNG GOTTES"?

Rechtfertigende Gnade und „visio beatifica"

Die christliche Botschaft sagt nun in der Lehre von der sogenannten „rechtfertigenden Gnade" und vor allem in der Lehre von der Vollendung des Menschen in der Anschauung Gottes, daß der Mensch das Ereignis der absoluten und vergebenden *Selbst*mitteilung Gottes ist. Dabei ist „Selbstmitteilung" in einem streng ontologischen Sinn gemeint, wie es dem Wesen des Menschen entspricht, des Menschen, dessen Sein Beisichsein, personale Selbstüberantwortetheit in Selbstbewußtsein und Freiheit ist.

Selbstmitteilung Gottes besagt also, daß das Mitgeteilte wirklich Gott in seinem eigenen Sein und so gerade die Mitteilung zum Erfassen und Haben Gottes in unmittelbarer Anschauung und Liebe ist. Diese Selbstmitteilung bedeutet gerade jene Objektivität der Gabe und der Mitteilung, die der Höhepunkt der Subjektivität auf seiten des Mitteilenden und des Empfangenden ist.

Um unseren zentralen Satz in dieser Überlegung zu verstehen, sind die Gnadenlehre und die Lehre von der endgültigen Anschauung Gottes in der christlichen Dogmatik in engster Einheit untereinander zu hören. Denn die Themen der Gnadenlehre – Gnade, Rechtfertigung, Vergöttlichung des Menschen – werden in ihrem eigentlichen Wesen nur von der Lehre von der übernatürlichen, unmittelbaren Anschauung Gottes her verständlich, die nach der christlichen Dogmatik Ziel und Vollendung des Menschen ist. Und umgekehrt: die Lehre von der unmittelbaren Anschauung Gottes kann in ihrem ontologischen Wesen nur dann in ihrer ganzen Radikalität begriffen werden, wenn sie als die naturgemäße Vollendung jener innersten, wirklich seinshaften Vergöttlichung des Menschen verstanden wird, wie diese in der Lehre von der rechtfertigenden Heiligung des Menschen durch die Mitteilung des Heiligen Geistes an den Menschen zum Ausdruck kommt. Was Gnade und Anschauung Gottes meinen, sind zwei Phasen ein und desselben Ereignisses, die bedingt sind durch die freie Geschichtlichkeit und Zeitlichkeit des Menschen, sind zwei Phasen an der einen Selbstmitteilung Gottes an den Menschen.

Die doppelte Modalität der Selbstmitteilung Gottes

Schon hier ist von unserer allgemeinen Anthropologie her klar, daß diese Selbstmitteilung Gottes an den Menschen als ein Freiheitswesen, das in der Möglichkeit eines absoluten „Ja" oder „Nein" zu Gott existiert, in einer doppelten Modalität gegeben oder gedacht sein kann: in der Modalität der vorgegebenen Situation des Angebotes, des Anrufs der Freiheit des Menschen einerseits und in der wiederum doppelten Modalität der Stellungnahme zu diesem Angebot der Selbstmitteilung Gottes als eines bleibenden Existentials des Menschen anderseits, d. h. in der Modalität der durch die Freiheit des Menschen angenommenen oder abgelehnten Selbstmitteilung Gottes.

Daß dabei die Annahme der Selbstmitteilung Gottes durch eben dieses Angebot Gottes selbst getragen sein muß und getragen ist, die Annahme der Gnade also noch einmal Ereignis der Gnade selbst ist, das ergibt sich aus dem letzten Verhältnis zwischen der menschlichen Transzendenz als Erkenntnis und Freiheit und dem eben diese Transzendenz eröffnenden und tragenden Woraufhin und Wovonher dieser Transzendenz. Es ergibt sich auch weiter essential daraus, daß der kreatürliche Akt der Annahme göttlicher Selbstmitteilung das Angenommene nur dann in seiner Göttlichkeit beläßt und nicht auf das Kreatürliche als solches hin depotenziert, wenn dieser kreatürliche subjektive Akt noch einmal von Gott, dem sich selbst mitteilenden und angenommenen, getragen ist; und es ergibt sich weiterhin daraus, daß die konkrete Freiheitstat gerade auch in ihrer konkreten Güte und sittlichen Richtigkeit noch einmal als aus dem Ursprung aller Wirklichkeit – also aus Gott her – entspringend und ermächtigt gedacht werden muß.

Gottes Selbstmitteilung und bleibende Geheimnishaftigkeit

Was ist nun mit dieser Selbstmitteilung Gottes genauer gemeint? Um dies zu erläutern, ist wiederum auf das ursprünglich in der transzendentalen Erfahrung zur Gegebenheit kommende Wesen des Menschen zu blicken. In ihr erfährt der Mensch sich als das endliche, kategoriale Seiende, als das vom absoluten Sein her in Unterschied von Gott eingesetzte, als das vom absoluten Sein herkommende und im absoluten Geheimnis gründende Seiende. Dauernde Herkünftigkeit von Gott und radikale Verschiedenheit von ihm sind in Einheit und gegenseitigem Bedingungsverhältnis grundlegende Existentialien des Menschen.

Wenn wir nun sagen: „Der Mensch ist das Ereignis der absoluten Selbstmitteilung Gottes", dann soll damit in einem gesagt werden, daß einerseits Gott für den Menschen in seiner absoluten Transzendentalität nicht nur west als das absolute, aber sich immer entziehende, immer nur asymptotisch gemeinte, radikal fernbleibende Woraufhin und Wovonher dieser Transzendenz, sondern daß er sich als er selber gibt. Transzendentales Woraufhin der Transzendenz und ihr Gegenstand, ihr „an sich selbst" fallen in einer Weise zusammen, die beide – Woraufhin und Gegenstand – und deren Unterschied in eine ursprünglichere und endgültige, nicht mehr begrifflich unterscheidbare Einheit aufhebt. Und wenn wir sagen, Gott sei für uns in absoluter Selbstmitteilung gegeben, dann ist anderseits gesagt, daß diese Selbstmitteilung Gottes im Modus der Nähe und nicht nur im Modus des abwesenden Anwesens als Woraufhin einer Transzendenz gegeben ist, in der Gott nicht zum kategorialen einzelnen wird, aber dennoch wirklich als der sich selbst Mitteilende anwest und nicht nur als das ferne, nie umfaßbare, asymptotische Woraufhin unserer Transzendenz.

Göttliche Selbstmitteilung besagt also, daß Gott sich als er selbst an das Nicht-Göttliche mitteilen kann, ohne aufzuhören, die unendliche Wirklichkeit und das absolute Geheimnis zu sein, und ohne daß der Mensch aufhört, das endliche, von Gott unterschiedene Seiende zu sein. Durch diese Selbstmitteilung wird dasjenige nicht aufgehoben oder geleugnet, was früher über das Anwesen Gottes als des absoluten Geheimnisses von wesenhafter Ungreifbarkeit gesagt worden ist. Auch in der Gnade und unmittelbaren Anschauung Gottes bleibt Gott Gott, d.h. das erste und letzte Maß, das an nichts gemessen werden kann; bleibt er das Geheimnis, das allein selbstverständlich ist; das Woraufhin der höchsten Tat des Menschen, das Woraufhin, das selber diese Tat ermöglicht und trägt; bleibt Gott das Heilige, das nur der Anbetung wirklich zugänglich ist; bleibt Gott der schlechthin namenlose und unsagbare Gott, der nie, also auch nicht durch seine Selbstmitteilung in Gnade und unmittelbarer Anschauung, begriffen werden kann; der nie dem Menschen untertan wird; der nie in ein menschliches Koordinatensystem der Erkenntnis und der Freiheit eingeordnet werden kann. Im Gegenteil: Eben in diesem Ereignis der absoluten Selbstmitteilung Gottes wird diese Göttlichkeit Gottes als des heiligen Geheimnisses radikale, unverdrängbare Wirklichkeit für den Menschen. Diese Unmittelbarkeit Gottes in seiner Selbstmitteilung ist gerade die Entbergung Gottes *als* des bleibenden absoluten Geheimnisses. Aber daß dies geschehen kann, daß der ursprüngliche Horizont Gegenstand werden kann, daß das vom Menschen her unerreichbare Ziel doch der wirkliche Ausgangspunkt des vollendeten Selbstvollzugs des Menschen werden kann, das ist in der christlichen Lehre gesagt, nach der Gott den Menschen die unmittelbare Anschauung in sich selbst als Vollendung des geistigen Daseins des Menschen schenken will. Das ist in der christlichen Lehre gesagt, nach der in der Gnade, d. h. in der Mitteilung des Heiligen Geistes Gottes, dieses Ereignis der Unmittelbarkeit zu Gott in der Vollendung des Menschen so vorbereitet ist, daß schon jetzt vom Menschen gesagt werden muß, er sei des göttlichen Wesens teilhaftig, ihm sei das göttliche Pneuma gegeben, das die Tiefen der Gottheit erforscht, er sei jetzt schon Sohn Gottes, und es müsse nur offenbar werden, was er jetzt schon ist.

Der Geber ist selbst die Gabe

Entscheidend für das Verständnis dieser Selbstmitteilung Gottes an den Menschen ist es, zu begreifen, daß der Geber in sich selber die Gabe ist, daß der Geber sich selbst in sich und durch sich selbst der Kreatur als ihre Vollendung zu eigen gibt.

Natürlich hat diese göttliche Selbstmitteilung, in der sich Gott selbst zum konstitutiven Prinzip des geschöpflichen Seienden macht, ohne dadurch seine absolute seinshafte Selbständigkeit zu verlieren, „vergöttlichende" Wirkungen in dem endlichen Seienden, an das diese Selbstmitteilung erfolgt, Wirkungen, die als Bestimmungen eines endlichen Subjekts selber als endliche und geschaffene aufgefaßt werden müssen. Aber das Eigentliche dieser göttlichen Selbstmitteilung bedeutet ein Verhältnis zwischen Gott und dem endlichen Seienden, das in Analogie zu einer Ursächlichkeit verstanden werden kann und muß, in der die „Ursache“ inneres konstitutives Prinzip des Verursachten selber wird.

Das Modell formaler Ursächlichkeit

Wenn Gott selbst in seiner eigensten, absoluten Wirklichkeit und Herrlichkeit die Gabe selber ist, dann kann man vielleicht von einem *formalen* Ursächlichkeitsverhältnis sprechen im Unterschied zu einer effizienten Ursächlichkeit, einer Wirkursächlichkeit. Bei einer effizienten Ursächlichkeit ist das Bewirkte wenigstens innerhalb unseres eigenen kategorialen Erfahrungsraumes immer vom Wirkenden unterschieden. Wir kennen aber auch eine formale Ursächlichkeit: Ein bestimmtes Seiendes, ein Seinsprinzip ist ein konstitutives Moment an einem anderen Subjekt, indem es sich selber diesem Subjekt mitteilt und nicht nur etwas von sich Verschiedenes bewirkt, das dann inneres konstitutives Prinzip an dem ist, das diese Wirkursächlichkeit erfährt. An eine solche formale Ursächlichkeit können wir denken, um das, was wir hier sagen wollen, deutlicher zu machen. Gott ist in dem, was wir Gnade und unmittelbare Anschauung Gottes nennen, wirklich ein inneres konstitutives Prinzip des Menschen als des im Heil und in der Vollendung befindlichen.

Diese innere formale Ursächlichkeit ist im Unterschied zu den uns sonst erfahrungsmäßig gegebenen inneren wesenskonstitutiven Ursachen so zu denken, daß die innere konstituierende Ursache ihr eigenes Wesen in absoluter Unberührtheit und Freiheit in sich selber behält. Das ontologische Wesen dieser Selbstmitteilung Gottes oder die Möglichkeit dieser Selbstmitteilung Gottes bleibt so in seiner Einmaligkeit verborgen. Die Möglichkeit dieser Selbstmitteilung ist die absolute Prärogative Gottes, da nur das absolute Sein Gottes nicht nur in einem das Verschiedene von sich setzen kann, ohne der Differenz zu ihm untertan zu werden, sondern sich auch selber mitteilen kann als es selbst, ohne in dieser Mitteilung sich selbst zu verlieren.

Das ontologische Wesen dieser Selbstmitteilung kann darum nur reflex zur Begrifflichkeit gebracht werden in einer dialektischen und analogen Modifizierung anderer Begriffe, die uns anderswoher bekannt sind. Wenn man sich daher überhaupt auf eine solche analoge Verwendung von ontischen Begriffen einlassen will, dann bietet sich eben doch für eine solche analoge Aussage über die Selbstmitteilung Gottes der Begriff der inneren formalen Ursächlichkeit im Unterschied zu einer gleichsam nach außen gehenden Wirkursächlichkeit an. In dieser Begrifflichkeit kann dann gesagt werden, daß in Selbstmitteilung Gott in seinem absoluten Sein sich in formaler Ursächlichkeit zum geschöpflich Seienden verhält, d. h. daß er eben ursprünglich nicht etwas von ihm selbst Verschiedenes in der Kreatur bewirkt und hervorbringt, sondern seine eigene göttliche Wirklichkeit mitteilend zum Konstitutivum der Vollendung des Geschöpfes macht.

Ein inneres Verständnis und eine ontologische Legitimierung eines so verstandenen Begriffes der Selbstmitteilung ist in der transzendentalen Erfahrung der Verwiesenheit jedes endlichen Seienden auf das absolute Sein und Geheimnis Gottes gegeben. Schon in der Transzendenz als solcher ist das absolute Sein das innerste Tragende und Konstituierende dieser transzendentalen Bewegung auf es hin und nicht nur ein äußerlich bleibendes Woraufhin und äußerliches Ziel einer Bewegung. Dieses Woraufhin ist gerade darum kein solches Moment der transzendentalen Bewegung, daß es nur in ihr seinen Bestand und seinen Sinn hätte, sondern es bleibt als das Innerste auch das absolut Erhabene und Unberührbare über dieser transzendentalen Bewegung.

Selbstmitteilung Gottes zu unmittelbarer Erkenntnis und Liebe

Das Wesen und der Sinn dieser so verstandenen Selbstmitteilung Gottes an das geistige Subjekt bestehen in der Unmittelbarwerdung Gottes für das Subjekt als geistiges, also in der Grundeinheit von Erkennen und Lieben. Seinshafte Selbstmitteilung muß von vornherein als Bedingung der Möglichkeit personaler unmittelbarer Erkenntnis und Liebe zu Gott hin verstanden werden. Aber eben diese unmittelbar erkennende und liebende Nähe zu Gott als dem bleibenden, absoluten Geheimnis ist nicht als ein seltsames Phänomen zu denken, das zu einer sachhaft gedachten Wirklichkeit hinzutritt, sondern als das eigentliche Wesen dessen, was das ontologische Verhältnis zwischen Gott und der Kreatur ausmacht.

Im Zusammenhang mit der später zu entwickelnden Christologie wird sich überdies noch zeigen müssen, daß die Schöpfung als Wirkursächlichkeit – d. h. als freie Setzung des anderen als solchen durch Gott –, als die Voraussetzung der Möglichkeit der freien Selbstmitteilung und als deren defizienter, wenn auch für sich allein denkbarer Modus zu denken ist. Es kann bei der Christologie noch deutlicher gemacht werden, daß diese Selbstmitteilung Gottes an das Nicht-Göttliche die effiziente Verursachung eines von Gott verschiedenen anderen als Bedingung impliziert. Später muß sich noch deutlicher zeigen, daß eine solche schöpferische Wirkursächlichkeit Gottes im Grunde nur als eine Modalität oder ein defizienter Modus jener absoluten, ungeheuren Möglichkeit Gottes zu denken ist, die darin liegt, daß er – die Agape in Person, das absolut in sich selber selige und vollendete Subjekt – sich gerade darum an ein anderes selber mitteilen kann.

Wenn Sein Beisichsein ist, wenn das Wesen des Seienden, insofern es Sein hat, innere Gelichtetheit und personaler Selbstbesitz ist, wenn jeder geringere Grad von Seiendheit nur als defiziente, eingegrenzte und depotenzierte Weise des Gegebenseins von Sein begriffen werden kann, dann ist die Selbstmitteilung Gottes seinshafter Art an das Geschöpf per definitionem Mitteilung zu unmittelbarer Erkenntnis und Liebe, und umgekehrt ist natürlich das Entsprechende gegeben, d.h., daß wahre, unmittelbare Erkenntnis und Liebe Gottes in sich selbst notwendig diese realste Selbstmitteilung Gottes bedeutet.

Die absolute Ungeschuldetheit der Selbstmitteilung Gottes

Damit ist auch gegeben, daß solche Selbstmitteilung Gottes an die Kreatur notwendigerweise als Akt höchster personaler Freiheit Gottes verstanden werden muß, als Akt der Erschließung seiner letzten Intimität in absoluter freier Liebe. Darum versteht die christliche Theologie diese Selbstmitteilung als absolut gnadenhaft, d.h. als „ungeschuldet", und zwar jedem endlichen Seienden gegenüber, im voraus zu einer etwaigen schuldigen Verschlossenheit des endlichen Subjekts gegen Gott, so daß Selbstmitteilung Gottes nicht nur als Überwindung einer schuldhaften Verschlossenheit der Kreatur als Vergebung Gnade, sondern schon vorher das ungeschuldete Wunder der freien Liebe Gottes ist, die Gott selber zum inneren Prinzip und zum „Gegenstand" des menschlichen Existenzvollzugs macht.

Göttliche Selbstmitteilung in Gnade und Vollendung durch die unmittelbare Anschauung Gottes wird darum in der katholischen Theologie als „übernatürlich" gekennzeichnet. Mit diesem Begriff soll zum Ausdruck gebracht werden, daß diese Selbstmitteilung Gottes Akt freiester Liebe, und zwar auch gegenüber dem schon durch Schöpfung gesetzten endlichen geistigen Seienden, ist. Die Selbstmitteilung Gottes ist auch gegenüber dem schon als gesetzt vorausgesetzten kreatürlichen Subjekt noch einmal das Wunder freier Liebe, die das Selbstverständlichste und gleichzeitig von keinem anderen Absatz her zwingend Ableitbare ist.

Ungeschuldetheit meint nicht Äußerlichkeit

Mit dieser Lehre von der Übernatürlichkeit der Gnade und Vollendung in der unmittelbaren Anschauung Gottes ist nicht gesagt, daß die übernatürliche „Erhebung" der geistigen Kreatur äußerlich und zufällig zum Wesen und der Struktur eines geistigen Subjektes von unbegrenzter Transzendenz hinzuträte. In der konkreten Ordnung, der wir in unserer transzendentalen Erfahrung – interpretiert durch die christliche Offenbarung – begegnen, ist die geistige Kreatur von vornherein als möglicher Adressat einer solchen göttlichen Selbstmitteilung gesetzt. Das geistige Wesen des Menschen ist von vornherein schöpferisch von Gott gesetzt, weil Gott sich selbst mitteilen will:

Effizientes Schöpfertum Gottes wird wirksam, weil Gott sich selber liebend verschenken will. Die Transzendenz des Menschen ist in der konkreten Ordnung von vornherein als der Raum einer Selbstmitteilung Gottes gewollt, in dem allein diese Transzendenz ihre schlechthinnige Vollendung findet. Die Leere der transzendentalen Kreatur ist in der Ordnung, die allein wirklich ist, da, *weil* die Fülle Gottes diese Leere schafft, *um* sich ihr selber mitzuteilen. Aber gerade darum ist diese Mitteilung nicht pantheistisch oder gnostisch als naturaler Diffusionsvorgang Gottes, sondern als die freieste Liebe zu denken, die es gibt, da sie sich behalten und in sich allein selig sein könnte. Diese freieste Liebe ist eine solche, die in freier Huld jene Leere schafft, die sie in Freiheit erfüllen will. Darum kann und muß diese Selbstmitteilung Gottes an die geistige Kreatur als übernatürlich, als im voraus zur Sünde schon ungeschuldet bezeichnet werden, ohne daß dadurch in die eine Wirklichkeit des Menschen ein stockwerkartiger Dualismus eingeführt würde. Das Innerste des Menschen in der konkreten einen und allein wirklichen Ordnung des menschlichen Daseins ist die Selbstmitteilung Gottes, wenigstens als angebotene und der Freiheit des Menschen als Bedingung ihres höchsten und verpflichtenden Vollzugs vorgegebene. Und eben dieses Innerste und allein Selbstverständliche ist Gott, das Geheimnis, die freie Liebe in göttlicher Selbstmitteilung und darum das Übernatürliche, weil in der konkreten Ordnung der Mensch er selber ist durch das, was er nicht selber ist, und weil das, was er selber unweigerlich und unverlierbar ist, ihm als Voraussetzung und Bedingung der Möglichkeit für das gegeben ist, was ihm in aller Wahrheit in absoluter, freier, uneinklagbarer Liebe zu eigen gegeben ist: Gott in seiner Selbstmitteilung.

Bemerkungen zur kirchlichen Lehre

Was bisher über die Selbstmitteilung Gottes gesagt worden ist, das bezeugen die Heilige Schrift und die amtliche Lehre der Kirche, wenn sie sagen, der gerechtfertigte Mensch werde in Wahrheit Kind Gottes; in ihm wohne wie in einem Tempel der Geist Gottes als eigentlich göttliche Gabe selbst; er sei der göttlichen Natur teilhaftig; er werde von Angesicht zu Angesicht Gott schauen, so wie er in sich ist, ohne Vermittlung durch Spiegel, Gleichnis und Rätsel; er habe, was er einmal besitzen und sein werde, schon jetzt in aller Wahrheit, wenn auch nur verborgen, eben in der rechtfertigenden Gnade wie in Anzahlung und im lebendigen Keim erhalten.

Alle diese und ähnliche Aussagen dürfen nicht als hyperbolische Beschreibungen irgendeines Heils- und Glückszustandes aufgefaßt werden. Das Entscheidende der neutestamentlichen Botschaft ist es vielmehr, daß der Kreis der innerweltlichen Mächte und Gewalten durch die Tat des einen und lebendigen Gottes, der *Gott* und nicht irgendeine numinose Macht ist, aufgesprengt worden ist auf die wirkliche Unmittelbarkeit zu Gott selbst hin. Wir haben es – biblisch gesprochen – nicht mehr mit Mächten und Gewalten, nicht mehr mit Göttern und nicht mehr mit Engeln, nicht mehr mit dem unübersehbaren Pluralismus unserer eigenen Ursprünge zu tun, sondern mit dem einen lebendigen, all das andere durch sich selbst radikal überbietenden Gott; mit dem, der allein mit diesem Namen, der keiner mehr ist, genannt werden kann. Er ist im Unterschied zu allen noch so numinosen Mächten und Gewalten für uns in Unmittelbarkeit da in seinem Heiligen Geist, der uns gegeben ist, und in dem, der „Sohn“ schlechthin genannt wird, weil er von Anfang an bei Gott und Gott selber ist.

Das Christentum als die Religion der Unmittelbarkeit zu Gott in dessen Selbstmitteilung

Das Christentum kann nur ein von jeder anderen Religion unterscheidbares und unterschiedenes, alles andere radikal überbietendes Verhältnis zu Gott sein, wenn es das Bekenntnis zu dieser Unmittelbarkeit zu Gott ist, die Gott wirklich Gott sein läßt eben durch die wahre Selbstmitteilung Gottes, der nicht irgendeine numinose, geheimnisvolle Gabe als etwas von ihm Verschiedenes gibt, sondern sich selbst.

Zwar ist uns durch den Satz, daß wir es in absoluter Unmittelbarkeit mit Gott als Gott selbst zu tun haben, geboten, uns bedingungslos auf den Namenlosen, auf das unzugängliche Licht, das uns wie Finsternis erscheinen muß, auf das heilige Geheimnis, das je mehr als solches aufgeht und bleibt, je näher es kommt, einzulassen. Zwar ist uns mit dieser Aussage geboten, alle Wege ins Weglose auszulaufen, alle Gründe im Abgrund zu begründen, alle Beweise als Weisung in die Unbegreiflichkeit zu verstehen, nirgends zu meinen, es gebe einen endgültig angebbaren Richtpunkt, von dem aus man ein absolutes Koordinatensystem zur Einordnung von allem anderen errichten könnte. Zwar ist uns mit dieser Aussage geboten, die Überantwortetheit an das unsagbare heilige Geheimnis vorzulassen und in Freiheit anzunehmen, das als solches immer radikaler für uns wird, je mehr es sich selbst mitteilt und je mehr wir uns diese Selbstmitteilung in dem, was wir Glaube, Hoffnung und Liebe nennen, geben lassen. Aber es ist uns in der Wahrheit von der absoluten Selbstmitteilung Gottes, in der er Geber und Gabe und Grund der Annahme der Gabe in einem ist, auch gesagt, daß, wer absolut losläßt, nur von der Nähe der unendlichen Liebe verschlungen wird, es ist gesagt, daß, wer den unendlichen Weg antritt, ankommt und immer schon angekommen ist, und daß die absolute Armut und der Tod für die, die sich darauf und auf deren ganze Grausamkeit einlassen, nichts anderes sind als der Anfang des unendlichen Lebens.

Was über die Gnade und die unmittelbare Anschauung Gottes erklärt werden kann, ist darum nicht mehr eine kategoriale Rede über ein

Bestimmtes, das neben anderen gegeben ist, sondern die Ausage des namenlosen Gottes als des uns gegebenen und darum eine Aussage, die nur in einer ganz bestimmten transzendental bleibenden Weise die Nennung Gottes und den stummen Hinweis auf unsere transzendentale Erfahrung wiederholt, nur eben so, daß jetzt auch gesagt werden kann, daß diese Erfahrung ihre radikalste Möglichkeit nicht nur immer vor sich hat, sondern daß sie sie auch einholen wird, ja daß sie in der Bewegung auf diese Einholung hin schon immer durch die Selbstmitteilung der Zukunft getragen ist, auf die hin als absolut erfüllte diese Bewegung geht. Die Lehre von dieser Gnade und ihrer Vollendung ist darum der Befehl, sich in Glaube, Hoffnung und Liebe radikal und offen für die unsagbare, unvorstellbare und namenlose Zukunft Gottes als absolute Ankunft offenzuhalten und sich nie abzuschließen, bevor nichts mehr abzuschließen ist, weil nichts mehr draußen ist, weil wir ganz in Gott und er ganz in uns sein wird.

3. DAS ANGEBOT DER SELBSTMITTEILUNG ALS „ÜBERNATÜRLICHES EXISTENTIAL"

Bisher sind wir von der ausdrücklichen christlichen Glaubenslehre ausgegangen. Auch wenn man sich – worüber im nächsten Gang nachgedacht werden soll – darüber im klaren ist, daß der Mensch aus der ausdrücklichen, kirchenamtlich formulierten Offenbarungslehre, die „von außen" im menschlichen Wort durch dessen Hören herantritt, die letzte und deutlich formulierte Wahrheit seines Daseins erfährt und eine solche Deutung seines Daseins sich nicht allein aus der eigenen Deutung seiner privaten Erfahrung von sich selber her bildet, so könnte man dennoch den Eindruck haben, daß der Satz, der Mensch sei das Ereignis der absoluten Selbstmitteilung Gottes, diesem von außen in dem Raum einer bloßen Begrifflichkeit zugesagt werde, daß er aber nicht eigentlich das vor den Menschen selber in die Ausdrücklichkeit des reflexen Wortes bringe, was der Mensch in Wahrheit selber ist und als was er sich selber im Grunde seines Daseins erfährt. Doch ist dies nicht so.

Der Satz von der Selbstmitteilung Gottes als ontologischer Satz

Der Satz „Der Mensch ist das Ereignis der absoluten Selbstmitteilung Gottes" meint keine sachhafte Objektivität „am Menschen". Ein solcher Satz ist kein kategorialer und ontischer, sondern ein ontologischer Satz, der das Subjekt als solches und darum in der Tiefe seiner Subjektivität – also die Tiefe seiner transzendentalen Erfahrung – ins Wort bringt. Die christliche Lehre, die im reflexen menschlichen Wort im kirchlichen Bekenntnis begrifflich wird, bringt dem Menschen nicht einfach das Ausgesagte von außen und nur so im Begriff zur Kenntnis. Sie ruft vielmehr die Wirklichkeit an, die nicht nur gesagt, sondern gegeben und in der transzendentalen Erfahrung des Menschen wirklich erfahren wird. Sie sagt also dem Menschen sein eigenes, immer – wenn auch unreflex – vollzogenes Selbstverständnis aus.

Um ein Verständnis der eben aufgestellten These zu erreichen, ist zunächst zu bedenken, daß der aufgestellte Satz über die innerste und letzte Eigentümlichkeit unseres Grundsatzes nicht eine Aussage meint, die nur für diese oder jene Menschen im Unterschied zu anderen, also z.B. nur für die Getauften, für die Gerechtfertigten, im Unterschied zu den Heiden und Sündern, gelte. Die These, daß der Mensch als Subjekt das Ereignis der Selbstmitteilung Gottes sei, ist unbeschadet dessen, daß sie von einer freien ungeschuldeten Gnade, von einem Wunder der freien Liebe Gottes zur geistigen Kreatur spricht, ein Satz, der schlechthin alle Menschen meint, der ein Existential jedes Menschen aussagt. Ein solches Existential wird nicht dadurch geschuldet und in diesem Sinne „natürlich", daß es *allen* Menschen als Existential ihres konkreten Daseins gegeben und ihrer Freiheit, ihrem Selbstverständnis und ihrer Erfahrung vorgegeben ist. Gnadenhaftigkeit einer Wirklichkeit hat mit der Frage, ob sie vielen oder nur wenigen Menschen gegeben ist, nichts zu tun. Was wir von der Übernatürlichkeit und Ungeschuldetheit der Selbstmitteilung Gottes gesagt haben, wird nicht dadurch bedroht oder in Frage gestellt, daß diese Selbstmitteilung bei *jedem* Menschen mindestens im Modus des Angebotes gegeben ist. Die Liebe Gottes wird nicht dadurch weniger ein Wunder, daß sie sich allen Menschen, mindestens als Angebot, zusagt. Ja erst das allen Gegebene realisiert das eigentliche Wesen der Gnade radikal. Ein Ungeschuldetes, das diesem Menschen gegeben und jenem verweigert wird, ist eigentlich von seinem eigenen Wesen her dasjenige, was gerade darum in den Raum der Möglichkeit aller Menschen fällt, weil es ja dem einen gegeben und dem anderen, dem es auch gegeben werden könnte, verweigert wird, obwohl es auch ihm hätte gegeben werden können. Ein solches Verständnis realisiert darum nur den Begriff des dem einzelnen Ungeschuldeten, nicht aber den Begriff des wesensübersteigenden Übernatürlichen.

Dieses also hört nicht auf, übernatürlich zu sein, wenn es jedem, der dieses Wesen von unbegrenzter Transzendentalität hat, gegeben wird als die wesensübersteigende Erfüllung, mindestens im Modus des Angebotes an die Freiheit des Menschen. In diesem Sinne muß jeder, wirklich radikal *jeder* Mensch als das Ereignis einer übernatürlichen Selbstmitteilung Gottes verstanden werden, wenn auch eben nicht in dem Sinne, daß notwendigerweise jeder Mensch diese Selbstmitteilung Gottes an den Menschen in Freiheit annimmt. So wie das Wesen des Menschen, seine geistige Personalität, trotz seiner Bleibendheit und unentrinnbaren Gegebenheit für jedes Freiheitssubjekt eben dieser Freiheit so aufgegeben ist, daß das freie Subjekt sich selber im Modus des Ja oder des Nein, im Modus der gelassenen und gehorsamen Annahme oder im Modus des Protestes gegen das der Freiheit übereignete Wesen besitzen kann, so kann das Existential absoluter Unmittelbarkeit des Menschen zu Gott durch diese göttliche Selbstmitteilung als dauernd der Freiheit angebotenes im Modus der bloßen Vorgegebenheit, im Modus der Annahme und im Modus der Ablehnung existieren.

Diese Gegebenheitsweise der Selbstmitteilung Gottes in bezung auf die menschliche Freiheit hebt die wirkliche Gegebenheit dieser Selbstmitteilung als angebotener nicht auf, da natürlich auch ein Angebot als bloß vorgegebenes oder als ein durch die Freiheit abgelehntes nicht als eine Mitteilung, die sein könnte, aber nicht ist, sondern als eine Mitteilung gedacht werden muß, die wirklich erfolgt ist und der die Freiheit als transzendentale immer unausweichlich und wirklich konfrontiert ist und bleibt.

Die Selbstmitteilung als die Bedingung der Möglichkeit ihrer Annahme

Die Selbstmitteilung Gottes ist nicht nur gegeben als Gabe, sondern auch als die notwendige Bedingung der Möglichkeit derjenigen Annahme dieser Gabe, die die Gabe wirklich Gott selber sein lassen kann, ohne daß sie sich in ihrer Annahme gewissermaßen aus Gott zu einer endlichen, geschaffenen Gabe verwandelt, die nur Gott repräsentiert, die aber nicht Gott selber wäre. Um Gott annehmen zu können, ohne in dieser Annahme ihn gleichsam noch einmal in unserer Endlichkeit hinein zu depotenzieren, muß diese Annahme von Gott selbst getragen werden, ist die Selbstmitteilung Gottes als angebotene auch die notwendige Bedingung der Möglichkeit ihrer Annahme.

Soll also der Mensch mit Gott zu tun haben, so wie Gott in sich selber ist; soll er sich in seiner Freiheit dieser Selbstmitteilung Gottes eröffnen oder verschließen, ohne daß diese Reaktion Gott selber auf das Niveau der Menschen depotenziert, dann muß diese Selbstmitteilung Gottes als vorgegebene Bedingung der Möglichkeit ihrer Annahme immer im Menschen gegeben sein, soweit er gedacht werden muß als ein Subjekt, das zu einer solchen Annahme befähigt und darum auch verpflichtet ist. Und umgekehrt: Die Selbstmitteilung Gottes muß als Bedingung der Möglichkeit ihrer personalen Annahme – unbeschadet ihrer Ungeschuldetheit – in jedem Menschen gegeben sein; vorausgesetzt nur, es werde ihm grundsätzlich die Möglichkeit einer solchen personalen Annahme Gottes zuerkannt, weil Gott die Vollendung, die in der vollendeten Annahme dieser göttlichen Selbstmitteilung besteht, nicht nur einigen, sondern allen Menschen in seinem universalen Heilswillen angeboten und zugedacht hat.

Die übernatürlich erhobene Transzendentalität des Menschen

Daraus aber ergibt sich, daß dieses Selbstangebot Gottes allen Menschen zukommt und eine Eigentümlichkeit der Transzendenz und Transzendentalität des Menschen ist. Diese Selbstmitteilung Gottes als angebotene und der Freiheit des Menschen als Aufgabe und Bedingung ihrer höchsten Möglichkeit vorgegebene hat aber darum auch die Eigentümlichkeit aller Momente der transzendentalen Verfaßtheit des Menschen überhaupt.

Ein solches Moment an einer transzendentalen Verfaßtheit des Menschen ist nicht Gegenstand einer einzelnen aposteriorischen und kategorialen Erfahrung des Menschen *neben* anderen Gegenständen seiner Erfahrung. Der Mensch hat ursprünglich nicht gegenständlich mit dieser übernatürlichen Verfaßtheit zu tun. Diese übernatürliche Verfaßtheit der Transzendentalität des Menschen durch die angebotene Selbstmitteilung Gottes ist eine Modalität seiner ursprünglichen und unthematischen Subjekthaftigkeit. Und diese Modalität kann darum – wenn überhaupt – höchstens in einer nachträglichen Reflexion thematisiert und in einem nachträglichen Begriff objektiviert werden. Eine solche übernatürliche Transzendentalität ist so unauffällig, übersehbar, verdrängbar, bestreitbar, falsch interpretierbar wie alles transzendental Geistige des Menschen überhaupt. Diese vorgängige und der Freiheit vorgegebene Selbstmitteilung Gottes bedeutet nichts anderes, als daß die transzendentale Bewegung des Geistes in Erkenntnis und Freiheit auf das absolute Geheimnis hin so von Gott selbst in seiner Selbstmitteilung getragen ist, daß diese Bewegung ihr Woraufhin und Wovonher nicht in dem heiligen Geheimnis als ewig fernem, immer nur asymptotisch erreichbarem Ziel hat, sondern in dem Gott absoluter Nähe und Unmittelbarkeit.

Gnadenerfahrung und ihre Verhülltheit

Die gnadenhafte Selbstmitteilung Gottes als die Modifikation der Transzendenz, durch die das die Transzendenz innerlich eröffnende und tragende heilige Geheimnis als solches von absoluter Nähe und Selbstmitteilung anwesend ist, kann daher nicht ohne weiteres durch eine einfache, individuelle Reflexion und psychologische Introspektion abgehoben werden von jenen Grundstrukturen der Transzendenz des Menschen, die wir im zweiten Gang unserer Überlegungen uns vorzustellen suchten. Die absolut unbegrenzte Transzendenz des natürlichen Geistes in Erkenntnis und Freiheit mit ihrem Woraufhin, dem heiligen Geheimnis, bedeutet schon von sich aus eine solche Entschränkung des Subjektes, daß der Besitz Gottes in absoluter Selbstmitteilung nicht eigentlich außerhalb dieser unendlichen Möglichkeit der Transzendenz fällt, auch wenn er ungeschuldet bleibt und darum die transzendentale Erfahrung dieser abstrakten Möglichkeit einerseits und die Erfahrung ihrer radikalen Erfüllung durch die Selbstmitteilung Gottes anderseits sich nicht einfach durch schlichte Introspektion des einzelnen sicher und eindeutig voneinander abheben lassen, solange diese Erfüllung durch Selbstmitteilung wegen der noch geschehenden Geschichte der Freiheit in Annahme oder Ablehnung ihre Vollendung in der Endgültigkeit, die wir die unmittelbare Anschauung Gottes zu nennen pflegen, noch nicht gefunden hat.

Transzendentale Erfahrung – auch in dieser gnadenhaften Modalität – einerseits und reflektierte transzendentale Erfahrung anderseits sind genausowenig begrifflich dasselbe, wie Selbstbewußtsein und gegenständlich gemachte satzhafte Gewußtheit des Bewußten dasselbe sind. In unserem Fall besteht für die Unreflektierbarkeit und Unreflektiertheit der gnadenhaften Selbstmitteilung Gottes als der Modifikation unserer Transzendentalität ein besonderer, doppelter Grund: vom Adressaten dieser Selbstmitteilung her durch die Unbegrenztheit des subjektiven Geistes schon als natürlichen und von der Selbstmitteilung Gottes her in der noch unvollendeten, d.h. die Anschauung Gottes noch nicht gebenden Zuständlichkeit dieser Selbstmitteilung.

Die transzendentale Erfahrung der gnadenhaften Selbstmitteilung Gottes oder – anders gesagt – die Dynamik und Finalisiertheit des Geistes als Erkenntnis und Liebe auf die Unmittelbarkeit Gottes in der Art, daß das Ziel als solches (eben durch die Selbstmitteilung Gottes) auch die Kraft der Bewegung selber ist (was wir gewöhnlich Gnade nennen), und das Wesen der geistigen Dynamik können nur adäquat dadurch beschrieben werden, daß gesagt wird: Der begnadete Geist bewegt sich im Ziel (durch die Selbstmitteilung Gottes) auf das Ziel hin (die visio beatifica), und so darf nun darum wegen der Unmöglichkeit einer direkt und sicher zugreifenden Individualreflexion nicht daraus geschlossen werden, daß diese Selbstmitteilung Gottes eine absolut subjekt- und bewußtseinsjenseitige sei, die *nur* durch eine von außen her an den Menschen herangetragene dogmatische Theorie postuliert werde. Es handelt sich wirklich um eine transzendentale Erfahrung, die sich im Dasein des Menschen bemerkbar macht und sich darin auswirkt.

Hier kann zunächst nur an jene individuelle Erfahrung appelliert werden, die der Mensch von dieser Selbstmitteilung Gottes hat und haben kann und die zwar nicht in der individuellen Sphäre (von möglichen Ausnahmen abgesehen) mit einer *eindeutigen* reflexen Sicherheit erkannt werden kann, die aber dennoch auch für eine Reflexion nicht einfach schlechthin inexistent ist.

Auch wenn ein Mensch durch einfache Introspektion und individuelle Thematisierung seiner transzendentalen ursprünglichen Erfahrung eine solche transzendentale Erfahrung der gnadenhaften Selbstmitteilung Gottes nicht entdecken oder von sich nicht mit eindeutiger Sicherheit aussagen könnte, so kann er dennoch, wenn ihm diese theologische, dogmatische Interpretation seiner transzendentalen Erfahrung durch die Offenbarungsgeschichte, durch das Christentum geboten wird, in ihr seine eigene Erfahrung wiedererkennen. Er kann in ihr den Mut und das Vertrauen finden, nach ihr das Unsagbare seiner eigenen Erfahrung zu interpretieren, die Unendlichkeit seiner dunklen Erfahrung ohne Vorbehalt und Abstrich anzunehmen; er kann sich in seiner existenziellen Entscheidung legitimiert finden, sich auf diese im Grunde nicht mehr reflex adäquat trennbare, aber immer schon vollzogene Synthese seiner ursprünglichen transzendentalen Erfahrung und deren aposteriorischer theologischer Deutung durch das Christentum gelassen und mutig einzulassen.

In diesem Sinne kann ruhig gesagt werden: Der Mensch, der sich überhaupt auf seine transzendentale Erfahrung des heiligen Geheimnisses einläßt, macht die Erfahrung, daß dieses Geheimnis nicht nur der unendlich ferne Horizont, das abweisende und distanzierend-richtende Gericht über seine Um- und Mitwelt und sein Bewußtsein ist, nicht nur das Unheimliche, was ihn zurückscheucht in die enge Heimat des Alltages, sondern daß dieses heilige Geheimnis auch die bergende Nähe ist, die vergebende Intimität, die Heimat selber, die Liebe, die sich mitteilt, das Heimliche, zu dem man von der Unheimlichkeit seiner eigenen Lebensleere und -bedrohtheit fliehen und ankommen kann. Gerade der, der sich in der Verlorenheit seiner Schuld dennoch vertrauend an das still waltende Geheimnis seines Daseins wendet, sich selbst losläßt als der, der sich auch in seiner Schuld nicht mehr selbstherrlich von sich allein her verstehen will, erfährt sich als der, der nicht sich selbst vergibt, sondern dem vergeben wird, und er erfährt diese zugeschickte Vergebung als die vergebende, lösende und bergende Liebe Gottes selbst, der vergibt, *indem* er sich selbst gibt, weil nur darin wirklich eine nicht mehr überholbare Vergebung sein kann.

Wie stark und in der Individualgeschichte eines Menschen an bestimmten Raum-Zeit-Punkten lokalisiert oder wie farblos diffus in einer allgemeinen Grundgestimmtheit solche transzendentale Erfahrung der absoluten Nähe Gottes in seiner radikalen Selbstmitteilung gegeben sein mag; wie sehr sie diejenige jedes einzelnen – unabhängig von jedem anderen – sein mag oder vom einzelnen sich selbst nur eingestanden wird im Blick und in der Teilnahme an der religiösen Erfahrung stärkerer und heiligerer Menschen, das alles sind Fragen zweiten Ranges.

Der Satz, auf den es uns hier allein ankommt, ist der: Die individuelle Erfahrung des einzelnen und die kollektiv-religiöse Erfahrung der Menschheit geben uns in einer gewissen gegenseitigen Einheit und Interpretation das Recht, den Menschen dort, wo er sich in den verschiedensten Weisen als das Subjekt der unbegrenzten Transzendenz erfährt, als das Ereignis der absoluten, radikalen Selbstmitteilung Gottes zu interpretieren.

Die Erfahrung, an die hier appelliert wird, ist nicht zuerst und zuletzt die Erfahrung, die ein Mensch dann macht, wenn er sich in willentlicher und verantworteter Weise ausdrücklich zu einem *religiösen* Tun, z.B. zum Gebet, zu einer Kulthandlung oder zu einer reflexen, theoretischen Beschäftigung mit religiöser Thematik, entschließt, sondern ist die Erfahrung, die jedem Menschen im voraus zu solchen reflexen religiösen Taten und Entscheidungen zugeschickt wird, und zwar vielleicht in einer Gestalt und Begrifflichkeit, die scheinbar gar nicht religiös sind. Wenn die Selbstmitteilung Gottes eine bis zum letzten radikalisierende Modifikation unserer Transzendentalität als solcher ist, durch die wir Subjekt sind, und wenn wir als solche Subjekte von transzendentaler Unbegrenztheit in der banalsten Alltäglichkeit unseres Daseins, im profanen Umgang mit irgendwelchen Wirklichkeiten einzelner Art sind, dann ist damit prinzipiell gegeben, daß die ursprüngliche Erfahrung Gottes auch in seiner Selbstmitteilung so allgemein, so unthematisch, so „unreligiös" sein kann, daß sie überall vorkommt – namenlos, aber wirklich –, wo wir überhaupt unser Dasein treiben. Wo der Mensch theoretisch oder praktisch erkennend oder subjekthaft handelnd in den Abgrund seines Daseins fällt, der allein allem Grund gibt, und wo dieser Mensch dabei den Mut hat, in sich selbst hineinzublicken und in seiner Tiefe seine letzte Wahrheit zu finden, da kann er auch die Erfahrung machen, daß dieser Abgrund als die wahre vergebende Bergung ihn annimmt und die Legitimierung und den Mut für den Glauben gibt, daß die Deutung dieser Erfahrung durch die Heils- und Offenbarungsgeschichte der Menschheit (d.h. die Deutung dieser Erfahrung als des Ereignisses der radikalen Selbstmitteilung Gottes) die letzte Tiefe, die letzte Wahrheit eben dieser scheinbar so banalen Erfahrung ist. Natürlich hat eine solche Erfahrung auch ihre ausgezeichneten Momente: in der Erfahrung des Todes, einer radikalen Gültigkeit der Liebe usw. Da merkt ja der Mensch deutlicher als sonst, daß er, über das einzelne hinausgreifend, vor sich und vor das heilige Geheimnis Gottes kommt, und diese letzte Wahrheit des Christentums von der Selbstmitteilung Gottes sagt ja dazu nur, auch noch einmal deutend und interpretierend, daß dieses Kommen nicht ein bloßes Kommen vor eine abweisende unendliche, nicht umfaßbare Ferne ist, sondern daß sich uns dieses Geheimnis selbst mitteilt.

Insofern der Mensch in der Situation der noch werdenden Freiheit steht; insofern seine Freiheitssituation durch das, was wir „Erbsünde" nennen, immer eine schuldmitbedingte Situation ist; insofern der Mensch in seiner Reflexion nie vor der reinen Möglichkeit einer bisher noch gänzlich neutralen, sondern immer schon vor einer frei gehandelt habenden Freiheit steht, wenn er anfängt zu reflektieren; insofern der Mensch schließlich reflex nie diese seine schon immer vollzogene Freiheit beurteilen kann, ist die transzendentale Erfahrung immer schon eine vieldeutige und durch die Reflexion des Menschen nie adäquat verwaltbare. Der Mensch erfährt sich als das Subjekt, das nie genau weiß, wie es die schuldmitbedingten Objektivationen im Raum seiner Freiheit durch seine eigene Freiheit verstanden und manipuliert hat; das nie genau weiß, ob es sie zur Erscheinung seiner eigenen ursprünglichen

Schuldentscheidung oder zum kreuzigenden Leiden der Überwindung der Schuld gemacht hat. Der Mensch erfährt sich gleichzeitig als das Subjekt des Ereignisses der absoluten Selbstmitteilung Gottes, als das Subjekt, das in Freiheit in „Ja" und „Nein" schon immer zu diesem Ereignis Stellung genommen hat und dabei die konkrete wirkliche Weise dieser seiner Stellungnahme nie adäquat reflektieren kann. So bleibt er sich selber in dieser Grundfrage seines Daseins, die er subjekthaft schon immer beantwortet hat, in der Reflexion immer zweideutig als ein Subjekt, das die Subjekthaftigkeit der gnadenhaft erhobenen Transzendenz vollzieht in der aposteriorischen geschichtlichen, nie adäquat verfügten Begegnung mit seiner Um- und Mitwelt, in der Begegnung mit einem menschlichen Du, an dem Geschichte und Transzendenz und durch beides die Begegnung mit Gott als dem absoluten Du in Einheit ihren einen Vollzug finden.

4. ZUM VERSTÄNDNIS DER TRINITÄTSLEHRE

Obwohl es vielleicht auch eine Möglichkeit gibt, über die christliche Trinitätslehre erst im Anschluß an eine Bemühung um das Verständnis der Inkarnationslehre zu sprechen, sei doch schon jetzt versucht, von dem eben Gesagten her ein erstes Verständnis für die christliche Lehre von der Trinität zu gewinnen.

Die Problematik der Begrifflichkeit

Man wird auch bei einem absoluten Respekt vor den kirchenamtlichen und klassischen Formulierungen der christlichen Trinitätslehre und unter einer selbstverständlichen Glaubensannahme des in diesen Formulierungen Gemeinten zugeben müssen, daß die Aussagen über die Trinität in ihren katechismusartigen Formulierungen für den heutigen Menschen fast unverständlich sind und und beinahe unvermeidlich Mißverständnisse hervorrufen. Wenn wir mit dem christlichen Katechismus sagen, in dem einen Gott seien in der Einheit und Einzigkeit einer Natur drei „Personen" gegeben, dann ist es beim Fehlen einer weiteren theologischen Unterrichtung fast unvermeidlich, daß der Hörer dieser Formel sich unter „Person" eben das denkt, was er als Inhalt sonst mit diesem Wort verbindet.

Die Worte, die die Kirche in früheren Zeiten in einer außergewöhnlich mächtigen Theologie und Begriffsbildung verwendet hat, haben später noch eine Geschichte, und diese ist nicht einfach in der autonomen Verfügung der Kirche. Sie wird nicht nur von ihr, sondern auch von der sonstigen menschlichen Geistes-, Begriffs- und Sprachgeschichte gesteuert, und so kann es durchaus kommen, daß ein solches Wort einen Inhalt annimmt, der mindestens die Gefahr mit sich bringt, daß seine Anwendung auf die alten, in sich durchaus richtigen Formulierungen diesen einen falschen, einen mythologischen, einen unvollziehbaren Sinn unterschiebt.

Diese Situation ist nicht verwunderlich, weil die christliche Lehre, wenn sie zur Aussage der göttlichen Dreifaltigkeit die Worte „Hypostase", „Person", „Wesen", „Natur" verwendet, nicht in sich schon klare und deutliche Begriffe gebraucht, die nun hier in dieser ihrer Deutlichkeit angewendet würden. Diese Begriffe sind vielmehr nur langsam und mühevoll zur Aussage des Gemeinten voneinander in der kirchlichen Sprache einigermaßen abgegrenzt und auf diese Sprachregelung festgelegt worden, obwohl die Geschichte dieser Festlegung zeigt, daß auch andere Möglichkeiten für die asymptotische Aussage des Gemeinten bestanden hätten. Wenn wir heute in unserem Sprachgebrauch profaner Art von „Person" im Unterschied zu einer anderen Person sprechen, dann können wir kaum mehr den Gedanken fernhalten, daß in jeder dieser Personen, damit sie als solche und als verschiedene seien, ein eigenes, freies, über sich selbst verfügendes, sich von andern absetzendes Aktzentrum in Wissen und Freiheit gegeben und Person gerade dadurch konstituiert sei. Aber eben dieses ist ja gerade durch die dogmatische Lehre von dem einen einzigen Wesen Gottes ausgeschlossen. Die Einzigkeit des Wesens besagt und schließt ein die Einzigkeit eines einen Bewußtseins und einer einzigen Freiheit; wenn selbstverständlich auch diese Einzigkeit eines Beisichseins in Bewußtsein und Freiheit in der Trinität Gottes durch jene geheimnisvolle Dreiheit bestimmt bleibt, die wir in Gott bekennen, wenn wir von der Dreifaltigkeit der Personen in Gott stammelnd sprechen.

Die Problematik einer „psychologischen Trinitätslehre"

Wir können wohl auch sagen, daß die großartigen Spekulationen, durch die sich seit Augustinus die christliche Theologie das innere Leben Gottes in Selbstbewußtsein und in Liebe so vorzustellen sucht, daß ein gewisses ahnendes Verständnis der Dreipersönlichkeit Gottes daraus resultiert, ein Verständnis, das ganz unbezüglich zu uns und unserer christlichen Existenz sich gleichsam ein inneres Leben Gottes ausmalt, im letzten Grunde doch nicht sehr hilfreich sind. Eine „psychologische Trinitätslehre" – so genial diese von Augustin an bis auf unsere Tage immer wieder aufs neue durchdacht wird – erklärt am Ende gerade das nicht, was sie erklären will, nämlich warum der Vater sich im Wort aussage und mit dem Logos ein von ihm verschiedenes Pneuma hauche. Denn eine solche Erklärung muß den Vater als sich erkennend und liebend schon voraussetzen und darf ihn nicht durch die Aussage des Logos und die Hauchung des Pneumas erst als erkennend und liebend konstituiert sein lassen.

Auch wenn wir alle diese Schwierigkeiten weglassen, bleibt bestehen: Eine solche psychologische Trinitätsspekulation hat auf jeden Fall den Nachteil, daß sie den offenbarungs- und dogmengeschichtlichen Ansatzpunkt für die Trinitätslehre in der *heilsgeschichtlichen* Erfahrung des Sohnes und des Geistes als der Wirklichkeit der göttlichen Selbstmitteilung an uns nicht wirklich auswertet, um von da zu verstehen, was die Lehre von der Dreifaltigkeit Gottes an sich eigentlich meint. Die psychologische Trinitätslehre überspringt die heilsökonomische Erfahrung der Trinität zugunsten einer fast gnostisch anmutenden Spekulation darüber, wie es im Inneren Gottes zugehe, und vergißt damit eigentlich, daß das Antlitz Gottes, wie es uns in der hier gemeinten Selbstmitteilung zugewandt ist, in der Dreifaltigkeit dieser Zugewandtheit gerade das *An-sich* Gottes selber ist, wenn anders die göttliche Selbstmitteilung in Gnade und Glorie wirklich die Mitteilung Gottes an sich selbst für uns ist.

Die „ökonomische", heilsgeschichtliche Trinität ist die immanente

Wird aber umgekehrt die Voraussetzung gemacht und radikal durchgehalten, daß die heils- und offenbarungsgeschichtliche Trinität die „immanente" *ist*, weil in der Selbstmitteilung Gottes an seine Schöpfung durch Gnade und Inkarnation wirklich Gott sich selbst so gibt und erscheint, wie er an sich ist, dann kann im Blick auf den heilsökonomischen Aspekt, der in der Geschichte der Selbstoffenbarung Gottes im Alten und Neuen Testament gegeben ist, gesagt werden: In der Heilsgeschichte kollektiver und individueller Art erscheinen in Unmittelbarkeit zu uns nicht irgendwelche gottvertretenden numinosen Mächte, sondern es erscheint und ist in Wahrheit der eine Gott selbst gegeben, der in seiner absoluten Einmaligkeit, Unverwechselbarkeit und in einer letzten Unvertretbarkeit da ankommt, wo wir selber sind und wo wir ihn, eben diesen Gott selber, streng als ihn selbst empfangen.

Insofern er als das uns vergöttlichende Heil in der innersten Mitte des Daseins eines einzelnen Menschen angekommen ist, nennen wir ihn wirklich und in Wahrheit „Heiliges Pneuma", „Heiligen Geist". Insofern eben dieser eine und selbe Gott in der konkreten Geschichtlichkeit unseres Daseins streng als er selber für uns in Jesus Christus da ist – er selber und nicht eine Vertretung – nennen wir ihn „Logos" oder den Sohn schlechthin. Insofern eben dieser Gott, der als Geist und Logos so bei uns ankommt, immer der Unsagbare, das heilige Geheimnis, der unumfaßbare Grund und Ursprung seines Ankommens in Sohn und Geist ist und sich als solcher behält, nennen wir ihn den einen Gott, den Vater. Insofern es sich bei Geist, Logos-Sohn und Vater in strengstem Sinne darum handelt, daß Gott sich selbst und nicht ein anderes, von ihm Unterschiedenes gibt, ist im strengsten Sinne von Geist, Logos-Sohn und Vater in gleicher Weise zu sagen, daß sie der eine und selbe Gott in der unbegrenzten Fülle der einen Gottheit, im Besitz des einen und selben göttlichen Wesens sind. Insofern die Gegebenheitsweise Gottes für uns als Geist, Sohn und Vater einerseits nicht dieselbe Gegebenheitsweise bedeutet, insofern wirklich in der Weise der Gegebenheit für uns wahre und wirkliche Unterschiede gegeben sind, sind diese drei Gegebenheitsweisen für uns streng zu unterscheiden. „Für uns" sind Vater, Sohn-Logos, Geist zunächst nicht dieselben. Insofern aber diese Gegebenheitsweisen des einen und selben Gottes für uns die wirkliche Selbstmitteilung Gottes als des einen, alleinigen und selben Gottes nicht aufheben dürfen, müssen die drei Gegebenheitsweisen des einen und selben Gottes ihm, dem einen und selben, an ihm selbst und für ihn selbst zukommen.

Die Aussagen also: Der eine und selbe Gott ist für uns als Vater, Sohn-Logos und Heiliger Geist gegeben, bzw.: Der Vater gibt sich uns selbst in absoluter Selbstmitteilung durch den Sohn im Heiligen Geist, sind streng zu hören und zu sagen als Aussagen über Gott so, wie er *an sich selber* ist. Denn sonst wären sie eben im Grunde keine Aussagen über die Selbstmitteilung Gottes. Wir dürfen diese drei Gegebenheitsweisen Gottes für uns nicht verdoppeln, indem wir eine von ihnen verschiedene Voraussetzung für sie in Gott postulieren, indem wir eben eine von diesen Gegebenheitsweisen verschiedene psychologische Trinitätslehre entwickeln. In der ökonomischen heils- und offenbarungsgeschichtlichen Trinität haben wir schon die immanente Trinität an sich selbst erfahren. Indem Gott für uns in der angedeuteten Weise sich als der dreifaltige zeigt, ist schon von dem heiligen Geheimnis in sich selbst jene immanente Dreifaltigkeit erfahren, weil seine freie, gnadenhafte übernatürliche Zuwendung uns sein Innerstes zuwendet, weil seine absolute Identität mit sich selbst keine tote und leere Einerleiheit bedeutet, sondern eben das als göttliche Lebendigkeit in sich selbst faßt, was uns in der Dreifaltigkeit seiner Zuwendung zu uns begegnet.

Es soll hier nur ein erster Ansatz für ein Verständnis der christlichen Trinitätslehre angedeutet werden, der trotz seiner eigenen Problematik es vielleicht doch erlaubt, viele Mißverständnisse dieser Lehre zu vermeiden und positiv zu zeigen, daß die Trinitätslehre nicht ein subtiles theologisches Gedankenspiel ist, sondern eine Aussage, die gar nicht vermieden werden kann. Nur durch sie kann der schlichte Satz voll Unbegreiflichkeit und Selbstverständlichkeit zumal radikal ernst genommen und ohne Abstriche aufrechterhalten werden, daß nämlich Gott selbst als das bleibende heilige Geheimnis, als der unumfaßbare Grund des transzendierenden Daseins des Menschen nicht nur der Gott unendlicher Ferne ist, sondern der Gott absoluter Nähe in wahrer Selbstmitteilung sein will und so in der geistigen Tiefe unserer Existenz wie auch in der Konkretheit unserer leibhaftigen Geschichte gegeben ist. Hierin ist der Sinn der Trinitätslehre schon wahrhaft beschlossen.

FÜNFTER GANG

Heils- und Offenbarungsgeschichte

1. VORÜBERLEGUNGEN ZUM PROBLEM

Die vergöttlichte Transzendentalität des Menschen hat im Menschen, der sein Wesen in Geschichte vollzieht und es nur so in Freiheit übernehmen kann selbst individuell und kollektiv eine Geschichte. Sie – diese Transzendentalität als durch die vergöttlichende Selbstmitteilung Gottes getragene, ermächtigte und erfüllte – *geschieht;* sie ist nicht einfach. Darum haben wir auch gesagt, daß der Mensch das *Ereignis* der freien, ungeschuldeten und vergebenden Selbstmitteilung Gottes zur absoluten Nähe und Unmittelbarkeit ist. Und dies ist der Grund und das Thema, der Anfang und das Ziel der Geschichte des Menschen.

Das Christentum ist nicht die Indoktrination von Verhältnissen, Tatsachen, Wirklichkeiten, die immer gleich sind, sondern es ist die Kunde von einer Heilsgeschichte, von einem Heilshandeln und offenbarenden Handeln Gottes am Menschen und mit dem Menschen; und gleichzeitig (weil dieses Handeln Gottes sich auf den Menschen als Freiheitssubjekt richtet) auch die Kunde einer Geschichte des Heils und Unheils, der Offenbarung und ihrer Deutung, die auch vom Menschen selber gemacht wird, so daß diese eine Offenbarungs- und Heilsgeschichte – getragen von der Freiheit Gottes und des Menschen zugleich – eine Einheit bildet.

Das Christentum macht grundsätzlich den Anspruch, das Heil und die Offenbarung für jeden Menschen zu sein, macht den Anspruch, die Religion absoluter Geltung zu sein. Es erklärt, nicht nur das Heil und die Offenbarung für bestimmte Menschengruppen, Geschichtsperioden vergangener oder zukünftiger Art zu sein, sondern für *alle* Menschen und bis zum Ende der Geschichte. Ein solcher Absolutheitsanspruch ist aber nicht ohne weiteres mit der gleichzeitigen Selbstaussage des Christentums als einer geschichtlichen Größe zu vereinen. Das Geschichtliche scheint per definitionem keinen Absolutheitsanspruch irgendwelcher Art erheben zu können. Von da aus erhebt sich die Frage, wie diese Geschichtlichkeit des Christentums, die es selber von sich als eine radikal-wesentliche Eigentümlichkeit behauptet, mit dem Absolutheitsanspruch, mit seiner missionarischen Sendung an alle, mit seinem Universalitätsanspruch vereinbar sei. Wenn man letztlich von Gott in einem angebbaren und ernst zu nehmenden Sinne nur reden kann, insofern unser Verhältnis zu ihm wirklich als transzendentales begriffen wird, dann wird die Frage erst recht brennend, warum es dann so etwas wie eine Heils- und Offenbarungsgeschichte geben könne, die doch voraussetzt, daß Gott – sein Heils- und sein Offenbarungshandeln – eine ganz bestimmte raumzeitliche Stellung innerhalb unserer Erfahrung innehabe. Man könnte einwenden: Was geschichtlich ist, kann nicht Gott sein, und was Gott ist, kann nicht geschichtlich sein. Denn geschichtlich ist immer das Konkrete, Partikuläre, das in einem größeren Zusammenhang einzeln Stehende. Gott aber ist der Ur- und Abgrund aller Wirklichkeit, der immer hinter jedem Umgreifbaren steht.

Was kann denn als Heils- und Offenbarungsgeschichte überhaupt noch geschehen, wenn Gott sich schon von Anfang an immer und überall mit seiner absoluten Wirklichkeit als innerster Mitte von allem, was überhaupt Geschichte sein könnte, mitgeteilt hat? Wenn wir uns schon immer im Ziel bewegen, was kann dann eigentlich noch in dieser Geschichte als göttliche Heils- und Offenbarungsgeschichte geschehen außer der Enthüllung Gottes in der visio beatifica? Biblisch gesagt: Wenn Gott sich in seinem heiligen Pneuma als er selbst schon immer und überall jedem Menschen – ob er will oder nicht, ob er es reflektiert oder nicht, ob er es annimmt oder nicht – als die innerste Mitte seiner Existenz mitgeteilt hat, wenn alle Schöpfungsgeschichte schon getragen ist von einer Selbstmitteilung Gottes eben in der Schöpfung, dann scheint ja von Gott her gar nichts mehr geschehen zu können; dann scheint alle Heils- und Offenbarungsgeschichte, so wie wir sie kategorial, raumzeitlich und partikular denken, nichts anderes sein zu können als eine Einschränkung, Mythologisierung, Depotenzierung auf ein menschliches Niveau von etwas, was in seiner Fülle schon von vornherein gegeben war. Die Frage, ob und in welchem Sinne es eine Offenbarungs- und Heilsgeschichte geben könne, ist also eine der schwierigsten und fundamentalsten Fragen für das Christentum überhaupt. (Eine kleine Anmerkung soll hier gemacht werden: die folgenden Seiten des fünften Ganges treffen sich – mehr als es vielleicht sonst üblich ist – mit Formulierungen des 1. Kapitels: „Fundamentale Theologie der Heilsgeschichte", in: J. Feiner – M. Löhrer [Hrsg.], „Mysterium Salutis", Band I [Einsiedeln 1965], von A. Darlap. Bei der engen theologischen Zusammenarbeit zwischen uns beiden, die hin und her ging, ist ein solches Vorgehen wohl verständlich.)

2. GESCHICHTLICHE VERMITTLUNG VON TRANSZENDENTALITÄT UND TRANSZENDENZ

Geschichte als Ereignis der Transzendenz

Bei der Inangriffnahme unserer Problematik der Offenbarungs- und Heilsgeschichte gehen wir von dem Satz einer metaphysischen Anthropologie aus, daß der Mensch als Subjekt und Person in *der* Art ein geschichtliches Wesen ist, daß er *als* Subjekt der Transzendenz geschichtlich ist, sein subjekthaftes Wesen von unbegrenzter Transzendentalität ihm selber zu seiner Erkenntnis, zu seinem freien Vollzug *geschichtlich* vermittelt ist. Der Mensch realisiert also seine transzendentale Subjekthaftigkeit weder ungeschichtlich in einer bloß innerlichen Erfahrung einer gleichbleibenden Subjektivität, noch ergreift er diese transzendentale Subjektivität durch eine ungeschichtliche, an jedem Punkt der Zeit gleicherweise mögliche Reflexion und Introspektion. Wenn tatsächlich der Vollzug der Transzendentalität sich geschichtlich ereignet und wenn anderseits wahre Geschichtlichkeit, die nicht mit physikalischer Raumzeitlichkeit und dem zeitlichen Ablauf von physikalischen oder biologischen Phänomen oder einer Reihe von partikular bleibenden Freiheitstaten allein verwechselt werden darf, in der Transzendentalität des Menschen selber ihren Grund und die Bedingung ihrer Möglichkeit hat, dann ist eben die einzige Versöhnung dieser beiden Tatsachen die, daß die Geschichte gerade im letzten die Geschichte der Transzendentalität selbst ist: und umgekehrt kann diese Transzendentalität des Menschen nicht als ein Vermögen verstanden werden, das unabhängig von der Geschichte gegeben, erlebt, erfahren, reflektiert wird.

Wir gehen also davon aus, daß die Transzendenz selbst eine Geschichte hat und die Geschichte immer selber das Ereignis dieser Transzendenz ist. Denn auf der einen Seite werden wir sagen dürfen, daß das neuzeitliche Bewußtsein mit seinem radikalen Ernstnehmen der Geschichte – sowohl rückwärts in die Vergangenheit hinein wie auch vorwärts in die Zukunft – eine Transzendentalität des Menschen, die schlechterdings ungeschichtlich wäre, zweifellos nicht nachvollziehen kann. Und anderseits werden wir entsprechend der ganzen, großen und auch heute gültigen abendländischen Tradition sagen müssen: In dem Augenblick, in dem Geschichte – nach Vergangenheit oder Zukunft hin – ihre transzendentale Tiefe als Bedingung der Möglichkeit echter Geschichtlichkeit nicht mehr ergreift, wird diese Geschichte selber auch in sich blind. Es ist durchaus zuzugeben, daß Transzendenz nur in einem vermittelnden Verhältnis zur Vergangenheit und Zukunft gehabt werden kann, aber es ist ebenso zu sagen, daß diese Geschichte und dieses geschichtliche Verhältnis nur dann die eigene Geschichtlichkeit und die wahre Geschichte erfährt, wenn die transzendentalen Bedingungen der Möglichkeit solcher Geschichte immer mitbedacht werden. Ja, wir werden sagen: Das Letzte der Geschichte selbst ist gerade die Geschichte dieser Transzendentalität des Menschen. Das bedeutet auch, daß diese Transzendentalität des Menschen mit ihrem Woraufhin und Wovonher eben nicht neben der Geschichte erreicht wird, so daß die Geschichte dann degradiert wäre zu irgendeinem Spektakel, dem der Mensch auch noch ausgesetzt wäre, obwohl er das eigentlich Ewige seiner Wirklichkeit unabhängig und neben seiner Geschichte finden könnte. Die Transzendenz selbst hat ihre Geschichte, und die Geschichte ist im letzten und tiefsten das Ereignis dieser Transzendenz. Das gilt nun sowohl für die Individualgeschichte des einzelnen Menschen als auch für die Geschichte sozialer Einheiten, der Völker und der einen Menschheit, wobei wir schon voraussetzen, daß die Menschen im Ursprung, im Verlauf und im Ziel der Geschichte eine Einheit bilden. Diese Einheit der Menschen selber ist nicht wieder eine unveränderliche durch die Zeit hindurch geschobene, starre Größe, sondern sie hat selbst eine Geschichte. Das „übernatürliche Existential" hat selber eine Geschichte. Ist der Mensch so das Wesen der Subjekthaftigkeit, der Transzendenz, der Freiheit und der partnerhaften Verwiesenheit auf das heilige Geheimnis, das wir Gott nennen; ist er das Ereignis der absoluten Selbstmitteilung Gottes, und dies alles immer und unausweichlich und von Anfang an; ist er aber gleichzeitig *als* ein solches Wesen vergöttlichter Transzendenz das Wesen der Geschichte individuell und kollektiv, dann hat dieses immer gegebene und übernatürliche Existential der Verwiesenheit auf das heilige Geheimnis und auf die absolute Mitgeteiltheit Gottes als Angebot an die Freiheit des Menschen selber kollektiv und individuell eine Geschichte, und diese ist in einem Geschichte des Heils und der Offenbarung.

Diese Heilsgeschichte ist darum schon *von Gott her* Geschichte. Die transzendentalen Strukturen dieser einen Geschichte eines jeden Individuums und der einen Menschheit sind schon geschichtlich, insofern sie auch in ihrer Bleibendheit und Unausweichlichkeit in der freien personalen Selbstmitteilung Gottes gründen. Diese Geschichte ist von Gott her auch insofern frei, als der Ausgang dieser Geschichte auch als von der Freiheit des Menschen gesetzter entsprechend dem Grundverhältnis zwischen Schöpfer und Geschöpf nochmals ein Ereignis der sich schenkenden oder sich versagenden Freiheit Gottes ist. Insofern diese Geschichte die der Freiheit Gottes und des Menschen ist und insofern natürlich damit eine konkrete Dialektik zwischen der Anwesenheit Gottes als des sich in absoluter Selbstmitteilung Gebenden und der Abwesenheit Gottes als des sich immer behaltenden heiligen Geheimnisses in der Geschichte – der Individual- und der Kollektivgeschichte – sich vollzieht, ist das Eigentliche der Heils- und Offenbarungsgeschichte ausgesagt. Diese Geschichtlichkeit der Heilsgeschichte von Gott und nicht nur vom Menschen her – einer Geschichte, die wirklich die eine wahre Geschichte Gottes selber ist, in der sich die unveränderliche Unberührbarkeit

Gottes gerade in seiner Macht zeigt, sich selbst auf die von ihm, dem Ewigen, gegründete Zeit und Geschichte einzulassen –, diese Geschichte wird natürlich am deutlichsten erfahren und tritt am deutlichsten im Grunddogma des Christentums von der Fleischwerdung des ewigen Logos in Jesus Christus zutage.

Diese Heilsgeschichte ist eine Geschichte auch *von der Freiheit des Menschen her,* da die personale Selbstmitteilung Gottes als des Grundes dieser Geschichte sich gerade an die kreatürliche Person in ihrer Freiheit wendet. Diese Geschichte des Heils von Gott und vom Menschen her kann gerade dort, wo es sich um Heils- und nicht um Unheilsgeschichte handelt, für unsere Erfahrung nicht adäquat voneinander unterschieden werden. Es gibt nirgends Heilshandeln Gottes am Menschen, das nicht auch immer schon Heilstun des Menschen ist. Es gibt keine Offenbarung, die sich anders als im Glauben des die Offenbarung hörenden Menschen ereignen könnte. Insofern ist klar, daß Heils- und Offenbarungsgeschichte immer die schon gegebene Synthese des geschichtlichen Handelns Gottes und gleichzeitig des Menschen ist, weil göttliche und menschliche Heilsgeschichte nicht synergistisch zusammentretend gedacht werden können. Gott ist ja noch einmal der Grund der Tat der Freiheit des Menschen und belastet in seiner eigenen Tat den Menschen gerade mit der Gnade und Verantwortung für dessen eigene, unabwälzbare Tat. Göttliche Heilsgeschichte erscheint darum immer in menschlicher Heilsgeschichte, Offenbarung in Glaube und umgekehrt: also in dem, was der Mensch als sein Eigenstes erfährt und als dieses Eigene als von dem fernen und zugleich nahen Gott seiner Transzendenz zugeschickt entgegennimmt. Diese wegen der subjekthaften Geschichtlichkeit des Menschen notwendig geschichtlich gegebene Transzendenz des Menschen, die durch die Selbstmitteilung Gottes in ihrer Konkretheit konstituiert wird, bedeutet nun sowohl Heils- als auch Offenbarungsgeschichte.

3. HEILS- UND OFFENBARUNGSGESCHICHTE ALS KOEXTENSIV MIT DER GESAMTEN WELTGESCHICHTE

Heilsgeschichte und Weltgeschichte

Daß die Heilsgeschichte koexistent ist mit der gesamten Menschheitsgeschichte (was nicht heißt: identisch; denn es gibt ja in dieser einen Geschichte auch Unheil, Schuld, Nein gegen Gott), das bedeutet für die normale Interpretation des Christentums heute kein besonderes Problem mehr. Wer nicht durch freie, subjektiv ihm wirklich zulastbare, von ihm nicht abwälzbare Schuld personaler Art sich in einer letzten Tat seiner Lebensfreiheit Gott gegenüber versperrt, der findet auch sein Heil.

Die Weltgeschichte bedeutet also Heilsgeschichte. Das Selbstangebot Gottes, in dem sich Gott absolut an die Totalität des Menschen mitteilt, ist per definitionem das Heil des Menschen. Denn es ist die Erfüllung der Transzendenz des Menschen, in welcher er sich auf den absoluten Gott hin selber transzendiert. Die Geschichte dieses in Freiheit von Gott angebotenen und in Freiheit vom Menschen angenommenen oder abgelehnten Selbstangebotes Gottes ist darum die Geschichte des Heils oder des Unheils, und alle andere empirisch erfahrbare und erfahrene Geschichte ist nur insofern wirklich Geschichte im strengen Sinne und nicht nur „Naturgeschichte", als sie auch ein echtes Moment an dieser Heils- und Unheilsgeschichte ist, als sie der konkrete geschichtliche Vollzug der Annahme oder Ablehnung dieser Selbstmitteilung Gottes ist, wenn auch immer dem noch nicht erfahrenen und einmal sich enthüllenden Gericht Gottes unterstellt.

Eine solche Heilsgeschichte hat entsprechend dem Wesen des Menschen als Transzendenz und Geschichte wesentlich ein Doppeltes im gegenseitigen Bedingungsverhältnis dieser Momente: Sie ist das Ereignis der Selbstmitteilung Gottes in Annahme oder Ablehnung durch die Grundfreiheit des Menschen selbst, und dieses scheinbar bloß transzendente und übergeschichtliche, weil bleibende und immer gegebene Moment der Selbstmitteilung Gottes gehört eben zu dieser Geschichte und ereignet sich in ihr. Diese Selbstmitteilung ist ein Moment der Heilsgeschichte als solcher, insofern die Selbstmitteilung und die Freiheit ihrer Annahme und Ablehnung, in der konkreten geschichtlichen Leibhaftigkeit des Menschen und der Menschheit real vollzogen, darin in Erscheinung treten. In dieser Erscheinung werden sie vom Menschen auch mit einer gewissen (wenigstens anfanghaften) Reflexion erfaßt und – obzwar unter Bildern und Gleichnissen – ausgesagt. Zur Heilsgeschichte gehört also nicht bloß das, wenn auch von Gott gewirkte, Wort *über* Gott in seiner Geschichte, gehören nicht bloß die im weitesten Sinne sakramentalen Zeichen für die Gnade Gottes und der geschichtliche Wandel dieser Symbole und Riten, Gleichnisse und Zeichen, nicht nur die religiösen Institutionen und der geschichtliche Wandel dieser religiösen Sozialgebilde, sondern das Ereignis der Selbstmitteilung Gottes als solcher selbst. Denn dieses Ereignis der Selbstmitteilung Gottes ist zwar transzendental, hat aber *so* eben gerade eine wirkliche Geschichte. So wie in der christlichen Theologie der Heilige Geist als mitgeteilter zum Wesen der Kirche, die vermittelte Gnade zum Wesen des Sakraments, die innere Glaubenstat Gottes am Menschen zum vollen Wesen des Offenbarungswortes Gottes gehören, so gehören das transzendentale Ereignis der Selbstmitteilung Gottes an den Menschen und die ursprüngliche, durch die Reflexion nie adäquat einholbare und in der Geschichte auch nicht adäquat eindeutig feststellbare Freiheitstat der Annahme oder Ablehnung dieser Selbstmitteilung Gottes einerseits und die Konkretheit der Geschichte des Menschen anderseits, in der er diese Annahme oder Ablehnung in Freiheit vollzieht, zusammen zum Wesen und der Wirklichkeit der Heilsgeschichte als solcher. Dieses spielt sich weder in einer ungeschichtlichen, nur scheinbar existenziell interpretierten Innerlichkeit des Menschen ab, noch ist diese Heilsgeschichte geschichtlich bloß so, daß das in welthafter Greifbarkeit Erfahrene auch ohne dessen dauernde Selbsttranszendierung in das heilige, sich selbst mitteilende Geheimnis Gottes schon Heilsgeschichte wäre.

Insofern es grundsätzlich wenigstens kein geschichtlich Greifbares im Dasein des Menschen gibt, das nicht materiale und konkrete Leibhaftigkeit transzendentaler Erkenntnis und Freiheit sein könnte, ist die Heilsgeschichte als solche notwendig koexistent mit der Geschichte überhaupt. Überall dort, wo menschliche Geschichte in Freiheit getrieben und erlitten wird, geschieht auch Heils- und Unheilsgeschichte, also nicht bloß dort, wo diese in einer religiösen Ausdrücklichkeit – in Wort, Kult und religiöser Gesellschaftlichkeit – vollzogen wird. Zwar gibt es nirgends Transzendenz, die nicht irgendeine – wenn auch noch so bescheidene – Reflexion bei sich hätte, weil jede transzendentale Erfahrung gegenständlich vermittelt werden muß. Aber die Vermittlung dieser Transzendenzerfahrung braucht nicht notwendig eine explizit-religiöse zu sein, und darum ist Heils- und Unheilsgeschichte nicht begrenzt auf die Geschichte des Wesens und des Unwesens der Religion streng als solcher, sondern umfaßt auch die scheinbar bloß profane Geschichte der Menschheit und des einzelnen Menschen, vorausgesetzt nur, es werde darin transzendentale Erfahrung vollzogen und geschichtlich vermittelt.

Die universale Heilsgeschichte ist zugleich Offenbarungsgeschichte

Die universale Heilsgeschichte, die als kategoriale Vermittlung der übernatürlichen Transzendentalität des Menschen mit der Weltgeschichte koexistiert, ist auch zugleich *Offenbarungs*geschichte, die darum mit der ganzen Welt- und Heilsgeschichte koextensiv ist. Diese Behauptung wird zunächst für den Christen, der die Offenbarungsgeschichte gern mit Abraham und Mose, d.h. mit der alttestamentlichen Bundesgeschichte, beginnen läßt und der darüber hinaus meist nur noch eine paradiesische Uroffenbarung kennt, überraschend erscheinen. Ein vulgäres Verständnis des Christentums identifiziert meist unvorsichtig die alttestamentliche und neutestamentliche explizite Offenbarungsgeschichte und deren Niederschlag in den Schriften des Alten und Neuen Testaments mit Offenbarungsgeschichte überhaupt. Es wird später noch die Abgehobenheit dieser speziellen christlichen Offenbarungsgeschichte von der allgemeinen übernatürlichen Offenbarungsgeschichte und auch ihre eigene Würde und Bedeutung zu bedenken sein. Aber hier gilt zunächst, daß nicht nur Heils-, sondern auch Offenbarungsgeschichte im eigentlichen Sinne sich überall dort ereignet, wo eine individuelle und kollektive Menschheitsgeschichte sich begibt. Man beachte: auch wo sich eine *indivi-*

duelle Heils- und Menschengeschichte begibt. Gewiß sind wir als geschichtliche Wesen einer Gemeinschaft immer auch in unserem Heil und in unserer individuellen Existenz auf andere verwiesen, auf deren Geschichte und Erfahrung. Es wäre aber eine Primitivierung und letztlich eine falsche Auffassung der individuellen Glaubensgeschichte, wollte man meinen, sie selber sei nicht auch in einem wahren theologischen und sehr radikalen Sinne ein Moment und ein Stück wirklicher Offenbarungsgeschichte. Aber hier kommt es natürlich vor allem auf den Satz an, daß die Offenbarungsgeschichte als solche in der Menschheit koextensiv ist mit der Freiheitsgeschichte der Welt überhaupt.

Es gilt also zunächst den Satz zu bedenken und zu würdigen, daß Heils- und Offenbarungsgeschichte sich überall dort ereignet, wo sich individuelle und vor allem kollektive Menschheitsgeschichte begibt, und dies eben nicht bloß in dem Sinne, daß es eine Geschichte der sogenannten „natürlichen Offenbarung" Gottes in der Welt und durch sie hindurch gibt. Eine „natürliche Offenbarung" hat auch ihre Geschichte. Und diese ist in der Geschichte der religiösen und philosophischen Gotteserkenntnis individueller und kollektiver Art gegeben, wenn man auch diese und die Geschichte der natürlichen Offenbarung streng als solche nicht einfach identifizieren darf, weil in der konkreten Geschichte der menschlichen Gotteserkenntnis auch gnadenhafte und so im strengen Sinn offenbarungsmäßige Ursachen am Werke und als Momente in dieser konkreten Geschichte der menschlichen Gotteserkenntnis gegeben sind. Aber von dieser Geschichte der natürlichen Offenbarung Gottes ist nicht eigentlich die Rede, wenn wir sagen, es gäbe eine allgemeine Offenbarungsgeschichte, die mit der Menschheits- und Heilsgeschichte koextensiv ist.

Für unsere Konzeption ist in der Deszendenz Gottes in seiner Freiheit, in seiner absolut und radikal übernatürlichen Gnade in dem, was wir Selbstmitteilung als Angebot Gottes genannt haben, immer schon der Gott des übernatürlichen Heils und der Gnade am Werke, so daß der Mensch gar nie anfangen kann, etwas zu tun oder auf Gott hin zu gehen, ohne daß er darin schon getragen wäre durch die Gnade Gottes. Konkret gibt es selbstverständlich schuldhaftes Nein des Menschen zu Gott, falsche, depravierte, zu kurz geratene Interpretation des Verhältnisses zwischen Gott und Mensch durch den Menschen, gibt es in diesem Sinne Greuel, Unwesen der Religion in der Religionsgeschichte, aber keine Religionsgeschichte, die Stiftung von Religion durch den Menschen allein wäre, so daß Gott dann partikulär, raumzeitlich fixiert, diesem Tun des Menschen allein als seine Bestätigung oder als sein verwerfendes Gericht entgegenkommen würde.

Religionsgeschichte ist wegen der als Existential im Menschen gegebenen Selbstmitteilung Gottes immer schon das Wesen (wenn auch noch nicht das geschichtlich vollendete) oder das Unwesen der übernatürlichen gnadenhaften, von Gott mitgetragenen, im Modus der Annahme oder Ablehnung existierenden, von Gott her gestifteten oder ermöglichten *religio* des Menschen. Diese so verstandene Geschichte der Menschheit, ihre Geistes- und Freiheitsgeschichte, diese ihre Heilsgeschichte (thematisch oder unthematisch), die mit der Weltgeschichte koextensiv ist, ist nun auch im eigentlichen Sinne übernatürliche *Offenbarungs*geschichte. Sie hat in der übernatürlichen gnadenhaften Selbstmitteilung Gottes an den Menschen ihren letzten Grund, sie dient dieser gnadenhaften Selbstmitteilung Gottes an den Menschen, bedeutet also übernatürliche Wortoffenbarung eines Sachverhaltes, der dem Bereich der bloß natürlichen Erkenntnis des Menschen jenseitig ist. Damit ist gerade nicht gesagt, daß dieser Sachverhalt der transzendentalen, aber gnadenhaft erhöhten Erfahrung des Menschen unzugänglich ist und darum bloß durch menschliche Sätze, die „von außen" kommen und nur so von Gott gewirkt sind, mitteilbar sei.

Begründung der These aus Daten der katholischen Dogmatik

Zunächst einmal läßt sich das Postulat einer solchen Offenbarungsgeschichte von ein paar Daten her begründen, die der katholischen Dogmatik eigentlich selbstverständlich sind. Solche Daten sollen herangezogen werden, um zu zeigen, daß – entgegen einer oberflächlichen Selbstinterpretation – das Christentum sich selber, wenn es genauer auf sein eigenes Selbstverständnis hin interpretiert wird, so versteht, daß es eine ganz bestimmte und geglückte geschichtliche Reflexion und ein geschichtliches, reflexes Zu-sich-selber-Kommen einer Offenbarungsgeschichte ist, die selber koextensiv mit der Weltgeschichte überhaupt ist.

Auch der von der Erbsünde in seiner Heils- und Unheilssituation mitbedingte Mensch hat nach christlicher Auffassung immer und überall eine echte, nur durch seine Schuld verscherzbare Möglichkeit einer Gottesbegegnung zu seinem Heil in Annahme der gnadenhaft-übernatürlichen Selbstmitteilung Gottes. Es gibt einen ernsten, wirksamen, allgemeinen Heilswillen Gottes im Sinne jenes Heiles, das der Christ als sein christliches Heil meint. Der Heilswille Gottes, der in der katholischen Dogmatik gegenüber einem Pessimismus bei Augustinus oder im Calvinismus als allgemeiner qualifiziert wird – d.h. als jedem Menschen zugesagt, gleichgültig, in welchem Raum und welcher Zeit er existiert –, meint nicht irgendein Nichtverlorengehen des Menschen, sondern meint das Heil im christlichen, eigentlichen Sinne einer absoluten Selbstmitteilung Gottes in absoluter Nähe, meint also auch das, was wir visio beatifica nennen. Eben dieses Heil ist auch innerhalb der infralapsarischen (erbsündlichen) Situation jedem Menschen ermöglicht, und es kann nur durch seine persönliche Schuld verscherzt werden.

Dieses Heil geschieht aber als Heil einer freien Person, als Vollendung der freien Person als solcher, also gerade dann, wenn diese Person sich tatsächlich in Freiheit, d.h. auf ihr Heil hin, selber vollzieht. Es geschieht niemals über den Kopf dieser Person hinweg an ihrer Freiheit vorbei. Eine sich selbst in Freiheit vollziehende Person und Heil, das eine bloß objektiv durch Gott allein *an* der Person bewirkte sachhafte Zuständlichkeit wäre, sind Begriffe, die sich gegenseitig aufheben; das nicht in Freiheit getane Heil kann nicht Heil sein. Geschieht also kraft des allgemeinen und ernsthaften Heilswillens Gottes auch außerhalb der explizit alt- und neutestamentlichen Geschichte solches Heil, geschieht es überall in Welt- und Heilsgeschichte, dann geschieht diese Heilsgeschichte als in Freiheit angenommene; aber das ist nicht möglich, ohne daß sie als gewußte angenommen wird. Bei einem solchen Satz darf man nicht von vornherein supponieren, daß die einzige Art, in der etwas wirklich und wahrhaft gewußt werden könne, jenes kategoriale wort- und satzhaft-begrifflich objektivierte Wissen sei, von dem wir gewöhnlich ausgehen, wenn wir von „Wissen" sprechen. Der Mensch weiß von sich unendlich viel mehr, weiß von sich viel radikaler als bloß durch dieses objektivierte, verbalisierte, sich gleichsam in einem Buch niederschlagende Wissen. Die Identifikation von Wissen als Selbstbewußtsein mit satzhaft-begrifflich objektiviertem Wissen ist ein Mißverständnis. Der gemeinte Sachverhalt läßt sich auch durch den Verweis auf andere dogmatische Lehrsätze des katholischen Christentums noch verdeutlichen.

Wegen des allgemeinen Heilswillens Gottes hat der Christ kein Recht, das faktische Ereignis des Heils auf die alt- oder neutestamentliche explizite Heilsgeschichte zu begrenzen: trotz des theologischen Axioms – das von den Kirchenvätern bis in unsere Zeit gilt –, daß außerhalb der Kirche kein Heil sei. Schon das Alte Testament als Schrift der Bezeugung des Heilshandelns Gottes kennt ein solches Heilshandeln Gottes außerhalb der Geschichte des Alten Bundes, kennt einen eigentlichen Bund Gottes mit der Gesamtmenschheit, von der der alttestamentliche Bund nur ein in das besondere geschichtliche Bewußtsein Israels erhobener Sonderfall ist, kennt fromme Heiden, die Gott wohlgefällig sind. Und auch das Neue Testament kennt ein Heilswirken der Gnade Christi und seines Geistes, das nicht mit der Initiative der von Christus geschichtlich und ausdrücklich autorisierten greifbaren Boten Christi zusammenfällt, von welchem Wirken die amtliche Kirche Christi herkommt und welches Wirken sie trägt. Nun aber ist es für das Neue Testament und für die spätere Kirchenlehre ein selbstverständliches Axiom, daß Heil sich nur dort ereignet, wo sich *Glaube* an das Wort des sich im eigentlichen Sinne offenbarenden Gottes vollzieht. Die kirchliche Lehre weist sogar ausdrücklich, wenn auch nicht in einer definierenden Weise, die Vorstellung ab, für solchen Glauben bzw. für die Rechtfertigung eines Menschen genüge als Basis eine bloß philosophische Erkenntnis, also eine bloß „natürliche" Offenbarung.

Soll es also überall in der Geschichte Heil und somit auch Glaube geben können, muß überall in der Geschichte der Menschheit eine übernatürliche

Offenbarung Gottes an die Menschheit so am Werke sein, daß sie jeden Menschen tatsächlich ergreift und in ihm durch den Glauben Heil wirkt, in jedem Menschen, der sich nicht selbst durch seine eigene Schuld dieser Offenbarung ungläubig verschließt.

Ergänzende spekulativ-theologische Begründung

Diese Überlegung, die von unmittelbaren Sätzen des kirchlichen Glaubens ausging, läßt sich noch durch eine mehr spekulativ-theologische Überlegung bekräftigen und vertiefen. Und eine solche kann dann gleichzeitig deutlicher machen, wie diese allgemeine, aber doch übernatürliche Offenbarung und Offenbarungsgeschichte so gedacht werden kann, daß ihre Existenz nicht den simplen Tatsachen der Geistes- und Religionsgeschichte und der Profanität des Menschen widerspricht, sondern in Einklang erscheint mit jener alt- und neutestamentlichen Offenbarungs- und Heilsgeschichte, an die wir gewöhnlich allein zu denken pflegen, wenn wir von Offenbarungs- und Heilsgeschichte ohne weiteren Zusatz sprechen.

Wir haben davon gesprochen, daß die Transzendenz des Menschen nach den dogmatischen Aussagen des Christentums durch die Selbstmitteilung Gottes als Angebot an die Freiheit des Menschen so „erhoben" ist, daß die geistige Bewegung des Menschen in seiner transzendentalen Erkenntnis und Freiheit auf die absolute Unmittelbarkeit zu Gott, auf seine absolute Nähe, auf jenen unmittelbaren Besitz Gottes als solchen ausgerichtet ist, der in der seligen Anschauung Gottes von Angesicht zu Angesicht seine vollendete Aktualität findet. Wir haben dort überdies gesagt, daß diese Wirklichkeit ein Datum der transzendentalen Erfahrung des Menschen ist, daß dieser Satz von der Selbstmitteilung Gottes nicht ein ontischer Satz ist, der nur eine sachhafte Zuständlichkeit behauptet, die jenseits der Personalität, des Bewußtseins, der Subjektivität, der Transzendentalität des Menschen läge. Der Satz von der ontologischen Wirklichkeit, die mit der Selbstmitteilung Gottes an den Menschen immer und überall gemeint ist, bedeutet natürlich nicht, daß diese Wirklichkeit als ontologisch gegebene – von Ausnahmefällen abgesehen – dem Menschen so gegeben sei, daß dieses Datum mit indiskutabler Sicherheit durch eine bloße individuelle Introspektion mit Gewißheit zur reflexen Gegebenheit gebracht werden könnte. Transzendental Bewußtes und transzendental Reflektierbares und von anderen Momenten der Transzendentalität des Menschen reflex und mit Sicherheit Abhebbares sind nun einmal begrifflich und sachlich nicht dasselbe. Wir können durchaus auch in anderen Fällen sehr deutlich nachweisen, daß eine solche Unterscheidung nicht einfach eine Ausflucht ist, sondern wirklich zu den Urgegebenheiten der transzendentalen Subjektivität des Menschen gehört.

Die übernatürlich erhobene, unreflexe, aber wirklich gegebene transzendentale Erfahrung der Bewegtheit und Verwiesenheit des Menschen auf die unmittelbare Nähe Gottes ist aber durchaus schon als solche im voraus zu einer geschichtlich sich vollziehenden reflexen Thematisierung im ganzen der menschlichen Geistes- und Religionsgeschichte als eigentliche Offenbarung anzusprechen, die keineswegs mit der sogenannten natürlichen Offenbarung identifiziert werden darf. Dieses gleichsam transzendentale, immer und überall im menschlichen Geistesvollzug in Erkenntnis und Freiheit anwesende, aber unthematische Wissen ist ein von der satzhaften Wortoffenbarung als solcher zu unterscheidendes Moment, verdient aber trotzdem auch als solches durchaus das Prädikat göttlicher Selbstoffenbarung. Dieses transzendentale Moment der Offenbarung ist die von Gott dauernd bewirkte gnadenhafte Modifikation unseres transzendentalen Bewußtseins, aber solche Modifikation ist wirklich ein ursprüngliches, bleibendes Moment an unserem Bewußtsein als der ursprünglichen Gelichtetheit unseres Daseins, und es ist als durch die Selbstmitteilung Gottes konstituiertes Moment unserer Transzendentalität im eigentlichen Sinne schon Offenbarung.

Die Schultheologie thomistischer Prägung drückt diesen Sachverhalt dadurch aus, daß sie sagt: Überall dort, wo unsere Akte intentionaler Art durch die übernatürliche Gnade, durch das Pneuma Gottes seinshaft erhoben sind, sei auch immer und notwendig ein übernatürliches Formalobjekt apriorischer Art dieser Akte gegeben, das von keinem bloß natürlichen Akt als Formalobjekt (wenn auch u. U. als Inhalt) erreicht werden könne.

Die göttliche Bewirkung des apriorischen Horizontes unserer Erkenntnis und Freiheit muß als eine eigentümliche, ursprüngliche, ja sogar alle übrige Offenbarung tragende Weise von Offenbarung angesprochen werden. Das gilt, sowenig auch dieser Horizont, innerhalb dessen und auf den hin wir unser Dasein mit seiner kategorialen Gegenständlichkeit vollziehen, selber thematisch-begrifflich vorgestellt sein mag.

Nach übereinstimmender christlicher Lehre über diejenige Offenbarung, die man gemeinhin einfach als *die* Offenbarung bezeichnet, also die alt- und neutestamentliche, ist eine solche Offenbarung nur wirklich in Inhalt und Weise gehört, wenn sie im Glauben, d. h. durch die Gnade Gottes, gehört wird: also in der Kraft der Selbstmitteilung Gottes unter dem „Glaubenslicht der Gnade", so daß der objektiven Übernatürlichkeit des geoffenbarten Satzes in dem diesem Satz kongenialen Subjekt ein göttlich-subjektives Prinzip des Hörens dieses Satzes entspricht. Nur dort, wo Gott das subjektive Prinzip des Redens und des glaubenden Hörens des Menschen ist, kann Gott selbst sich sagen, weil sonst jede Aussage Gottes, gleichsam über den radikalen Unterschied von Geschöpf und Gott hinüberwandernd, der Menschlichkeit, Endlichkeit und bloß menschlichen Subjektivität untertan würde. Jeder Satz tritt nicht nur als einzelner auf der tabula rasa eines Bewußtseins allein für sich auf, sondern ist immer abhängig von der Transzendentalität, von dem apriorischen Verstehenshorizont, von dem universalen Sprachfeld des Menschen.

Kommt also der objektive Satz, auch wenn er von Gott bewirkt ist, in eine *bloß* menschliche Subjektivität hinein, ohne daß diese selbst von der Selbstmitteilung Gottes getragen wäre, dann ist das angebliche Wort Gottes ein Menschenwort, bevor wir es merken. Der aposteriorisch und geschichtlich kommende Satz der Wortoffenbarung kann nur gehört werden im Horizont einer vergöttlichenden und vergöttlichten apriorischen Subjektivität; kann nur dann so gehört werden, wie er gehört werden muß, wenn man im Ernst dieses Gehörte ,,Wort Gottes" nennen soll.

Die apriorische Gelichtetheit des Subjekts in seiner Transzendentalität kann und muß schon Wissen genannt werden, auch wenn dieses apriorische Wissen nur am aposteriorischen Material der uns begegnenden Einzelwirklichkeit vollzogen wird. Ebenso kann und muß die apriorische, übernatürliche und vergöttlichte Transzendentalität schon im voraus zu ihrer Auflichtung des einzelnen aposteriorischen Objektes der Erfahrung in der geschichtlichen Offenbarung selbst Offenbarung genannt werden.

Zur kategorialen Vermittlung der übernatürlich erhobenen Transzendentalität

Es muß noch die Frage gestellt werden, ob die konkrete Erfahrung dieses übernatürlichen Horizontes nur an einem spezifisch religiösen Material geschehen könne, das durch jene geschichtliche und abgegrenzte Offenbarung geboten wird, die wir üblicherweise Offenbarung schlechthin zu nenen pflegen. Man würde normalerweise leicht dazu neigen, eine solche Frage zu bejahen, also explizit oder stillschweigend zu unterstellen, daß jene übernatürliche Transzendentalität nur zu ihrer Selbstgegebenheit kommen könne, wenn und insofern eine Synthese unserer übernatürlichen Apriorität mit einem spezifisch religiösen Material eintritt: wenn wir also ,,Gott" sagen; wenn wir von Gottes Gesetz reden; wenn wir explizit den Willen Gottes tun wollen; wenn wir uns also in einem explizit sakralen, religiösen Bereich bewegen. Aber auch das ist im Grunde falsch, so naheliegend es zu sein scheint. Wenn nämlich wirklich die Transzendentalität des Menschen durch alles kategoriale Material seiner aposteriorischen Erfahrung zu sich selbst vermittelt wird, dann ist eben die einzig richtige Auffassung, daß auch die übernatürlich erhobene Transzendentalität – vorausgesetzt, daß ein freies Subjekt in seiner Transzendentalität handelt – zu sich vermittelt wird durch jedwede kategoriale Wirklichkeit, an der und durch die hindurch das Subjekt zu sich selbst kommt. Wir haben nicht erst dort mit Gott etwas zu tun, wo wir Gott gewissermaßen begrifflich thematisieren, sondern die ursprüngliche, wenn auch namenlose, unthematische Erfahrung Gottes wird überall dort gemacht, wo und insofern Subjektivität, Transzendentalität vollzogen wird. Und dementsprechend ist eben die übernatürliche Transzendentalität des Menschen schon überall dort zu sich selbst vermittelt – wenn auch unobjektiviert und unthematisch –, wo der Mensch sich selbst als freies Subjekt in Transzendentalität in Erkenntnis und Freiheit übernimmt.

Wir setzen also voraus, daß diese kategoriale und notwendige geschichtliche Vermittlung unserer transzendentalen übernatürlichen Erfahrung durch das kategoriale Material unserer Geschichte sich nicht nur an dem spezifisch, thematisch religiösen Material unserer Motivation, unseres Denkens, unserer Erfahrung vollzieht, sondern überall. In diesem Sinne ist die Welt die Vermittlung zu Gott als dem sich selbst in Gnade mitteilenden, und in diesem Sinne gibt es für das Christentum keinen abgegrenzten sakralen Bereich, in dem allein Gott zu finden wäre. Eine wenn auch zunächst explizit profane kategoriale Gegenständlichkeit kann zur Vermittlung der übernatürlich erhobenen Erfahrung (mit Recht Offenbarung genannt) ausreichen. Wäre dies nicht der Fall, wäre nicht mehr recht einzusehen, warum auch ein sittlicher Akt, dessen unmittelbares und thematisches Formalobjekt ein Gegenstand der natürlichen Sittlichkeit ist, im Getauften ein übernatürlich erhobener Akt sein könne. Das aber zu bestreiten geht nicht an, denn das christliche Daseinsverständnis nimmt praktisch als selbstverständlich an, daß das gesamte sittliche Leben des Menschen – die übernatürliche gnadenhafte Erhebung des Menschen vorausgesetzt – in den Bereich des übernatürlichen Heilswirkens hineingehöre und die Befolgung des natürlichen Sittengesetzes nicht nur als Vorbedingung und äußere Folge, sondern in sich selbst – übernatürlich erhoben – heilshaft sei. Ferner läßt sich sagen, daß ohne eine solche Voraussetzung die Heilsmöglichkeit *aller* Menschen nicht mehr verständlich wäre, eine Heilsmöglichkeit, die aber gerade im Vaticanum II (vgl. etwa Lumen gentium 16; Gaudium et spes 22; Ad gentes 7; Nostra aetate 1 f) in absoluter Deutlichkeit an verschiedenen Stellen ausdrücklich gelehrt wird. Man kann angesichts der uns heute bekannten räumlichen und vor allem zeitlichen Ausdehnung der Menschheitsgeschichte nicht mehr im Ernst und nicht ohne willkürliche Postulate annehmen, daß alle Menschen mit der konkreten, historischen Wortoffenbarung im engsten Sinn, also mit der expliziten Tradition einer paradiesischen Uroffenbarung oder mit der alt- oder neutestamentlichen biblischen Offenbarung, in Verbindung gestanden haben und stehen müßten, um glauben zu können und so ihr Heil zu wirken. Ein Heilswirken ohne Glaube ist aber nicht möglich, und ein Glaube ohne eine Begegnung mit dem sich persönlich offenbarenden Gott ist ein Unbegriff.

So bleibt konkret gar nichts anders denkbar als ein Glaube, der einfach die gehorsame Annahme jener übernatürlich erhobenen Selbsttranszendenz des Menschen ist, die gehorsame Annahme der transzendentalen Verwiesenheit auf den Gott des ewigen Lebens, die als apriorische Modalität des Bewußtseins durchaus den Charakter einer göttlichen Mitteilung hat. Diese transzendentale übernatürliche Erfahrung, die auch schon in sich, in ihrer Weise, den Begriff einer göttlichen Offenbarung realisiert und in ihrer Geschichte darum auch eine Offenbarungsgeschichte konstituiert, bedarf zwar einer geschichtlich-kategorialen Vermittlung; aber diese muß nicht notwendig und überall die transzendentale Erfahrung *als* Wirkung eines übernatürlichen Offenbarungswirkens Gottes explizit thematisch machen.

4. ZUM VERHÄLTNIS VON ALLGEMEINER TRANSZENDENTALER UND KATEGORIAL-BESONDERER OFFENBARUNGSGESCHICHTE

Heils- und Offenbarungsgeschichte sind also als eigentlich gnadenhafte Selbstmitteilung der Welt-, der Geistes- und so auch der Religionsgeschichte überhaupt koexistent und koextensiv. Weil es offenbarungshafte Selbsttranszendenz des Menschen durch ontologisch seinshafte Selbstmitteilung Gottes gibt, ereignet sich Offenbarungsgeschichte überall, wo diese transzendentale Erfahrung ihre Geschichte hat, also in der Geschichte des Menschen überhaupt. Die Frage, wo und wie sich denn diese bisher mehr apriorisch postulierte Offenbarungs- und Heilsgeschichte in der Geschichte des Menschen ereigne, und die Frage, wie diese allgemeine übernatürliche Offenbarungsgeschichte neben oder besser in sich jene Offenbarungsgeschichte als notwendige bestehen lasse, die man gemeinhin Offenbarungsgeschichte schlechthin nennt, das sind zwei Fragen, deren Beantwortung man in *einer* Überlegung bedenken kann.

Die wesensnotwendig geschichtliche Selbstauslegung (übernatürlich-) transzendentaler Erfahrung

Übernatürlich-transzendentale Erfahrung hat eine Geschichte und kommt nicht nur immer wieder in eine solche eingebettet vor, weil transzendentale Erfahrung überhaupt eine Geschichte hat, die mit der Geschichte des Menschen identisch ist und sich nicht in dieser Geschichte nur punktuell ereignet.

Um von diesem Ansatz her Zusammenhang, Notwendigkeit und Verschiedenheit dieser transzendentalen Heils- und Offenbarungsgeschichte und der kategorialen, partikularen und amtlichen Heilsgeschichte zu sehen, sind zwei Dinge vor allem zu bedenken: Kategoriale Geschichte des Menschen als eines geistigen Subjektes ist immer und überall die notwendige, aber geschichtliche, objektivierende Selbstauslegung der transzendentalen Erfahrung, die den Wesensvollzug des Menschen ausmacht. Dieser Wesensvollzug des Menschen ereignet sich nicht neben den Ereignissen des geschichtlichen Lebens, sondern in diesem geschichtlichen Leben. Die kategoriale geschichtliche Selbstauslegung dessen, was der Mensch ist, geschieht nicht nur und nicht einmal in erster Linie durch eine ausdrückliche, in Sätzen formulierte Anthropologie, sondern in der ganzen Geschichte des Menschen, in seinem Tun und Erleiden des individuellen Lebens; in dem, was wir einfachhin Geschichte der Kultur, der Vergesellschaftung, des Staates, der Kunst, der Religion, der äußeren technischen und ökonomischen Bewältigung der Natur nennen. In ihr – und nicht erst, wenn die Philosophen anfangen, Anthropologie zu treiben – geschieht diese geschichtliche Selbstauslegung des Menschen. Diejenige theoretische Reflexion in einer metaphysischen oder theologischen Anthropologie, die wir gewöhnlich Selbstauslegung und Selbstinterpretation des Menschen nennen, ist ein zwar notwendiges, aber dennoch an diese Gesamtgeschichte der Menschheit gebundenes und relativ sekundäres Moment. Diese Selbstauslegung muß als in echter Geschichte geschehende, nicht als eine biologische, deterministische Evolution gedacht werden. Sie ist Geschichte, also Freiheit, Wagnis, Hoffnung, Ausgreifen auf Zukunft und Möglichkeit des Scheiterns. Und nur in alldem und auf diese Weise hat der Mensch seine transzendentale Erfahrung als Ereignis und damit sein Wesen, das subjekthaft nicht neben diesem Vollzug der Geschichte besessen werden kann. Diese Selbstauslegung der transzendentalen Erfahrung in der Geschichte ist darum wesensnotwendig, gehört zur Konstitution der transzendentalen Erfahrung selber, obwohl beides nicht einfach dasselbe in einer von vornherein gegebenen Identität ist.

Gibt es also so Geschichte als notwendige objektivierende Selbstauslegung der transzendentalen Erfahrung, dann gibt es offenbarende Geschichte der transzendentalen Offenbarung als notwendige geschichtliche Selbstauslegung derjenigen ursprünglichen transzendentalen Erfahrung, die durch die Selbstmitteilung Gottes konstituiert wird. Diese geschichtliche Selbstmitteilung Gottes kann und muß als Offenbarungsgeschichte verstanden werden. Denn diese Geschichte ist die Folge und Objektivation eben der ursprünglichen, Gott offenbarenden Selbstmitteilung Gottes, sie ist deren Auslegung und so eben deren Geschichte selbst. Man kann also gar nicht anders, als die Geschichte des expliziten Sichauslegens der transzendentalen übernatürlichen Erfahrung im Leben des Menschen und der Menschheit und in der ihr folgenden satzhaften theologischen Anthropologie Offenbarungsgeschichte nennen.

Zum Begriff einer kategorialen und besonderen Offenbarungsgeschichte

Die kategoriale Offenbarungsgeschichte kann zwar in einer unthematischen Weise durch alles, was sich in der menschlichen Geschichte ereignet, die geschichtliche Vermittlung der transzendentalen übernatürlichen Gotteserfahrung als übernatürlicher Offenbarung sein. Aber die Geschichte der transzendentalen Offenbarung Gottes wird sich notwendig immer wieder als die mit einem irreversiblen Richtungssinn auf eine höchste und umfassende Selbstinterpretation des Menschen geschehende Geschichte zeigen und so immer intensiver eine explizit religiöse Selbstauslegung dieser übernatürlichen transzendentalen und offenbarungshaften Gotteserfahrung sein.

Von diesem Punkt aus können wir nun aber sagen: Wo eine solche explizit religiöse kategoriale Offenbarungsgeschichte als Geschichte der transzendentalen Offenbarung durch Selbstmitteilung Gottes sich als positiv von Gott gewollt und gesteuert weiß und sich der Berechtigung dieses Wissens in der von der Sache her gebotenen Weise vergewissert, ist Offenbarungsgeschichte in dem Sinne gegeben, den man gemeinhin mit diesem Wort verbindet. Allerdings ist diese Art von Offenbarungsgeschichte nur eine Spezies, ein Sektor der allgemeinen kategorialen Offenbarungsgeschichte, der geglückteste Fall der notwendigen Selbstauslegung der transzendentalen Offenbarung oder – besser gesagt – der volle Wesensvollzug der beiden Offenbarungen und ihrer einen Geschichte – der transzendentalen und kategorialen – in Wesenseinheit und -reinheit.

Wir haben damit freilich immer noch einen Begriff einer kategorialen Offenbarungsgeschichte, der sich nicht einfach und eindeutig nur mit dem der alt- und neutestamentlichen Offenbarungsgeschichte deckt. So weit sind wir noch nicht. Denn das, was wir eben gleichsam als Definition einer kategorialen Offenbarungsgeschichte im engeren – und darum auf das Alte und Neue Testament eindeutig applizierbaren – Sinn genannt haben, braucht nicht notwendig allein im Alten und Neuen Testament gegeben zu sein. Wenn wir sagen, ein alttestamentlicher Prophet erfülle in dem Wort Gottes, das er verkündigt, wirklich diesen engeren Sinn dessen, was wir kategoriale Heilsgeschichte nennen (indem wir behaupten, daß sich diese als die explizit von Gott gewollte und gesteuerte Heilsgeschichte weiß), dann ist damit eben noch nicht die Frage beantwortet, ob solches außerhalb der alt- und neutestamentlichen Offenbarungsgeschichte nicht auch vorgekommen ist.

Wenn transzendentale Gotteserfahrung übernatürlicher Art sich notwendig geschichtlich auslegt, darum kategoriale Offenbarungsgeschichte bildet und diese somit überall gegeben ist, dann ist auch gesagt, daß eine solche Geschichte immer eine noch nicht völlig gelungene, anfanghafte, sich selbst noch suchende und vor allem durch die Schuld des Menschen in einer durch Schuld mitbedingten Situation immer wieder durchkreuzte, verdunkelte und zweideutige Offenbarungsgeschichte ist.

Offenbarungsgeschichte in dem üblichen und – vor allem – vollen Sinn des Wortes ist also dort gegeben, wo diese Selbstauslegung der transzendentalen Selbstmitteilung Gottes in der Geschichte so glückt und in Sicherheit zu sich selbst und zu einer Reinheit kommt, daß sie sich mit Recht als von Gott gesteuert und geführt weiß und sich – von ihm gegen alle sich selbst verhärtende Vorläufigkeit und Depravation geschützt – selbst findet.

Die Möglichkeit echter Offenbarungsgeschichte außerhalb des Alten und Neuen Testaments

Es ist nicht gesagt, daß eine solche Wesensreinheit der Offenbarung sich *nur* im alt- und neutestamentlichen Bereich findet. Wenigstens in der individuellen Heilsgeschichte gibt es keine Gründe dagegen, aber viele Gründe dafür, daß es Geschichtsmomente in einer solchen individuellen Heils- und Offenbarungsgeschichte gibt, in denen die Gottgewirktheit und reine Richtigkeit der Selbstauslegung der transzendentalen Gotteserfahrung zur Gegebenheit und zur eigenen Gewißheit für sich selber kommt.

Aber auch in der kollektiven Geschichte der Menschheit, in ihrer Religionsgeschichte außerhalb der alt- und neutestamentlichen Heilsökonomie, kann es solche kurzen Teilgeschichten einer solchen kategorialen Offenbarungsgeschichte geben, in denen ein Stück dieser Selbstreflexion und reflexen Selbstgegebenheit der allgemeinen Offenbarung und ihrer Geschichte rein gegeben ist. Diese Teilgeschichten werden aber meistens für uns einer greifbaren Kontinuität unter ihren Momenten entbehren. Sie werden in einer Geschichte der Schuld und des Unwesens der Religion immer wieder durchkreuzt durch eine Geschichte der irrigen, schuldhaften oder bloß menschlichen Auslegung dieser ursprünglich transzendentalen Erfahrung, die überall in der Geschichte thematisch und unthematisch anwest.

Wie immer es faktisch um diese Möglichkeit bestellt sein mag, grundsätzlich braucht sie nicht bestritten zu werden. Voraussetzung ist nur, daß diese kategoriale Offenbarungsgeschichte als eine Selbstauslegung der offenbarungsmäßigen transzendentalen Gotteserfahrung verstanden wird (bzw. verstanden werden kann), welche – wo sie richtig ist – wegen des wirklichen Heilswillens Gottes als von ihm positiv gewollt und gesteuert gedacht werden muß. „Steuerung" ist dabei nicht als zusätzlich und von außen kommend, sondern als immanente Kraft dieser göttlichen Selbstmitteilung gedacht, die natürlich als freie von Gott her und als an den geschichtlichen Menschen gegeben wirkliche echte Geschichte ist, deren konkreter Ablauf nicht apriorisch aus irgendeinem abstrakten Prinzip abgeleitet werden könnte, sondern so wie die sonstige geschichtliche Selbstauslegung des Menschen in der Geschichte selbst erfahren, erlitten und entgegengenommen werden muß.

Der christliche Religionsgeschichtler braucht nicht die außerchristliche und außertestamentliche Religionsgeschichte als eine bloße Geschichte des religiösen Tuns des Menschen oder gar noch als eine bloße Depravation der menschlichen Möglichkeiten, Religion zu konstituieren, aufzufassen. Auch in der außerchristlichen Religionsgeschichte kann er mit aller Unbefangenheit die Phänomene beobachten und beschreiben, analysieren und auf ihre letzten Intentionen hin interpretieren, und wenn er dort den Gott der Offenbarung des Alten und Neuen Testaments auch am Werke sieht bei aller Primitivität, bei aller Depravation, die es natürlich in der Religionsgeschichte gibt, dann tut er dem Absolutheitsanspruch des Christentums in keiner Weise Abbruch. Er ist natürlich gehalten, weil es selbstverständlich auch eine Unheilsgeschichte gibt, die Unheils-(die Gegenoffenbarungs-)Geschichte in der Geschichte der Menschheit und der religiösen Phänomene nicht zu übersehen. Aber wo und wenn er wirkliche, echte, übernatürliche Offenbarungsgeschichte entdeckt – die natürlich nicht vollendet sein kann, weil sie nur in Jesus Christus, dem Gekreuzigten und Auferstandenen, vollendet sein kann –, dann ist ihm von dem Absolutheitsanspruch des Christentums nicht a priori dogmatisch zu widersprechen, sondern er ist nur gemahnt, in seiner Religionsgeschichte sachlich zu arbeiten und den Menschen so zu sehen, wie er eben ist: als das Wesen, das immer und überall unter dem gnadenhaften Anspruch der Selbstmitteilung Gottes steht und immer und überall der Sünder ist, der in seiner Geschichte diese Gnade Gottes empfängt und durch seine Schuld auch immer wieder depraviert. Dabei stellt sich natürlich die Frage nach den konkreten Kriterien der Unterscheidung.

Jesus Christus als das Kriterium der Unterscheidung

Erst im vollen und unüberholbaren Ereignis der geschichtlichen Selbstobjektivation der göttlichen Selbstmitteilung an die Welt in Jesus Christus ist ein Ereignis gegeben, das als eschatologisches einer geschichtlichen Depravation, einer verderbenden Auslegung in der weiteren Geschichte der kategorialen Offenbarung und des Unwesens der Religion grundsätzlich und schlechthin entzogen ist. (Wir werden im sechsten Gang die theologischen Grundlagen dieser Aussage beizubringen haben.) Von Jesus Christus her, dem Gekreuzigten und Auferstandenen, ist daher ein Kriterium für die Unterscheidung in der konkreten Religionsgeschichte gegeben zwischen dem, was menschliches Mißverständnis der transzendentalen Gotteserfahrung ist, und dem, was deren legitime Auslegung ist. Erst von ihm aus ist eine solche Unterscheidung der Geister in einem letzten Sinne möglich.

Es ist faktisch ja so, daß wir Christen auch in der alttestamentlichen Offenbarungsgeschichte hinsichtlich ihres faktischen Bestandes nur von Christus her die Möglichkeit einer radikalen Scheidung zwischen der im Vollsinn und in Reinheit kategorialen Offenbarungsgeschichte und deren menschlichen Ersatzbildungen und Mißdeutungen haben. Suchten wir uns frei als Religionsgeschichtler und -wissenschaftler – unabhängig von unserem Glauben an Jesus Christus – rein historisch in das Alte Testament und seine uns historisch bezeugten religiösen Phänomene hineinzuversetzen, dann hätten wir kein Kriterium letzter Unterscheidung zwischen dem, was reine, vom Wesen der transzendentalen Selbstmitteilung Gottes her legitime Manifestation und geschichtliche Objektivation dieser göttlichen Selbstmitteilung ist, und dem, was verkürzte menschliche Depravation ist, wobei man auch da genauer unterscheiden müßte (was aber auch wieder – ohne auf Jesus Christus zu blicken – unmöglich ist) zwischen dem, was als phasenhafte, epochale Objektivation der transzendentalen Gotteserfahrung darin legitim wäre, wenn auch nur als eine vorläufige Auslegung, die aber eine innere Dynamik auf die volle Offenbarung in Jesus hat, und dem, was eigentlich Depravation – auch schon an der damaligen alttestamentlichen Situation gemessen – gewesen ist.

Die Funktion von Offenbarungsträgern

Wenn auch die Möglichkeit und Tatsächlichkeit einer außerhalb des reflexen Christentums gegebenen Heils- und Offenbarungsgeschichte nicht bezweifelt wird, bleibt doch die Möglichkeit neben einer gleichsam allgemeinen kategorialen Heils- und Offenbarungsgeschichte als Selbstauslegung der transzendentalen übernatürlichen Gotteserfahrung eine besondere „amtliche" Offenbarungsgeschichte gelten zu lassen, die dann eben mit der alt- und neutestamentlichen wirklich identisch ist. Diese alt- und neutestamentliche kategoriale Offenbarungsgeschichte muß und darf aufgefaßt werden als die gültige Selbstauslegung der transzendentalen Selbstmitteilung Gottes an den Menschen und als Thematisierung der allgemeinen kategorialen Geschichte dieser Selbstmitteilung, welche freilich nicht notwendig immer und überall sakralisiert thematisch sein muß. Diejenigen Menschen, die wir in der herkömmlichen Terminologie als ursprüngliche Träger solcher Offenbarungsmitteilung von seiten Gottes als *Propheten* bezeichnen, sind als Menschen aufzufassen, in denen die Selbstauslegung der übernatürlichen transzendentalen Erfahrung und ihrer Geschichte in Tat und Wort geschieht. Bei ihnen kommt also etwas in das Wort, was grundsätzlich überall bei allen, auch bei uns, die wir uns nicht Propheten nennen, gegeben ist. Eine Selbstauslegung und geschichtliche Objektivation der übernatürlichen Transzendentalität des Menschen und deren Geschichte braucht nicht und darf nicht gedeutet werden als ein bloß humaner, naturhafter Reflexions- und Objektivationsprozeß. Es handelt sich ja um die Selbstauslegung derjenigen Wirklichkeit, die durch die personale Selbstmitteilung Gottes, also durch Gott selbst, konstituiert ist. Legt sie sich geschichtlich aus, so legt Gott sich selbst in der Geschichte aus, und die konkreten menschlichen Träger einer solchen Selbstauslegung sind im eigentlichen Sinne von Gott autorisiert. Diese Selbstauslegung ist nicht ein nachträglicher Vorgang, sondern ein wesentliches geschichtliches Moment an dieser übernatürlichen Transzendentalität, die durch Gottes Selbstmitteilung konstituiert ist. Sie ist, von Gott und dem Menschen her gesehen, nicht eine statische Wirklichkeit, sondern hat in der Geschichte der Menschheit selber ihre Geschichte. Die geschichtliche Objektivation und Selbstauslegung der transzendentalen göttlichen

Selbstmitteilung steht darum unter demselben absoluten und übernatürlichen Heilswillen Gottes und seiner übernatürlichen Heilsprovidenz wie jene göttliche Selbstmitteilung, durch die der Mensch in seinem konkreten Wesen konstituiert und von der her er in seine eigentlichste Geschichte, in die Geschichte dieser transzendentalen Selbstmitteilung, in die Heils- und Offenbarungsgeschichte hineingeschickt wird.

Theologisch gesprochen ist das „Glaubenslicht", das jedem Menschen angeboten wird, und das Licht, unter dem die „Propheten" die göttliche Botschaft von der Mitte der menschlichen Existenz her ergreifen und verkünden, dasselbe Licht, zumal da die Botschaft ja nur ihr gemäß wirklich gehört werden kann unter dem Lichte des Glaubens, das ja auch wiederum nichts anderes ist als die göttliche Subjektivität des Menschen, die durch die Selbstmitteilung Gottes konstituiert wird. Freilich impliziert das prophetische Licht jene geschichtlich-konkrete Konfiguration des Glaubenslichtes in ihrem Begriff, in der die transzendentale Gotteserfahrung durch die konkrete Geschichte und deren Deutung *richtig* vermittelt wird. Der Prophet ist, theologisch richtig gesehen, nichts anderes als der Glaubende, der seine transzendentale Gotteserfahrung richtig aussagen kann. Sie wird im Propheten, vielleicht im Unterschied zu anderen Glaubenden, so ausgesagt, daß sie auch für andere zur richtigen und reinen Objektivation von deren eigener transzendentaler Gotteserfahrung wird und in dieser Richtigkeit und Reinheit erkannt werden kann.

Eine solche eben skizzierte, besondere, kategoriale Offenbarung und ein im Propheten geschehendes, für andere bestimmtes Offenbarungsereignis setzen natürlich in ihrem Begriff voraus, daß nicht schlechthin jeder der prophetische Ort einer solchen kategorialen und geschichtlichen Selbstauslegung der transzendentalen Geoffenbartheit Gottes durch Selbstmitteilung ist, sondern daß viele eine solche Selbstauslegung von einzelnen empfangen und empfangen müssen, nicht weil sie diese transzendentale Gotteserfahrung nicht haben, sondern weil es zum Wesen des Menschen gehört, daß seine eigene Selbsterfahrung menschlicher und gnadenhafter Art sich vollzieht in der Geschichte der Kommunikation der Menschen untereinander.

Wirklich gelungene, lebendige Gestalt findende Selbstauslegung geschieht eben in den Menschen so, daß dafür bestimmte Menschen, ihre Erfahrungen und ihre Selbstauslegung produktives Vorbild, erweckende Kraft und auch Norm für andere bedeuten. Damit wird der Prophet nicht relativiert. Denn eben diese Selbstauslegung, die in reiner Objektivation geschieht, ist eine Geschichte der transzendentalen Selbstmitteilung Gottes selbst und ist deswegen nicht nur eine gnoseologische Geschichte reiner Theorie, sondern eine Wirklichkeit der Geschichte selbst. Der Mensch als Mensch einer Mitwelt hat seine eigene Selbstauslegung – so sehr sie von innen kommt und nach innen geht – konkret nur in der Selbstauslegung seiner Mitwelt, in der Teilnahme und im Empfangen der Tradition der geschichtlichen Selbstauslegung der Menschen, die seine Mitwelt von der Vergangenheit her durch die Gegenwart in die Zukunft hinein bilden. Der Mensch bildet sein eigenes, schon profanes Selbstverständnis immer nur in der Gemeinschaft der Menschen, in der Erfahrung einer Geschichte, die er nie allein macht, im Dialog, in der reproduzierenden Erfahrung solcher produktiver Selbstauslegung anderer Menschen. Darum ist der Mensch auch in seiner religiösen Erfahrung bis in die letzte Einmaligkeit seiner Subjektivität hinein immer ein Mitmensch. Die geschichtliche Selbstauslegung auch der eigenen religiösen Existenz ist nicht ein solipsistisches Geschäft, sondern geschieht notwendig auch durch die geschichtliche Erfahrung der religiösen Selbstauslegung der eigenen Umwelt, der „religiösen Gemeinde". Deren schöpferisch einmaligen Gestalten, eben den Propheten, gelingt es in einer besonderen Weise, die transzendentale Selbstmitteilung Gottes am Material ihrer Geschichte in der Kraft dieser Selbstmitteilung Gottes geschichtlich zu objektivieren und darum die geschichtliche Selbstfindung der transzendentalen religiösen Erfahrung den anderen Gliedern einer solchen geschichtlichen Mitwelt zu ermöglichen.

Daß dadurch ein gewisser fließender Übergang zwischen glaubenden Propheten und „nur" Glaubenden gegeben ist, bedeutet keine wirkliche Schwierigkeit. Insofern es sich um die Beistellung eines kritischen Maßstabes und einer Legitimation für die Geglücktheit der geschichtlichen Selbstauslegung der transzendentalen Gotteserfahrung in der geschichtlichen Tat und Rede bei einem Propheten handelt, kann immer noch einmal ein „absoluter" Unterschied walten zwischen Propheten und „einfachem Glaubenden". Ein solches Kriterium und eine solche Legitimation kommen nicht jeder solchen Selbstauslegung in jedem Glaubenden je für sich allein zu; sie können jedenfalls nicht für andere nachgewiesen werden, weil das „Wunder", von dessen Sinn und Funktion als Legitimation und Kriterium noch zu sprechen sein wird, nicht jedweder Selbstauslegung zukommt. Wo solche legitimierte und für viele andere bestimmte Selbstauslegung der transzendentalen übernatürlichen Gotteserfahrung sich ereignet, haben wir ein offenbarungsgeschichtliches Ereignis im *vollen* und üblichen Wortsinn. Dort haben diese Ereignisse untereinander eine genügende Kontinuität, genügenden ursächlichen Verweisungszusammenhang; dort erhalten einzelne und darum im Thema und in der Tiefe begrenzte Selbstauslegungen eine Einheit mit anderen und so eine durchgehende, die Einzelauslegungen zusammenschließende Gestalt.

Der Richtungssinn auf Universalität in der geglückten partikulären Offenbarungsgeschichte

Mit dem Gesagten ist wohl Eigentümlichkeit, Zusammenhang und Verschiedenheit der allgemeinen, transzendentalen und kategorialen Offenbarungsgeschichte und der partikulären, regionalen Offenbarungsgeschichte verständlich. Sie schließen sich gegenseitig nicht aus, sondern bedingen sich gegenseitig. In der partikularen, regionalen, kategorialen Offenbarungsgeschichte kommt die erste, die allgemeine Offenbarungsgeschichte transzendentaler und kategorialer Art zu ihrem vollen Wesen und voller geschichtlicher Objektivation, ohne daß damit gesagt sein müßte, daß die erste Offenbarungsgeschichte übersehen werden dürfte, weil es die zweite gibt. Ist die partikuläre, kategoriale Offenbarungsgeschichte, in der die transzendentale Offenbarung sich für einen räumlich oder zeitlich begrenzten Kreis von Menschen auslegt, zunächst einmal einfach darum denkbar, weil es auch sonst räumlich und zeitlich kulturell begrenzte Selbstinterpretation des Menschen in partikulären Kulturen und in begrenzten Epochen gibt, so bedeutet doch jede richtige Selbstauslegung der übernatürlichen Transzendentalität des Menschen als des grundlegenden Momentes der Daseinsverfassung aller Menschen auch grundsätzlich etwas für alle Menschen. Jede richtige, regional oder zeitlich begrenzte geschichtliche Selbstauslegung des übernatürlichen Gottesverhältnisses des Menschen hat so eine innere, wenn auch ihr selbst vielleicht verborgene Dynamik auf Universalismus, auf die Vermittlung eines immer adäquateren religiösen Selbstverständnisses aller Menschen.

Wie weit sich die eben genannte, grundsätzlich universale Bestimmung einer regionalen oder zeitlich begrenzten kategorialen Offenbarungsgeschichte tatsächlich unter der Heilsprovidenz Gottes auswirkt, in welcher explizit greifbaren Weise oder in welcher geschichtlichen Anonymität so etwas geschieht, das kann natürlich nur aposteriorisch aus der Geschichte selbst erfahren und nicht apriorisch abgeleitet werden. Wenn die in einer solchen partikulären Heilsgeschichte auftretenden „Propheten" und die dadurch bewirkten religiösen Institutionen gegenüber dem einzelnen Menschen für seine eigene religiöse Selbstinterpretation eine „Autorität" haben, können und müssen wir auch von einer „amtlichen" partikulären, kategorialen Offenbarungsgeschichte sprechen.

5. ZUR STRUKTUR DER FAKTISCHEN OFFENBARUNGSGESCHICHTE

Um das bisher Gesagte noch ein wenig zu verdeutlichen und aus seiner begrifflichen Abstraktion in eine gewisse geschichtliche Anschaulichkeit zu transponieren, fragen wir nun, ob und wie die gewonnenen formalen Begriffe geeignet sind, eine Vorstellung von der Struktur der faktischen Offenbarungsgeschichte wenigstens in groben Zügen zu vermitteln. Wir blicken auf die amtliche Heils- und Offenbarungsgeschichte, nämlich auf die des Alten Testaments als die letzte Vorbereitung auf das absolute Offenbarungsereignis in Jesus Christus.

Die „Uroffenbarung“

Die Konstituierung des Menschen geschieht durch Schöpfung und Selbstmitteilung Gottes, durch schöpfungsmäßige radikale Unterschiedenheit von Gott und Distanz zu ihm als dem absoluten heiligen Geheimnis und zugleich in gnadenhafter absoluter Nähe zu diesem Geheimnis. Insofern diese transzendentale Konstituierung des Menschen, sein Anfang, immer auch eine Einsetzung in eine konkrete Geschichtlichkeit als in den vorgegebenen Anfang und Horizont des Menschen in seiner Freiheit ist, und insofern diese Konstitution logisch und sachlich – wenn vielleicht auch nicht greifbar zeitlich – seiner freien und zwar schuldhaften Selbstinterpretation vorausgeht, können wir vom paradiesischen Anfang der transzendentalen und kategorialen Offenbarung Gottes, von der transzendentalen und kategorialen Uroffenbarung sprechen. Bei diesem Begriff kann und muß freilich zunächst ganz offenbleiben, inwieweit und in welcher Weise diese „Uroffenbarung“ von den innerweltlich ersten Trägern, also von „Adam und Eva“ her, an die kommenden Generationen vermittelt worden ist. Uroffenbarung heißt nichts anderes, als daß dort, wo der Mensch wirklich als Mensch, d. h. als Subjekt, als Freiheit und Verantwortung gegeben ist, diese durch die Selbstmitteilung Gottes ontologisch immer schon auf den Gott der absoluten Nähe ausgerichtet war und seine Bewegung, individuell- und kollektivgeschichtlich, mit dieser Finalität begann. Wieweit eine solche übernatürliche Transzendentalität reflex gegeben und religiös schon thematisch war, das ist eine ganz andere Frage, die man offenlassen kann, ohne deswegen den eigentlichen Kern und Sinn eines solchen Begriffes von Uroffenbarung bezweifeln zu müssen.

Insofern nun der Heilswille Gottes als angebotene Selbstmitteilung trotz des am Anfang stehenden Sichversagens des Menschens in Schuld bestehenbleibt und jeder Mensch seine von Gott in Selbstmitteilung angerufene Menschennatur von der einen Menschheit in der Einheit ihrer Geschichte erhält, kann unbefangen von einer Tradierung der transzendentalen Uroffenbarung gesprochen werden; zunächst aber auch nur insofern, als ein Mensch immer existiert als der von anderen und von einer Gesamtgeschichte abkünftige und insofern er auch seine gnadenhafte Transzendentalität in dieser und von dieser Geschichte her empfängt. Es kann also in diesem Sinne von einer Tradierung der transzendentalen Uroffenbarung als solcher gesprochen werden, wenn auch diese sich durch die Geschichte tradiert, nicht weil sie von „Adam“ empfangen wurde, sondern weil seine Schuld immer schon umfangen und überholt war durch den absoluten Willen Gottes zu seiner Selbstmitteilung auf Jesus Christus hin und von ihm her. Ob und inwieweit eine geschichtliche Tradition der kategorialen Uroffenbarung, und zwar im ausdrücklichen menschlichen Wort, geschehen ist, das ist eine andere Frage, da sich eine solche Tradition zweifellos nicht primär in erzählenden Berichten über den geschichtlichen Anfang des Menschen in dessen Konkretheit zeigt, sondern eher im Wachhalten der transzendentalen Gotteserfahrung und der Erfahrung der Schuldbedingtheit der geschichtlichen Situation. Dieses Wachhalten kann einerseits in verschiedenen Formen, selbst noch unter depravierten und polytheistischen, geschehen und anderseits ohne einen expliziten Bezug auf Überlieferung als solche. Und dennoch realisiert sich der Begriff einer Offenbarung und Offenbarungsmitteilung insofern, als es sich um die geschichtliche immer auch wieder tradierende Objektivation der transzendentalen Offenbarung und einer solchen der Schuld handelt, wie sie nur in Konfrontation mit der transzendentalen Gottesoffenbarung möglich ist.

Die Berichte der ersten Kapitel der Genesis über den Anfang der Menschheitsgeschichte sind ja nicht als eine vom Anfang her durch die Geschlechter hindurch weiter tradierte „Reportage" über die Ereignisse der Urgeschichte aufzufassen, noch als eine solche, die gewissermaßen von Gott als einem an der Urgeschichte Mitbeteiligten geliefert würde, sondern als eine Ätiologie, die von der übernatürlich-transzendentalen Erfahrung der Gegenwart rückschließt auf das, was im Anfang als geschichtlicher Grund dieser Gegenwartserfahrung gewesen sein muß. Die Darstellung dieses rückwärts erschlossenen Anfangs arbeitet folglich bei aller Wahrheit und Urgeschichtlichkeit des Erschlossenen mit einem Vorstellungs- und Darstellungsmaterial, das der eigenen Gegenwart jener Völker und Menschen entnommen ist, die direkt oder indirekt zu dieser Formung und Gestaltung der Genesisberichte beigetragen haben. Da eine solche Ätiologie in irgendeinem Grade und irgendeiner Form im geschichtlichen Menschen durch Anamnese immer und überall geschieht und darum die Ätiologie eines Menschen immer und unvermeidlich im Spruch und Widerspruch von der Ätiologie der Umwelt und Vorwelt abhängig ist, bedeutet der Satz, daß der Mensch ätiologisch seinen Anfang erreicht, nicht die Bestreitung des Satzes, er wisse um seinen Anfang durch Tradition der Uroffenbarung. Es läßt sich aber so verstehen, daß eine solche Tradition in den mannigfaltigsten Formen auftreten kann und muß, ohne darum in einem negativen Sinne *bloß* phantastische Mythologiebildung zu sein und ohne aufzuhören, auch noch unter den seltsamsten mythologischen Vorstellungsweisen eine mehr oder weniger geglückte Objektivation der transzendentalen Offenbarungserfahrung zu sein. Wenn man solches Selbstverständnis des Menschen von seinem Anfang her und in seinen Anfang zurück als mythologisch empfindet, dann ist natürlich noch darauf hinzuweisen, daß es im Grunde keinen Begriff ohne Anschauung gibt und auch noch die abstrakteste metaphysische Sprache mit Bild, Gleichnis, Vorstellung, mit conversio ad phantasma, wie Thomas von Aquin sagen würde, arbeitet.

Ist eine Strukturierung der ganzen Offenbarungsgeschichte möglich?

Wie die Religionsgeschichte zeigt, ist diese geschichtliche Auslegung der transzendental übernatürlichen Offenbarung (wenigstens für den ersten, aber vielleicht doch voreiligen Blick) dem Menschen so überlassen, daß mannigfaltige Geschichten von Religion in den verschiedenen Welträumen und Zeiten der Menschheitsgeschichte entstehen, ohne daß es zu gelingen scheint, diese vielen Geschichten zu einer gestalteten Geschichte der Offenbarung und des Heils mit einer einzigen deutlichen Bewegungsrichtung für unseren betrachtenden Blick zu vereinigen. Diese Geschichte in der Vielfalt ihrer Geschichten hat natürlich (von Gott her gesehen) eine Sinnrichtung. Sie geht für den Theologen und Christen auf Christus hin, und sie kann auch von jenem Geschichtsphilosophen und Historiker wenigstens postuliert werden, der in der Pluralität der Geschichten einen letzten, auch innerweltlich greifbaren, ahnbaren oder aus den Ergebnissen der Geschichte erhebbaren Sinn glaubt annehmen zu dürfen.

Aber die letztlich einheitliche Struktur und das genauere Entwicklungsgesetz dieser einen Heils- und Offenbarungsgeschichte in den vielen Religionsgeschichten sind doch kaum zu erkennen; und die verschiedenen Versuche, die der Religionsgeschichtler für eine Klassifizierung und Systematisierung der vielen Religionen in ihrem Wesen und ihrer geschichtlichen Abfolge vornimmt, geben für das Verständnis der Offenbarungsgeschichte vor der alttestamentlichen und christlichen Offenbarung wenig her.

Auch die Heilige Schrift besonders des Alten Testaments bietet für ein solches Unternehmen der Strukturierung der allgemeinen Offenbarungsgeschichte in der Geschichte der Religionen keinen zu deutlicheren Resultaten führenden Schlüssel. Das Alte und das Neue Testament kennen zwar die ganze Geschichte als unter dem Bundeswillen Gottes, unter seinem Heilswillen stehend, als immer auch mitkonstituiert durch die Schuld; das Neue Testament kennt auch die Vorstellung einer sich sogar verschärfenden Depravation dieser Menschheits- und auch der Religionsgeschichte. Eine solche Religions- und Weltgeschichte unter der Ferne und dem Zorne Gottes, unter seiner Langmut und Geduld, unter der Sünde und dem Gericht, sowohl als Zeit der weitergehenden Entfernung von der Reinheit des ursprünglichen Anfangs als auch als Zeit der Unaufhebbarkeit dieses Anfangs, als Zeit der Finsternis und der Schuld und als Zeit der Vorbereitung auf Christus: all das ist sicher gegeben, aber es wird nicht eigentlich deutlich, ob und wie diese Vorbereitung mehr als eine Erfahrung der Erlösungsbedürftigkeit war. Es wird auch nicht deutlich, wie denn eine solche Vorbereitung zu verstehen ist, wenn man nicht vergißt, daß sich ja die Generationen der Menschen ablösen, jede also in einem gewissen Sinne eben doch immer wieder neu anfangen muß.

So rückt die vorbiblische Offenbarungs- und Heilsgeschichte in eine dunkle, fast strukturlose Vergangenheit von uns ab – so Vieles und Genaues wir über die nichtbiblischen Religionen wissen mögen, was die Vielfalt ihrer Riten, sozialen Institutionen, Theorien, Restaurationen und reformatorischen Bewegungen, gegenseitige Bekämpfung und Beeinflussung angeht. Trotz allem, was wir religionsgeschichtlich wissen, bleibt hinsichtlich der eigentlichen *Offenbarungs*geschichte diese Geschichte sehr strukturlos. Wenn wir den Sinn der Profangeschichte in einer theoretischen und praktischen Selbstübernahme des Menschen und seiner Umwelt – also in einem Fortgang der Geschichte der Freiheit als des Vermögens der Selbstverfügung, der Hoffnung, des Wagnisses und der Liebe – sehen, dann gelingt es uns von einer solchen philosophischen Deutung der Geschichte ja auch nicht, in die Geschichte der Menschheit wirklich deutliche Strukturen und Zäsuren hineinzubringen. Wenn wir uns einmal dessen entwöhnt haben, die Momente und Zäsuren der Weltgeschichte naiv von unserer so kurzen individuellen Lebenszeit her zu sehen; wenn wir also verstehen, daß auch eine kleinste Epoche, ein geschichtlicher Augenblick, ein paar tausend Jahre dauern kann, dann haben wir zwar immer noch keine Möglichkeiten, die frühere Heils- und Offenbarungsgeschichte vor dem biblischen Zeitalter zu strukturieren und in ihrem geschichtlichen Ablauf in der Verschiedenheit ihrer Phasen verständlich zu machen, aber es wird uns dann eines deutlich: Dic ganzc biblische Zeit von Abraham bis Christus schrumpft zu einem kurzen Augenblick des Anhebens, des Ereignisses Christi zusammen, und wir haben das Recht und die Pflicht – sofern wir Christen sind –, sie vom Alten und Neuen Testament aus und im Blick auf die ganze Offenbarungsgeschichte, die mit der Geschichte der Menschheit koextensiv ist, als einen letzten Augenblick vor dem Christus-Ereignis mit diesem zusammen in Einheit zu sehen.

Man kann natürlich darauf hinweisen, daß man die Zeit der Menschheit von ihrem biologischen Beginn an bis in die letzten Jahrtausende, in denen es erst geschichtliches Bewußtsein, ausdrückliche Tradition usw. zu geben scheint, gar nicht als Zeit der Geschichte, sondern als eine ungeschichtlich existierende Vorgeschichte der Menschheit ansehen könnte, in der sie zwar dumpf dahinexistiert, sich fortpflanzt, aber noch nicht eigentlich ihr Dasein in geschichtlicher Helle und Freiheit ergriffen und zum Gegenstand ihres eigenen Tuns, des geplanten und verantworteten, gemacht hat. Profangeschichtlich könnte man das durchaus so sehen.

Aber für den Theologen müssen solche Überlegungen, so wichtig sie in vieler Hinsicht sind und so sehr sie auch eine theologische Relevanz haben können, doch letztlich dahingestellt bleiben. Theologisch werden wir sagen müssen – ohne deswegen von den profanen Wissenschaften desavouiert zu werden: Wo wirklich ein Wesen mit einer absoluten Transzendenz (die den biologischen und mitmenschlichen Bereich als ganzen noch einmal in Frage stellt) gegeben war, da ist ein Mensch gegeben in Freiheit, in Verfügung über sich selbst, in einem unmittelbaren Grenzen an das absolute Geheimnis; und wo dies fehlt, da war eben das, was wir philosophisch und christlich und theologisch „Mensch" nennen, nicht gegeben, so ähnlich in anderer Hinsicht dieses Wesen uns gewesen sein mag. Ein solcher Mensch hat also in einem theologischen Verstand notwendig eine Freiheits-, Heils- und Offenbarungsgeschichte, wobei die Frage, wie weit diese bei ihm selbst schon religiös thematisiert war, hier dahingestellt bleiben kann. Da aber eine solche sich leibhaftig in der Sprache, im Leben mit seiner Mitwelt, in Riten usw. objektiviert und ausdrückt, kann der Begriff einer Freiheits-, Heils- und Offenbarungsgeschichte als wirklicher Geschichte in einer theologischen Terminologie und Sinngebung auch jenen Zeiten nicht vorenthalten werden, in denen der Mensch in vieler Hinsicht noch sehr ungeschichtlich existiert zu haben scheint.

Es bleibt darum dabei, daß uns eine genauere theologische Strukturierung jener vorbiblischen, ungeheuer langen, echt geschichtlichen Heils- und Offenbarungsgeschichte nicht möglich ist und darum die ganze biblische Offenbarungsgeschichte, also die partikuläre und „amtliche" kategoriale Offenbarungsgeschichte, von der allein wir wissen, auf den kurzen geschichtlichen Moment der Vorbereitung, des Anlaufes des Christus-Ereignisses zusammenschrumpft. Die Zeit der sog. Patriarchen der Bibel ist entweder eine Zeit, deren Repräsentatenten ohne wirkliche geschichtliche Greifbarkeit nur das eine sagen: daß die alttestamentliche Bundesgeschichte von einer allgemeinen Heils- und Offenbarungsgeschichte herkommt und einen Zusammenhang mit ihr bewahrt, daß sie deren Gnade und Schuldlast weitertragen muß, um sie ganz in Christus einzubringen; oder die Zeit der Patriarchen vor Mose ist schon die Geschichte der Anfänge dieser partikulären und amtlichen Heilsgeschichte, die Zeit der sehr nahestehenden geschichtlichen Ahnen des Bundesvolkes Israel, nämlich insoweit in dieser Patriarchengeschichte ein gewisser Kern geschichtlicher Tradition der Vorgeschichte Israels schon gegeben war. Die anderthalb Jahrtausende der eigentlichen alttestamentlichen Bundesgeschichte mit Mose und den Propheten sind bei aller Differenzierung und allem dramatischen Wechsel eben doch nur der kurze Augenblick der allerletzten Vorbereitung der Geschichte auf Christus. Diese alttestamentliche Vorgeschichte Christi ist schon darum für uns bloß die letzte und unmittelbare Vorgeschichte Christi selbst, weil eine wirklich theologische und für uns noch gültige Aussage darüber wenigstens für uns jetzt nur von Christus her möglich ist.

Das zeigt sich ja schon darin, daß die schriftliche Grundlage einer solchen Aussage im Alten Testament hinsichtlich ihres Inhaltes und Umfanges gar keine einheitliche Deutung zuläßt, außer von Christus her. Denn außer von ihm her könnte diese Schrift bei ihrem langsamen Entstehen, bei der Vielschichtigkeit ihrer Tendenzen und theologischen Konzeptionen kaum auf einen einheitlichen Begriff gebraucht werden, es sei denn den, daß ein Volk in seiner langen Geschichte sich als Partner des einen lebendigen, richtenden und begnadigenden Gottes, als des unbegreiflichen, aber immer nahen Herrn seiner Geschichte weiß und diese Geschichte darum als in eine ihm unbekannte, aber heilshafte Zukunft grundsätzlich offene und der Verfügung des kommenden Gottes der Zukunft anheim gegebene weiß.

Nicht der konkrete Inhalt dieser Geschichte vor Christus im Alten Bund macht sie zur Offenbarungsgeschichte (denn kategorial geschieht ja eigentlich nichts, was nicht auch in jeder anderen Volksgeschichte vorkommt), sondern die Deutung dieser Geschichte als das Ereignis einer dialogischen Partnerschaft mit Gott und als prospektive Tendenz auf die offene Zukunft macht diese Geschichte zu einer Offenbarungsgeschichte. Dabei sind beide Momente nicht äußerlich zu dieser Geschichte hinzukommende Deutungen, sondern geschichtliche Momente an dem Gedeuteten selber; aber diese Deutung konstituiert die Geschichte als Offenbarungsgeschichte.

Daraus ergibt sich, daß solche Geschichte sich auch in der Geschichte anderer Völker hat ereignen können und ereignet hat, zumal da die Geschichte Israels konkret auch immer in einem letzten gar nicht scheidbaren Gemenge die Geschichte der Schuld, des Abfalls von Gott, die Geschichte legalistischer Verhärtung des ursprünglich Religiösen war. Sagt man nun, die Schrift erlaube aber nur in der Religionsgeschichte eines kleinen vorderasiatischen Volkes die Erkenntnis der Kontinuität und epochalen Strukturiertheit einer partikulären Offenbarungsgeschichte, und diese Möglichkeit hätten wir bei anderen Religionsgeschichten in dieser Deutlichkeit und Gewißheit nicht, dann mag dies durchaus zugeben werden. Aber eben diese Deutung und Absetzung der alttestamentlichen partikulären Heilsgeschichte von anderen partikulären Heilsgeschichten und auch von dem, was in ihr sonst alles geschehen ist, war in dem Maße und in der Weise wie für uns für den alttestamentlichen Menschen selber ja gar nicht möglich. Er gab ja unbefangen ein geschichtsmächtiges und heilsschaffendes Verhältnis Jahwes zu anderen Völkern zu.

Ist also die Deutung der alttestamentlichen Heilsgeschichte nur von Christus her für uns möglich, schon weil sie uns nur von daher in ihrer Besonderheit überhaupt angeht, dann kann sie für uns wirklich nur als unmittelbarste und nächste Vorgeschichte Christi selber eine religiöse Bedeutung haben, unsere eigene Offenbarungsgeschichte und Tradition sein. Damit gibt es aber für uns im Grunde doch nur zwei feste Punkte und eine Zäsur von wirklich entscheidender und feststellbarer Art in unserer eigenen Offenbarungs- und Heilsgeschichte kategorialer Art: den *Anfang* und die *Fülle* der Heilsgeschichte in Christus.

Später werden wir von der Christologie und Soteriologie her zu sagen haben, daß diese Zäsur „Christus" kein Einschnitt ist, dem andere in der Heils- und Offenbarungsgeschichte von gleicher Radikalität folgen könnten, außer die Vollendung überhaupt.

Abschließend sei hier ein Doppeltes gesagt: Wenn wir entsprechend der ungeheuren Länge der Menschheitsgeschichte nur ganz wenige letzte Zäsuren in der profanen Menschheitsgeschichte unterscheiden, dann dauert für unsere

Kalenderrechnung der Moment einer solchen Zäsur, der Wendepunkt der Geschichte, unter Umständen einige Jahrtausende. Wenn wir in den zwei Millionen Jahren menschlicher Profangeschichte nach der einen und am meisten entscheidenden Zäsur suchen, dann liegt dieser Augenblick der Zäsur in jenen Jahrtausenden, in denen in einer rapid fortschreitenden Beschleunigung der Mensch sich aus einem in der Natur geborgenen und von ihr unmittelbar bedrohten Wesen zu dem entwickelt hat, der in einer Umwelt lebt, die er selber geschaffen hat und nicht mehr bloß hinnimmt; in denen er sich zu dem Menschen entwickelt hat, der sich selbst zum Gegenstand seiner eigenen Manipulation macht, der seine numinose Umwelt zu einer rational geplanten, entmythisierten Baustelle für seine eigenen Pläne verwandelt hat. Vielleicht sind wir heute am Ende dieses neuen Beginns und stehen nun am Ende der sogenannten Neuzeit, die aber, von der gesamten Menschheitsgeschichte her gedacht, nur das Ende aller bisherigen Kulturgeschichte ist. Wir gehen in jenen Geschichtsraum hinein, den der Mensch sich selbst eröffnet hat. Dabei kann völlig offenbleiben, wie lange die jetzt erst beginnende zweite Periode des hominisierten Daseins nach der ersten Periode des naturalen Daseins dauert; offenbleiben kann auch, ob diese zweite Periode der kurze Augenblick einer durch den Menschen selbst verursachten Katastrophe oder der fast wieder ungeschichtlich gewordene Zeitraum ist, in dem der Mensch in einer endlich untertan gemachten Natur in einer noch gar nicht konkret vorstellbaren Weise Mensch sein wird. Von da aus ergibt sich nun, wenn wir diesen Zeitraum ruhig als einen Augenblick des menschheitsgeschichtlichen Geschehens auffassen (auch wenn er ein paar Jahrtausende gedauert hat), daß in diesem Zeitraum hinein das Christusereignis gestellt werden muß. Aus beidem kann dann erst die wirklich theologische Deutung dieser einen radikalen Zäsur nach vorn und nach hinten gefunden werden.

Wenn wir den ganzen Zeitraum, den wir die bisherige „historisch beschreibbare Geschichte" nennen, als einen relativ sehr kurzen Übergang auffassen, dann wird auch der Platz Christi in dieser profanen Weltgeschichte und natürlich erst recht in der diesem Zeitraum koextensiven Religionsgeschichte verständlich und korrelativ zur Zäsur, die ein paar tausend Jahre gedauert hat. In dieser Zäsur kommt die Menschheit nach einem fast unübersehbaren Verharren in einem fast naturalen Dasein zu sich selbst und nicht nur in introvertierter Reflexion, Kunst, Philosophie, sondern auch in einer in ihre Umwelt hinein extrovertierten Art und Reflexion, und in diese Periode hinein kommt gleichzeitig diese Menschheitsgeschichte zum Gottmenschen, zu der absoluten geschichtlichen Objektivation ihres transzendentalen Gottesverständnisses. In dieser Objektivation werden der sich mitteilende Gott und der die Selbstmitteilung Gottes annehmende Mensch (eben in Jesus Christus) unwiderruflich einer, und die Offenbarungs- und Heilsgeschichte der gesamten Menschheit – unbeschadet der individuellen Heilsfrage – kommt an ihr Ziel. Jetzt bewegt sich nicht mehr nur transzendental der Mensch auf sein

Ziel hin, sondern diese Menschheitsgeschichte kommt auch kategorial in ihr Ziel selber hinein und steuert sich in diesem Ziel auf das endgültige Ziel aktiv hin, weil in dieser Geschichte innerhalb dieser Zäsurperiode schon gegeben ist, worauf die Menschheit sich bewegt: das Gottmenschentum der Menschheit in dem einen Gottmenschen Jesus Christus. Die letzte und eine profangeschichtliche Grundzäsur und die letzte Grundzäsur der Heils- und Offenbarungsgeschichte fallen also in denselben geschichtlichen Übergangsaugenblick, auch wenn dieser ein paar Jahrtausende dauert. Profan und theologisch gesehen, ist der Mensch zu sich – d.h. zum Geheimnis seines Daseins – gekommen, nicht nur in der Transzendentalität seines Anfangs, sondern auch in seiner Geschichte. Diese kann deswegen wirklich „Fülle der Zeit" genannt werden, wenn auch theologiegeschichtlich und profangeschichtlich diese Fülle der Zeit erst in ihrem Anfang gegeben ist.

6. ZUSAMMENFASSENDES ZUM BEGRIFF DER OFFENBARUNG

„Natürliche" Offenbarung und eigentliche Selbstoffenbarung Gottes

Wenn Gott das andere und dieses somit als das Endliche schafft, wenn Gott den Geist schafft, der das andere als endlich durch seine Transzendenz und so auf seinen Grund hin erkennt und diesen Grund darum gleichzeitig als qualitativ gänzlich anderen, eben als das unsagbare heilige Geheimnis vom bloß Endlichen absetzt, dann ist damit schon eine gewisse Kundmachung Gottes als des unendlichen Geheimnisses gegeben, die man – wenn auch in einem mißverständlichen Begriff – die „natürliche Offenbarung Gottes" zu nennen pflegt. Diese aber läßt Gott insofern unbekannt bleiben, als er nur der durch Analogie als das Geheimnis Gewußte, als der nur durch die negierende Übersteigerung des Endlichen und nur durch mittelbaren Verweis, nicht aber durch direkte Unmittelbarkeit auf ihn zum in sich Gewußten wird. Sein letztes Verhältnis eindeutiger Art zur geistigen Kreatur kann so nicht gewußt werden, da auf die Weise eines naturalen transzendentalen Gottesverhältnisses die Frage unbeantwortet bliebe, ob Gott die für uns schweigend in sich verschlossene und uns in unsere Endlichkeit hinein distanzierende Unendlichkeit oder die radikale Nähe der Selbstmitteilung sein will, ob er unserem schuldhaften Nein zu ihm in der Tiefe unseres Gewissens und in dessen kategorialen Objektivationen in der Geschichte als Gericht oder als Vergebung begegnen will.

Über diese „natürliche Offenbarung" hinaus, die eigentlich die Gegebenheit Gottes als Frage (nicht als Antwort) ist, gibt es die eigentliche Offenbarung Gottes. Diese ist nicht einfach schon mit dem geistigen Sein des Menschen als Transzendenz gegeben, sondern sie hat Ereignischarakter, sie ist dialogisch, in ihr redet Gott den Menschen an, tut ihm das kund, was nicht einfach durch den notwendigen Verweis aller Weltwirklichkeit auf Gott in der Transzendenz des Menschen immer und überall an der Welt ablesbar ist, eben die Frage nach Gott und die Gefragtheit des Menschen durch dieses Geheimnis. Die eigentliche Offenbarung eröffnet vielmehr, was – die Welt und den transzendentalen Geist vorausgesetzt – noch an ihr und für den Menschen unbekannt ist: die innere Wirklichkeit Gottes und sein personal freies Verhalten zur geistigen Kreatur.

Ob wir als einzelne von uns aus mit Sicherheit erkennen können, daß Gott in dieser Weise sich aussagen *kann* oder nicht, braucht hier nicht ausdrücklich zur Diskussion gestellt zu werden. Ob die *Möglichkeit* einer gnadenhaften Selbstmitteilung Gottes vom Menschen und seiner Transzendenz her schon erkannt werden könne, ob der Mensch seine Transzendenz als den Raum einer möglichen Selbstmitteilung Gottes in seinem eigenen Selbst interpretieren könne oder ob zu sagen sei, daß dieser Raum zwar als die Bedingung der Möglichkeit eines Verhältnisses zum absoluten Geheimnis gegeben sei, aber nicht ohne selbst zu zerbrechen von Gottes Selbstmitteilung erfüllt werden könne –, dies sind Fragen, die hier nicht behandelt werden sollen. Gott hat sich tatsächlich so geoffenbart. Und wenigstens daraus wissen wir, daß eine solche Offenbarung durch Selbstmitteilung Gottes an sich selbst *möglich* ist.

Diese Offenbarung hat zwei Seiten (eine transzendentale und eine geschichtliche), die unterschieden sind und zusammengehören, die beide notwendig sind, damit Offenbarung schlechthin sei. Und diese beiden Seiten haben eine gewisse Variabilität in ihrem gegenseitigen Verhältnis.

Der transzendentale Aspekt der Offenbarung

Die geschichtlich-personale Wortoffenbarung trifft zunächst einmal die innere geistige Einmaligkeit des Menschen. Gott teilt sich ihr in seiner eigensten Wirklichkeit von geistiger Erhelltheit mit und gibt dem Menschen als Transzendenz die Möglichkeit, diese personale Selbstmitteilung und Selbsterschließung entgegenzunehmen und zu hören und in Glaube, Hoffnung und Liebe so anzunehmen, daß sie nicht auf das „Niveau" der endlichen Kreatur als solcher herabgezogen wird, sondern als Selbsterschließung Gottes in sich selbst beim Menschen wirklich „ankommen" kann. Denn Gott trägt durch sich selbst – den Menschen vergöttlichend – den Akt des Hörens, der Annahme der Selbsterschließung und Selbstmitteilung mit.

Diese Offenbarung ist die personale Selbstgabe Gottes in absoluter und auch vergebender Nähe, so daß Gott weder die absolute, abweisende Ferne noch das Gericht ist, obwohl er beides sein könnte, und so gibt sich in dieser vergebenden Nähe Gott als die innere Erfüllung der transzendentalen Unbegrenztheit. Die absolut unbegrenzte Frage wird von Gott selbst als absoluter Antwort erfüllt und beantwortet.

Was wir so beschrieben haben, heißt christlich die heiligende und rechtfertigende Gnade als die den Menschen vergöttlichende Erhöhung, in der Gott nicht nur ein von sich Verschiedenes, sondern sich selbst übergibt und den Akt ihrer Annahme mitträgt. Insofern nun erstens diese Gnade von Gott im Hinblick und im absoluten Willen zu Jesus Christus, dem Gottmenschen, zu allen Zeiten allen Menschen angeboten wurde, schon als angebotene wirksam ist und – so können wir hoffen, wenn auch nicht sicher wissen – mindestens einmal von der Großzahl der Menschen im Endergebnis der ganzen Freiheitstat ihres Lebens angenommen wird; insofern zweitens diese Gnade das Bewußtsein des Menschen verändert, ihm – wie die Scholastik sagt – ein neues, höheres, gnadenhaftes, obzwar unreflektiertes Formalobjekt gibt, d.h. die Transzendenz auf das absolute Sein Gottes als glückende gibt; insofern drittens mindestens der Horizont der menschlichen Geistigkeit als unendlicher Frage durch diese unsagbare Selbstmitteilung Gottes erfüllt ist von dem glaubenden Vertrauen, daß diese unendliche Frage von Gott mit der unendlichen Antwort, die er selbst ist, beantwortet wird, ist durch diese Gnade immer schon ereignishafte, freie Gnade, Selbstoffenbarung Gottes zu allen Zeiten gegeben. Diese innere gnadenhafte Selbstoffenbarung Gottes im Kern der geistigen Person ist nun für den ganzen Menschen bestimmt, in *allen* seinen Dimensionen, weil alle in das eine Heil des ganzen einen Menschen hinein zu integrieren sind. Alle transzendente Subjekthaftigkeit hat darum sich selber nicht für sich *neben* der Geschichte, sondern *in* dieser selbst, die genau die Geschichte eben dieser Transzendenz des Menschen ist.

Die kategoriale, geschichtliche Seite der Offenbarung

Die Selbstoffenbarung Gottes in der Tiefe der geistigen Person ist eine von der Gnade herkommende, an sich selbst unreflexe, apriorische Bestimmtheit, ist nicht an sich schon gegenständliche sachhafte Aussage, ist Bewußtheit, nicht Gewußtheit. Aber eben dies alles bedeutet nicht, daß diese apriorische Bestimmtheit für sich selbst lebe und in einer solchen Vorgegebenheit nur noch Gegenstand einer nachträglichen Reflexion werden könnte, die mit der Vorgegebenheit der Gnade als solcher innerlich gar nichts zu tun hätte. Diese Selbstgegebenheit Gottes, die gnadenhaft erhöhte Gestimmtheit des Menschen, die transzendentale Offenbarung ist vielmehr selbst – weil alle Transzendentalität des Menschen eine Geschichte hat – immer welthaft kategorial vermittelt, ereignet sich an dem geschichtlichen Material des Lebens des Menschen, ohne deshalb damit einfach identisch zu werden. Soll also diese übernatürliche Gestimmtheit sich konkret ereignen und, vor allem, soll diese gnadenhafte Geoffenbartheit Gottes Prinzip des konkreten Handelns in seinem gegenständlichen, reflexen Bewußtsein und so in der Dimension auch des Gesellschaftlichen werden, dann muß diese gnadenhafte, ungegenständliche, unreflexe Selbstoffenbarung Gottes immer vermittelt gegeben sein in sachhaft-gegenständlicher Gewußtheit; gleichgültig zunächst, ob diese Vermitteltheit von ausdrücklich thematischer Religiosität ist oder nicht.

Diese „Vermittlung" hat nun eben ihre Geschichte, steht in dieser Geschichte unter der Leitung Gottes, was auch noch einmal nichts anderes bedeutet als eben die Dynamik dieser transzendentalen Selbstmitteilung Gottes auf ihre geschichtliche Realisation und Vermittlung hin, und so bedeutet diese Vermittlung selbst noch einmal Offenbarung Gottes. Die Geschichte der Vermittlung der transzendentalen Geoffenbartheit Gottes ist ein inneres Moment an der Geschichtlichkeit der Selbsterschließung Gottes in der Gnade, weil diese von sich her und nicht nur vom Wesen des Menschen her eine Dynamik auf ihre eigene Vergegenständlichung hat, da sie ja selbst Prinzip der Vergöttlichung der Kreatur in allen deren Dimensionen ist

In jeder Religion wird an sich der Versuch gemacht (wenigstens von seiten des Menschen), die ursprüngliche, unreflexe und ungegenständliche Offenbarung geschichtlich zu vermitteln, zu reflektieren und satzhaft auszulegen. In allen Religionen finden sich einzelne Momente solcher geglückter, von Gottes Gnade ermöglichter Vermittlung und Selbstreflexion des übernatürlich transzendentalen Verhältnisses des Menschen zu Gott durch die Selbstmitteilung Gottes, durch welche Momente Gott den Menschen auch in der Dimension seiner Gegenständlichkeit, seiner konkreten Geschichtlichkeit eine Heilsmöglichkeit schafft. Aber so wie Gott die Schuld des Menschen überhaupt zugelassen hat und diese sich in allen kollektiven und gesellschaftlichen Dimensionen des Menschen verdunkelnd und depravierend auswirkt, so ist dies auch in der Geschichte der vergegenständlichenden Selbstauslegung der gnadenhaften Offenbarung durch den Menschen der Fall. Sie glückt nur teilweise, sie steht immer in einer noch unvollendeten Geschichte, sie ist untermischt mit Irrtum, schuldhafter Verblendung und deren Objektivationen, die selbst wiederum die religiöse Situation der anderen Menschen mitbestimmen.

Wenn und wo nun diese Vergegenständlichung der Offenbarung auf die Gemeinschaft der Menschen hin und nicht nur für die individuelle Existenz eines einzelnen als solchen geleistet wird; wenn die vermittelnde Übersetzung in den Menschen, die wir dann religiöse Propheten, Offenbarungsträger im vollen Sinn nennen, von Gott in der Dynamik der göttlichen Selbstmitteilung selber so geleitet wird, daß sie rein bleibt, wenn sie vielleicht auch nur Teilaspekte der transzendentalen Offenbarung vermittelt; wenn diese Reinheit der Offenbarung in der Vergegenständlichung durch die Propheten und unsere eigene Angerufenheit durch die vergegenständlichte Offenbarung uns durch das, was wir Wunder nennen, legitimiert wird, dann haben wir das, was öffentliche und amtliche, partikuläre und kirchenhaft verfaßte Offenbarung und deren Geschichte heißt, das, was wir dann „Offenbarung" einfachhin zu nennen pflegen. Diese Art der Offenbarung ist nicht nur ereignishaft und geschichtlich, insofern sie freie Entscheidung Gottes ist und insofern sie die freie geschichtliche Antwort jedes Menschen anruft, sondern diese Offenbarung ist auch in dem Sinne geschichtlich partikulär, daß sie in dieser amtlichen, gleichsam reflex garantierten Reinheit nicht überall geschieht, sondern eine besondere Geschichte innerhalb der allgemeinen Geschichte und der allgemeinen Religionsgeschichte hat. Wenn diese allgemeine Geschichte und Religionsgeschichte selbst immer auch Offenbarungsgeschichte bleibt, wenn auch die partikuläre Offenbarungsgeschichte dieser amtlichen, reflex garantierten Art und Reinheit immer eine entferntere oder nähere Bedeutung für die Geschichte aller hat, so bleibt die partikuläre Offenbarungsgeschichte doch ein – wenn auch eminentes – Moment einer allgemeinen Heils- und Offenbarungsgeschichte. Dies ist ebensowenig im Blick auf die echte Geschichtlichkeit des Menschen in einer notwendigen Mitwelt verwunderlich, wie es verwunderlich ist, daß es sonst in der Geschichte der Menschen herausgehobene geschichtliche Ereignisse gibt, die sich nicht alle Tage wiederholen lassen.

Der unüberbietbare Höhepunkt aller Offenbarung

Ist Geschichte auch Geschichte des immer Einmaligen und Unwiederholbaren, dann enthält allgemeine Geschichte immer auch parikuläre Geschichte, und diese bleibt immer doch Moment an der ganzen und allgemeinen Geschichte. Insofern durch die Geschichtlichkeit der Reflexion auf die gnadenhafte Selbstgabe Gottes an den Menschen diese Offenbarung eine Geschichte hat, und zwar abgegrenzt innerhalb der allgemeinen Geschichte, hat die Geschichte der Offenbarung dann ihren absoluten Höhepunkt, wenn die Selbstmitteilung Gottes durch die hypostatische Union in der Menschwerdung Gottes an die kreatürlich geistige Wirklichkeit Jesu für diese und somit für uns alle ihren unüberbietbaren Gipfel erreicht. Das aber geschieht in der Menschwerdung des Logos, weil hier das Ausgesagte und Mitgeteilte, Gott selbst, der Aussagemodus, d.h. die menschliche Wirklichkeit Christi in seinem Leben und seiner Endgültigkeit und der Empfänger Jesus als der Begnadete und Gott Schauende absolut einer geworden sind. In Jesus ist zugleich die gnadenhafte Mitteilung Gottes an den Menschen und deren kategoriale Selbstauslegung in der Dimension des leibhaftig Greifbaren und Gesellschaftlichen zu ihrem Höhepunkt, zur Offenbarung schlechthin gekommen. Damit aber wird das Christusereignis zur einzigen, für uns wirklich greifbaren Zäsur in der allgemeinen Heils- und Offenbarungsgeschichte und für unsere Unterscheidung einer partikulären amtlichen Offenbarungsgeschichte innerhalb der allgemeinen Offenbarungsgeschichte vor Christus.

SECHSTER GANG

Jesus Christus

Wir kommen nun zum schlechthin Christlichen des Christentums, zu Jesus Christus. Zwar besagt das bisher Ausgeführte schon, daß es auch ein „anonymes Christentum" gibt. Es kann nach katholischem Glaubensverständnis, so wie es sich auch im Vaticanum II deutlich ausgesprochen hat, nicht daran gezweifelt werden, daß jemand, der mit der ausdrücklichen Predigt des Christentums in keiner konkreten geschichtlichen Verbindung steht, dennoch ein gerechtfertigter Mensch sein kann, der in der Gnade Gottes lebt. Er besitzt dann jene übernatürlich gnadenhafte Selbstmitteilung Gottes nicht nur als Angebot, als Existential seines Daseins; sondern er hat dieses Angebot auch angenommen und damit eigentlich doch das Wesentliche dessen, was ihm das Christentum vermitteln will: sein Heil in der Gnade, die objektiv die Jesu Christi ist. Weil die transzendentale Selbstmitteilung Gottes als Angebot an die Freiheit des Menschen einerseits ein Existential jedes Menschen, anderseits ein Moment an der Selbstmitteilung Gottes an die Welt, die in Jesus Christus ihr Ziel und ihren Höhepunkt hat, ist, kann man durchaus von einem „anonymen Christen" sprechen. Aber dabei bleibt doch wahr: In der Dimension der vollen Geschichtlichkeit dieser einen Selbstmitteilung Gottes an die Menschen in Christus und auf ihn hin ist nur der ein Christ in der Dimension der reflektierten Geschichtlichkeit dieser transzendentalen Selbstmitteilung Gottes, der sich ausdrücklich zu Jesus als dem Christus in Glaube und Taufe bekennt.

Darum führt dieser sechste Gang unsere Überlegungen in das entscheidend Christliche des Christentums hinein. Diese Überlegungen sind hinsichtlich der Methodik ihres Vorgehens sehr schwierig, weil sich in ihrem Thema und gerade von unseren bisherigen Überlegungen her die zwei Momente einer christlichen Theologie zur höchsten Einheit und zur radikalsten Spannung treffen: nämlich eine essentiale, existential-ontologische, transzendentale

Theologie, die in allgemeiner Ontologie und Anthropologie eine apriorische Lehre vom Gottmenschen entwerfen muß und so allererst die Bedingungen der Möglichkeit eines echten Hörenkönnens und einer Einsicht in das Hörenmüssen der geschichtlichen Botschaft von Jesus dem Christus zu konstituieren versucht, und anderseits eine schlichte geschichtliche Bezeugung dessen, was sich in Jesus, seinem Tod und seiner Auferstehung ereignet hat und was in einer einmaligen, unauflöslich geschichtlichen Konkretheit den Boden der Existenz und das Ereignis des Heils für den Christen bildet, so daß hier das Geschichtlichste das Wesentlichste ist.

Wenn wir sagen, es müsse auch in einer transzendentalen Theologie eine apriorische Lehre vom Gottmenschentum – wenigstens heute – erstellt werden, dann bedeutet dies natürlich nicht, daß zeitlich und geschichtlich eine solche apriorische Lehre vor der faktischen Begegnung mit dem Gottmenschen sich ereignen könne. Man reflektiert immer auf die Bedingungen der Möglichkeit einer Wirklichkeit, die einem schon begegnet ist. Dadurch aber wird eine solche Reflexion nicht überflüssig, bietet ein klareres und reflexeres Verständnis dessen, was einem als Wirkliches begegnet ist und legitimiert neu die intellektuelle Überzeugung davon, daß man die Wirklichkeit so erfaßt, wie sie ist.

Wir führen dabei mehrere Überlegungen durch, die das eine Ganze der christlichen Lehre von Jesus Christus unter den verschiedenen Aspekten nahezubringen suchen. Diese einzelnen Überlegungen können und wollen nicht vermeiden, daß sie sich teilweise überschneiden und gleichzeitig doch die eine Wirklichkeit Christi von sehr verschiedenen Ausgangspunkten her anvisieren. Wiederholungen also, die immer wieder aufs neue das Ganze der Christologie in immer neuen Ansätzen aussagen, werden nicht vermieden, auch wenn sie die Geduld des Lesers stark in Anspruch nehmen.

Diesbezüglich sei unbefangen gleich noch auf folgendes aufmerksam gemacht: Für eine Rechtfertigung des Christusglaubens ist natürlich der grundlegende und entscheidende Ausgangspunkt in einer Begegnung mit dem geschichtlichen Jesus von Nazaret gegeben, also in einer „Aszendenzchristologie". Insofern ist das Wort „Menschwerdung Gottes", ist „Inkarnation des ewigen Logos" das Ende und nicht der Ausgangspunkt aller christologischen Überlegungen. Dennoch braucht man die Einbahnigkeit einer solchen Aszendenzchristologie auch nicht zu überziehen. Wenn einem Jesus als der Christus faktisch einmal begegnet ist, hat auch die Idee eines Gottmenschentums, eines Kommens Gottes in unsere Geschichte, also eine Deszendenzchristologie, ihre eigene Bedeutung und Kraft. Wenn daher im folgenden Aszendenzchristologie und Deszendenzchristologie in etwa vermischt auftreten, so sei dies unbefangen von vornherein zugegeben, braucht kein Nachteil zu sein, sondern kann der gegenseitigen Erhellung dieser beiden Aspekte und Methoden dienen.

1. DIE CHRISTOLOGIE INNERHALB EINER EVOLUTIVEN WELTANSCHAUUNG

Begründung und Verdeutlichung der Themenstellung

Grundsätzlich geht es hier zunächst um die transzendentale Möglichkeit des Menschen, so etwas wie eine Botschaft von dem einen Gottmenschen überhaupt hören zu können. Es geht also unter dieser Überschrift vor allem um eine transzendentale Christologie oder um die transzendentale Möglichkeit für den Menschen, im Ernst mit einem Gottmenschen zu rechnen.

Aber diese eigentlich transzendental gestellte Frage hat im hörenden, im fragenden Subjekt eine geschichtliche Konkretheit, und diese sei – natürlich mit dem Bewußtsein, sehr grob zu charakterisieren – als die Situation einer evolutiven Weltanschauung gekennzeichnet. Deshalb ist innerhalb dieses Rahmens das eigentlich Transzendentale der Möglichkeit des Hörens der Botschaft von Gott in unserem Fleisch zur Aussage zu bringen.

Zunächst handelt es sich also einfach um die Frage des Nachweises der Einpaßbarkeit einer Aussage in einen Komplex von anderen Aussagen, Verstehenshorizonten, Überzeugungen und nicht um die Aussagen über das eine und das andere je für sich. Damit ist schon gegeben, daß es sich hier zunächst weder um die Darstellung der katholischen Christologie in sich, noch um das, was man vage vielleicht mit „evolutiver Weltanschauung" bezeichnen kann, handelt. Es handelt sich um eine mögliche Zuordnung dieser beiden Größen. Dabei wird die evolutive Weltanschauung als gegeben vorausgesetzt und nach einer Eingepaßtheit oder Einpaßbarkeit der Christologie in sie und nicht umgekehrt gefragt.

Zwar wäre die radikalere und letztlich für den christlichen Glauben selbstverständlichere Frage die, wie sich eine evolutive Weltanschauung rechtfertigen kann vor dem christlichen Glauben. Aber es darf die erste Frage dennoch gestellt werden; und sie wird ja, im Grunde genommen, von jedem Menschen unvermeidlicherweise gestellt. Auch der Glaubende fragt – wenn auch sekundär – nach der Einpaßbarkeit, nach einer mindestens genügenden Versöhnbarkeit seines Glaubens mit dem Lebensstil, den Verstehenshorizonten, die er mit seiner Zeit und seinen Zeitgenossen teilt. Und er darf so fragen, weil er ja – mit Petrus (1 Petr 3,15) gesprochen – auch Rechenschaft von seinem Glauben nicht nur sich, sondern auch seiner Umwelt geben muß; und er darf erst recht so fragen, weil er gerade von seinem Glauben her nicht geheißen ist, ein radikales Mißtrauen gegen jenen Pluralismus seiner Verstehenshorizonte, Überzeugungen, Lebensanschauungen zu hegen, gegenüber jenem Pluralismus, der ihm vorgegeben ist, den er gar nicht adäquat überholen kann in der Einheitlichkeit eines absoluten Systems für alles, was in seinem Dasein gegeben ist. Weiß er aber von diesem Pluralismus, muß er fragen, wie er als ein Glaubender in der konkreten Umwelt seiner Existenz praktisch leben kann.

Wenn wir also zunächst von einer Eingepaßtheit oder Einpaßbarkeit der Christologie in die evolutive Weltanschauung sprechen, dann wird damit weder versucht, die christliche Lehre von der Inkarnation als eine notwendige Folge und zwingende Verlängerung aus der evolutiven Weltanschauung herzuleiten, noch soll gezeigt werden, daß die Inkarnationslehre sich nicht unmittelbar in einem einfachen sachlichen oder logischen Widerspruch zu dem befinde, was die evolutive Weltanschauung als sichere Erkenntnis beinhaltet. Wäre nämlich eine deduktive und sich als zwingend ausgebende Ableitung der Inkarnationslehre aus einer evolutiven Weltanschauung beabsichtigt, dann würde ja der Versuch eines theologischen Rationalismus unternommen, der Versuch, Glaube, Offenbarung und Dogma in Philosophie zu verwandeln oder die konkrete Geschichte in ihrer letztlich nicht überholbaren Faktizität in Spekulation und Metaphysik aufzulösen. Würde bloß das Zweite angestrebt, dann würden wir natürlich auch an der wirklichen Aufgabe vorbeireden. Denn dann könnte eben diese von der heutigen evolutiven Weltanschauung nicht direkt geleugnete Lehre von der Menschwerdung des göttlichen Logos doch immer noch wie ein Fremdkörper empfunden werden, wie etwas, das zum sonstigen Denken und Empfinden des modernen Menschen schlechterdings beziehungslos hinzutritt. Die Aufgabe besteht also darin, ohne die Inkarnationslehre des Christentums zu einem notwendigen und inneren Moment der heutigen Weltanschauung zu erklären, eine innere Affinität, die Möglichkeit einer gegenseitigen Zuordnung der beiden Größen deutlich zu machen.

Setzen wir einmal ein gewisses Vorverständnis des jetzt gestellten Problems voraus, dann ist auch das Schwierige, Mühsame und Vielfältige der Aufgabe klar. Alle Fragen der Versöhnung der christlichen Lehre und Interpretation des Daseins mit der heutigen Weise des Lebens, des Denkens und Empfindens versammeln sich geballt in unserem Thema. Alle sachlichen und historischen Schwierigkeiten, die mit dem Wort „Christentum und moderner Geist" beschworen werden, stellen sich auch hier ein, wo es sich um die zentralste und geheimnisvollste Aussage des Christentums handelt, die gleichzeitig eine Wirklichkeit meint, die gerade als jener Dimension angehörend erklärt wird, die dem Menschen von heute wissenschaftlich, existenziell und gefühlsmäßig als die ihm vertrauteste zugeordnet ist, der materiellen Welt nämlich, der greifbaren Geschichte. Es handelt sich ja um eine Aussage, die Gott (den in der Theologie Gemeinten) gerade dort sein läßt, wo sich der Mensch heimisch und allein zuständig fühlt: eben in der Welt und nicht im Himmel. Es kann unsere Aufgabe nicht sein, hier von den allgemeinen Fragen und Schwierigkeiten zu sprechen, die mit der Versöhnung zwischen christlicher Religion und modernem Denken gegeben sind. Wir müssen uns auf das beschränken, was mit unserem engeren Problem an besonderen Fragen gestellt ist, wenn wir uns auch dessen bewußt sind, daß vielleicht das meiste, was den heutigen Menschen an der Menschwerdungslehre befremdet, auf Konto der Befremdung des heutigen Menschen durch eine metaphysische und religiöse Aussage überhaupt geht.

Wir gehen vom heutigen evolutiven Weltbild aus, setzen dieses aber mehr voraus, als daß wir es darstellen könnten. Wir fragen daher zunächst nach einem darin gegebenen Zusammenhang zwischen Materie und Geist, somit nach der Einheit der Welt, der Naturgeschichte und der Geschichte des Menschen. Denn wir wollen ja das Wort, daß der Logos *Fleisch* geworden ist, wirklich ernst nehmen. Wir wollen dieses fundamentale Dogma des Christentums weder in einer nicht mehr vollziehbaren Weise mythologisch verstehen, noch wollen wir es so deuten, daß eigentlich das damit Gemeinte in einen Raum abgeschoben wird, in dem Behauptungen gewagt werden können, die niemand nachprüfen kann, die auf jeden Fall mit dem, was wir sonst sicher zu wissen und zu erfahren glauben, gar nichts zu tun haben. Aber eben diese weiteren Horizonte können hier nur ganz kurz dargestellt werden, und dabei sollen nur jene Zusammenhänge und Erkenntnisse berührt werden, die gemeinchristlich und gemeintheologisch sind: Wir suchen Theoreme zu vermeiden, die von Teilhard de Chardin her geläufig sind. Treffen wir uns mit ihm, ist es gut, und wir brauchen das nicht absichtlich zu vermeiden. Wir selber wollen hier nur das überlegen, was eigentlich jeder Theologe sagen könnte, wenn er seine Theologie unter den von der evolutiven Weltanschauung gestellten Fragen her aktualisiert. Wir müssen natürlich eine gewisse Abstraktheit in Kauf nehmen, die einen Naturwissenschaftler vielleicht ein wenig enttäuschen kann. Denn es wäre verständlich, wenn ein Naturwissenschaftler genauere Angaben erwarten würde, als man sie hier bieten kann, und zwar von jenen naturwissenschaftlichen Erkenntnissen aus, die ihm geläufig sind. Würden wir aber solches versuchen, müßten wir nicht nur den Anspruch naturwissenschaftlicher Kenntnisse machen, die einem Theologen nur aus zweiter oder dritter Hand zugänglich sind, sondern wir hätten auch alle Belastungen zu tragen, die mit solchen Ausdeutungen naturwissenschaftlicher Einzelergebnisse, die nicht unumstritten sind, unvermeidlich verbunden sind. Es genügen uns aber hier die Schwierigkeiten, die wir allein von der Philosophie und Theologie her bei solchen Fragen empfinden.

Wenn wir so von der Einheit von Geist und Materie (was nicht Einerleiheit heißt) ausgehen, dann müssen wir versuchen, den Menschen als das Seiende zu verstehen, in dem die Grundtendenz der Selbstfindung der Materie im Geist durch Selbsttranszendenz zu ihrem definitiven Durchbruch kommt, so daß von daher das Wesen des Menschen selbst gesehen werden kann innerhalb einer Grund- und Gesamtkonzeption der Welt. Eben dieses Wesen des Menschen aber ist es, das durch seine höchste, freie, ihm von Gott her ungeschuldet ermöglichte und volle Selbsttranszendenz in Gott hinein in und durch die Selbstmitteilung Gottes seine und der Welt Vollendung

„erwartet" in dem, was wir in christlichen Begriffen Gnade und Glorie nennen.

Der bleibende Anfang und die absolute Garantie, daß diese letzte Selbsttranszendenz, die grundsätzlich unüberbietbar ist, gelingt und schon angefangen hat, ist das, was wir „hypostatische Union" nennen.

Der Gottmensch ist der erste Anfang des endgültigen Gelungenseins, der Bewegung der Selbsttranszendenz der Welt in die absolute Nähe zum Geheimnis Gottes. Diese hypostatische Union darf im ersten Ansatz nicht so sehr als etwas gesehen werden, was Jesus von uns unterscheidet, sondern als etwas, was einmal und nur einmal geschehen muß, wenn die Welt beginnt, in ihre letzte Phase einzutreten (was nicht notwendigerweise heißt: ihre kürzeste), in der sie ihre endgültige Konzentration, ihren endgültigen Höhepunkt und ihre radikale Nähe zum absoluten Geheimnis, Gott genannt, verwirklichen soll. Von da aus erscheint die Inkarnation als der notwendige, bleibende Anfang der Vergöttlichung der Welt im ganzen. Insofern die unüberbietbare Nähe in restloser Aufgeschlossenheit gerade zu dem absoluten Geheimnis geschieht, das Gott ist und bleibt, und insofern diese endgültige Phase der Weltgeschichte zwar schon begonnen hat, aber noch nicht vollendet ist, bleiben natürlich der weitere Verlauf dieser Phase und ihr Ergebnis umfaßt vom Geheimnis. Die Klarheit und Endgültigkeit der christlichen Wahrheit ist die unerbittliche Überantwortetheit des Menschen in das Geheimnis hinein und nicht die Klarheit der Übersichtlichkeit über ein Teilmoment des Menschen und seiner Welt.

Die Einheit alles Geschaffenen

Der Christ bekennt in seinem Glauben, daß alles, Himmel und Erde, Materielles und Geistiges, Schöpfung des einen und selben Gottes sei. Ist aber alles, was ist, nur, indem es herkünftig von Gott ist, dann bedeutet das nicht nur, daß alles als Verschiedenes von *einer* Ursache herkommt, die – weil unendlich und allmächtig – eben Verschiedenstes schaffen kann, sondern es ist auch gesagt, daß dieses Verschiedene eine innere Ähnlichkeit und Gemeinsamkeit aufweist und daß dieses Vielfältige und Verschiedene eine Einheit in Ursprung, Selbstvollzug und Bestimmung bildet, eben die *eine* Welt. Daraus folgt, daß es unchristlich wäre, Materie und Geist als bloß faktisch nebeneinander bestehende, untereinander aber im Grunde schlechthin disparate Wirklichkeiten aufzufassen. Es ist für eine christliche Theologie und Philosophie selbstverständlich, daß Geist und Materie mehr Gemeinsames als Verschiedenes haben.

Diese Gemeinsamkeit zeigt sich zunächst und am deutlichsten in der Einheit des Menschen selbst. Jeder Mensch ist nach christlicher Lehre nicht eine widersprüchliche oder bloß vorläufige Zusammensetzung von Geist und

Materie, sondern eine Einheit, die logisch und sachlich der Unterschiedlichkeit und Unterscheidbarkeit seiner Momente vorausliegt, so daß diese Momente eben gerade in ihrem Eigenen nur begreifbar sind, wenn sie *als* Momente des *einen* Menschen verstanden werden. Von daher wird verständlich, daß man letztlich nur von dem einen Menschen und darum von seinem einen Selbstvollzug her weiß, was Geist und Materie sind, und darum beides von vornherein als aufeinander bezogen verstehen muß. Dem entspricht auch die christliche Lehre, daß die Vollendung des endlichen Geistes, der der Mensch ist, nur gedacht werden darf in einer (wenn auch noch so wenig „vorstellbaren") Vollendung seiner *ganzen* Wirklichkeit und des Kosmos. In der Vollendung darf ihre Materialität nicht einfach als bloß Vorläufiges ausgeschieden werden, so wenig wir uns positiv einen vollendeten Zustand der Materialität vorstellen können.

Die Naturwissenschaft als ein Moment an dem einen und ganzen Wissen des Menschen weiß nun sehr vieles „über" die Materie, d.h., sie bestimmt immer genauer Zusammenhänge „funktionaler" Art zwischen den Naturerscheinungen untereinander. Aber weil sie – methodisch berechtigt – vom Menschen abstrahiert, kann sie vieles „über" die Materie, aber nicht „die" Materie wissen, wenn auch ihr Wissen sie doch wieder aposteriorisch zu dem Menschen selbst hinführt. Das ist eigentlich auch selbstverständlich: Das Feld, das Ganze, kann nicht mit den Mitteln der Bestimmung der Teile bestimmt werden. Was Materie ist, kann nur vom Menschen her gesagt werden, und nicht umgekehrt, was Geist sei, von der Materie her. Wir sagen hier absichtlich: vom „Menschen" her und nicht vom „Geist" her. Das wäre sonst nochmals jener Platonismus, der auch im Materialismus steckt, da er ja ebenso wie der platonische Spiritualismus glaubt, für das Verständnis des Ganzen und seiner Teile einen Ansatzpunkt zu haben, der unabhängig ist vom Menschen als dem einen und ganzen. Allein im Menschen aber können jene Momente, Geist und Materie, in ihrem eigentlichen Wesen und in ihrer Einheit erfahren werden.

Von der ursprünglichen Erfahrung des einen Menschen von sich selbst her kann man aber sagen: *Geist* ist der eine Mensch, insofern er zu sich selbst in einem absoluten Sich-selbst-Gegebensein kommt, und zwar dadurch, daß er auf die Absolutheit der Wirklichkeit überhaupt und auf deren einen Grund, Gott genannt, immer schon verwiesen ist. Diese Rückkehr zu sich selbst und die Verwiesenheit auf die absolute Ganzheit möglicher Wirklichkeit und deren einen Grund bedingen sich gegenseitig. Diese Verwiesenheit hat aber nicht den Charakter des im Durchschauen entleerenden Besitzes des Erkannten, sondern den Charakter des Sich-selbst-Genommenwerdens und Einbezogenwerdens in das unendliche Geheimnis. Nur in der liebenden Annahme dieses Geheimnisses und in seiner unabsehbaren Verfügung über uns kann dieser Vorgang echt bestanden werden in jener Freiheit, die mit der Transzendenz allem einzelnen und sich selbst gegenüber notwendig gegeben ist. Insofern der eine Mensch sich so erfährt, kann und muß er sagen: Ich bin Geist.

Als *Materie* begreift der eine und selbe Mensch sich und seine zu ihm notwendig gehörende Umwelt, insofern der Akt dieser Rückkehr zu sich in der Erfahrung der Verwiesenheit in das liebend anzunehmende Geheimnis immer und primär nur geschieht in einer Begegnung mit dem einzelnen, dem von sich aus sich Zeigenden, dem konkret Unverfügbaren und unausweichlich Vorgegebenen. Als Materie erfährt der Mensch sich und seine unmittelbar begegnende Welt, insofern er der Faktische, der Hinzunehmende, der sich selbst Vorgegebene und darin noch nicht Durchschaute ist, insofern inmitten der Erkenntnis als dem Selbstbesitz das Fremde und jeder als der sich Fremde und Unverfügbare steht. Materie ist die Bedingung der Möglichkeit für das gegenständige andere, das die Welt und der Mensch sich selber sind, Bedingung dessen, was wir als Raum und Zeit unmittelbar erfahren (gerade wenn wir es uns begrifflich nicht objektivieren können). Materie bedeutet die Bedingung jener Andersheit, die sich den Menschen selbst entfremdet und dadurch gerade zu sich bringt, und die Bedingung der Möglichkeit einer unmittelbaren Interkommunikation mit anderen geistig Seienden in Raum und Zeit, in Geschichte. Materie ist der Grund der Vorgegebenheit des anderen als des Materials der Freiheit und der realen Kommunikation endlicher Geister in gegenseitiger Erkenntnis und Liebe.

Der Begriff der „aktiven Selbsttranszendenz“

Dieses Verhältnis gegenseitiger Bezogenheit von Geist und Materie ist nun nicht einfach ein statisches Verhältnis, sondern hat selbst eine Geschichte. Der Mensch als zu sich selbst kommender Geist erfährt seine Selbstentfremdung als zeitlich erstreckte, als naturgeschichtliche. Er kommt zu sich als einer, der in sich selbst und in seiner Umwelt (die auch zu ihm und seiner Konstitution gehört) schon zeitlich existiert hat. Und umgekehrt: die zeitliche Materialität als Vorgeschichte des Menschen als reflexer Freiheit muß als auf die Geschichte des Menschengeistes ausgerichtet begriffen werden.

Wir haben Geist und Materie, ohne sie zu trennen, als aufeinander bezogene, untrennbare, aber auch aufeinander nicht noch einmal zurückführbare Momente des einen Menschen zu begreifen gesucht. Dieser unaufhebbare Pluralismus der Momente des *einen* Menschen kann auch so ausgesagt werden, daß eine Wesensverschiedenheit zwischen Geist und Materie ausgesagt wird. Aber eine solche Wesensverschiedenheit ist nicht aufzufassen als eine Wesensverschiedenheit von zwei Seienden, die sich nur nachträglich zu ihrem eigenen Sein und Wesen begegnen. Eine Wesensverschiedenheit zwischen Materie und Geist auszusagen ist von absoluter Bedeutung, weil nur so der Blick offenbleibt für alle Dimensionen des einen Menschen und ihre ganze unabsehbare, ja unendliche Erstreckung, und auch weil nur so jene radikale Offenheit auf jenen letzten Identitätspunkt, Gott genannt, gegeben bleibt. Diese Wesensverschiedenheit darf nicht mißverstanden werden als Wesensgegensätzlichkeit oder absolute Disparatheit und gegenseitige Gleichgültigkeit der beiden Größen. Von der inneren Bezogenheit der beiden Größen her darf, wenn die *zeitliche* Erstreckung des Verhältnisses der beiden Größen ins Auge gefaßt wird, unbefangen gesagt werden, daß die Materie sich aus ihrem inneren Wesen auf den Geist hin entwickelt.

Wenn es überhaupt ein Werden gibt (und das ist nicht nur eine Erfahrungstatsache, sondern ein Grundaxiom der Theologie selbst, weil sonst Freiheit und Verantwortlichkeit und Vollendung des Menschen durch seine eigene verantwortliche Tat keinen Sinn haben), dann kann Werden in seinem wahren Wesen und seiner wahren Gestalt nicht als ein bloßes *Anders*werden begriffen werden, indem eine Wirklichkeit anders, aber nicht mehr wird. Werden muß verstanden werden als ein *Mehr*werden, als ein Entstehen von mehr Wirklichkeit, als getätigte Erreichung größerer Seinsfülle. Dieses Mehr aber darf nicht als einfach zu dem Bisherigen hinzugefügt gedacht werden, sondern es muß einerseits das vom Bisherigen selbst Gewirkte und anderseits dessen eigener, ihm innerlicher Seinszuwachs sein. Das aber besagt: Werden muß, soll es wirklich ernst genommen werden, als wirkliche *Selbsttranszendenz,* Selbstüberbietung, aktive Einholung der eigenen Fülle durch die Leere begriffen werden. Soll aber dieser Begriff einer aktiven Selbsttranszendenz, in der ein Seiendes und Wirkendes seine ausstehende höhere Vollkommenheit aktiv einholt, nicht das Nichts zum Grund des Seins, die Leere zum Quell der Fülle machen, soll mit anderen Worten das metaphysische Prinzip der Kausalität nicht verletzt werden, dann kann diese Selbsttranszendenz nur als Geschehen gedacht werden in der Kraft der absoluten Seinsfülle. Diese Seinsfülle ist einerseits dem Endlichen, nach seiner Vollendung hin sich bewegenden Seienden so *innerlich* zu denken, daß dieses Endliche zu einer wirklichen *aktiven* Selbsttranszendenz ermächtigt wird und es diese neue Wirklichkeit nicht einfach nur als von Gott gewirkte passiv empfängt. Anderseits ist die innerste Kraft der Selbsttranszendenz gleichzeitig so von diesem endlichen Wirkenden unterschieden zu denken, daß die Kraft der Dynamik, die dem endlichen Seienden innerlich ist, doch *nicht* als *Wesens*konstitutiv des Endlichen aufgefaßt werden darf. Denn wenn die Wirksamkeit gewährende und zu ihr ermächtigende Absolutheit des Seins das Wesen des endlichen Wirkenden selbst wäre, dann wäre dieses zu einem wirklichen Werden in Zeit und Geschichte gar nicht mehr fähig, weil es die absolute Fülle des Seins schon von vornherein als sein Eigenstes besäße.

Es mag hier genügen, die These aufzustellen, daß der Begriff einer aktiven Selbsttranszendenz (wobei das „Selbst" und die „Transzendenz" gleichermaßen ernst zu nehmen sind) ein denknotwendiger Begriff ist, soll das Phänomen des Werdens gerettet werden. Dieser Begriff der Selbsttranszendenz schließt auch die Transzendenz ins substanziell Neue, den Sprung zum *Wesens*höheren ein. Würde man nämlich diesen ausschließen, würde der Begriff der Selbsttranszendenz entleert, dann würden bestimmte Phänomene, die es in der Naturgeschichte gibt, nicht mehr unbefangen ernst genommen und gewürdigt werden können, wie z.B. die Zeugung eines neuen Menschen, nicht nur einer biologischen Physis, durch die Eltern in einem zunächst und scheinbar bloß biologischen Geschehen. Eine Wesensselbsttranszendenz aber ist ebensowenig wie die einfache Selbsttranszendenz ein innerer Widerspruch, sobald man sie geschehen läßt in der Dynamik der inneren und doch nicht dem Endlichen eigenwesentlichen Kraft des absoluten Seins, eben in dem, was man theologisch „Erhaltung und Mitwirkung Gottes" mit dem Geschöpf nennt.

Ist nun dieser Begriff metaphysisch legitim, ist nun die Welt eine, hat sie aber als die eine eine Geschichte, ist in dieser einen Welt, eben weil sie im Werden ist, nicht immer schon alles von Anfang an da, dann ist kein Grund vorhanden, zu leugnen, daß sich die Materie auf das Leben und auf den Menschen hin entwickelt haben sollte. Damit ist aber in keiner Weise geleugnet oder verdunkelt, daß Materie, Leben, Bewußtsein, Geist nicht dasselbe sind. Dieser Unterschied schließt die Entwicklung nicht aus, wenn Werden gegeben ist, wenn Werden eigentliche Selbsttranszendenz aktiver Art und wenn Selbsttranszendenz mindestens auch Wesensselbsttranszendenz besagt oder besagen kann.

Was so in apriorischen Überlegungen als begrifflich denkbar erfaßt wird, wird auch durch immer besser und umfassender beobachtete Tatsachen der Naturwissenschaften erhärtet, die ja gar nicht anders mehr können, als eine Werdewelt zu konzipieren, in der auch der Mensch als Produkt dieser Welt auftritt. Hier ist nun zurückzuverweisen auf die schon angestellte Überlegung einer inneren Zusammengehörigkeit von Geist und Materie. Es ist auch die Geschichte des Kosmos zu berücksichtigen, so wie diese von der heutigen Naturwissenschaft erforscht und dargestellt wird. Diese Geschichte wird immer mehr als eine zusammenhängende Geschichte der Materie, des Lebens und des Menschen gesehen. Diese eine Geschichte schließt Wesensunterschiede nicht aus, sondern in ihren Begriff ein, weil ja gerade die Geschichte nicht das Bleiben desselben, sondern das Werden des Neuen, des Mehr und nicht bloß des anderen ist. Diese Wesensunterschiede schließen umgekehrt auch eine Geschichte nicht aus, weil diese Geschichte ja gerade erfolgt in einer Wesensselbsttranszendenz, in der das Frühere sich selbst wirklich überbietet, um sich in aller Wahrheit aufzuheben und aufzubewahren.

Insofern also die höhere Ordnung immer die niedrigere als bleibend in sich umfaßt, ist es klar, daß dem eigentlichen Ereignis der Selbsttranszendenz das Niedrigere in der Entfaltung seiner eigenen Wirklichkeit und Ordnung vorbereitend dieser Selbsttranszendenz präludiert, sich langsam an jene Grenze hinbewegt in seiner Geschichte, die dann in der eigentlichen Selbsttranszendenz überschritten wird; an jene Grenze, die man erst von einer deutlicheren Entfaltung des Neuen her als eindeutig überschritten erkennt, ohne daß man sie in sich selbst genau und eindeutig festlegen könnte. Natürlich wäre es an sich wünschenswert, daß konkreter gezeigt würde, welche gemeinsamen Züge im Werden des Materiellen, des Lebendigen und des Geistigen gegeben sind, wie genauer das bloß Materielle in seiner eigenen Dimension dem Höheren des Lebens in fortschreitender Annäherung an die durch die Selbsttranszendenz zu überspringende Grenze den Geist präludiert. Gewiß müßte, wenn wir wirklich eine Geschichte der ganzen Wirklichkeit postulieren, angegeben werden, welche bleibenden formalen Strukturen dieser ganzen Geschichte in Materie, Leben und Geist gemeinsam eingestiftet sind. Es müßte gezeigt werden, wie auch noch das Höchste als – wenn auch wesensneue – Abwandlung des Früheren verstanden werden kann.

Aber wenn wir das alles leisten wollten, dann müßte der Philosoph und Theologe sein ihm eigenes Feld wohl zu sehr verlassen und in einer mehr aposteriorischen Methode der Naturwissenschaften diese Grundstrukturen der einen Geschichte der Welt entwickeln. Es sei nur angemerkt, daß der Theologe nicht nur einen Begriff von Selbstbesitz, wie er im Bewußtsein oder Selbstbewußtsein voll zu seinem eigenen Wesen kommt, in analoger Weise in allem Materiellen zulassen kann, sondern eigentlich (als gut thomistischer Philosoph) auch muß. Denn was er dort als Form in jedem Seienden nennt, ist für ihn wesentlich auch Idee, und diejenige Wirklichkeit, die wir im vulgären und an seinem Platz durchaus richtigen Sinne als „bewußtlos" bezeichnen, ist, metaphysisch gesehen, jenes Seiende, das *nur* seine *eigene* Idee besitzt, verfangen in sich. Von da aus würde auch verständlich, daß eine wirklich höhere, komplexere Organisation auch als Schritt zu Bewußtsein und schließlich zu Selbstbewußtsein erscheinen kann, wenn auch mindestens *Selbst*bewußtsein eine eigentliche Wesenstranszendenz des Materiellen gegenüber dem bisherigen Zustand einschließt.

Die Zielgerichtetheit von Natur- und Geistesgeschichte

Wenn so der Mensch die Selbsttranszendenz der lebendigen Materie ist, dann bilden Natur- und Geistesgeschichte eine innere gestufte Einheit, in der die Naturgeschichte sich auf den Menschen hin entwickelt, in ihm als *seine* Geschichte weitergeht, in ihm bewahrt und überboten ist und darum mit und in der Geistesgeschichte des Menschen zu ihren eigenen Ziel kommt. Insofern diese Geschichte der Natur im Menschen in Freiheit hinein aufgehoben ist, kommt die Naturgeschichte in der freien Geistesgeschichte selber zu ihrem Ziel und bleibt darin ein inneres Konstitutivum. Insofern die Geschichte des Menschen immer noch die Naturgeschichte als die der lebendigen Materie in sich einfaßt, ist sie immer noch mitten in ihrer Freiheit von den Strukturen und Notwendigkeiten dieser materiellen Welt getragen. Weil der Mensch nicht nur der geistige Betrachter der Natur ist, sondern auch ihr Teil, und weil er ihre Geschichte fortsetzen soll, ist seine Geschichte nicht nur eine Kulturgeschichte über der Naturgeschichte, sondern auch eine aktive Veränderung dieser materiellen Welt selbst. Und nur durch Handlung, die geistig, und Geistigkeit, die Handlung ist, kommen der Mensch und die Natur zu ihrem einen und gemeinsamen Ziel.

Dieses Ziel ist freilich entsprechend der Transzendenz des Menschen auf die absolute Wirklichkeit Gottes als des unendlichen Geheimnisses, gerade weil in der unendlichen Fülle Gottes bestehend, dem Menschen selbst verborgen und entzogen. Es kann nur in der Annahme dieser Verborgenheit und Entzogenheit erreicht werden; insofern die Geschichte des Kosmos Geschichte des freien Geistes ist, ist auch die Geschichte des Kosmos wie die des Menschen in Schuld und Bewährung gestellt. Insofern aber die Freiheitsgeschichte immer auf den vorgegebenen Strukturen der lebendigen Welt beruhen bleibt und die Freiheitsgeschichte des Geistes umfaßt ist von der sich siegreich durchsetzenden Gnade Gottes, weiß der Christ, daß die Geschichte des Kosmos als ganze trotz und in der Freiheit des Menschen und durch sie ihre wirkliche Vollendung findet; weiß er, daß ihre Endgültigkeit als ganze auch Vollendung sein wird.

Die Stellung des Menschen im Kosmos

Auch der moderne Naturwissenschaftler (und wir, die wir alle an dieser Mentalität partizipieren) bleibt trotz der großartigen Ergebnisse und Perspektiven der Wissenschaft eigentlich doch weitgehend einer sowohl vorwissenschaftlichen wie vorphilosophischen und vortheologischen Perspektive verhaftet. Er (und mit ihm wir) meint nämlich meist auch heute in seinem unreflektierten Bewußtsein, daß es gerade dem Geist der Naturwissenschaft entspräche, den Menschen nur als das schwache, zufällige Wesen zu sehen, das einer ihm gleichgültigen Natur ausgesetzt ist, bis es von einer „blinden" Natur wieder verschlungen wird. Nur in einer Art Schizophrenie haben wir noch so etwas wie eine Auffassung von der Würde, Endgültigkeit und je eigenen Existenz des Menschen. Aber die Vorstellung, daß der Mensch ein zufälliges, gar nicht eigentlich beabsichtigtes Produkt der Naturgeschichte sei, eine Laune der Natur, widerspricht nicht nur der Metaphysik und dem Christentum, sondern im Grunde der Naturwissenschaft selbst. Wenn der Mensch da ist, gerade wenn er das „Produkt" der Natur ist, wenn er nicht irgendwann da ist, sondern an einem bestimmten Punkt der Entwicklung, an dem er sie sogar (mindestens teilweise) selber steuern kann, indem er nun diesem seinen Produzenten objektivierend und diesen selbst umgestaltend entgegentritt, dann kommt eben die Natur *in ihm* zu sich selbst. Dann aber ist sie auf ihn angelegt, weil

„Zufall“ für die Naturwissenschaft kein sinnvolles Wort ist und der Naturwissenschaftler aus dem Ergebnis wenigstens auf eine daraufhin gerichtete Bewegung schließt.

Wenn man es nicht so sieht, hat es von vornherein keinen Sinn, die Geschichte des Kosmos und die des Menschen als eine Geschichte zu sehen. Dann aber wird über kurz oder lang das menschliche Denken wieder in einen platonistischen Dualismus zurückfallen, denn der Geist, der sich dann als zufälliger Fremdling auf Erden fühlen muß, wird sich nicht lange verachten und unwichtig und machtlos schelten lassen. Wird der Geist nicht als das Ziel der Natur selbst betrachtet und wird nicht gesehen, daß in ihm die Natur sich selber findet trotz aller physischen Machtlosigkeit des einzelnen Menschen, dann wird der Mensch auf die Dauer nur mehr als der disparate Widersacher der Natur gelten können und sich so einschätzen.

Das Eigentümliche, das nun im Menschen Wirklichkeit wird, ist einmal die Selbstgegebenheit für sich selbst und die Bezogenheit auf die absolute Ganzheit der Wirklichkeit und auf deren ursprünglichen, unumfaßbaren Grund als solchen. Daraus erfließt dann die Möglichkeit einer eigentlichen Objektivation der Einzelerfahrung und des Einzelgegenstandes und dessen Ablösbarkeit von einem unmittelbaren Bezug auf den Menschen in seiner bloß vitalen Sphäre. Wird dies als Ziel der Geschichte des Kosmos selbst gesehen, dann kann durchaus gesagt werden, daß im Menschen die gesetzte Welt sich selber findet, sich selbst zu ihrem Gegenstand macht und den Bezug zu ihrem Grund nicht mehr nur als Voraussetzung ihrer selbst hinter sich hat, sondern als das aufgegebene Thema vor sich selbst. Diese Feststellung wird auch nicht dadurch desavouiert, daß man einwendet, solches Zusammenfassen der räumlich-zeitlich zerstreuten Welt in sich und in ihren Grund hinein sei beim Menschen nur in einem sehr formalen, fast leeren Ansatz vorhanden, und es ließen sich nichtmenschliche Geistpersonen (Monaden) denken, die dies besser fertigbrächten, ohne daß sie, wie der Mensch, so Subjekte der Ganzheit und der Selbstgegebenheit der Welt wären, daß sie auch gleichzeitig eigentliches *Teil*moment an dieser Welt seien. Solche Wesen mag es geben. Der Christ weiß sogar von ihnen und nennt sie Engel. Aber eben diese zusammenfassende, wenn auch noch so anfängliche Zu-sich-Gekommenheit des Ganzen, des Kosmos, im einzelnen Menschen und in der aktiv handelnden Menschheit ist etwas, was je in einer absolut einmaligen Weise in je jedem Menschen sich vielmals ereignen kann, gerade wenn dies von einem bestimmten Teilmoment als einer raumzeitlichen Einzelgröße des Kosmos her geschieht. Und so kann man nicht sagen, daß dieses kosmische Selbstbewußtsein nicht gerade menschlich oder nur einmal gegeben sein könnte. Es ereignet sich je auf seine eigene, einmalige Weise im einzelnen Menschen. Der eine materielle Kosmos ist gewissermaßen der *eine* Leib *viel*fältiger Selbstgegebenheit eben dieses Kosmos und der Verwiesenheit auf seinen absoluten und unendlichen Grund. Wenn diese kosmische Leibhaftigkeit unzähliger personaler Selbstbewußtseine, in denen der Kosmos zu sich selber kommen kann, auch erst ganz anfänglich im Selbstbewußtsein und in der Freiheit des einzelnen Menschen zur Gegebenheit gekommen ist, so ist sie doch als eine solche, die werden soll und kann, in jedem Menschen da. Denn der Mensch ist in seiner Leiblichkeit ein gar nicht wirklich abgrenzbares, abscheidbares Element des Kosmos, und er kommuniziert *so* mit dem ganzen Kosmos, daß dieser durch die Leiblichkeit des Menschen als das andere des Geistes wirklich zu dieser Selbstgegebenheit im Geist drängt.

Diese anfängliche Selbstgegebenheit des Kosmos im Geist des einzelnen Menschen hat ihre noch laufende Geschichte. Diese geschieht individuell und kollektiv in der inneren und äußeren Geschichte des einzelnen Menschen und der Menschheit. Wir stehen immer wieder unter dem Eindruck, daß bei dieser unabsehbar langen und mühsamen Selbstfindung des Kosmos im Menschen nichts Endgültiges herauskommt. Das Zu-sich-selber-Kommen der Weltwirklichkeit im Menschen scheint immer wieder zu erlöschen. Eine Art geheimer Widerspenstigkeit gegen das Selbstbewußtsein, eine Art Wille zum Unbewußten scheint sich immer wieder durchzusetzen. Aber wenn man überhaupt eine letzte Einbahnigkeit und Gerichtetheit der Evolution voraussetzt, dann muß dieses Zu-sich-selber-Kommen des Kosmos im Menschen, in seiner individuellen Totalität und Freiheit, die er ja realisiert, auch ein endgültiges Resultat haben. Dies scheint nur darum zu verschwinden und in den dumpfen Anfang des Kosmos und seiner Zerstreutheit zurückzufallen, weil wir als die *jetzt* raumzeitlich Festgelegten das endgültige Kommen einer solchen monadischen Einheit der Welt zu sich, die Jeeinmaligkeit der voll erfaßten Ganzheit des Kosmos an unserem Raumzeitpunkt als solchem gar nicht erfahren können. Sie muß aber gegeben sein. Christlich pflegen wir das die Endgültigkeit, die Gerettetheit des Menschen, die Unsterblichkeit der Seele oder auch die Auferstehung des Fleisches zu nennen, wobei wir aber deutlich sehen müssen, daß alle diese Worte, richtig verstanden, gerade eine Endgültigkeit und Vollendung des Kosmos beschreiben.

Diese Selbsttranszendenz des Kosmos im Menschen auf ihre eigene Ganzheit und auf ihren Grund hin ist nun nach der Lehre des Christentums erst dann wirklich ganz zu ihrer letzten Erfüllung gelangt, wenn der Kosmos in der geistigen Kreatur, seinem Ziel und seiner Höhe, nicht nur das aus seinem Grund Herausgesetzte, das Geschaffene ist, sondern die unmittelbare Selbstmitteilung seines eigenen Grundes selbst empfängt. Diese unmittelbare Selbstmitteilung Gottes an die geistige Kreatur geschieht in dem, was wir (im geschichtlichen Verlauf dieser Selbstmitteilung gesehen:) „Gnade" und in seiner Vollendung „Glorie" nennen. Gott schafft nicht nur das von ihm Verschiedene, sondern gibt sich selbst diesem Verschiedenen. Die Welt empfängt Gott, den Unendlichen, und das unsagbare Geheimnis so, daß er selbst ihr innerstes Leben wird. Der konzentrierte, je einmalige Selbstbesitz des Kosmos in den einzelnen geistigen Personen, in ihrer Transzendenz auf den absoluten

Grund ihrer Wirklichkeit, geschieht in der unmittelbaren Innewerdung des absoluten Grundes selbst im Begründeten. In diesem Sinne ist das Ende der absolute Anfang. Dieser Anfang ist nicht die unendliche Leere, das Nichts, sondern die Fülle, die allein das Geteilte, Anfangende erklärt, ein Werden tragen kann, ihm wirklich die Kraft einer Bewegung auf das Entfaltetere und gleichzeitig Innigere geben kann. In dieser einbahnigen Geschichte in Freiheit und Tat ist wirklich am Ende mehr, als der kreatürliche Anfang als solcher in sich enthält, der allerdings zu unterscheiden ist von jenem absoluten Anfang, der der absolute Gott in seiner Herrlichkeit selber ist. Eben weil so die Bewegung der Entwicklung des Kosmos von vornherein und in allen Phasen getragen ist von dem Drang nach der größeren Fülle und Innigkeit und dem immer näheren und bewußteren Verhältnis zu ihrem Grund, liegt die Botschaft, daß es zu einer absoluten Unmittelbarkeit mit diesem unendlichen Grund komme, durchaus in ihr selbst gegeben vor. Ist die Kosmosgeschichte im Grunde immer eine Geistesgeschichte, das Kommenwollen zu sich und seinem Grund, dann ist die Unmittelbarkeit zu Gott in der Selbstmitteilung Gottes an die geistige Kreatur und in ihr an den Kosmos überhaupt das sinngerechte Ziel dieser Entwicklung. Es ist als ein solches eigentlich nicht mehr grundsätzlich bestreitbar, vorausgesetzt, daß diese Entwicklung überhaupt an das absolute Ziel ihrer selbst kommen darf und dieses nicht nur als das Unerreichbare diese Bewegung bewegt.

Wir erfahren als einzelne biologisch bedingte Individuen nur den äußersten Anfang der Bewegung auf dieses unendliche Ziel hin, aber wir sind doch so, daß wir schon in demjenigen Bewußtsein, mit dem wir unseren biologischen Daseinskampf und unsere irdische Würde bestreiten, im Unterschied zum Tier aus einer formalen Antizipation des Ganzen heraus leben und handeln. Wir sind sogar die, die in der Erfahrung der Gnade, wenn auch in einer ungegenständlichen Art, das Ereignis der Verheißung der absoluten Nähe des alles gründenden Geheimnisses erfahren, und wir haben dadurch die Legitimität des Mutes zum Glauben an die Erfüllung der aufsteigenden Geschichte des Kosmos und des je individuellen kosmischen Bewußtseins, die in der unmittelbaren Erfahrung Gottes in eigentlichster und unverhüllter Selbstmitteilung besteht.

Eine solche Aussage ist natürlich vom Wesen ihrer Sache her in radikalster Art auch die Aufrechterhaltung des unsagbaren Geheimnisses, das unser Dasein durchwaltet. Denn wenn Gott selbst, so wie er als die unaussprechliche Unendlichkeit des Geheimnisses gemeint ist, die Wirklichkeit unserer Vollendung ist und wird, und wenn die Welt sich in ihrer eigentlichsten Wahrheit erst dort versteht, wo sie sich selbst radikal an dieses unendliche Geheimnis übergibt, dann ist mit solcher Botschaft nicht dies oder jenes gesagt, das als ein Aussageinhalt neben anderem steht und unter ein gemeinsames Koordinatensystem von Begriffen fällt, sondern es ist gesagt, daß vor und hinter allem einzelnen und Einzuordnenden, hinsichtlich dessen die Wissenschaften ihr Geschäft betreiben, das unendliche Geheimnis immer schon steht und daß in diesem Abgrund der Ursprung und das Ende, das selige Ziel ist.

Der Mensch mag, wie durch Überforderung gereizt, sich an diesem Abgrund des Anfangs und Endes seines Daseins uninteressiert erklären und in die verständliche Helle der Wissenschaft als dem ihm allein gemäßen Raum seines Daseins zu fliehen versuchen: Es ist ihm nicht gestattet, und er kann, wenn er es auf der Oberfläche seines Daseins, seines gegenständlichen Bewußtseins auch vermöchte, in der alles tragenden und nährenden Tiefe der eigentlich geistigen Person die unendliche Frage nicht auf sich beruhen lassen, die ihn umschließt und die allein sich selbst beantwortet, weil sie ist und nichts hat, was von außen beantworten könnte, die sich selbst beantwortet, wenn sie in Liebe angenommen wird. Diese absolute Frage bewegt den Menschen. Läßt er sich auf diese Bewegung ein, die die der Welt und des Geistes ist, kommt er erst eigentlich zu sich, zu Gott und zu seinem Ziel, in dem der absolute Anfang selbst für uns in Unmittelbarkeit das Ziel ist.

Die Stellung Christi in einem evolutiven Weltbild

Erst von hier aus ist der Platz der Christologie in einem solchen evolutiven Weltbild zu bestimmen.

Wir setzen also voraus, daß das Ziel der Welt die Selbstmitteilung Gottes an sie ist, daß die ganze Dynamik, die Gott dem Werden in Selbsttranszendenz der Welt ganz innerlich und doch nicht als ihr wesenseigenes Konstitutiv einstiftet, immer schon auf diese Selbstmitteilung und ihre Annahme durch die Welt ausgerichtet ist. Wie ist nun diese Selbstmitteilung Gottes an die geistige Kreatur überhaupt, an alle jene Subjekte, in denen der Kosmos zu sich und zu seinem Verhältnis, zu seinem Grund kommt, genauer zu denken? Um dieses zu verstehen, ist zunächst einmal darauf hinzuweisen, daß diese geistigen Subjekte des Kosmos Freiheit bedeuten.

Mit diesem Satz setzen wir aber gleichzeitig voraus, daß die Geschichte des Selbstbewußtseins und -werdens des Kosmos immer auch notwendig eine Geschichte der Interkommunikation der geistigen Subjekte ist, weil das Zu-sich-selber-Kommen des Kosmos in den geistigen Subjekten vor allem und notwendig auch ein Zueinanderkommen dieser Subjekte, in denen jeweils auf je eigene Art das Ganze bei sich ist, bedeuten muß, da sonst das Zusichkommen trennen und nicht einigen würde.

Selbstmitteilung Gottes ist also Mitteilung an Freiheit und Interkommunikation der pluralen kosmischen Subjekte. Diese Selbstmitteilung wendet sich notwendig an eine freie Geschichte der Menschheit, kann sich nur in *freier* Annahme durch freie Subjekte und zwar in einer *gemeinsamen* Geschichte ereignen. Die Selbstmitteilung Gottes wird nicht plötzlich unkosmisch, nur an eine isolierte, vereinzelte Subjektivität gerichtet. Sie ist menschheitlich geschichtlich und wendet sich an die Interkommunikation der Menschen, denn nur darin und dadurch kann ja die Annahme dieser Selbstmitteilung Gottes geschichtlich geschehen. Das Ereignis dieser Selbstmitteilung ist also als geschichtlich in je bestimmten Raumzeitlichkeiten geschehendes, von da aus an andere sich wendendes und ihre Freiheit anrufendes Ereignis zu denken. Diese Selbstmitteilung Gottes muß einen bleibenden Anfang, darin eine Garantie ihres Geschehens haben, durch die sie mit Recht die freie Entscheidung zur Annahme dieser göttlichen Selbstmitteilung fordern kann. Diese freie Annahme oder Ablehnung von seiten der einzelnen Freiheiten befindet nicht eigentlich über das Ereignis der Selbstmitteilung Gottes als solches, sondern nur über das Verhältnis, das die geistige Kreatur zu dieser Selbstmitteilung einnimmt. Freilich nennt man gewöhnlich nur die Selbstmitteilung im Modus der freien und somit beseligenden Annahme Selbstmitteilung, aber wir haben ja immer betont, daß diese Selbstmitteilung Gottes notwendigerweise im Modus der Vorgegebenheit an sich und für die Freiheit oder im Modus der Annahme (gewöhnlich Rechtfertigung genannt) oder im Modus der Ablehnung (Unglaube, Sünde genannt) existiert.

Zum Begriff des absoluten Heilbringers

Von hier aus ergibt sich nun zunächst der Begriff des *Heilbringers schlechthin.* Wir nennen so jene geschichtliche Persönlichkeit, die – in Raum und Zeit auftretend – den Anfang der ins Ziel kommenden absoluten Selbstmitteilung Gottes bedeutet, jenen Anfang, der die Selbstmitteilung für alle als unwiderruflich geschehend, als siegreich inauguriert anzeigt. Mit diesem Begriff des Heilbringers (genauer vielleicht des *absoluten* Heilbringers) ist nicht gesagt, daß die Selbstmitteilung Gottes an die Welt in ihrer geistigen Subjektivität *zeitlich* erst mit ihm beginnen müsse. Sie kann schon vor dem Heilbringer beginnen, ja koexistent sein mit der ganzen geistigen Geschichte der Menschheit und der Welt, so wie es ja faktisch auch nach christlicher Lehre der Fall war. Heilbringer wird hier jene geschichtliche Subjektivität genannt, in der a) dieser Vorgang der absoluten Selbstmitteilung Gottes an die geistige Welt als ganze *unwiderruflich* da ist, b) jener Vorgang, an dem diese göttliche Selbstmitteilung eindeutig als unwiderruflich erkannt werden kann, und c) jener Vorgang, in dem diese Selbstmitteilung Gottes zu ihrem Höhepunkt kommt, insoweit dieser als Moment an der Gesamtgeschichte der Menschheit gedacht werden muß und als ein solcher nicht einfach mit der Gesamtheit der geistigen Welt unter der Selbstmitteilung Gottes identifiziert werden muß.

Insofern diese Selbstmitteilung von seiten Gottes *und* der Geschichte der Menschheit als frei zu denken ist, ist durchaus der Begriff eines Ereignisses legitim, durch das diese Selbstmitteilung und Annahme eine unwiderrufliche Irreversibilität in der Geschichte erlangt, indem die Geschichte dieser Selbstmitteilung zu ihrem eigentlichen Wesen und Durchbruch kommt, ohne daß dadurch extensiv und hinsichtlich der raumzeitlichen Pluralität der Menschheitsgeschichte die Geschichte der Selbstmitteilung Gottes an die Menschheit deshalb schon ihr Ende und ihren Abschluß gefunden haben müßte. In einer echten Geschichte eines Freiheitsdialogs zwischen Gott und der Menschheit ist ein Punkt denkbar, an dem die Selbstmitteilung Gottes an die Welt zwar noch nicht abgeschlossen ist, aber doch schon die Tatsache einer solchen Selbstmitteilung eindeutig gegeben und das Glücken, der Sieg, die Irreversibilität eines solchen Vorgangs in und trotz dieses weitergehenden Freiheitsdialogs zur Erscheinung gebracht ist. Eben diesen Anfang der irreversibel glückenden Heilsgeschichte, der so in diesem Sinne Fülle der Zeit, Ende der bisher gleichsam noch offenen Heils- und Offenbarungsgeschichte ist, nennen wir den absoluten Heilbringer.

Dieses Moment des Offenbarwerdens, der Irreversibilität der geschichtlichen Selbstmitteilung Gottes besagt sowohl die Mitteilung selbst als auch ihre Annahme. Insofern eine geschichtliche Bewegung auch in ihrem Anlauf schon von ihrem Ende lebt, weil ihre Dynamik in ihrem eigentlichen Wesen das Ziel will, ist es durchaus berechtigt, die ganze Bewegung der Selbstmitteilung Gottes an die Menschheit auch dort, wo sie zeitlich vor diesem Ereignis ihres unwiderruflichen Werdens im Heilbringer geschieht, als vom Heilbringer getragen zu denken. Natürlich haben wir damit eine Philosophie oder eine Begrifflichkeit der causa finalis vorausgesetzt, die die schöpferische Potenz, die Kraft des Zieles als dasjenige begreift, was die Bewegung auf das Ziel hin trägt. Aber wenn wir die Geschichte als *eine* denken, dann ist diese Geschichte, auch wenn sie gleichsam ins Offene einer Zukunft geht, gerade darum und insofern von dieser Zukunft getragen. Das Ziel ist nicht nur das, was als nicht Vorhandenes in der Geschichte hergestellt, gemacht, erreicht wird, sondern auch schon „causa" finalis, Ursache, bewegende Kraft der Bewegung auf das Ziel. Die ganze Bewegung dieser Geschichte der Selbstmitteilung Gottes lebt vom Kommen in ihr Ziel, ihren Höhepunkt, in das Ereignis ihrer Irreversibilität, also eben von dem, was wir den absoluten Heilbringer nennen. Dieser den Höhepunkt der göttlichen Selbstmitteilung an die Welt bildende Heilbringer muß somit in einem die absolute Zusage Gottes an die geistige Kreatur im ganzen sein *und* die Annahme der Selbstmitteilung durch den Heilbringer, weil sonst ja die Geschichte gar nicht in das Stadium ihrer Irreversibilität kommen könnte. Erst dann ist schlechthin unwiderrufliche Selbstmitteilung von beiden Seiten aus gegeben und geschichtlich-kommunikativ in der Welt anwesend.

Bemerkungen zum Sinn der Aussage von der hypostatischen Union

Der absolute Heilbringer, eben die Irreversibilität der Freiheitsgeschichte als Selbstmitteilung Gottes, die glückt, ist zunächst einmal selbst ein geschichtliches Moment am Heilshandeln Gottes an der Welt und zwar so, daß er ein Stück dieser Geschichte des Kosmos selbst ist. Er darf nicht einfach Gott als der an der Welt Handelnde selbst sein, er muß ein Stück des Kosmos sein, ein Moment an seiner Geschichte, und zwar in deren Höhepunkt. Und das ist auch im christologischen Dogma gesagt: Jesus ist wahrhaft Mensch, wahrhaft ein Stück der Erde, wahrhaft ein Moment an dem biologischen Werden dieser Welt, ein Moment an der menschlichen Naturgeschichte, denn er „ist geboren von einer Frau" (Gal 4, 4). Er ist ein Mensch, der in seiner geistigen, menschlichen und endlichen Subjektivität ebenso wie wir Empfänger jener gnadenhaften Selbstmitteilung Gottes ist, die wir von allen Menschen und damit vom Kosmos aussagen als den Höhepunkt der Entwicklung, in dem die Welt absolut zu sich selbst und absolut in Unmittelbarkeit zu Gott kommt. Jesus ist nach der christlichen Glaubensüberzeugung derjenige, der durch das, was wir seinen Gehorsam, sein Gebet, sein frei angenommenes Todesschicksal nennen, auch die Annahme seiner von Gott ihm gegebenen Gnade und Gottunmittelbarkeit vollzogen hat, die er als Mensch besitzt.

Man darf den Gottmenschen nicht dahin verstehen, als habe Gott oder sein Logos zum Zweck eines Heilshandelns sich gewissermaßen vermummt, um sich hier bei uns innerweltlich verlautbaren zu können. Jesus ist wahrhaft Mensch, er hat schlechterdings alles, was zu einem Menschen gehört, auch eine endliche Subjektivität, in der auf ihre eigene, einmalige, geschichtlich bedingte und endliche Weise die Welt zu sich kommt und eine solche Subjektivität, die eben durch die Selbstmitteilung Gottes in der Gnade eine radikale Unmittelbarkeit zu Gott hat, so wie sie auch bei uns in der Tiefe unserer Existenz gegeben ist. Eine solche Unmittelbarkeit beruht wie unsere auf der Selbstmitteilung Gottes in Gnade und Glorie. Die Grundaussage der Christologie ist gerade die *Fleisch*werdung Gottes, seine Materiellwerdung. Das ist nicht selbstverständlich, und das lag auch gar nicht „im Zug der Zeit" und des Geistes jener Zeit, in der das Dogma von der Inkarnation entstand und das „sarx egeneto" (Joh 1, 14) vom göttlichen Logos erstmals anti-doketisch bei Johannes gesagt wurde. Ein Gott, der als geistige Transzendenz einfach als absolut über die Welt als materielle erhaben gedacht wird, müßte – wenn er sich heilschaffend der Welt nähert – eigentlich als derjenige gedacht werden, der sich vom Geist her dem *Geist* in der Welt nähert, ihm begegnet und dann schließlich, wenn überhaupt, auf diese Weise gewissermaßen „psychotherapeutisch" sich auch sekundär zum Heil der Welt auswirkt. Und das war ja auch die Auffassung der gefährlichsten Häresie, mit der das beginnende Christentum, im Grunde genommen, schon von den johanneischen Schriften an zu kämpfen hatte: die Auffassung des Gnostizismus.

Das Christentum aber lehrt anders, und seine Lehre liegt im Zug unserer Zeit, weil sie, wenn man einmal so sagen darf, mit Recht, d.h. aus christlichem Ursprung, materialistischer ist als die vorchristliche griechische Zeit, der das Endliche, das Raumzeitliche nur als die Sperre gegen Gott und nicht als die Vermittlung zur Unmittelbarkeit Gottes selbst erscheinen konnte. Nach dem wahren Christentum ergreift Gott die Materie in der Fleischwerdung des Logos: genau in jenem Einheitspunkt, in dem Materie zu sich kommt und Geist sein eigenes Wesen in der Objektivation des Materiellen hat, eben in der Einheit einer geist-menschlichen Natur. Der Logos trägt in Jesus das Materielle genau so wie die Seele, und dieses Materielle ist ein Stück der Wirklichkeit und der Geschichte des Kosmos, ein Stück, das gar nie gleichsam aus dieser Einheit der Welt herausgerissen gedacht werden kann. Der Logos Gottes selbst setzt diese Leiblichkeit als Stück der Welt schöpferisch und annehmend in einem als seine Wirklichkeit, er setzt sie also als das andere von sich so, daß eben diese Materialität *ihn*, den Logos selbst, ausdrückt und gegenwärtig sein läßt in seiner Welt. Sein Ergreifen dieses Stücks der einen materiell-geistigen Weltwirklichkeit darf durchaus gedacht werden als der Höhepunkt jener Dynamik, in der Gottes Wort die Selbsttranszendenz der Welt als ganzer trägt. Denn wir dürfen ruhig das, was wir Schöpfung nennen, als ein Teilmoment an jener Weltwerdung Gottes auffassen, in der faktisch, wenn auch frei, Gott sich selbst aussagt in seinem welt- und materiegewordenen Logos. Wir haben durchaus das Recht, Schöpfung und Menschwerdung nicht als zwei disparat nebeneinander liegende Taten Gottes „nach außen" zu denken, die zwei getrennten Initiativen Gottes entspringen. Sondern wir dürfen uns Schöpfung und Menschwerdung, in der wirklichen Welt als zwei Momente und zwei Phasen *eines* – wenn auch eines innerlich differenzierten – Vorgangs der Selbstentäußerung und Selbstäußerung Gottes denken. Eine solche Auffassung kann sich auf eine uralte Tradition der „Christozentrik" in der Geschichte der christlichen Theologie berufen, in der eben das schöpferische Wort Gottes, das die Welt setzt, von vornherein diese Welt setzt als eine Materialität, die seine eigene oder die Umwelt seiner eigenen Materialität werden soll. Eine solche Auffassung leugnet in keiner Weise, daß Gott auch eine Welt hätte schaffen können ohne Inkarnation, d.h., daß er jener Selbsttranszendenz des Materiellen jene letzte Aufgipfelung hätte versagen können, die in Gnade und Inkarnation geschieht. Denn jede solche wesentliche Selbstüberschreitung, obwohl sie das Ziel der Bewegung ist, hat immer gegenüber der niedrigeren Stufe das Verhältnis der Gnade, des Unerwarteten und Unerzwingbaren.

Durch das christliche Dogma von der Inkarnation soll also ausgesagt werden: Jesus ist wahrhaft Mensch mit allem, was damit gesagt ist, mit seiner Endlichkeit, Weltlichkeit, Materialität und seiner Partizipation an der Geschichte dieses Kosmos in der Dimension des Geistes und der Freiheit, an der Geschichte, die durch den Engpaß des Todes hindurchführt.

Das ist die eine Seite. Aber es ist nun auch die andere Seite zu sehen. Eben dieses Heilsereignis des Heilbringers muß so in der Geschichte der Welt gegeben sein, daß die Selbstmitteilung Gottes an die geistige Kreatur überhaupt den Charakter des Unwiderruflichen und Irreversiblen erhält und daß von einer einmaligen individuellen Geschichte her diese Selbstmitteilung an die geistige Schöpfung überhaupt gegeben erscheint. Setzen wir aber dies als gleichsam „normale" Vollendung der Geschichte des Kosmos und des Geistes voraus, ohne damit zu sagen, daß diese Entwicklung *notwendig* so weit gehen müsse oder schon gegangen sei, dann müssen wir sagen, daß in der Grenzidee dieses Heilbringers jener Begriff der hypostatischen Einheit von Gott und Mensch impliziert ist, der den eigentlichen Inhalt des christlichen Dogmas von der Inkarnation ausmacht, und daß damit nun auch ein Begriff gegeben ist, der das, was in der traditionellen Christologie als hypostatische Union, als Inkarnation ausgesagt wird, einigermaßen verständlich macht und in unser sonstiges Weltbild einfügt.

Zum Verhältnis von menschlicher Transzendenz und hypostatischer Union

Wir haben wohl keine besondere Schwierigkeit, die Welt- und die Geistesgeschichte als die Geschichte einer Selbsttranszendenz in das Leben Gottes hinein vorzustellen, welche in ihrer letzten und höchsten Phase identisch ist mit einer absoluten Selbstmitteilung Gottes, die denselben Vorgang, eben von Gott her gesehen, bedeutet. Eine solche letzte und absolute Selbsttranszendenz des Geistes in Gott hinein ist aber zu denken als in *allen* geistigen Subjekten geschehend. Das ergibt sich aposteriorisch aus den Daten der Dogmatik des christlichen menschlichen Selbstverständnisses. An sich könnte man ja zunächst denken, daß eine wesenhafte Selbsttranszendenz nicht in allen „Exemplaren" der Ausgangsposition, sondern nur in einigen und bestimmten geschieht, wie sich in der biologischen Evolution neben den neuen und höheren Formkreisen auch die Vertreter der niedrigeren halten, von denen die höheren Formkreise sich doch herleiten. Aber beim Menschen ist dies (von spezielleren, theologischen Gründen ganz abgesehen) nicht denkbar, weil der Mensch „von Natur", von seinem Wesen her die zu sich selbst gekommene Transzendenzmöglichkeit ist. Einem solchen Wesen kann als einzelnem der Vollzug dieser letzten Selbsttranszendenz in die Unmittelbarkeit zu Gott nicht verweigert werden, außer er versperrt sich durch seine eigene Schuld dagegen (vorausgesetzt nur, daß sich eine solche Selbsttranszendenz auf die Unmittelbarkeit Gottes hin einerseits wenigstens in einem oder einigen Menschen ereignet und anderseits die Menschen eine Menschheit in gegenseitiger Kommunikation bilden und somit ein gemeinsames Ziel haben). Auf jeden Fall aber sagt die christliche Offenbarung, daß allen Menschen diese Selbsttranszendenz angeboten ist, daß sie eine wirkliche Möglichkeit ihres individuellen Daseins ist, der sie sich nur durch Schuld verschließen können. Insofern das Christentum von Gnade und Glorie als von der unmittelbaren Selbstmitteilung Gottes weiß, bekennt es auch diese grundsätzlich unüberbietbare Vollendung als die aller Menschen, vorausgesetzt natürlich, daß sie sich einer solchen Möglichkeit nicht in personaler freier Schuld versagen.

Wie fügt sich nun in diese Grundkonzeption die Lehre von der hypostatischen Union einer bestimmten *einzelnen* menschlichen Natur mit dem Logos ein? Ist so etwas nur zu denken als eine *eigene,* noch höhere Stufe der Selbsttranszendenz der Welt in Gott hinein, als eine noch höhere Stufe einfach schlechthin neuer und inkommensurabel höherer Art in der Selbstmitteilung Gottes an die Kreatur, die dann nur in einem einmaligen „Fall" gegeben ist? Oder kann man diese hypostatische Union, die in dem einen einzigen Menschen geschehen ist, in ihrer wesentlichen, nur einmal gegebenen Eigenart doch gerade als die Weise denken, in der die Vergöttlichung der geistigen Kreatur durchgeführt wird und werden muß, wenn diese Selbsttranszendenz der Welt in der geistigen Subjektivität durch die Selbstmitteilung Gottes in Gott hinein überhaupt geschehen soll? Ist die hypostatische Union eine schlechthin höhere Stufe, auf der die Begnadigung der geistigen Kreatur überboten wird, oder ist sie ein eigenartiges (auch einmaliges) Moment an dieser allgemeinen Begnadigung, die als solche ohne die hypostatische Union eines einzelnen Menschen gar nicht gedacht werden kann?

Wäre die Inkarnation als eine absolut eigene, neue Stufe in der Hierarchie der Weltwirklichkeit zu betrachten, die die bisher gegebenen oder zu gebenden einfach nur übertrifft, ohne selbst für eben diese „unteren" als solche notwendig zu sein, dann müßte die Inkarnation entweder unter dieser Voraussetzung als eine übersteigernde Aufgipfelung der nach oben geschichteten Weltwirklichkeiten gesehen werden können, damit sie sich einigermaßen in eine evolutive Weltanschauung positiv einfügt, oder es müßte beides (d. h. der Gedanke, die Inkarnation des Logos sei ein Gipfelpunkt der Weltentwicklung, auf den die ganze Welt, wenn auch gnadenhaft frei, angelegt ist, und der Gedanke der Einpassung der Inkarnation in ein evolutives Weltbild) fallengelassen werden. Ohne Zuhilfenahme der Theorie, daß die Inkarnation selbst schon ein inneres Moment und Bedingung für die allgemeine Begnadigung der geistigen Kreatur ist, kann man sie nicht als Ziel und Ende der Weltwirklichkeit denken. Eine solche Inkarnation würde zwar immer noch als das Höchste in dieser Weltwirklichkeit erscheinen, weil sie die Einheit hypostatischer Art zwischen Gott und einer Weltwirklichkeit ist. Aber damit ist sie ja noch nicht als Ziel und Ende, als von unten asymptotisch anvisierbarer Höhepunkt verständlich gemacht. So etwas scheint doch nur dadurch möglich zu sein, daß man voraussetzt, die Inkarnation selbst sei in ihrer Einmaligkeit und in dem mit ihr gegebenen Wirklichkeitsgrad als inneres und notwendiges Moment an der Begnadigung der Gesamtwelt mit Gott selbst verständlich zu machen, und nicht nur als faktisch angewendetes Mittel zu dieser Begnadigung von Gott verfügt.

Die Frage richtet sich also auf die innere Einheit des Ereignisses der Inkarnation einerseits und der Selbsttranszendenz der Gesamtgeisteswelt in Gott durch die Selbstmitteilung Gottes anderseits. Wenn verständlich gemacht werden kann, daß diese beiden Wirklichkeiten nicht nur ein äußeres faktisches Verhältnis zueinander haben, sondern innerlich vom Wesen beider Wirklichkeiten her notwendig zusammengehören, dann erscheint die Inkarnation trotz ihrer Einmaligkeit und trotz der damit gegebenen Würde und Bedeutung Jesu Christi für jeden von uns nicht einfach als eine höhere Verwirklichung der Selbstmitteilung Gottes, hinter der die übrige Welt zurückbleibt. Wenn ein gegenseitiges Bedingungsverhältnis dieser Größen gesehen ist, dann kann man den Gottmenschen nicht einfach als jemanden empfinden, der von außen an unsere Existenz und deren Geschichte herantritt, diese dann auch ein Stück weiter bewegt, sie in einem gewissen Sinn auch vollendet, aber sie dann doch wiederum hinter sich zurückläßt.

Um diese Frage, so gut es geht, zu beantworten (sie wird in der traditionellen Theologie kaum berührt, obwohl sie doch für ein heutiges Verständnis der Inkarnation Gottes von erheblicher Bedeutung ist), muß zunächst auf folgendes hingewiesen werden: Die hypostatische Union wirkt sich für die angenommene Menschheit des Logos als solche innerlich gerade in dem und eigentlich nur in dem aus, was allen Menschen als Ziel und Vollendung zugeschrieben wird, nämlich in der unmittelbaren Anschauung Gottes, die die geschaffene menschliche Seele Christi genießt. Die Theologie betont, daß die Inkarnation „um unseres Heiles willen" geschah, daß sie der Gottheit des Logos eigentlich keinen Zuwachs an Wirklichkeit und Leben einträgt und daß die durch die hypostatische Union der menschlichen Wirklichkeit Jesu *innerlich* zuwachsenden Vorzüge solche sind, die in derselben Wesensart auch den anderen geistigen Subjekten durch die Gnade zugedacht sind. Die Theologie hat sich auch schon das Problem dadurch zu verdeutlichen gesucht, daß sie die in sich natürlich irreale Frage stellte, was z. B. im Falle eines Wählenmüssens vorzuziehen wäre: die unio hypostatica ohne unmittelbare Anschauung Gottes oder diese Anschauung Gottes, und sie entscheidet sich für die Bejahung der zweiten Möglichkeit. Man sieht auch daraus, wie schwer es ist, das Verhältnis genauer zu bestimmen zwischen jener Vollendung, die der christliche Glaube allen Menschen zuerkennt, und jener einmaligen Vollendung menschlicher Möglichkeit, die wir als unio hypostatica bekennen. Und doch ist eine genauere Bestimmung dieses Verhältnisses gefordert, nämlich ob wir das, was wir Inkarnation des Logos nennen, als ein konkretes Moment an der Verwirklichung der Vergöttlichung der geistigen Kreatur überhaupt denken können, so daß wir auch schon diese unio hypostatica implizit anvisiert haben, wenn wir die Geschichte des Kosmos und des Geistes an demjenigen Punkt ankommend erblicken, an dem die absolute Selbsttranszendenz des

Geistes in Gott hinein und die absolute Selbstmitteilung Gottes durch Gnade und Glorie an alle geistigen Subjekte stehen.

Die These, die wir anstreben, geht dahin, daß die unio hypostatica, wenn auch als in ihrem eigenen Wesen einmaliges und in sich gesehen höchstes denkbares Ereignis, doch ein inneres Moment der Ganzheit der Begnadigung der geistigen Kreatur überhaupt ist. Dieses Gesamtereignis der Begnadigung der Menschheit muß, wenn es seine Vollendung findet, eine konkrete Greifbarkeit in der Geschichte haben; es darf nicht plötzlich akosmisch und rein metahistorisch sein, sondern diese Vollendung muß so Ereignis sein, daß dieses Ereignis sich von einem Punkt raum-zeitlich ausbreitet, es muß eine unwiderrufliche Wirklichkeit sein, in der sich die Selbstmitteilung Gottes nicht als bloßes bedingtes Angebot auf Widerruf, sondern als unbedingtes und von den Menschen angenommenes erweist und so sich in der Geschichte zur Selbstgegebenheit bringt. Wo aber Gott die Selbsttranszendenz des Menschen in Gott hinein durch absolute Selbstmitteilung an alle Menschen derart bewirkt, daß beides die unwiderrufliche und in einem Menschen schon zur Vollendung gelangte Verheißung an alle Menschen ist, da haben wir eben das, was unio hypostatica meint.

Wir dürfen ja bei diesem Begriff nicht einfach bei dem Vorstellungsmodell irgendeiner Einheit, irgendeines Zusammenhanges dieser menschlichen geschichtlichen, auch subjekthaften Wirklichkeit mit dem göttlichen Logos stehen bleiben. Wir haben die Eigentlichkeit dieser Einheit auch nicht schon damit genügend erfaßt, daß wir sagen, von dem göttlichen Subjekt des Logos sei auch die menschliche Wirklichkeit wegen dieser Einheit in aller Wahrheit auszusagen. Denn so wahr das ist, fragt es sich gerade, warum dies möglich sei, wie diese Einheit zu denken sei, die zu einer solchen Aussage der Idiomenkommunikation berechtigt. Die Annahme und „Einigung" hat den Charakter einer Selbstmitteilung Gottes. Es wird in dieser Selbstmitteilung eine menschliche Wirklichkeit angenommen, damit dem Angenommenen, der Menschheit (zunächst Christi) die Wirklichkeit Gottes mitgeteilt werde. Aber eben diese Mitteilung, die durch die Annahme bezweckt wird, ist die Mitteilung durch das, was wir Gnade und Glorie nennen, und eben sie ist allen zugedacht.

Gnade in uns allen und unio hypostatica in dem einen Jesus Christus können nur zusammen gedacht werden und bedeuten als eine Einheit den einen freien Entschluß Gottes zur übernatürlichen Heilsordnung, zu seiner Selbstmitteilung. In Christus geschieht die Selbstmitteilung Gottes grundsätzlich an alle Menschen. Nicht so, daß diese auch die unio hypostatica als solche hätten. Sondern die unio hypostatica ereignet sich, indem Gott allen Menschen sich in Gnade und Glorie mitteilen will. Diese unüberbietbare Selbstmitteilung Gottes an alle Menschen ist in einer unwiderruflichen Weise geschichtlich greifbar und zu sich selbst gekommen. Jede Selbstaussage Gottes geschieht, wo sie nicht einfach visio beatifica ist, durch eine endliche Wirklichkeit, durch ein Wort, durch ein Ereignis, das dem kreatürlichen, endlichen Bereich angehört. Solange aber diese endliche Vermittlung der göttlichen Selbstaussage nicht streng und im eigentlichen Sinne eine Wirklichkeit Gottes selbst darstellt, ist sie immer noch grundsätzlich vorläufig, überholbar, weil sie endlich und in dieser Endlichkeit nicht einfach Gottes Wirklichkeit selber ist und so von Gott selbst durch neue Setzung von Endlichem überholt werden kann.

Soll also die Wirklichkeit Jesu, in der als Zusage und Annahme die Selbstmitteilung Gottes absoluter Art an die Gesamtmenschheit für uns „da ist", wirklich die unüberholbare und endgültige Zusage und Annahme sein, dann muß gesagt werden: sie ist nicht nur von Gott gesetzt, sondern ist Gott selbst. Ist diese Zusage aber selbst eine menschliche Wirklichkeit als absolut begnadete und soll diese Zusage wirklich absolut Gottes selbst sein, dann ist sie die absolute Zugehörigkeit einer menschlichen Wirklichkeit zu Gott, also eben das, was wir, richtig verstanden, unio hypostatica nennen. Diese unio unterscheidet sich nicht von unserer Gnade durch das in ihr Zugesagte, das ja eben beidesmal die Gnade (auch bei Jesus) ist, sondern dadurch, daß Jesus die Zusage für uns ist und wir nicht selber wieder die Zusage, sondern die Empfänger der Zusage Gottes an uns sind. Die Einheit der Zusage, die Unablösbarkeit der Zusage von dem sich uns Zusagenden muß aber entsprechend der Eigenart der Zusage gedacht werden. Ist die reale Zusage an uns eben die menschliche Wirklichkeit als die begnadete selbst, in der und von der aus Gott sich in seiner Gnade uns zusagt, dann kann die Einheit zwischen dem Zusagenden und der Zusage nicht nur „moralisch" gedacht werden, etwa wie zwischen einem menschlichen Wort, bloß Zeichenhaftem einerseits und Gott anderseits, sondern nur als eine Einheit unwiderruflicher Art zwischen dieser menschlichen Wirklichkeit mit Gott, als eine Einheit, die eine Trennungsmöglichkeit zwischen der Verlautbarung und dem Verlautbarenden aufhebt, also das real menschlich Verlautbarte und die Zusage für uns zu einer Wirklichkeit Gottes selbst macht. Und eben dies sagt die unio hypostatica, dies und eigentlich nichts anderes: In dieser menschlichen Möglichkeit Jesu ist der absolute Heilswille Gottes, das absolute Ereignis der Selbstmitteilung Gottes an uns samt ihrer Annahme als von Gott selber bewirkte eine Wirklichkeit Gottes selbst, unvermischt, aber auch untrennbar und darum unwiderruflich. Aber diese Aussage ist gerade die Zusage der Gnade der Selbstmitteilung Gottes an uns.

2. ZUR PHÄNOMENOLOGIE UNSERES VERHÄLTNISSES ZU JESUS CHRISTUS

Wir werden zwar im neunten Abschnitt des sechsten Ganges noch einmal auf unser existenzielles Verhältnis zu Jesus Christus zurückkommen, wenn wir es als Christen im vollen Sinn des Wortes betrachten wollen. Aber schon an diesem Punkt unserer christologischen Überlegungen scheint es angezeigt zu sein, etwas zur Phänomenologie unseres Verhältnisses zu Jesus Christus zu sagen. Eine transzendentale Christologie, von der im ersten Abschnitt des sechsten Ganges schon andeutungsweise gesprochen wurde und die im nächsten, dritten Abschnitt noch etwas eingehender behandelt werden soll, geht ja nicht von der Voraussetzung aus, daß wir in geschichtlicher Erfahrung von Jesus als dem Christus, als dem absoluten Heilbringer noch gar nichts wüßten. Eine transzendentale Christologie, wie sie uns heute geboten zu sein scheint und die nach den im Menschen gegebenen apriorischen Möglichkeiten eines Verständnisses des Christusdogmas fragt, entsteht faktisch und zeitlich doch erst nach und wegen der geschichtlichen Begegnung mit Jesus als dem Christus. So ist es sinnvoll, im voraus zu einer solchen transzendentalen Christologie zu fragen und unbefangen festzustellen, wie unser faktisches Verhältnis zu Jesus Christus, so wie es vom Christentum in seiner Geschichte immer verstanden wurde, gegeben sei. Nach all dem, was im fünften Gang unserer Überlegungen über das Verhältnis von Transzendentalität und Geschichte gesagt wurde, braucht hier wohl nichts mehr gesagt zu werden über das gegenseitige Bedingungsverhältnis dieses Abschnittes und des folgenden, der sich (nochmals) mit der Frage einer transzendentalen Christologie beschäftigen soll.

Ausgang vom faktischen Glaubensverhältnis

Es ist für eine Christologie menschlich und darum auch fundamentaltheologisch legitim, von dem faktisch bestehenden Verhältnis des gläubigen Christen zu Jesus Christus auszugehen. So notwendig eine transzendentale Christologie über die Idee eines absoluten Heilbringers sein mag und so sehr der Christ in einer geschichtlichen Überlegung sich und anderen darüber Rechenschaft schuldig ist, mit welchem Recht er gerade in Jesus den absoluten Heilbringer zu finden überzeugt ist, so wenig braucht und darf er so tun, als ob er durch diese Reflexionen zum ersten Mal ein solches Verhältnis herstellen würde oder herstellen müßte. Auch wenn er dem, der nicht an Jesus Christus glaubt, Rechenschaft ablegen muß über die Gründe seines Glaubens an Jesus Christus, so kann er dennoch zunächst einmal auf seinen faktisch bestehenden Glauben und dessen Wesen reflektieren. Er kann und darf dies, weil der Glaube der Theologie vorausgeht und er gar nicht der Meinung zu sein braucht, eine theologische Reflexion müsse allererst seinen Glauben gleichsam aus dem Nichts aufbauen oder müsse ihn, der letztlich doch auf Gnade und freier Entscheidung basiert, adäquat einholen, um Gnade und freie Entscheidung überflüssig zu machen. Der Christ braucht nicht dieser Meinung zu sein, weil nirgends in der Existenz des Menschen die theoretische

Reflexion die ursprüngliche Tat des Lebens einholt. Diese Reflexion darf streng als solche ihr Ergebnis nicht einfach schon voraussetzen, sonst wäre sie natürlich eine schlechte, ideologische Apologetik, sie braucht aber auch nicht so zu tun, als ob eine ihr vorausgehende, in der Lebenspraxis ihre eigene Sicherheit habende Überzeugung nicht gegeben wäre. Eine solche theoretische, aber darum immer auch nachträgliche Reflexion ist ehrlicher, wenn sie von vornherein sagt, woraufhin sie zielt.

Dieses Verhältnis zu Jesus Christus, auf das als faktisch Gegebenes wir reflektieren, ist so gemeint, wie es faktisch in den christlichen Kirchen verstanden und gelebt wird, wobei eine *gewisse* Grenzunschärfe des Wesens dieses Verhältnisses für die Reflexion über es unerheblich ist, vorausgesetzt nur, daß es sich von einem bloß historischen oder bloß „humanen" Verhältnis zu Jesus unterscheidet, wie es jeder Mensch haben kann, zu dem eine Nachricht von Jesus von Nazaret schon gedrungen ist.

Bei der Beschreibung dieses christlichen Verhältnisses braucht (mindestens zunächst) nicht zwischen dem unterschieden werden, was Jesus „an sich" im Glauben des Christen ist, und dem, was er „für uns bedeutet". Denn diese beiden Aspekte sind in ihrer Einheit nicht adäquat voneinander trennbar. Denn einerseits könnten und würden wir uns nicht mit Jesus beschäftigen, wenn er keine „Bedeutung für uns" hätte und anderseits impliziert jede Aussage über diese Bedeutung für uns eine Aussage eines „An-sich", denn sonst wären es gegen die christliche Grundüberzeugung ja wir selbst, die ihm aus eigener Vollmacht diese Bedeutung zusprechen würden.

Beziehung zu Jesus Christus als absolutem Heilbringer

In einer phänomenologischen Deskription des gemeinchristlichen Verhältnisses zu Jesus Christus können wir dann, wenn wirklich christlicher Glaube gefragt wird, wie er in allen christlichen Kirchen gelebt wird, sagen: dieses Verhältnis zu Jesus Christus ist gegeben durch den „Glauben", daß in der Begegnung mit ihm (als ganzem und einem durch Wort, Leben und seinen siegreichen Tod) das alles umfassende und alles durchdringende Geheimnis der Wirklichkeit überhaupt und des je eigenen Lebens (Gott genannt) „da ist" zu unserem Heil (vergebend und vergöttlichend) und uns so zugesagt ist, daß diese Zusage Gottes in ihm endgültig und unersetzbar ist. Man kann dieses Verhältnis darum auch charakterisieren als das Verhältnis zum absoluten (eschatologischen) Heilbringer, welcher Begriff natürlich später noch genauer zu erörtern sein wird. Dabei kann das Verständnis, was genau mit Heil gemeint sei (daß es nämlich die absolute Selbstmitteilung Gottes in sich selbst als innerste Kraft unserer Existenz und als unser Ziel impliziert), kann die kollektive und individuelle Seite dieses Heils, kann die Frage, *wie* genauer das Heil in Jesus geschichtlich „da sei" (bei der Heilshaftigkeit der ganzen

Geschichte und der verantwortlichen Aktivität *aller* Menschen in einer noch werdenden, gemeinsamen Geschichte des Heils), noch offenbleiben.

Dieses in Geschichte absolute (absolut, weil es sich um das endgültige Heil des ganzen Menschen und der Menschheit und nicht um eine partikuläre Zuständlichkeit des Menschen handelt) Verhältnis zu Jesus Christus mag zureichend oder unzureichend in der theologischen Reflexion der einzelnen Kirchen oder der einzelnen Christen ausgelegt werden, seine Gegebenheit im je einzelnen mag sich in die Unreflektierbarkeit der letzten existenziellen Entscheidung der einzelnen Christen entziehen: Wo es ist, ist Christentum, wo es zureichend und legitim bekenntnishaft ausgelegt wird und also im Bekenntnis eint, ist kirchliches Christentum; wo dieses Verhältnis nicht als absolutes in der Geschichte vollzogen und interpretiert wird, hört eigentliches (explizites) Christentum auf.

Mit dieser Beschreibung dieses Verhältnisses zu Jesus Christus, die als gemeinchristlich behauptet wird, wird nicht geleugnet, daß es schon im Neuen Testament und dann in der Glaubensgeschichte des Christentums nach dem Neuen Testament viele Christologien legitimer Art gibt, weil das unerschöpfliche Geheimnis, das in diesem Verhältnis geborgen ist, unter verschiedenen Verstehenshorizonten, von verschiedenen Ausgangspunkten her und mit verschiedenem begrifflichem Instrumentar beschrieben worden ist und auch noch in Zukunft beschrieben werden kann. Wenn wir sagen, daß dieses gemeinchristliche Verhältnis zu Jesus Christus durch den Begriff des absoluten Heilbringers charakterisiert werden kann, ist damit nicht geleugnet, daß dieses Verhältnis durch *eine* Christologie neben anderen existierenden oder möglichen Christologien theoretischer Reflexion beschrieben wird, aber doch behauptet, daß alle solche existierenden oder möglichen Christologien bei gutem Willen sich in einer solchen Beschreibung wiedererkennen können.

Das Verhältnis zu Jesus Christus legitimiert sich aus sich selbst

Dieses Verhältnis zu Jesus Christus, in dem ein Mensch in Jesus den absoluten Heilbringer ergreift und zur Vermittlung seiner Unmittelbarkeit zu Gott in sich selbst macht, enthält, adäquat vollzogen und gesehen, *in sich selbst* seine eigene Legitimation vor der Existenz und dem Wahrheitsgewissen des Menschen, so daß es als konkretes Absolutum, das es sein muß, um es selber wirklich zu sein, per definitionem „von außen" nicht erzeugt und aufgebaut werden kann. Das schließt nicht aus, sondern ein: a) daß es sich in seine sich gegenseitig bedingenden Wirklichkeits-, Verstehens- und Begründungsmomente auseinanderlegen kann und muß und b) daß es eine Möglichkeit der Verkündigung dieses Verhältnisses (apologetisch an den Nichtchristen) in dem Aufweis gibt, daß der Mensch in seiner Existenz (aus Geistperson und Gnade und Geschichtlichkeit) immer schon innerhalb dieses erhofften und gegebenen Zirkels dieses Verhältnisses steht, ob dies explizit gewußt wird oder nicht, ob es in Freiheit angenommen oder abgelehnt wird, ob es dem apologetischen Verkünder dieses Verhältnisses gelingt oder nicht, dieses bestehende Verhältnis dem anderen deutlich zu machen.

3. TRANSZENDENTALE CHRISTOLOGIE

Wir haben zwar bereits im ersten Abschnitt dieses sechsten Ganges der Sache nach von einer transzendentalen Christologie gehandelt. Dabei war aber der vorherrschende Verstehenshorizont die heutige Mentalität, eine „evolutive Weltanschauung". Darum scheint es doch ratsam zu sein, dieses Thema noch einmal aufzugreifen und etwas genauer zu entfalten. Vom Verhältnis dieses neuen Abschnittes zum Thema des vorausgehenden Abschnittes war schon die Rede. Was mit „transzendentaler Christologie" gemeint ist, muß sich aus dem folgenden erst langsam ergeben.

Einige Einwände

Die Notwendigkeit einer transzendentalen Christologie wird durch folgende Einwände nicht aufgehoben:

a) weder durch die Tatsache, daß sie allein das konkrete Verhältnis gerade zu *Jesus* als dem Christus, wie es im zweiten Abschnitt dieses sechsten Ganges beschrieben wurde, nicht begründen kann, da die Entscheidungen der praktischen Vernunft und das Verhältnis zu einem konkreten Menschen in dessen geschichtlicher Konkretheit nie adäquat transzendental deduziert werden können, obwohl gerade dies einzusehen nochmals zur Aufgabe der transzendentalen Vernunft gehört, die den Menschen zu einer geschichtlichen Entscheidung legitimiert, die ihr Recht in sich selbst und nicht in den transzendentalen Überlegungen der theoretischen Vernunft besitzt,

b) noch dadurch, daß eine transzendentale Christologie, obzwar sie an sich apriorisch ist zum konkreten geschichtlichen Verhältnis zu Jesus Christus und der *darauf* reflektierenden Christologie, wie sie traditionell sich vollzieht, sie doch zeitlich und geschichtlich *später* ist als die übliche Christologie und in deutlicher Explizitheit erst dann auftreten kann, wenn der Mensch einerseits dieses geschichtliche und in sich selber gründende Verhältnis zu Jesus schon gefunden hat und anderseits doch das geschichtliche Stadium einer transzendentalen Anthropologie und Reflexion auf seine Geschichtlichkeit epochal erreicht hat und nicht mehr vergessen darf,

c) noch dadurch, daß man einwendet, das geschichtliche Auftreten eines absoluten Heilbringers, die Inkarnation des göttlichen Logos in unserer

Geschichte sei das absolute Wunder, das unableitbar uns begegnet und darum nicht spekulativ erschlichen werden dürfe. So richtig inhaltlich das ist, was dieser Einwand sagt, so folgt daraus doch keine Ablehnung einer transzendentalen Christologie, denn auch das wunderbar Unerwartete der Geschichte muß bei uns „ankommen" können. Es muß darum nach den Bedingungen der Möglichkeit bei uns für dieses Ankommenkönnen gefragt werden können, zumal ja nicht vorausgesetzt werden muß, daß diese Bedingungen allein und ausschließlich in dem gefunden werden müssen, was man in traditionell theologischer Terminologie „reine Natur" nennt, sondern in die „übernatürliche" Erhebung „der menschlichen Natur" eingeschlossen ist, die freilich (weil nicht schlechthin bewußtseinsjenseitig und weil allgemein gegeben) auch von einer transzendentalen Christologie angerufen werden kann.

Epochale Bedeutung transzendentaler Christologie

In einer Epoche der Geistesgeschichte, in der eine transzendentale Anthropologie als solche über eine rein empirisch feststellende und aposteriorisch beschreibende Anthropologie hinaus gegeben ist und nicht mehr beiseite getan werden kann, ist dann auch eine transzendentale Christologie, die nach den apriorischen Möglichkeiten im Menschen für das Ankommenkönnen der Christusbotschaft fragt, als explizite notwendig. Ihr Fehlen in der traditionellen Theologie ruft die Gefahr herauf, die Aussagen der traditionellen Theologie einfachhin als (im schlechten Sinn) mythologische Überhöhungen geschichtlicher Ereignisse zu werten bzw. kein Kriterium zu besitzen, mittels dessen man in der traditionellen Christologie zwischen echter Glaubenswirklichkeit einerseits und deren Deutung anderseits zu unterscheiden vermag, die uns heute das glaubensmäßig Gemeinte nicht mehr zu vermitteln vermag.

Voraussetzungen transzendentaler Christologie

Eine „transzendentale Christologie" setzt schon ein Verständnis für das *gegenseitige* Bedingungs- und Vermittlungsverhältnis in der menschlichen Existenz als solcher voraus zwischen transzendental Notwendigem und konkret kontingentem Geschichtlichem derart, daß beide Momente der geschichtlichen Existenz des Menschen immer nur zusammen auftreten können, sich gegenseitig bedingen, das Transzendentale immer eine innere Bedingung des Geschichtlichen in diesem selbst ist, das Geschichtliche trotz seiner freien Gesetztheit die Existenz schlechthin mitbegründet, keines der beiden Momente (trotz ihrer Einheit und ihrem gegenseitigem Bedingungsverhältnis) auf das andere zurückgeführt werden kann, ihr Verhältnis zueinander selbst noch einmal eine offene Geschichte hat, das Geschichtliche in gleicher Weise das geschichtlich Überkommene wie das künftig Aufgegebene meint.

Wie schon angedeutet, braucht eine transzendentale Christologie nicht notwendig auf die Frage einzugehen, ob die von ihr angerufene und ausgelegte unausweichliche Verwiesenheit des Menschen in die Hoffnung auf den absoluten Heilbringer in der Geschichte hinein nur begründet ist in seiner von der „Gnade" (als Selbstmitteilung Gottes) erhobenen Natur oder schon in seiner geistigen Subjekthaftigkeit allein (als Grenzidee), insofern sie ein dialogisches Verhältnis zu Gott begründet und so schon möglicherweise eine Hoffnung auf eine endgültige Selbstzusage Gottes ergreifen läßt. Diese Frage kann hier offenbleiben. Die transzendentale Christologie ruft einen Menschen an, der, wie wir wissen, mindestens aus der im Christentum reflektierten allgemeinen Offenbarung in Gnade, schon (mindestens unthematisch) auf die Selbstmitteilung Gottes hin durch diese selber finalisiert und dynamisiert ist, und fragt ihn, ob er nicht in Freiheit selbst und aus seiner inneren Erfahrung heraus, die wenigstens unthematisch zu seiner transzendentalen Verfassung gehört, diese Ausgerichtetheit sich zu eigen machen könne.

Zur Durchführung einer transzendentalen Christologie

Unter dieser Voraussetzung kann gesagt werden: Eine transzendentale Christologie geht von Erfahrungen aus, die der Mensch immer und unausweichlich und noch unter dem Modus des Protestes gegen sie macht und die in der vordergründigen Unmittelbarkeit ihrer „Gegenstände", durch die sie vermittelt werden, den Anspruch auf Absolutheit (auf schlechthinnige Erfüllung, auf Heil) nicht erfüllen, den der Mensch dennoch ihnen gegenüber unausweichlich erhebt.

Mit diesem Ansatzpunkt ist auch das *gegenseitige* Bedingungsverhältnis zwischen christlicher Theo-logie und Christo-logie gegeben, weil die Unerfülltheit des Anspruchs jener unausweichlichen Erfahrung (im Hiatus zwischen unbegrenzter Transzendentalität der Erkenntnis und Freiheit einerseits und dem geschichtlich gegebenen und die Transzendentalität zu sich selber vermittelnden „Gegenstand" anderseits) auch der Ort der Erfahrung dessen ist, was mit Gott gemeint ist. Mit diesem Ansatzpunkt einer transzendentalen Christologie ist auch *ein* Moment für die Beantwortung des Verifikationsproblems in der Christologie überhaupt gegeben, auch wenn durch es allein das geschichtliche Verhältnis gerade zu Jesus als dem absoluten Heilbringer nicht legitimiert werden kann.

Dieser Vorgang einer transzendentalen Christologie besteht genauer darin:

a) In einer (hier eher vorausgesetzten und im Ansatz skizzierten, aber grundsätzlich durchführbaren) Anthropologie wird der Mensch begriffen als das Seiende von transzendentaler Notwendigkeit, das in jeder kategorialen

Tat der Erkenntnis und Freiheit immer schon über sich und den kategorialen Gegenstand (in allen Dimensionen seiner Existenz [Erkenntnis, Subjekthaftigkeit, Freiheit, Zwischenmenschlichkeit, Verhältnis zur Zukunft usw.] und in dem Hiatus in jeder dieser Dimensionen je in sich und unter ihnen zusammen zwischen der angezielten Einheit [„Versöhnung"] und der immer gegebenen Pluralität) hinaus ist auf das unumfaßbare Geheimnis hin, das als solches Akt und Gegenstand eröffnet und trägt und Gott genannt wird.

b) Dieser Mensch wird als derjenige verstanden, der es zu hoffen wagt (und es als möglich setzt *in* der kühnsten Tat dieser Hoffnung), daß dieses Geheimnis nicht bloß als der asymptotisch angezielte Träger einer unendlichen Bewegung, die immer im Endlichen bleibt, das Dasein trägt und durchwaltet, sondern sich *selbst* gibt als Erfüllung des höchsten Anspruchs der Existenz auf den Besitz des absoluten Sinnes und der alles versöhnenden Einheit selbst, so daß das Endliche, Bedingte, Plurale usw., das wir unweigerlich sind, bleibt und es doch des Unendlichen selbst (der Einheit, des nicht mehr zu überfragenden Sinnes, des absolut verläßlichen Du, usw.) in sich selbst teilhaftig wird. Das Wagnis dieser radikalsten Hoffnung findet der Mensch in sich vor; er nimmt es in Freiheit an, reflektiert es und erkennt darin eventuell, daß *diese* Bewegung, um möglich zu sein, schon getragen sein muß von der Selbstmitteilung ihres Zieles als der Dynamik auf es hin, einer Selbstmitteilung Gottes, die das eigentliche Wesen der Gnade *und* der Vorgang der transzendentalen und allgemeinen Offenbarung in einem ist. Entsprechend der eigenen Transzendenzerfahrung als Freiheitstat, der immer *bedrohten* Hoffnung, der eigenen „Sündigkeit", der Personalität Gottes und seines wesenhaften Geheimnischarakters wird diese Selbstmitteilung Gottes als Ereignis der Freiheit Gottes erfahren, der sich verweigern kann, dessen Zusage an sich ambivalent ist (Heil oder Gericht sein kann) und noch in ihrer und unserer Geschichte steht.

c) Entsprechend der Einheit von Transzendentalität und Geschichtlichkeit in der menschlichen Existenz ist solche Selbstmitteilung Gottes und die Hoffnung darauf notwendig geschichtlich vermittelt, „erscheint" in Geschichte, kommt ganz zum Menschen in dessen kategorialem Bewußtsein und so zu sich selbst nur im raumzeitlichen Vollzug des menschlichen Daseins. *Wie* das Endliche und Bedingte und Vorläufige das Kommen des Unendlichen, Absoluten und Endgültigen melden und die Hoffnung *dafür* überhaupt erwecken kann, ohne Gott selbst zu kategorialisieren und zur bloßen Chiffre einer „unendlichen" offenen Bewegung auf immer Endliches zu machen, wie mit anderen Worten Gott nicht nur „etwas" (von kategorialer Aussagbarkeit), sondern sich *selbst* offenbaren könne in einer Offenbarung, die im (kategorialen) Wort geschieht, und ohne dadurch sich selbst zu verendlichen, zu „vergötzen", das müßte in einer Theologie der Offenbarung überhaupt genauer bedacht werden, was hier nicht nochmals möglich ist. Jedenfalls aber kann Gott als er selbst im Raum des Kategorialen (ohne den es auch keine transzendentale Gegebenheit Gottes für uns gibt!) nur sich offenbarend anwesend sein im Modus der *Verheißung* (als des dauernden Überstieges über das Kategoriale, der den Ausgangspunkt der Hoffnung und ihr kategoriales Ziel *als* bloße Etappe der Hoffnung schlechthin bejaht – als Vermittlung der Offenbarung – *und* so auch verneint als nicht identisch mit dem eigentlich Gemeinten) und des *Todes* als des radikalsten Ereignisses jener Verneinung, die zum Wesen jeder geschichtlich vermittelnden Offenbarung gehört und im Tod absolut wird, weil nichts Kategoriales mehr gehofft werden kann und so nur noch die Hoffnung auf „alles" oder die bloße Verzweiflung übrigbleibt.

d) Diese kühnste Tat der Hoffnung sucht in der Geschichte diejenige Selbstzusage Gottes, die für die Menschheit als solche ihre Ambivalenz aufgibt, endgültig und irreversibel wird, das Ende, „eschatologisch" ist. *Diese* Selbstzusage Gottes kann gedacht werden als die Vollendung schlechthin (das angekommene „Reich Gottes") *oder* (unter Weiterdauer der Geschichte) als ein solches geschichtliches Ereignis innerhalb der Geschichte, das die Verheißung selbst unwiderruflich macht, ohne sie schon als ganze an die ganze Welt in reine Erfüllung hinein aufzuheben.

e) Die Kategorialität der irreversiblen Selbstzusage Gottes an die Welt als ganze, die diese unwiderrufliche Zusage geschichtlich da sein läßt und die *dieser* Zusage entsprechende Hoffnung uns vermittelt, kann nur ein Mensch sein, der einerseits im Tod jede innerweltliche Zukunft aufgibt und der anderseits sich in dieser Todesannahme als von Gott endgültig angenommen erweist. Denn eine Zusage Gottes an ein *freies* („exemplarisches") Subjekt kann sich *als irreversibel* siegreich (als eschatologisch endgültig) kategorial nur erweisen, indem sie von diesem freien Subjekt tatsächlich angenommen wird. (Vorausgesetzt wird dabei die antiindividualistische Überzeugung, daß bei der Einheit der Welt und Geschichte von Gott und von der Welt her ein solches „einzelnes" Schicksal „exemplarische" Bedeutung für die Welt überhaupt hat.) Ein solcher Mensch mit diesem Schicksal ist das, was mit „absolutem Heilbringer" gemeint ist. Es ist später zu zeigen, daß – Sein und Schicksal dieses Heilsbringers richtig verstanden – er auch mit Recht in den Formulierungen der klassischen (chalkedonensischen) Christologie ausgesagt werden kann (und, kirchlich gesehen, muß). Ebenso ist später zu zeigen, *wie* die Annahme der radikalen Todesübergabe des Heilbringers durch Gott geschichtlich (als „Auferstehung") erscheinen könne. Ferner ist später zu bedenken, daß der so verstandene „absolute" Heilbringer (in seiner quasi-sakramentalen Zeichen-Ursächlichkeit) jene soteriologische Ursächlichkeit tatsächlich eo ipso hat, die die kirchliche Lehre vom Schicksal Jesu aussagt, vorausgesetzt, daß diese Erlösung nicht mythologisch als umstimmende Einwirkung auf Gott mißverstanden wird.

Eine transzendentale Christologie als solche kann sich nicht Aufgabe und Möglichkeit anmaßen, zu sagen, daß dieser absolute Heilbringer, den die radikale Hoffnung auf Gott selbst als die absolute Zukunft in der Geschichte sucht, schon darin zu finden ist und daß er gerade in *Jesus* von Nazaret gefunden worden ist. Beides gehört zur unableitbaren Erfahrung der Geschichte selbst. *Heute* aber würde man dieser faktischen Geschichte gegenüber blind sein, träte man ihr nicht gegenüber mit jener reflektierten und artikulierten Heilshoffnung, die sich in einer transzendentalen Christologie reflektiert. Diese läßt suchen und suchend verstehen, was man in Jesus von Nazaret schon immer (vgl. den vorigen Abschnitt) gefunden hat.

4. WAS HEISST „MENSCHWERDUNG GOTTES"?

Eine transzendentale Christologie wird von ihrem Wesen her auf einen „absoluten Heilbringer" hinzielen. Erreicht sie diesen Begriff und wird später gezeigt, daß ein solcher gerade in Jesus von Nazaret und in ihm allein gefunden werden kann und vom Christentum gefunden worden ist, dann ist die Frage noch nicht von vornherein deutlich beantwortet, ob der absolute Heilbringer schon von diesem Begriff her mit dem menschgewordenen ewigen Logos und Sohn des Vaters identifiziert werden kann, als den das Christentum schon im Neuen Testament diesen Jesus bekennt, oder ob die Aussage vom fleischgewordenen Logos des ewigen Gottes eine zusätzliche und überbietende Aussage zu der Jesu als des absoluten Heilbringers bedeutet. Diese Frage muß zunächst noch als offen erachtet werden.

Wenn aber schon damit begonnen ist, eine transzendentale, also „essentiale" Christologie zu schreiben, dann kann es konsequenterweise nicht sinnlos sein, in einer Fortführung einer solchen essentialen Christologie und im voraus zur Frage nach der Begegnung mit dem geschichtlich konkreten Jesus zu fragen, was eigentlich gemeint sei, wenn das Christentum von einer *Menschwerdung Gottes* spricht. Wir können diese Frage schon an diesem Punkt des sechsten Ganges stellen, weil wir ja nicht von der Voraussetzung ausgehen, wir wüßten von Jesus nur etwas in einer geschichtlichen Untersuchung, die wir hier und jetzt in historischer Neugierde gleichsam zum ersten Mal anstellen, sondern weil wir schon (wie im ersten Abschnitt schon gesagt wurde) den Glauben des Christentums als gegeben voraussetzen, auch wenn er später in fundamentaltheologischer Arbeit in einer echt geschichtlichen Überlegung legitimiert werden soll. Dies bedeutet noch keinen circulus vitiosus der Argumentation. So scheint es legitim, sich an diesem Punkt zu fragen, was denn eigentlich mit der Menschwerdung Gottes gemeint sei, ohne daß diese Frage von vornherein auf ein Verständnis dieser Menschwerdung im Sinne eines absoluten Heilbringers eingegrenzt und festgelegt werden soll.

Die Frage nach der „Menschwerdung Gottes"

Wir fragen nun nach dem Sinn der Inkarnation, der Menschwerdung Gottes. Wir bewegen uns dabei immer noch innerhalb einer essentialen Christologie, d.h. die Frage, ob es diesen *so* verstandenen Heilbringer in der Geschichte schon gebe und wer er konkret sei, ist noch gar nicht gestellt. Wir suchen dem Geheimnis nachzudenken, das wir in der theologischen Sprache das Geheimnis der „Menschwerdung Gottes" nennen. Hier ist ja die Mitte der Wirklichkeit, aus der wir Christen leben, die wir glauben. Das Geheimnis der göttlichen Trinität ist uns hier allein offen, und hier allein ist uns das Geheimnis unserer Teilnahme an der göttlichen Natur endgültig und geschichtlich greifbar zugesprochen. Das Geheimnis der Kirche ist nur die Weiterung des Geheimnisses Christi. Aber in all den eben genannten Mysterien zusammen ist unser Glaube beschlossen. Dieses Geheimnis ist unerschöpflich, und verglichen mit ihm sind die meisten anderen Dinge, über die wir reden, verhältnismäßig belanglos. Man kann die Wahrheit des Glaubens nur bewahren, wenn man über Jesus Christus Theologie treibt und sie auch immer wieder neu betreibt. Denn auch hier gilt, daß die Vergangenheit nur hat, wer sie als eigene Gegenwart erwirbt.

Bei der jetzt gestellten Frage handelt es sich nicht um den Nachweis, daß der hier zu entfaltende Sinn von „Menschwerdung Gottes" durch die kirchenlehramtlichen Erklärungen gedeckt werde, sondern nur um diesen Sinn als solchen. Weil diese Überlegungen auf den Sinn von „Menschwerdung" Gottes zielen, geht es von vornherein um eine essentiale Deszendenzchristologie, auch wenn eine solche nicht durchgeführt werden kann, ohne daß immer wieder Überlegungen einer transzendentalen Anthropologie herangezogen werden. So sind auch gewisse Überschneidungen mit den vorausgehenden Abschnitten unvermeidlich und müssen in Kauf genommen werden.

Wir fragen: was ist eigentlich mit der Menschwerdung Gottes gemeint, die wir glaubend bekennen? Wir stellen eine ganz anfängerhafte Frage, weil sie in einer einigermaßen genügenden Weise beantwortet werden muß, wenn wir behaupten wollen: Wir glauben an Jesus Christus. Wir haben natürlich bei dieser Fragestellung immer auch gleichzeitig das Recht, dieses oder jenes Teilstück einer ganzen Antwort etwas mehr zu betonen, auszuwählen und zu unterstreichen; denn wir können die Antwort nie ganz geben. Wir setzen dabei zunächst die kirchenamtliche Antwort mehr voraus, als daß wir sie selbst ausdrücklich wiederholen. Wenn wir selber etwas zum Sinn dieser alten Formeln zu sagen versuchen, dann ist damit nicht gemeint, daß die alten Formeln, die auf diese Frage Antwort geben, als veraltet beiseite getan würden. Die Kirche und ihr Glaube sind zwar immer in ihrer Geschichte dieselben, denn sonst gäbe es nur Geschehnisse einer atomisierten Religionsgeschichte, aber keine Geschichte der einen Kirche und des immer selben Glaubens. Aber weil eben diese selbe und eine Kirche eine Geschichte hatte und immer noch hat, darum sind die alten Formeln der Kirche nicht bloß das Ende einer sehr langen Glaubens- und Dogmengeschichte, sondern auch ein Ausgangspunkt, so daß in der geistigen Bewegung des Weggangs von und der Rückkehr zu diesen Formeln die einzige Garantie liegt (oder vorsichtiger gesagt: die Hoffnung), daß wir die *alten* Formeln *verstanden* haben. Wenn immer schon das wahre Verstehen das Offenwerden des Verstehenden in das unüberschaubare Geheimnis hinein ist und wenn dieses Geheimnis nicht der nur vorläufig unbewältigte Rest des Begriffenen, sondern die Bedingung der Möglichkeit des ergreifenden Begreifens des einzelnen, die uns umgreifende Unbegreiflichkeit des ursprünglichen Ganzen ist, dann ist es nicht verwunderlich, wenn so etwas erst recht da geschehen muß, wo das ergreifbare Schicksal des unbegreiflichen Wortes Gottes begriffen werden muß.

Das „Wort" Gottes

Der christliche Glaube sagt schon mit dem Prolog des Johannesevangeliums, daß das Wort Gottes Fleisch, Mensch, geworden ist (Joh 1, 14). Wir dürfen in diesem Zusammenhang zunächst darauf verzichten, etwas über das Subjekt des Satzes, über dieses „Wort" Gottes zu sagen. Ein solcher Verzicht ist nicht ungefährlich, denn es könnte ja sein, daß man das Verständnis der Menschwerdung des Wortes Gottes verfehlt, wenn man sich unter dem Wort Gottes, das Mensch wird, nur sehr Undeutliches denkt. Seit Augustinus hat sich die Schultheologie daran gewöhnt zu meinen, es sei selbstverständlich, daß *jeder* jener unzahlhaften Drei, die wir die Personen der einen Gottheit nennen, Mensch werden könne, gesetzt nur, diese göttliche Person wolle es. Unter einer solchen Voraussetzung bedeutet „Wort" Gottes in unserem Satz für dessen Verständnis nicht viel mehr als irgendein göttliches Subjekt, eine göttliche Hypostase. Dann würde dieser Satz mit einer klassischen Formulierung eigentlich nur heißen: „Einer aus der Dreifaltigkeit ist Mensch geworden." Unter dieser Voraussetzung brauchte man dann eigentlich nichts Deutliches, nur gerade dem *Wort* Gottes Zukommendes zu wissen, um den Satz zu verstehen, der uns beschäftigt.

Bezweifelt man aber mit einer älteren Tradition vor Augustinus, die vor allem in der griechischen Patristik gegeben ist, diese genannte Voraussetzung, dann wird der Verzicht darauf, von einem genaueren Verständnis des Satzsubjektes das Prädikat zu verstehen, schon nicht mehr so leicht als möglich hingehen können. Wenn es nämlich in Sinn und Wesen gerade des Wortes Gottes enthalten ist, daß *es* – und nur es allein – dasjenige sei, das eine menschliche Geschichte beginnt und beginnen kann, falls überhaupt Gott sich die Welt so aneignet, daß diese Welt nicht nur sein von ihm abgesetztes Werk, sondern seine ihm eigene Wirklichkeit wird, dann könnte es ja sein, daß man nur versteht, was Menschwerdung ist, wenn man weiß, was gerade „Wort" Gottes ist, und daß man nur genügend versteht, was Wort Gottes ist, wenn man weiß, was Menschwerdung ist.

Damit ist aber auch gegeben, daß wir gerade, um das Subjekt des Satzes, dem wir nachdenken, zu verstehen, dem *Prädikat* dieses Satzes uns zuwenden müssen, also zunächst den Satz bedenken müssen: Gott ist *Mensch* geworden. Denn darin gerade verstehen wir erst, was eigentlich Wort Gottes heißt. Nicht weil jede göttliche Person Mensch werden könnte, sondern weil aus dem Satz: Gott hat sich uns in Unmittelbarkeit gerade geschichtlich als Mensch zugesagt, begreiflich wird, daß Gott der unumfaßbare Urgrund – Vater genannt –, wirklich einen Logos, d.h. die geschichtliche Zusagbarkeit seiner selbst an sich für uns hat, daß dieser Gott die geschichtliche Treue und in diesem Sinne der Wahre, der Logos, ist.

„Mensch" geworden

Gottes Wort ist *Mensch* geworden. Was heißt: „Mensch" geworden? Wir fragen zunächst noch gar nicht, was es bedeute, daß dieses Wort etwas *geworden* sei. Wir blicken zunächst einfach auf das, *was* geworden ist, nämlich Mensch.

Nun könnte man meinen, an diesem Grunddogma des Christentums sei das Prädikatsnomen „Mensch" das durchaus verständlichste Stück der Aussage. Denn Mensch ist das, was wir ja selber sind, täglich leben, was milliardenmal in der Geschichte, zu der wir gehören, vorexperimentiert und ausgelebt wurde, was wir gewissermaßen von innen (je in mir) und von außen (in unserer Mitwelt) kennen. Man könnte ja noch hinzufügen: An diesem so Gewußten kann man den inhaltlichen Grundbestand von zufälligen Modifikationen einerseits und von einem letzten Für-sich-Sein anderseits unterscheiden und dann diesen Grundbestand, seine Inhaltlichkeit, das Was daran „Natur" nennen. Dann bedeutet unser Satz: Das Wort Gottes hat eine einzelne menschliche „Natur" angenommen und ist so Mensch geworden. Natürlich wissen wir vielerlei vom Menschen. Jeden Tag machen die verschiedensten anthropologischen Wissenschaften Aussagen über den Menschen. Alle Künste reden vom Menschen; jede spricht auf ihre Weise über dieses unerschöpfliche Thema. Aber ist dadurch der Mensch wirklich *definiert?* Es gibt viele Wissenschaften, die der Meinung sind, daß der Mensch – wenn auch vielleicht nur asymptotisch und in immer neuen Anläufen, noch unabgeschlossen und unvollendet – definiert werden könne. Jeder Pragmatismus, jede Ablehnung von Metaphysik muß ja den Menschen wenigstens grundsätzlich in dieser definierbaren Weise verstehen.

Hierzu ist zu sagen: Definieren, eingrenzend eine Formel geben, die die Summe der Elemente eines bestimmten Wesens adäquat aufzählt, kann man offenbar doch nur, wenn man einen sachhaften Gegenstand hat, der aus letzten Urbestandteilen wirklich zusammengesetzt ist, und zwar aus solchen, die selber letzte und in sich verstandene, also wiederum – und zwar jetzt durch sich selbst – abgegrenzte, beschränkte Größen sind. Wir lassen die Frage beiseite, ob es in diesem Sinne eine Definition im strengen Sinne überhaupt geben könne. Beim Menschen jedenfalls ist eine solche Definition unmöglich. Er ist, so könnte man durchaus „definieren", die zu sich selbst gekommene Undefinierbarkeit.

Natürlich ist vieles an ihm wenigstens einigermaßen definierbar, und um all das bemühen sich mit Recht die sogenannten exakten Naturwissenschaften, dort, wo sie Anthropologie treiben. Man könnte den Menschen auch zôon logikón nennen, animal rationale. Bevor man sich aber der schlichten Klarheit einer solchen „Definition" freut, müßte man ja nachdenken, was eigentlich unter „logikón" gemeint ist. Tut man dies aber, gerät man – wörtlich – ins Uferlose. Denn was der Mensch ist, kann man nur sagen, wenn man jenes aussagt, was er angeht und was ihn angeht. Dieses aber ist beim Menschen als transzendentalem Subjekt das Uferlose, das Namenlose und letztlich eben das absolute Geheimnis, das wir Gott nennen. Der Mensch ist daher in seinem *Wesen,* seiner Natur selber das Geheimnis, nicht weil er die unendliche Fülle des angehenden Geheimnisses in sich wäre, die unerschöpflich ist, sondern weil er in seinem eigentlichen Wesen, in seinem ursprünglichen Grund, in seiner Natur die arme, aber zu sich selbst gekommene Verwiesenheit auf diese Fülle ist.

Wenn wir alles gesagt haben, was als Übersehbares, Definierbares von uns aussagbar ist, dann haben wir noch gar nichts von uns ausgesagt, außer wir hätten in all dem Gesagten mitgesagt, daß wir die auf den unbegreiflichen Gott Verwiesenen sind. Diese Verwiesenheit aber – also unsere Natur – ist nur verstanden und begriffen, wenn wir uns von dem Unbegreiflichen frei ergreifen lassen in dem Einverständnis mit jenem Akt, der unaussagbar die Bedingung der Möglichkeit alles begreifenden Aussagens ist. Die Annahme oder Ablehnung des Geheimnisses, das wir als die arme Verwiesenheit auf das Geheimnis der Fülle sind, macht unsere Existenz aus. Die uns vorgegebene Notwendigkeit unserer annehmenden oder ablehnenden Entscheidung als der Tat der Existenz ist das Geheimnis, das wir sind und dieses ist unsere Natur, weil die Transzendenz, die wir sind und die wir tun, unser und Gottes Dasein beibringt und beides als Geheimnis.

Dabei muß immer wieder aufs neue gesagt und begriffen werden: Ein Geheimnis ist nicht etwas noch nicht Enthülltes, das als ein zweites neben einem begriffenen und durchschauten anderen steht. So verstanden, würde das Geheimnis mit dem noch unentdeckten Nichtgewußten verwechselt. Geheimnis ist vielmehr dasjenige, was gerade als das Undurchschaubare – da ist, gegeben ist, gar nicht hergeschafft werden muß, nicht ein zweites, bloß vorläufig Unbezwungenes, sondern der unbeherrschbar herrschende Horizont alles Begreifens, der anderes begreifen läßt, indem er selbst als der Unbegreifliche daseiend sich verschweigt. Geheimnis ist somit nicht das Vorläufige, das abgeschafft wird oder an sich auch anders dasein könnte, sondern die Eigentümlichkeit, die Gott (und von ihm her uns) immer und notwendig auszeichnet. Das gilt so sehr, daß die unmittelbare Schau Gottes, die uns als unsere Vollendung verheißen ist, die Unmittelbarkeit der Unbegreiflichkeit ist, also gerade das Wegfallen des Scheines, wir seien nur vorläufig noch nicht ganz dahintergekommen. Denn in jener Schau wird an ihm selbst gesehen und nicht mehr bloß an der unendlichen Armut unserer Transzendenz, daß Gott unbegreiflich ist. Die Schau aber des in Liebe angenommenen Geheimnisses in sich selbst ist die Seligkeit der Kreatur und macht das als Geheimnis Erkannte erst zum unverbrennbaren Dornbusch der ewigen Flamme der Liebe.

Aber wohin sind wir mit diesen Überlegungen über das Prädikatsnomen „Mensch" geraten? Wir sind unserem Thema sehr viel näher gekommen. Wenn nämlich solches die menschliche Natur ist – die arme, fragende, gleichsam von sich aus leere Verwiesenheit auf das bleibende Geheimnis, Gott genannt –, dann verstehen wir schon deutlicher, was es bedeutet: Gott nimmt eine *menschliche* Natur als die seine an. Diese undefinierbare Natur, deren Grenze – die „Definition" – die grenzenlose Verwiesenheit auf das unendliche Geheimnis der Fülle ist, kommt, wenn sie von Gott als *seine* eigene Wirklichkeit angenommen wird, dort an, wohin sie kraft ihres Wesens immer unterwegs ist. Es ist ihr *Sinn* – nicht eine zufällige, nebenbei betriebene Beschäftigung, die sie auch lassen könnte –, die weggegebene, die ausgelieferte zu sein, dasjenige, was dadurch sich vollzieht und bei sich ankommt, daß es für sich selbst dauernd in die Unbegreiflichkeit hinein verschwindet.

Eben das, was anlaufsweise im Menschen notwendig geschieht, was ihn vor die Frage stellt, ob er damit etwas, ja alles oder nichts zu tun haben wolle: Dieses geschieht in einem unüberbietbaren Maß in radikalster Strenge, wenn diese so verstandene Natur des Menschen, so sich weggebend an das Geheimnis der Fülle, sich so enteignet, daß sie Gottes selbst wird; wie es geschieht, wenn wir sagen: der ewige Logos Gottes selber hat eine menschliche Natur angenommen. Die Menschwerdung Gottes ist von daher gesehen der einmalig *höchste* Fall des Wesensvollzugs der menschlichen Wirklichkeit, der darin besteht, daß der Mensch ist, indem er sich weggibt in das absolute Geheimnis hinein, das wir Gott nennen. Wer richtig versteht, was potentia oboedientialis für die hypostatische Union bedeutet, was die Annehmbarkeit der menschlichen Natur durch die Person des Wortes Gottes eigentlich meint und worin eine solche Annehmbarkeit besteht, wer versteht, daß eben nur eine geistig-personale Wirklichkeit annehmbar ist von Gott, der weiß, daß diese potentia oboedientialis kein einzelnes Vermögen neben anderen Möglichkeiten im menschlichen Seinsbestand sein kann, sondern sachlich mit dem Wesen des Menschen identisch ist.

Wenn wir so vom Wesen des Menschen aus uns ein gewisses Verständnis für das, was mit Inkarnation eigentlich gemeint ist, zu erringen suchen, dann ist anzumerken, daß eine solche Christologie keine „Bewußtseinschristologie" im Gegensatz zu einer ontologischen Christologie substantieller Einheit des Logos mit seiner menschlichen Natur ist, sondern aufbaut auf der metaphysischen Einsicht einer eigentlichen Onto-logie, daß das wahre Sein des Geistes als solches selbst Geist ist. Wenn man diese Voraussetzung macht, dann kann man durchaus zu der Christologie der Tradition ein eigentlich onto-logisches Gegenstück formulieren, das jener ontischen Christologie notwendigerweise zugeordnet ist. Man kann dann den traditionellen Aussagen der Dogmatik jenen mythologischen Eindruck nehmen, Gott habe in der Livree einer menschlichen Natur, die ihm nur äußerlich anhaftet, auf Erden nach dem Rechten gesehen, weil es vom Himmel aus nicht mehr ging.

Jede Vorstellung, daß diese Gottmenschlichkeit sich so oft ereignen müsse, als es Menschen gibt, weil ja die Gottmenschlichkeit die radikalste Aufgipfelung des Wesens des Menschen sei, vergißt, daß Geschichtlichkeit und Personalität nicht heruntergedrückt werden dürfen auf die Stufe der Natur des Immer und Überall. Die Wahrheit vom Gottmenschentum würde gerade mythologisiert, wenn sie einfach immer und überall das Datum jedes Menschen wäre. Eine solche Vorstellung würde auch übersehen, daß die Menschheit Gottes, in der er als der einzelne für den je einzelnen Menschen da ist, in sich selbst nicht mit wesentlich anderer Gottesnähe und Gottbegegnung begnadet werden kann und begnadet ist als mit *der* Begegnung und Selbstmitteilung Gottes, die tatsächlich *jedem* Menschen in Gnade zugedacht ist, die ihren höchsten Vollzug im Menschen in der visio beata hat.

Kann der Unveränderliche etwas „werden"?

Nun haben wir weiter zu bedenken, daß das Wort Gottes etwas *geworden* ist: ho logos sarx egéneto. Kann Gott etwas werden?

Für den Pantheismus oder eine Philosophie, in der Gott ohne weiteres selber „geschichtlich" west, hat eine solche Frage immer schon ein Ja gefunden. Aber der Christ und die wirklich theistische Philosophie sind da in einer schwierigeren Lage. Sie bekennen ja Gott als den Unveränderlichen, der einfachhin *ist* – actus purus –, als den, der in seliger Unbedrohtheit, in der Bedürfnislosigkeit unendlicher Wirklichkeit von Ewigkeit zu Ewigkeit in absoluter, in gewissem Sinne unbewegter, „heiterer" Fülle immer schon besitzt, was er ist, ohne es erst werden, erst einholen zu müssen. Gerade wenn *wir* für uns die Last der Geschichte und des Werdens als Gnade und Auszeichnung empfangen, das Werdenmüssen und Werdenkönnen gar nicht einfach als eine bloße Negativität, sondern als eine positive Auszeichnung betrachten, dann gerade müssen wir notwendig einen solchen Gott unendlicher Seinsfülle bekennen. Denn nur, weil er die unermeßliche Fülle ist, kann das Werden des Geistes und der Natur mehr sein als das sinnlose, in seiner eigenen Leere zusammenfallende Zusichkommen absoluter Hohlheit. Darum ist auch das christliche Bekenntnis zum unveränderlichen, werdelosen Gott ewiger vollendeter Fülle nicht bloß ein Postulat einer bestimmten Philosophie, sondern auch ein Dogma des Glaubens, wie es z. B. noch einmal ausdrücklich im Ersten Vaticanum definiert (vgl. DS 3001), der Sache nach auch schon in der Schrift des Alten und Neuen Testaments erfaßt ist. Aber es bleibt wahr: Das Wort ist Fleisch *geworden*.

Man wird nicht leugnen können, daß an diesem Punkt die traditionelle Theologie und Philosophie der Schule in Verlegenheit kommt. Sie handelt zuerst von Gott, den einen und dreifaltigen (De Deo uno et trino), preist seine Unveränderlichkeit, die unendliche, immer von Ewigkeit zu Ewigkeit besessene Fülle des Seins, den actus purus Gottes, aber sie denkt bei diesem früheren Traktat nicht daran, daß sie später in dem Traktat „Christus, das Wort Gottes" und „Christus, der Mensch" sagen muß: Und das Wort ist Fleisch geworden. Wenn sie sich dann an diesem Punkt der Christologie mit diesem scheinbar so ärgerlichen Problem, daß Gott etwas „geworden" ist, befaßt, dann erklärt sie, das Werden und die Veränderung seien auf seiten der kreatürlichen Wirklichkeit, die angenommen werde, nicht aber auf seiten des ewigen, unveränderlichen Logos. Der Logos nehme ohne eine Veränderung an sich selbst dasjenige an, was als *kreatürliche* Wirklichkeit ein Werden habe: eben die menschliche Natur Jesu; und so sei alles Werden und alle Geschichte und ihre Mühsal eben doch diesseits des absoluten Abgrunds, der den unveränderlichen, notwendigen Gott und die veränderliche, bedingte, geschichtliche Werdewelt unvermischbar scheide.

Aber nachdem das so gesagt ist, bleibt doch wahr, daß der *Logos* Mensch *wurde*, daß die Werdegeschichte dieser menschlichen Wirklichkeit *seine* eigene Geschichte, unsere Zeit die Zeit des Ewigen, unser Tod der Tod des unsterblichen Gottes selbst wurde. Es bleibt wahr, daß alles Aufteilen der Prädikate, die sich scheinbar widersprechen und deren einer Teil Gott nicht zukommen zu können scheint, daß diese Aufteilung auf zwei Wirklichkeiten (das göttliche Wort einerseits und die kreatürliche menschliche Natur anderseits) nicht vergessen lassen darf, daß eben die eine, nämlich kreatürliche Wirklichkeit mit ihrem Werden die des Logos Gottes selber ist. Nachdem diese verteilende Auskunft gegeben ist, beginnt also die ganze Frage aufs neue. Die Frage nach dem Verständnis dafür, daß der Satz von der Unveränderlichkeit Gottes uns nicht den Blick darauf verstellen darf, daß das, was hier bei uns, in unserem Raum, in unserer Zeit und Welt, in unserem Werden, in unserer Evolution, in unserer Geschichte in Jesus als Werden und Geschichte geschehen ist, genau die Geschichte des Wortes Gottes selbst, *sein* ihm eigenes Werden ist.

Wenn wir die Tatsache der Menschwerdung, die uns der Glaube an das Grunddogma der Christenheit bezeugt, unbefangen und klaren Auges anblicken, dann werden wir schlicht sagen müssen: Gott kann etwas werden.

dadurch wirklich eine eigene Geschichte an den anderen, aber als seine eigene Geschichte, zu haben. Die Kreatur muß von ihrem innersten Wesensgrund her als die Möglichkeit des Angenommen-werden-Könnens, des Materialseins für eine mögliche Geschichte Gottes verstanden werden. Gott entwirft die Kreatur schöpferisch, indem er sie aus dem Nichts in ihre eigene, von Gott verschiedene Wirklichkeit einsetzt, als die *Grammatik einer möglichen Selbstaussage Gottes.* Er kann sie auch dann nicht anders entwerfen, wenn er sich tatsächlich verschwiege, weil auch dieses Selbstverschweigen Gottes immer noch einmal Ohren voraussetzen würde, die die Stummheit Gottes hören.

Das „Wort" wurde Mensch

Von hier aus wäre noch genauer, als es früher geschehen ist, ein Verständnis dafür erreichbar, daß gerade der *Logos* Gottes Mensch wurde und er allein es werden kann.

Die immanente Selbstaussage Gottes in ihrer ewigen Fülle ist die Bedingung der Selbstaussage Gottes aus und von sich weg, und diese offenbart in Identität eben gerade jene. So sehr die bloße Setzung des anderen, von Gott verschiedenen, das Werk Gottes des Schöpfers schlechthin ist, ohne Unterschied der Personen, so kann die Möglichkeit der Schöpfung ihr ontologisches Prius und ihren letzten Grund darin haben, daß Gott, der Ursprungslose, sich selbst in sich und für sich aussagt oder aussagen kann und so den ursprünglichen, göttlichen Unterschied in Gott selbst setzt. Wenn dieser Gott sich selbst als er selber ins *Leere* des Nichtgöttlichen aussagt, dann ist diese Aussage die Aus-sage dieses seines immanenten Wortes und nicht ein beliebiges, das auch einer anderen göttlichen Person zukommen könnte.

Von hier aus erst läßt sich besser verstehen, was es heißt: Gottes Logos *wird* Mensch. Natürlich gibt es Menschen, die nicht der Logos selbst sind: wir nämlich. Natürlich könnte es auch Menschen geben, wenn der Logos nicht selbst Mensch geworden wäre. Denn wenn wir das bestreiten wollten, würden wir ja die Freiheit der Inkarnation, die Freiheit der gnadenhaften Selbstmitteilung Gottes an die Welt und damit den Unterschied zwischen Natur, Welt einerseits und Gnade, Selbstmitteilung Gottes anderseits leugnen. Zwar kann es das Geringere immer ohne das Größere geben, obwohl das Geringere immer in der Möglichkeit des Größeren gründet und nicht umgekehrt. Insofern kann man durchaus sagen: es könnte Menschen (das Geringere) geben, auch wenn der Logos nicht selbst Mensch geworden wäre. Aber trotzdem kann und muß man sagen: Die Möglichkeit, daß es den Menschen gibt, gründet in der größeren, umfassenderen, radikaleren Möglichkeit Gottes, sich selber im Logos, der Kreatur wird, auszusagen.

Wenn also der Logos Mensch wird, dann ist diese seine Menschheit nicht das Vorgegebene, sondern das, was wird und in Wesen und Dasein entsteht, wenn und insofern der Logos sich entäußert. Dieser Mensch ist genau als Mensch die Selbstäußerung Gottes in ihrer Selbst*ent*äußerung, weil Gott gerade *sich* äußert, wenn er sich *ent*äußert, sich selbst als die Liebe kundmacht, wenn er die Majestät dieser Liebe verbirgt und sich zeigt als die Gewöhnlichkeit des Menschen. Wenn wir nicht so denken würden, wäre im letzten eben doch die Menschheit des Logos, die er angenommen hat, eine Vermummung Gottes, eigentlich nur ein Signal, das von dem, der da ist, gar nichts enthüllt, außer vielleicht durch menschliche Worte, die aber ebensogut als gegeben und legitimiert gedacht werden könnten, wenn sie nicht die des menschgewordenen Logos Gottes selber wären. Wir können aber die Sache nicht so auffassen, daß der Logos Mensch wird und nun von Gott nur *dadurch* etwas sagt, daß er *redet.* Denn in dem Augenblick, wo wir das so konzipierten, wäre diese Menschwerdung Gottes überflüssig. Denn die Worte, die der Mensch Jesus als der Gesandte Gottes von Gott sagt, könnte Gott auch in irgendeinem anderen Propheten hervorrufen und aussagen. Der Mensch Jesus muß als er und nicht erst durch seine Worte die Selbstoffenbarung Gottes sein, und er kann sie eigentlich nicht sein, wenn nicht eben gerade diese Menschheit die Aussage Gottes wäre.

Der Mensch als die Chiffre Gottes

Daß es auch andere Menschen – eben uns – gibt, die nicht diese Selbstäußerung, das Anderssein Gottes sind, steht dem nicht entgegen. Denn das „Was" ist bei uns und bei ihm, dem sich selbst aussagenden Logos, gleich. Wir nennen es die „menschliche Natur". Aber daß dieses Was bei ihm als seine Selbstaussage gesagt ist und bei uns nicht, macht den Abgrund der Verschiedenheit aus. Daß er als seine Wirklichkeit genau das sagt, was wir sind, macht den Inhalt unseres Wesens und unserer Geschichte erlöst, offen in die Freiheit Gottes, sagt, was wir sind: der Satz, in dem Gott sich selbst aussetzen könnte, aussagen könnte in jene nichtige Leere hinein, die sich notwendig um ihn breitet, weil er die Liebe ist und er darum notwendig das Wunder der Möglichkeit des freien Schenkens ist; besser: darum als Liebe das unbegreiflich Selbstverständliche ist.

Man könnte von daher den Menschen – ihn in sein höchstes und finsterstes Geheimnis hineinstoßend – definieren als das, was entsteht, wenn die Selbstaussage Gottes, sein Wort, in das Leere des gott-losen Nichts liebend hinausgesagt wird. Man hat ja auch deswegen den menschgewordenen Logos das abgekürzte Wort Gottes genannt. Die Abkürzung, die Chiffre Gottes selbst ist der Mensch, d.h. der Menschensohn und die Menschen, die letztlich sind, weil es den Menschensohn geben sollte. Der Mensch ist die radikale Frage nach Gott, die als solche von Gott geschaffene auch eine Antwort haben kann, eine Antwort, die als geschichtlich erscheinende und radikal greifbare der Gottmensch ist und die in uns allen von Gott selbst beantwortet wird. Dies geschieht mitten in die absolute Fragwürdigkeit unseres Wesens hinein durch das, was wir Gnade, Selbstmitteilung Gottes und visio beatifica nennen. Wenn Gott Nicht-Gott sein will, entsteht der Mensch. Damit ist der Mensch natürlich nicht in das platt Alltägliche hinein erklärt, sondern in das immer unbegreifliche Geheimnis hineingeführt. Aber solches Geheimnis ist er. Denn er wird ja so gerade derjenige, der an dem unendlichen Geheimnis Gottes partizipiert, so wie die Frage an ihrer Antwort partizipiert, die Frage nur durch die Antwort als mögliche selber getragen ist. Das wissen wir dadurch, daß wir den menschgewordenen Logos in unserer Geschichte erkennen und sagen: Hier ist die Frage, die wir sind, auch in geschichtlicher Greifbarkeit beantwortet mit Gott selber.

Von einer solchen Position aus wäre das christliche Dogma von der Inkarnation des ewigen Logos erreichbar. Wenn Gott selbst Mensch ist und es in Ewigkeit bleibt; wenn alle Theologie darum in Ewigkeit Anthropologie bleibt; wenn es dem Menschen verwehrt ist, gering von sich zu denken, da er dann ja gering von Gott dächte, und wenn dieser Gott das unaufhebbare Geheimnis bleibt, dann ist der Mensch in Ewigkeit das ausgesagte Geheimnis Gottes, das in Ewigkeit am Geheimnis seines Grundes teilhat. Auch dort, wo alle Vorläufigkeit vergangen sein wird, muß er immer noch als das unauslotbare Geheimnis der Liebe, die selig ist, angenommen werden – wenn anders wir nicht meinen dürfen, wir könnten die Selbstaussage Gottes aus sich heraus durchschauen, so daß sie und wir uns selber schließlich langweilig werden könnten –, wenn anders wir nicht meinen, wir könnten hinter den Menschen anders kommen, als dadurch, daß wir ihn in die selige Finsternis Gottes selbst hinein durchschauen und da erst recht begreifen, daß dieses Endliche des inkarnierten Logos die Endlichkeit des unendlichen Wortes Gottes selber ist: die Einheit von geschichtlich erschienener Frage (die der Mensch ist) und der Antwort (die Gott ist); von einer Frage, die als Frage nach Gott die Erscheinung der Antwort ist: diese Einheit ist in der Christologie gemeint. Weil sie die Einheit des eigentlichen Wesens Gottes und des Menschen in der personalen Selbstaussage Gottes in seinem ewigen Logos ist, darum ist Christologie Anfang und Ende der Anthropologie, und diese Anthropologie in ihrer radikalsten Verwirklichung ist in Ewigkeit Theologie. Die Theologie zunächst, die Gott selbst gesagt hat, indem er sein Wort als unser Fleisch in die Leere des Nichtgöttlichen und sogar Sündigen hineinsagt, die Theologie, die dann wir selber glaubend treiben, wenn wir nicht meinen, wir könnten vorbei am Menschen Christus und somit am Menschen überhaupt Gott finden. Vom Schöpfer konnte man mit der Schrift des Alten Testaments noch sagen, er sei im Himmel und wir auf der Erde. Aber vom Gott, den wir in Christus bekennen, muß man sagen, daß er genau da ist, wo wir sind und allein da zu finden ist. Wenn er dabei der Unendliche bleibt, dann ist damit nicht gesagt, daß er dieses *auch* noch sei, sondern daß das Endliche selbst eine unendliche Tiefe erhalten hat. Es ist kein Gegensatz mehr zum Unendlichen, sondern das, wozu der Unendliche selber geworden ist, worin er sich selber als Frage, die er sich selbst beantwortet, aussagt, um allem Endlichen, innerhalb dessen er selbst ein Teil geworden ist, einen Ausgang ins Unendliche zu eröffnen, nein: sich selbst zum Ausgang, zur Tür zu machen, seit deren Existenz Gott selbst zur Wirklichkeit des Nichtigen geworden ist und umgekehrt.

Weil in der Menschwerdung der Logos die menschliche Wirklichkeit schafft, indem er sie annimmt, und annimmt, indem er *selbst sich* entäußert, darum obwaltet auch hier – und zwar in radikalster, spezifisch einmaliger Weise – das Axiom für alles Verhältnis zwischen Gott und Geschöpf: daß nämlich die Nähe und die Ferne, die Verfügtheit und die Selbstmacht der Kreatur nicht im umgekehrten, sondern im selben Maße wachsen. Darum ist Christus am radikalsten Mensch und seine Menschheit die selbstmächtigste, die freieste, nicht obwohl, sondern weil sie die angenommene, die als Selbstäußerung Gottes gesetzte ist. Die Menschheit Christi ist nicht so die „Erscheinungsform" Gottes, daß sie der Schein von Leere und Dunst wäre, die keine Eigengültigkeit vor dem Erscheinenden und ihm gegenüber hätte. Dadurch, daß *Gott* selbst ek-sistiert, erhält diese seine endliche Existenz in radikalster Weise eigene Geltung, Macht und Wirklichkeit, auch Gott selbst gegenüber.

Von da aus enthüllt sich jede Vorstellung der Inkarnation, in der die Menschheit Jesu nur die Verkleidung Gottes wäre, deren er sich bediente, um seine redende Anwesenheit zu signalisieren, als Häresie. Und diese Häresie, die von der Kirche selbst im Kampf gegen Doketismus, Apollinarismus, Monophysitismus und Monotheletismus abgelehnt wurde, und nicht die wirklich orthodoxe Christologie ist es im Grunde, die heute als mythisch empfunden und als Mythologie abgelehnt wird. Freilich ist auch zu sagen, daß ein solches mythologisches Verständnis der christologischen Glaubensaussage bei aller verbalen Orthodoxie auch bei sehr vielen Christen implizit gegeben sein kann und so zwangsläufig den Protest gegen Mythologie hervorruft. Es wäre zu fragen, ob nicht diejenigen, die meinen, das Christentum entmythologisieren zu müssen, sich die Lehre des Christentums denken wie die mythologisch frommen Christen. Sie stützen sich bei ihrer Entmythologisierung auf eine kryptogame Häresie der Christen und meinen, diese sei das Dogma des Christentums und sei – was dann richtig ist – abzulehnen. Aber sie haben damit im Grunde gar nicht das Dogma des Christentums abgelehnt, sondern eine mythologische Primitivisierung. Umgekehrt gilt aber auch: Mancher, der die orthodoxen Formeln der Christologie ablehnt, weil er sie falsch versteht, mag existenziell den Glauben an die Menschwerdung des Wortes Gottes dennoch echt und glaubend vollziehen. Wenn nämlich jemand im Blick auf Jesus, sein Kreuz und seinen Tod wirklich glaubt, daß Gott der Lebendige ihm darin das letzte, das entscheidende, nicht mehr rücknehmbare und umfassende

Wort gesagt hat, und wenn jemand im Blick auf Jesus realisiert, daß er dadurch erlöst ist von aller Gefangenschaft und Tyrannei unter die Existentialien seines versperrten, schuldigen und dem Tod überlieferten Daseins, der glaubt etwas, was nur wahr und wirklich ist, wenn Jesus der ist, als den ihn der Glaube der Christenheit bekennt, der glaubt – ob er es reflex weiß oder nicht – an die Menschwerdung des Wortes Gottes.

Zur Bedeutung und den Grenzen dogmatischer Formeln

Wenn wir sagen, daß ein solcher, im Grunde genommen, an die Menschwerdung des Wortes Gottes glaubt, auch wenn er die richtigen orthodoxen Formeln des Christentums ablehnt, weil sie ihm vielleicht ohne seine Schuld unvollziehbar sind, dann mindert das die Bedeutung der Formel, die sachlich richtig und die ekklesiosoziologische Basis des gemeinsamen Denkens und Glaubens der Christen ist, nicht. Aber im Vollzug des Daseins kann jemand christologisch glauben, auch wenn er im Vollzug einer bestimmten objektiven Begrifflichkeit der Christologie nicht mitkommt. Im Vollzug des Daseins gibt es nicht jedwede Position, die begrifflich denkbar ist, auch existenziell. Und darum: Wer sich von Jesus die letzte Wahrheit seines Lebens sagen läßt und bekennt, daß in Jesus und seinem Tod Gott ihm das letzte Wort gesagt hat, nicht alle vorletzten Worte, die wir selber erst noch in unserer Geschichte finden müssen, das letzte Wort, auf das hin er lebt und stirbt, der nimmt Jesus darin als den Sohn Gottes an, wie ihn die Kirche bekennt, wie immer bei ihm selber die theoretisch mißglückte, ja falsche Begrifflichkeit der Formulierung des glaubenden Vollzugs seines Daseins auch lauten mag.

Noch mehr (worüber in einem späteren Abschnitt noch ausführlicher zu sprechen sein wird, wenn von Jesus in den nichtchristlichen Religionen zu handeln sein wird): Schon mancher ist Christus begegnet, der nicht wußte, daß er denjenigen ergriff, in dessen Leben und Tod er hineinstürzte als in sein seliges, erlöstes Geschick, daß er dem begegnet ist, den die Christen mit Recht Jesus von Nazaret nennen. Kreatürliche Freiheit ist immer das Wagnis des Unüberschauten, das – ob man dessen achtet oder nicht – im gesehen Gewollten inwendig steckt. Das *schlechthin* Ungesehene und das *einfachhin* andere wird von der Freiheit nicht angeeignet, wenn sie nach Bestimmtem und Abgegrenztem greift. Aber das Unausgesagte und Unformulierte ist darum nicht notwendig auch das schlechthin Ungesehene und Ungewollte. Gott und Christi Gnade sind nun einmal als geheime Essenz aller wählbaren Wirklichkeit da. Und darum ist es nicht so leicht, nach etwas zu greifen, ohne mit Gott und Christus annehmend oder ablehnend, glaubend oder ungläubig, zu tun zu bekommen. Wer darum – auch noch fern von jeder Offenbarung expliziter Wortformulierung – sein Dasein, also seine Menschheit annimmt in schweigender Geduld (besser: in Glaube, Hoffnung und Liebe), es annimmt als das Geheimnis, das sich in das Geheimnis ewiger Liebe birgt und im Schoß des Todes das Leben trägt, der sagt – auch wenn er es nicht weiß – zu Christus ja. Denn wer losläßt und springt, fällt in die Tiefe, die da ist, nicht nur insoweit er sie selbst ausgelotet hat. Wer sein Menschsein (erst recht natürlich das des anderen) ganz annimmt, der hat den Menschensohn angenommen, weil in ihm Gott den Menschen angenommen hat. Und wenn es in der Schrift heißt, es habe das Gesetz erfüllt, wer den Nächsten liebt, dann ist dies darum die letzte Wahrheit, weil Gott dieser Nächste selber geworden ist und so in jedem Nächsten immer dieser eine Nächste und Fernste zugleich angenommen und geliebt wird.

5. ZUR (THEOLOGISCH VERSTANDENEN) GESCHICHTE DES LEBENS UND TODES DES VORÖSTERLICHEN JESUS

a) Vorbemerkungen

Zum Verhältnis der vorangehenden transzendentalen Fragestellung zum geschichtlichen Ereignis

Wir haben uns in diesem Gang sowohl im ersten Abschnitt, in dem wir die Christologie innerhalb einer evolutiven Weltanschauung zu orten suchten, wie im dritten und vierten Abschnitt, in dem wir eine transzendentale und essentiale Christologie zu vertiefen suchten, immer nur um die *Idee* eines Gottmenschen gekümmert. Wir haben gefragt: Ist denn so etwas wie ein absoluter Heilbringer oder ein Gottmensch, der die Inkarnation in hypostatischer Union des ewigen Logos ist, überhaupt ein Gedanke, der (abgesehen von der Frage, ob und wo diese Idee realisiert ist) einigermaßen nachvollziehbar ist? Natürlich haben wir diese „essentiale" und „transzendentale" Christologie nur getrieben, weil wir de facto in unserem persönlichen eigenen Leben als Christen diesen Gottmenschen in Jesus Christus gefunden zu haben glauben. Aber: Die transzendentale Idee eines absoluten Heilsereignisses, in dem die Selbstmitteilung Gottes an die Welt überhaupt zur irreversiblen geschichtlichen Erscheinung und zum Vollzug kommt, ist natürlich doch etwas anderes als der Satz, hier – in diesem konkreten Menschen – habe sich das ereignet, was wir bisher nur als eine Idee betrachtet haben.

Wir haben uns früher von dem transzendentalen Wesen des Menschen und seiner heutigen geistigen Situation her eine Idee zu entwickeln gesucht von dem, was mit den Begriffen „Gottmensch", „fleischgewordener Logos", „absoluter Heilbringer" überhaupt gemeint sein kann. Bei diesem apriorischen Entwurf einer transzendentalen Christologie waren wir uns aber dessen bewußt, daß dieser geschichtlich nur möglich ist, weil es das Christentum, den faktischen Glauben an Jesus als den Christus schon gibt, weil die Menschheit die geschichtliche Erfahrung der Wirklichkeit dieser transzendentalen Idee schon gemacht hat. Nur in der Reflexion auf das erfahrene Faktum kann die transzendentale Möglichkeit einer solchen Idee einsichtig gemacht werden. Wir haben gesagt, daß die letztlich entscheidende Frage für das Christentum nicht die prinzipielle Denkbarkeit des Begriffs eines absoluten Heilsmittlers, der geschichtlichen Erscheinung der absoluten und endgültigen Selbstmitteilung und Selbstzusage Gottes an die Welt ist, sondern die Frage, ob diese geschichtliche Selbstzusage schon überhaupt *geschehen* ist oder ob sie nur der ausstehende asymptotische Fluchtpunkt unserer Hoffnung ist, und schließlich, ob und warum wahrhaft geglaubt werden kann, daß dieses Ereignis des absoluten Heilsmittlers, der geschichtlichen Konkretheit der absoluten Selbstmitteilung an die Welt sich gerade und nur in Jesus von Nazaret ereignet hat.

Die Frage nach der Verantwortbarkeit unseres Glaubens an Jesus als den Christus

Die Berechtigung, d.h. die Verantwortbarkeit dieses Glaubens an den historischen Jesus als den Christus des Glaubens vor dem Wahrheitsgewissen des Menschen, der wir selber in dieser unserer eigenen konkreten Daseinssituation sind, ist das Thema dieses Abschnitts. Wir haben die Frage in dem eben formulierten Sinne bewußt gestellt, also nicht unmittelbar gefragt: Ist der historische Jesus der Christus des Glaubens, und wie weist er sich als solcher aus? Gewöhnlich pflegt man die Frage in der katholischen Fundamentaltheologie so zu stellen. Das ist natürlich insofern nicht illegitim, als in der von uns gestellten Frage nach der Glaubwürdigkeit unseres Glaubens an Jesus als den Christus diese Frage nach dem „objektiven Sachverhalt" mitgegeben ist. Aber eine Frage, die in ihrem Wesen selbst das Ganze der menschlichen Existenz anruft und betrifft, kann von vornherein gar nicht als Frage gestellt werden, für die bestimmte Momente der konkreten Existenz des fragenden Subjekts ausgeklammert werden können. Wenn ich eine Frage stelle, die mich als ganzen wirklich angeht, dann kann ich nichts an mir bei der Stellung dieser Frage als unerheblich beiseite lassen. Wenn ich nach einem Heil für mich frage, frage ich notwendigerweise nach mir als ganzem, denn das meint ja gerade der Begriff Heil. Darum wird hier die Frage der Christologie nach Jesus dem Christus als Frage nach der Verantwortbarkeit dieses je eigenen Glaubens an Jesus als den Christus gestellt, also als Frage der Verantwortbarkeit des Glaubens, der eine freie Entscheidung bedeutet, als Frage meines Glaubens, als Frage, die jeden einzelnen in seiner konkreten menschlichen und gläubigen Existenz in Frage stellt und einfordert. Die oben gleichsam „objektiv" genannte Frage: „Ist Jesus der Christus und wie weist er sich aus?" ist durch unsere Fragestellung: „Wie verantworte ich meinen Glauben an diesen Jesus als den Christus?" nicht ausgeschieden oder bagatellisiert. Es ist vielmehr vorausgesetzt, daß innerhalb eines solchen Glaubens, nach dessen Grund und sittlicher Berechtigung wir fragen, auch diese objektive Frage wirklich vorkommt und diesem Glauben eine ganz bestimmte Struktur verleiht, derentwegen gerade das „Objektivste" sich nur dem radikalsten subjektiven Akt zeigt und gleichzeitig gerade der „subjektive Akt" von seinem objektiven Tatbestand sich ermächtigt und gerechtfertigt weiß. In der subjektiven Situation, die hier als von uns angenommene vorausgesetzt wird und gerade so nach ihrem Grunde fragt, ist unsere abendländische, christliche, kirchliche Glaubenssituation vorausgesetzt, ja sogar der wirkliche und absolute Glaube an Jesus als den Christus. Wir müssen nur auf unser konkretes Leben reflektieren, dann werden wir sehen, daß wir immer wieder Voraussetzungen machen – zunächst einmal, um sie prüfen zu können. Diese Situation des Menschen ist gar nicht vermeidbar. Die Überlegung: „Warum kann ich an Jesus als an den Christus glauben?" geht von der Voraussetzung meines Glaubens aus. Dieser als vollzogener und immer wieder zu vollziehender reflektiert auf seine eigene innere Berechtigung.

Die Zirkelstruktur der Glaubenserkenntnis

Natürlich ruft nun diese methodologische Voraussetzung die Frage hervor, wie dann ein Mensch, der nicht an Jesus als den Christus glaubt, zu diesem Glauben kommen könne. Diese Frage kann sowohl individualgeschichtlich für den einzelnen gestellt werden, der innerhalb der vom Christentum mitgeprägten geistigen Situation lebt, als auch kollektiv für Völker, die in ihrer ganzen geistigen Situation und Geschichte noch außerhalb des Raumes des Christentums zu stehen scheinen. Hinsichtlich dieser Frage, wie jemand in einen Zirkel geistiger existenzieller Erkenntnis hineinkomme, in einen Zirkel, dessen Elemente sich gegenseitig tragen, der im letzten gar nicht „synthetisch" durch den Menschen selber aufgebaut werden kann, sei hier nur dieses kurz bemerkt: Es gibt sicher das Phänomen eines Wissens, das als eines und ganzes da ist, dessen Elemente nicht eigentlich in künstlicher und reflexer Synthese nachträglich zusammengebaut werden müssen, ein Wissen, in dessen Zirkel sich ein Mensch hineinversetzt erfährt, ohne daß er diesen Zirkel selbst synthetisch reflexiv gebaut hat. Dabei ist weder ausgeschlossen noch als überflüssig erklärt, daß dieser Mensch seine Erfahrung vor seinem Wahrheitsgewissen rechtfertigen kann und muß, noch ist ausgeschlossen, daß sein Versetztsein in diesen Zirkel eine Frage der sittlichen Entscheidung bleibt. Mindestens in dem Sinne ist gefragt, ob dieses Hineinversetztsein im voraus zur Reflexion und freien Entscheidung angenommen wird oder ob der

Mensch sich ihm versagt. Im letzteren Falle mag dieses Zugeschickte sehr rasch wieder aufhören und der Mensch dann auch wieder blind werden für die ihm angebotene, wenn auch von ihm nicht eigentlich hergestellte synthetisierte Erkenntnis. Gibt es aber ein solches Phänomen im allgemeinen, kann der Mensch gar nicht wirklich geistig existieren, ohne sich auf solche nicht adäquat analysierbare, in ihre Elemente abbaubare und dann wieder willkürlich zusammensetzbare Erkenntnisse einzulassen, dann kann dies durchaus auch angenommen werden für die Erkenntnis, um die es sich hier in unserer Frage handelt.

Daß es sich hier – mindestens von der christlichen Theologie her gesehen – um eine solche Art von Erkenntnis handeln muß, daß wir also das Postulat eines solchen Zirkels nicht willkürlich – vom christlichen Dogma her gesehen – aufstellen, daß wir nicht gegen eine vernünftige Fundamentaltheologie, sondern mit ihr behaupten, ein solcher Zirkel sei nicht in einer nachträglichen Reflexion künstlich herzustellen, das ergibt sich aus der christlichen Lehre von der Gnadenhaftigkeit des Glaubens. Denn das, was mit der Gnade des Glaubens als unbedingter Voraussetzung des Glaubens und Glaubenkönnens gemeint ist, bedeutet auch, daß ein letztlich nicht adäquat reflektierbares Moment der Synthetisierung für den Glauben notwendig ist, damit jene Einheit zustande kommt, in der subjektive Glaubenswilligkeit den objektiven Grund des Glaubens sieht und so eben dieser objektive Grund die aufzuwendende Glaubenswilligkeit des Subjekts rechtfertigt.

Hier ist nicht die Gelegenheit und der Ort zu beschreiben, in welchen Formen und Gestalten das Hineingeratensein in den Verständniszirkel im einzelnen oder kollektiv geschieht. Grundsätzlich kann der Christ immer nur dies tun: voraussetzen, daß ein der Glaubensfreiheit angebotenes Verständnis im Grund des Wesens des hörenden Menschen schon gegeben ist und diesem Menschen sein schon gegebenes Verständnis in begrifflicher Artikulation sagen. Nimmt der Hörende die christologische Aussage auch explizit an, dann hat der Sagende dieses Glaubensverständnis in seiner ursprünglichen Einheit nicht eigentlich erzeugt, sondern nur in gegenständlicher Begrifflichkeit zu sich selbst gebracht. Wird diese Aussage reflexer Art, die dem anderen als die Interpretation seines vorausgesetzten Glaubensverständnisses angeboten wird, nicht in ausdrücklichem Glaubensbekenntnis angenommen, dann muß der Sagende erkennen: entweder hat sich der Hörende in Freiheit einem Verständnis verschlossen, das ihm an und für sich durch die Gnade und die an ihn herangetragene geschichtliche Botschaft in ihrer Einheit gegeben war, oder die in ihm auf jeden Fall wirksame, ihm vorgegebene Gnade Christi hat von der Heilsprovidenz Gottes her noch nicht den Kairos hergestellt, in dem dieses innere Gnadenlicht ihre geschichtliche Objektivation in einem expliziten Glauben an Jesus den Christus finden kann. Welcher von beiden Fällen tatsächlich gegeben ist, das entzieht sich dem Urteil dessen, der diese explizite christologische Botschaft ausrichtet.

Diese kurze Überlegung sollte nur verständlich machen, daß – auch wenn unsere Frage nach Jesus als dem Christus von vornherein von der Situation der in der Kirche bekannten und geglaubten Christologie ausgeht – die richtig verstandene Möglichkeit einer Rechtfertigung der kirchlichen Christologie vor dem noch nicht ausdrücklich an Jesus als den Christus Glaubenden nicht ausgeschlossen ist, sondern vorausgesetzt bleibt.

Die geschichtliche Dimension des christlichen Glaubens

Mit diesem fünften Abschnitt betreten wir notwendig den Boden der geschichtlichen Erkenntnis von Ereignissen, die an einen ganz bestimmten Raum-Zeit-Punkt sich einmal ereignet haben. Denn das Eigentliche der Botschaft des Christentums liegt ja gerade in der Aussage, daß dieser Jesus, gestorben unter Pontius Pilatus, niemand anders als der Christus, der Sohn Gottes, der absolute Heilbringer ist. Von diesem geschichtlichen Ereignis hängt das Heil aller Zeiten, ja je mein Heil ab, in diesem geschichtlichen, einmaligen Ereignis ist es begründet, wenn damit auch die Weise dieser Gegründetheit des Heiles *aller* in dem geschichtlichen Ereignis des Todes und der Auferstehung Jesu von Nazaret später noch eigens bedacht werden muß. Auch wenn man mit Recht sagen kann, daß die Erkenntnis eines solchen geschichtlichen Heilsereignisses nicht in der Weise der neutralen „historischen" Erkenntnis geschehe, sondern immer erst durch die Selbstinterpretation Jesu gegeben ist, deren Rechtfertigung aber durch das sie aufweisende Wunder der Taten und der Auferstehung Jesu wiederum nur im Zirkel des Glaubens erfaßbar ist, so meint doch die Glaubensaussage der Christologie über Jesus eine ganz bestimmte geschichtliche Person und geschichtliche Ereignisse, impliziert also geschichtliche Aussagen. Diese mögen immer nur als wirklich gegebene innerhalb einer Glaubensaussage vorfindbar sein: In ihr mindestens sind sie als wirklich geschichtliche gemeint und stellen daher das Wahrheitsgewissen des Glaubenden vor die Frage, in welchem Sinn und mit welchem Recht er sie als geschichtliche Ereignisse aussage und behaupte.

Das Problem universaler Bedeutung partikulärer geschichtlicher Ereignisse

Die christologische Aussage hat darum auch eine geschichtliche Dimension. Damit aber ist sie, will sie sich als geschichtliche nicht aufgeben und in eine von der Last der Geschichte scheinbar befreite existentialphilosophische Dimension flüchten, unweigerlich auch belastet mit all der Schwierigkeit und Unsicherheit der Erkenntnis eines geschichtlich weit zurückliegenden Ereignisses. Diese Situation ist in unserem Fall darum besonders belastend, weil die geschichtlichen Ereignisse, um die es sich hier handelt, nicht irgendwelcher Art sind, die man im letzten bei aller historischen Neugierde hinsichtlich ihrer Existenz, genaueren Natur und Deutung auf sich beruhen lassen kann, sondern diese Ereignisse sind für die Existenz des Menschen von entscheidender Bedeutung. Sie sollen uns wirklich radikal in der letzten Mitte unserer Existenz angehen und trotzdem geschichtliche Ereignisse sein. Aber der christliche Glaube betrachtet diese ganz bestimmten, raumzeitlich fixierten Ereignisse als solche, denen gegenüber sich der Mensch zwar (in dem, was wir dann Unglauben nennen) existenziell verschließen kann, aber so, daß diese ganz bestimmten raum-zeitlichen Ereignisse immer noch seine Existenz in ihrem letzten Kern unweigerlich und unvermeidlich angehen. Darum besteht eine gar nicht vermeidbare Differenz und Inkongruenz zwischen der (Un-)Sicherheit der geschichtlichen Erkenntnis als solcher und der existenziellen Bedeutung geschichtlicher Ereignisse, wenn sie der Vergangenheit angehören, und nicht einfach als sie selbst in ihrer eigenen Konkretheit unmittelbar erlebt werden. Das Christentum sagt, daß geschichtliche Ereignisse, die lange zurückliegen, immer noch meine Existenz treffen, und gleichzeitig bleibt wahr, daß diese Ereignisse in ihrem genaueren geschichtlichen Ablauf einen bestimmten Faktor von Unsicherheit, Fraglichkeit, Anzweifelbarkeit usw. unvermeidlich und unüberwindbar an sich tragen.

Früheren Zeiten – für welche die Tradition einfach eine Selbstverständlichkeit war, die auch die eigene Gegenwart machtvoll und indiskutabel bestimmte – war eine solche Diskrepanz und Inkongruenz zwischen der Geschichtlichkeit und der existenziellen Bedeutung vergangener Ereignisse nicht so fühlbar wie uns. Aber die Theologie und Philosophie fragt von der Zeit der Aufklärung an eben immer wieder, wie denn Geschichtliches existenziell eindeutig bedeutsam sein könne; ob denn Heil – das heißt: wir selber in unserem letzten Grund und im Ganzen – von einer geschichtlichen Wahrheit und Wirklichkeit abhängen können oder nur von solchen, deren transzendentale Notwendigkeit oder unmittelbare Verifizierbarkeit durch exakte Wissenschaften einleuchten. Natürlich setzt der Glaube als solcher diese geschichtlichen Ereignisse als absolut wahr und wirklich voraus. Aber zu den Momenten des Glaubens (so wie er wenigstens in einem katholischen Glaubensverständnis begriffen wird) gehört mindestens in einem gewissen Maß eine Reflexion auf die geschichtliche Erkanntheit dieser im Glauben absolut gesetzten Ereignisse und auf die Rechtfertigbarkeit dieser geschichtlichen Erkenntnis als solcher vor dem Wahrheitsgewissen des Menschen. In dieser Hinsicht ist die Inkongruenz zwischen der bloß relativen Feststellbarkeit der geschichtlichen Erkenntnis als solcher einerseits und der absoluten existenziellen Bedeutung der geschichtlichen Ereignisse und der Absolutheit des Glaubens anderseits prinzipiell nicht aufhebbar.

Die unvermeidliche Inkongruenz zwischen relativer geschichtlicher Sicherheit und absolutem Engagement

Damit begriffen werden kann, daß ein solcher Anspruch geschichtlicher Ereignisse trotz ihrer geringeren Sicherheit dennoch zu Recht bestehen kann, ist es von größter Bedeutung zu sehen, daß grundsätzlich und im allgemeinen der Mensch sein Dasein nicht vollziehen kann, ohne eine solche Inkongruenz zwischen der relativen Sicherheit seiner geschichtlichen Erkenntnis einerseits und der Absolutheit seines Engagements anderseits gelassen als unvermeidbar anzunehmen und in seiner Existenz durchzutragen. Indem er diese geschichtlichen Tatsachen mutig, gelassen und vertrauensvoll annimmt, und zwar in dem Bewußtsein, daß er selbst dann noch sein Dasein sittlich vollzogen hätte, wenn er sich in seiner geschichtlichen Erkenntnis geirrt hätte, gelangt er zu der Erkenntnis, daß man einer solchen Möglichkeit nicht durch existenzielle Abstinenz gegenüber geschichtlichen Tatsachen entrinnen kann, bloß weil man keine absolute geschichtliche Sicherheit ihnen gegenüber erreichen kann. Immer und überall läßt sich der Mensch in den absoluten und unrevidierbaren Entscheidungen seines Lebens auf geschichtliche Tatsachen ein, über deren Existenz und Natur er theoretisch keine absolute Sicherheit besitzt, überall besteht im Leben unvermeidlich die Inkongruenz zwischen absolutem Engagement, das einem unvermeidlich abverlangt wird, einerseits und der theoretischen Sicherheit über die Tatsachen, auf die man sich in einem solchen Engagement einläßt, andererseits. Diese Situation gehört unweigerlich zum Wesen der Freiheit.

Freiheit entscheidet sich aus ihrem Wesen heraus immer absolut, weil auch der Akt der Enthaltung nochmals eine absolute Entscheidung ist. Diese selbst wird getroffen auf Grund einer nicht absoluten Erkenntnis. Das gilt sogar noch dort, wo eine solche Entscheidung auf Grund transzendentaler, metaphysischer Einsichten erfolgt. Denn auch hier ist die reflexe Entscheidung bedingt durch eine Interpretation der transzendentalen Erfahrung, der ursprünglichen metaphysischen Einsicht, durch eine Interpretation, die ihre geschichtliche Bedingtheit nicht abstreifen kann. Selbst wenn eine solche Interpretation noch so präzis, metaphysisch scharfsinnig nur die letzten Notwendigkeiten der Wirklichkeiten aussagen will, fängt sie schon an mit einem sprachlichen Material zu arbeiten, das kontingent, bedingt ist.

Wenn daher in unserem Falle die geschichtliche Erkenntnis Jesu, seiner Selbstinterpretation und der dafür von ihm gegebenen Legitimation mit vielen Problemen, Unsicherheiten und Bezweifelbarkeiten belastet ist, dann ist eine solche Tatsache – die unbefangen zugegeben ist – keine Begründung dafür, sich eines absoluten Engagements auf ihn und die Heilsbedeutung seiner Wirklichkeit für uns zu enthalten. Denn auch eine solche vorsichtige Enthaltung wäre eine Entscheidung, ein Nein der Tat ihm gegenüber, für das die in geschichtlicher Erkenntnis objektivierbaren Gründe schlechter wären als die für ein positives Sicheinlassen auf ihn und seinen Anspruch. Natürlich ist hier zu betonen, daß für dieses letzte Urteil der Nachweis noch zu erbringen ist. Selbstverständlich ist zuzugeben, daß in unserem Falle trotz der Wohlbegründetheit der geschichtlichen Erkenntnis von Jesus und seinem Anspruch der Abstand zwischen der geschichtlichen Begründung und dem antwortenden Engagement der denkbar größte ist. Denn diese geschichtliche Erkenntnis als solche kann nicht wesentlich zwingender sein als irgendeine andere geschichtliche Erkenntnis, die uns wesentlich geringer existenziell in Anspruch nimmt. Das Engagement aber, um das es sich hier im Unterschied zu anderen Konsequenzen aus geschichtlichen Erkenntnissen handelt, ist schlechthin absolut, weil es eben das Heil des ganzen Menschen betrifft.

b) Hermeneutisches und Fundamentaltheologisches zum Problem der geschichtlichen Erkenntnis des vorösterlichen Jesus

Zwei Thesen

1. Der Glaube, der in Jesus den absoluten Heilbringer ergreifen will, kann an der Geschichte des vorösterlichen Jesus und an dessen Selbstverständnis nicht von vornherein uninteressiert sein. Sonst schüfe der „Glaube" „gelegentlich" des Jesus von Nazaret den Christus des Heiles, der dann ein Mythologem wäre, vom „Glauben" getragen, nicht diesen ermächtigend und tragend. Der richtige Satz, man könne keine Biographie Jesu schreiben, da alle historisch überkommenen Aussagen über Jesus im Neuen Testament schon als Glaubensaussagen über den Christus des Heils formuliert seien, berechtigt nicht von vornherein zu dem Schluß, man wisse „historisch" über Jesus nichts oder nur solches, das theologisch belanglos sei und bleibe. Man kann (natürlich mit einer historischen „Sicherheit" oder „Wahrscheinlichkeit", die die Absolutheit des Glaubens nicht erzeugen kann und auch gar nicht muß) vieles historisch von Jesus wissen, und zwar auch solches, das eine theologische Relevanz hat. Wieviel, das ist eine aposteriorisch immer neu zu stellende und zu beantwortende Frage. Über die von der Sache her einmalige Eigenart der geschichtlichen Erkenntnis der Auferstehung Jesu ist später eigens zu handeln.

2. Bei Einkalkulierung einer legitimen Differenz zwischen dem, was ein Subjekt (*als* Subjekt, nicht als bloße Sache!) ist, und dem, wie und wieweit es sich selbst verbal zu reflektieren vermag (bei welcher Differenz aber die beiden Größen nicht als sich gegenseitig schlechthin gleichgültig verstanden werden dürfen), kann gesagt werden, daß einerseits das Selbstverständnis des vorösterlichen Jesus dem christlichen Verständnis seiner Person und seiner Heilsbedeutung nicht (historisch gefragt) widersprechen darf, anderseits aber nicht *a priori* und *sicher* gefordert werden muß (um in Jesus den Christus des Glaubens zu erkennen), daß in sich und vor allem für uns sein vorösterliches

Selbstverständnis sich schon eindeutig und positiv deckt mit dem Inhalt des christologischen Glaubens, seine Auferstehung also nur als die göttliche Besiegelung eines Anspruchs (des absoluten Heilbringers) verstanden werden dürfe, der schon voll und eindeutig *vor* Ostern gegeben wäre. Mit dieser Feststellung ist der historischen Jesus-Forschung vom Dogmatiker ein weiter Spielraum eingeräumt. Es ist aber keine negative oder minimalistische Auffassung des Selbstverständnisses des vorösterlichen Jesus präjudiziert.

Was eben thesenartig zu hermeneutischen und fundamentaltheologischen Problemen formuliert wurde als Vorbereitung für die Frage nach dem geschichtlichen Jesus als dem Heilsbringer, darf vielleicht noch etwas ausführlicher und in einem weiteren Rahmen behandelt werden, wenngleich damit Themen berührt werden, die auch im allgemeineren Zusammenhang der Glaubensbegründung einer geschichtlichen Offenbarungsreligion behandelt werden könnten.

Der christliche Glaube ist auf die konkrete Geschichte Jesu verwiesen

Man sagt heute oft in der Diskussion um Jesus als den Christus des Glaubens, wir könnten von dem geschichtlichen Jesus nichts oder wenigstens nicht wissen, was glaubensmäßig und theologisch relevant sei: Wir wüßten nur das Glaubenszeugnis, das die Männer der apostoloischen Zeit und vor allem die Verfasser der neutestamentlichen Schriften von Jesus als dem Christus ablegten. Über dieses Zeugnis könnten wir nie hinauskommen, indem wir etwa in neutraler Historie etwas von Jesus auszumachen suchten, was einerseits glaubensmäßig und theologisch belangreich und ihm doch „an sich" und für uns unabhängig vom Glaubenszeugnis der ersten Zeugen zukäme. Wir hätten also bloß die Wahl, diesen Glauben der ersten Zeugen ohne weitere Fragen mitzuvollziehen oder ihn abzulehnen. Grundsätzlich lasse sich dann auch dasselbe von dem Glaubenszeugnis späterer Verkündiger von Jesus als dem Christus sagen, also von dem Zeugnis der Kirche. In allen diesen Fällen sei in den Jüngern der geglaubte Christus ein absolutes, letztes Datum, hinter das auf einen Jesus der Geschichte zurückgehen zu wollen von vornherein unmöglich, ja widersinnig sei. Man könne höchstens ein paar historische Belanglosigkeiten auf diese Weise feststellen (etwa, daß es einen Jesus von Nazaret gegeben habe, daß er mit der religiösen und politischen Behörde seiner Zeit aus nicht mehr ganz durchsichtigen Gründen in Konflikt gekommen sei und darum schließlich am Kreuz sein Leben beendet habe). Aber alles darüber Hinausgehende sei so sehr Sache, Inhalt, Gegenstand einer nicht mehr weiter begründbaren Setzung des Glaubens, daß dieser in seiner Inhaltlichkeit in bezug auf geschichtliche Ereignisse – vor allem aber in bezug auf die Auferstehung Jesu – weitere Begründung nicht mehr zulasse. Dieser Glaube sei in seiner formalen und existenziellen Struktur eher das wirkliche und einzig legitime Kriterium dafür, welche Inhaltlichkeit an geschichtlichen Tatsachen wirklich zu seinem Wesen zu zählen sei und welche nicht. All das, was von einem solchen Wesensansatz des Glaubens an Inhaltlichkeit geschichtlicher Art nicht zu erreichen sei, sei auch für den Glauben unwesentlich und könne nicht Gegenstand einer eigentlichen Glaubensaussage sein.

Eine solche Auffassung hat natürlich den Vorteil, uns von vornherein jeder historischen Verlegenheit zu entheben. Der Glaube ist in einer solchen Konzeption in einer undifferenzierten Einfachheit selber das erste und letzte. Er trägt nicht einmal in sich selbst ein von ihm unterscheidbares Begründungsmoment; und wenn er doch gelegentliche historische Aussagen macht, dann können diese auch beim radikalsten historischen Skeptiker keine Bedenken erregen.

Aber dieser Versuch, sich von der Last der Geschichte zu emanzipieren, ist gerade das erste Bedenken, das man einwenden kann. Der Mensch kann *grundsätzlich* seine Transzendentalität und Existentialität (wie immer man sie auch genauer interpretieren und zum eigentlichen Grund seines Glaubens machen mag) nicht ohne eine Hinwendung zur wirklichen Geschichte haben. Der Grad, in der eine solche Geschichte im Vollzug der eigentlichen Transzendentalität und eines bloß transzendental verstandenen existenziellen Glaubens erreicht wird, mag im einzelnen sehr verschieden sein, aber es gibt keinen Menschen, der seine Transzendentalität ohne Vermittlung durch Geschichte vollziehen könnte.

Darüber hinaus ist zu sagen, daß das genuine Christentum des Neuen Testaments sich anders verstanden hat, als es in einem solchen Versuch geschieht. Es hat sich als Glaube gewußt, der sich auf ein bestimmtes geschichtliches Ereignis bezieht und der dieses nicht einfach selber setzt, nicht glaubend schafft, sondern von ihm seine Rechtfertigung und Begründung empfängt. Diese Behauptung ist hier nicht ausführlicher zu beweisen. Sie ergibt sich aus allem, was später über die Selbstinterpretation Jesu, seinen Tod und seine Auferstehung gesagt werden muß als den Inhalt des christlichen Glaubens. In all dem erscheint das geschichtliche Ereignis Jesus samt dem, was wir Wunder und Auferstehung nennen, in der Selbstinterpretation des christlichen Glaubens der Urgemeinde nicht bloß als Gegenstand, den der Glaube sich selber schafft, sondern auch als *Grund* des Glaubens, durch den er sich selbst gegeben und vor dem Wahrheitsgewissen des Glaubenden gerechtfertigt weiß.

Zum Verhältnis von Glaubensgegenstand und Glaubensgrund

Man mag ein solches Verhältnis zwischen Glaube und geschichtlichem Ereignis, in dem das geschichtliche Ereignis den Glauben legitimiert, als unvollziehbar verwerfen. Man sollte dann aber auch nicht mehr sagen, daß man noch *den* christlichen Glauben so habe, wie ihn das Christentum aller Zeiten verstanden hat. Man müßte andernfalls zumindest einleuchtend nachweisen, daß die Verwerfung eines so begriffenen Verhältnisses zwischen Glaube und Glaubensgrund eindeutig notwendig sei. Das ist aber nicht möglich.

Um diese Ansicht zu verstehen, müssen wir etwas weiter ausholen. Wir unterscheiden zunächst ausdrücklicher und deutlicher als bisher zwischen Glaubens*gegenstand* und Glaubens*grund*. Diese Unterscheidung ist allerdings formaler und nicht materialer Art, da praktisch und konkret alle Glaubensgründe auch Glaubensgegenstände sind, wenn auch das umgekehrte Verhältnis nicht so ist, d.h. nicht jeder Glaubensgegenstand Glaubensgrund ist. Die Selbstinterpretation Jesu z.B., von uns mit dem Begriff des absoluten Heilbringers umschrieben, gehört doch wohl fast ausschließlich zum Glaubensgegenstand, für den ein von ihm verschiedener Glaubensgrund gesucht wird. Damit soll nicht bestritten werden, daß diese Selbstinterpretation in ihrer geschichtlichen Einmaligkeit und Größe unserem transzendental vorgegebenen Suchen nach der geschichtlich eindeutigen und endgültigen Erscheinung unserer übernatürlich transzendentalen Erfahrung der absoluten Selbstmitteilung Gottes entspricht, und zwar so, daß auch eine solche Selbstinterpretation Jesu ihren Glaubwürdigkeitsgrund in sich selber aufweisen kann. Aber dieses letzte ist doch schwer als gültig vom einen zum andern so übertragbar (wenn sonst nichts gegeben wäre als Glaubensgrund), daß wir doch trotz dieses sehr wichtigen und in der Schultheologie gar nicht wirklich behandelten Vorbehalts an der grundsätzlichen Unterscheidung zwischen Glaubensgrund und Glaubensgegenstand festhalten wollen.

Nach dem Glaubensverständnis des Christentums aller Zeiten und auch schon des Neuen Testaments gehört natürlich zu den Glaubensgründen an Jesus den Christus dasjenige, was wir die Wunder- und Machttaten Jesu nennen, und vor allem seine Auferstehung. Ob wir heute auch noch im Unterschied zur Auferstehung in den geschichtlich überlieferten Wunder- und Machttaten Jesu konkret einen Glaubensgrund erkennen können oder ob wir unsere Frage nach dem Glaubensgrund heute auf die Frage nach der Auferstehung Jesu konzentrieren müssen (nicht aus apologetischen Ängsten, sondern aus theologisch zu begründenden Überlegungen heraus), das ist eine Frage, die sich hier noch nicht stellt. Es ist auch noch nicht zu fragen, wie und warum diese beiden genannten Glaubensgründe (die Wunder- und Machttaten Jesu einerseits und seine Auferstehung anderseits) voneinander wesentlich verschieden sind. Ebensowenig ist zunächst zu untersuchen, ob und wie die Männer zur Zeit Jesu diese Glaubensbegründung erkennen konnten als geschichtliche Ereignisse und ob und in welcher Verschiedenheit von der Erkenntnis der neutestamentlichen unmittelbaren Zeugen uns eine solche glaubensbegründende Erkenntnis möglich ist, die sich auf die Wunder und die Auferstehung Jesu oder nur auf das letztere bezieht. Hier ist nur festzuhalten, daß eine solche Funktion der Wunder- und Machttaten Jesu und seiner

Auferstehung in der Selbstinterpretation des christlichen Glaubens gegeben ist und daß der christliche Glaube – mindestens in der katholischen Kirche – diese Wirklichkeiten nicht nur als das Geglaubte, als Gegenstand des Glaubens, sondern auch als Glaubensgrund betrachtet.

Wenn wir also für die Wunder- und Machttaten und die Auferstehung Jesu eine glaubensbegründende Funktion annehmen, dann ist damit nicht behauptet, daß eine solche Erkenntnis gewissermaßen von außen den Glauben induziere und rechtfertige. Wenn wir den grundlosen Glauben als unchristliche Konzeption ablehnen, dann bedeutet das nicht, daß der Glaubensgrund dem Glauben selber äußerlich sei und unabhängig vom Glauben erfaßt werden müsse. Ein solches äußerliches Verhältnis zwischen Glaubengrund und Glaube braucht nicht angenommen zu werden, weil dies gar nicht die einzig denkbare Weise ist, in der ein Glaubensgrund vom Glaubensgegenstand unterschieden werden und für diesen eine begründende Funktion ausüben kann. Einer solchen äußerlichen Verhältnisbestimmung stehen grundsätzliche Bedenken vom christlichen Dogma her entgegen, und nicht nur solche, die sich auf die faktische Erfahrung des heutigen Menschen, auf seine historische Skepsis usw. stützen. Es ist durchaus denkbar, daß der Glaubensgrund nur *im* Glauben erreicht wird und dennoch innerhalb seiner eine wahre begründende Funktion ausüben kann und nicht nur willkürlich oder aus dem formalen Wesen des Glaubens heraus gesetzter Glaubensgegenstand ist.

Also nicht die Skepsis gegenüber einer glaubensbegründenden Funktion historischer Erkenntnis ist der eigentliche Grund, warum wir dieses äußerliche Verhältnis von Glaubensgrund und -gegenstand ablehnen. Es sind dafür letztlich dogmatische Gründe maßgebend. Sie haben grundsätzlich schon gegolten und würden auch jetzt gelten, selbst dann, wenn wir hinsichtlich der rein historischen Beurteilung unserer Erkenntnisse von Jesus von Nazaret weniger skeptisch wären, als dies bei der heutigen Situation wohl nötig ist. Es gibt gegen ein solch äußerliches Verhältnis dogmatische Gründe, denn das katholische Dogma über den Glauben hält daran fest, daß Glaube und Glaubenserkenntnis ohne Gnade nicht möglich seien und daß sie eine personal *freie* Zustimmung des glaubenden Subjektes bedeuten. Eine wirkliche und wirksame Erfassung der geschichtlichen Glaubensbegründung ist nur in dem gnadenhaften Vorgang des freien Glaubens selbst gegeben und übt also ihre glaubensbegründende Funktion aus als ein Moment innerhalb des Glaubens im Zirkel eines gegenseitigen Bedingungsverhältnisses zwischen transzendentaler Gnadenerfahrung und geschichtlicher Erfassung glaubensbegründender Ereignisse.

Zu dem Begriffspaar „(heils-)geschichtlich/historisch“

Tatsächlich ist ja auch in der Heiligen Schrift neben und mit der Berufung auf die geschichtlichen, zum Glauben ermächtigenden Ereignisse immer eine Berufung auf die Erfahrung des Geistes Gottes (die wir schon früher als die Finalisierung der menschlichen Existenz auf die Unmittelbarkeit Gottes durch die Selbstmitteilung Gottes interpretiert haben) gegeben, ohne die letztlich eine Glaubenszustimmung gar nicht möglich ist. Setzt man diesen gegenseitigen Bedingungszusammenhang voraus, in welchem die Gnade des Glaubens die Augen öffnet für die Glaubwürdigkeit bestimmter geschichtlicher Ereignisse, und setzt man umgekehrt voraus, daß diese wiederum das Sicheinlassen auf die transzendentale Gnadenerfahrung legitimieren, dann kann man der sonst sehr dunklen, aber viel verwendeten und nicht unbedenklichen Unterscheidung zwischen Heilsgeschichtlichem und bloß Historischem einen richtigen Sinn abgewinnen. Das Heilsgeschichtliche – streng als solches – muß der Dimension angehören, die wir die Geschichte des Menschen in einem sehr objektiven und sachlichen Sinn nennen, und es wird als solches auch in der Aussage bejaht, in der der Glaube seinen Gegenstand und seinen Grund in einem – in freier Tat und Entscheidung, getragen von der Gnade – ergreift. Aber dieses Heilsgeschichtliche als Glaubensgrund braucht insofern nicht „historisch“ genannt zu werden, als es nicht den Anspruch zu machen braucht und macht, auch für eine glaubensmäßig uninteressierte und in diesem Sinne bloß neutral-profane historische Erkenntnis greifbar zu sein.

„Geschichtlich“ im Unterschied zu „historisch“ wäre dann also dasjenige in der „objektiven“ Wirklichkeit und Umwelt und Geschichte des Menschen, das erfaßt wird und *nur* erfaßt wird innerhalb einer existenziell sich engagierenden Glaubenszustimmung. „Historisch“ wäre dasjenige, was auch außerhalb einer solchen Glaubenserkenntnis durch eine rein profane Historie erfaßt werden könnte.

Der Glaube der Erstzeugen und unser Glaube

Wenn wir so betonen, daß der Zusammenhang zwischen glaubensbegründendem geschichtlichem Ereignis und dem Glauben selbst innerhalb des Glaubens zu stehen kommt, dann gilt das sowohl für die ersten Zeugen, die eine unmittelbare geschichtliche Erfahrung Jesu hatten, als auch für uns, die später Glaubenden. Diese Differenz zwischen Glaubensgegenstand und Glaubensgrund und der trotzdem gegebenen Immanenz beider Momente im Glauben selbst ist also zunächst einmal für die ersten Glaubenszeugen gegeben. Auch diese erreichen das wirklich glaubensbegründende Heilsgeschichtliche nur im Glauben. Das ist nicht eine bedauerliche und betrübliche Kalamität des Glaubens, sondern ergibt sich vom Wesen des Glaubens her, weil und insofern er eine totale existenzielle Entscheidung in Freiheit ist und darum das, was ihn trägt und begründet, nur in dieser Freiheit (d. h. im Glaubensakt selbst) gewinnen kann. Insofern ist die Glaubenserfahrung und die Erfahrung des Glaubensgrundes bei den ersten Jüngern nicht anders als bei uns. Damit sind wir nicht einfach diesen gleichgestellt und von ihnen unabhängig geworden. Ein Begründungszusammenhang zwischen dem Glauben der ersten Zeugen und unserem Glauben ist nicht geleugnet, sondern in dieser Konzeption impliziert. Für unseren Glauben bedeutet der Glaube der ersten Jünger und der Glaube der zwischen ihnen und uns liegenden Glaubensgeschlechter nicht nur die Übermittlung eines historischen Materials, das wir dann wieder in einem absolut neuen autonomen und ursprungslosen Glaubensakt für uns allein verwandeln in einen Glaubensgrund und -gegenstand, sondern dieser Glaube der ersten Zeugen und der Glaube der Geschlechter, die diesen Glauben der ersten Zeugen auf uns gebracht haben, ist ein Moment an der Begründung unseres Glaubens als solchen selbst.

Der Vollzug des Glaubens bei den ersten Zeugen als die Erfahrung des Geglücktseins der Einheit zwischen gnadenhaft transzendentaler Gläubigkeit einerseits und dem Ergreifen bestimmter geschichtlicher Ereignisse als der geschichtlichen Vermittlung zu dieser transzendentalen Gläubigkeit anderseits ist für uns Späterglaubende durchaus eines der glaubensbegründenden Momente unseres eigenen Glaubens. Damit ist aber nicht gesagt, daß für uns das Bedingungsverhältnis zwischen glaubensbegründendem ursprünglichem Heilsereignis und dem Glauben der ersten Zeugen unerreichbar geworden sei. Im Gegenteil: Indem wir, durch ihren Glauben ermutigt, ihrem Zeugnis glauben, treten wir selbst in die Struktur ihres Glaubens ein und können durchaus mit Recht z.B. mit ihnen sagen: *weil* Christus auferstanden ist, glaube ich.

Heilserkenntnis ist nur im Glaubensengagement möglich

Die Begründung für diese These – insofern sie gerade auf den Glauben an Jesus Christus zielt – kann erst erbracht werden, wenn wir uns später fragen, mit welchem Recht wir die Selbstinterpretation Jesu als des absoluten, durch seine Auferstehung legitimierten Heilbringers rechtfertigen können. Von der Natur der Sache her kann ein solcher Begründungszusammenhang im allgemeinen gar nicht anders gedacht werden als im Zirkel des einen Glaubens. Denn Heilserkenntnis betrifft per definitionem einen Gegenstand, der den ganzen Menschen meint und beansprucht. Wenn es überhaupt eine dem konkreten jeweiligen Erkenntnisvollzug vorausgehende Korrespondenz zwischen Erkenntnisart einerseits und Erkenntnisgegenstand anderseits geben muß, dann ist von vornherein klar, daß die Heilserkenntnis des Heilsgegenstandes – Glaube genannt – nur vom ganzen Menschen im Engagement seiner Existenz geleistet werden kann, daß es also von vornherein in diesem Falle keinen Punkt seiner Existenz geben kann, der außerhalb dieses Erkenntnisvollzuges stände. Ist eine solche Heilserkenntnis dennoch auch eine geschichtliche, dann ist notwendigerweise der geschichtliche Gegenstand ein solcher, der nur in dieser heilsgeschichtlichen Erkenntnis auftreten kann, die als Glaube den ganzen Menschen engagiert; und doch ist er so dasjenige, was diesen Glauben ermächtigt, weil dieser Glaube notwendig – trotz seiner gnadenhaften Transzendentalität – durch die Geschichte ermächtigt sein muß, soll das Heil sich nicht jenseits der Dimension ereignen, in der der Mensch sein Leben und auch seine geistige Transzendentalität hat. Ein solches gegenseitiges Bedingungsverhältnis wird den nicht verwundern, der einmal wirklich reflex und existenziell deutlich begriffen hat, daß auch die profanste historische Wirklichkeit nicht wirklich gegeben ist, sie sei denn anerkannt und damit auch schon unter das Gesetz einer geistigen Apriorität geraten, ohne die überhaupt nichts erkannt werden kann, auch wenn diese Apriorität nicht immer identisch ist mit der gnadenhaften Transzendentalität, in der und von der aus ein Mensch allein etwas erfassen kann, was heilsbedeutsam ist.

Es ist schon früher betont worden, daß die These, der heilsgeschichtliche Gegenstand sei – unbeschadet seiner Begründungsfunktion – nur im Glaubensakt selbst gegeben, die Möglichkeit einer glaubensbegründenden Aussage gegenüber einem Nichtglaubenden nicht aufhebt. Das wird noch verständlicher, wenn wir beachten, daß die glaubensbegründende Aussage gegenüber einem „Nichtglaubenden" von einem Glaubenden gemacht wird, der dies reflex weiß. Er bringt – beabsichtigt oder nicht – seinen eigenen Glauben in dessen geglückter Einheit von transzendentaler gnadenhafter Gläubigkeit und der diese vermittelnden geschichtlichen Erfahrung in seinen glaubensbegründenden Aussagen zur Geltung und ruft auf diese Weise in einer Art, die weit mehr impliziert als irgendeine gelehrte oder historische Indoktrination, jene Erfahrung an, die unreflektiert (entweder frei, wenn auch unthematisch, schon angenommen oder der Freiheit als ihre echte Möglichkeit angeboten) im anderen schon gegeben ist.

Zum Unterschied glaubensgegenständlicher und glaubensbegründender Aussagen

Sosehr wir betont haben, daß die heilsgeschichtlichen Daten nur im gnadenhaften Wunder des Glaubens selbst gegeben sind, so sind dennoch (um ein schon Gesagtes nochmals aufzunehmen und zu verdeutlichen) Aussagen über Glaubenswirklichkeiten und glaubensbegründende Heilsereignisse nicht einfach und immer identisch. Ein solcher Unterschied ist nicht nur von der verschiedenen *objektiven* Qualität der gemeinten Wirklichkeiten her gegeben, sondern ein solcher Unterschied zwischen glaubensbegründender und geschichtlicher Heilswirklichkeit als Glaubensgegenstand ist auch gegeben von der Weise unserer eigenen geschichtlichen Erkenntnis her, die auch noch einmal einen Unterschied konstituiert hinsichtlich der Wirklichkeiten, die von ihrer objektiven Natur her der gleichen geschichtlichen Dimension angehören.

Die Kindheitsgeschichte Jesu gehört z.B. an sich der gleichen geschichtlichen Dimension an wie das Abendmahl Jesu. Sie ist sogar radikaler der geschichtlichen Wirklichkeit Jesu angehörend als etwa seine Auferstehung, die eine ganz eigentümliche Wirklichkeit ist, weil sie auf der einen Seite dem konkreten geschichtlichen Jesus an sich und nicht nur unserer Glaubensaussage zukommt und doch eine Aussage macht von einer Wirklichkeit, die als solche nicht mehr der Dimension unserer historischen Empirie angehört. Das sieht man ja auch schon daran, daß die Erfahrung des Auferstandenen nur den Glaubenden und nicht seinen Feinden zuteil geworden ist.

Die Berichte, denen wir – wenn überhaupt – eine geschichtliche Erkenntnis von Jesus von Nazaret entnehmen können, sind die Berichte des Neuen Testaments, also samt und sonders Glaubensaussagen. Darum kann es, relativ zu uns durchaus so sein, daß eine Aussage in solchen Berichten uns nur als Glaubensaussage gegeben ist, ohne daß dieser Glaubensinhalt selber von uns auch als partieller Glaubensgrund erreicht werden kann, während eine andere Aussage einen Glaubensinhalt vorstellt und zugleich einen Glaubensgrund sehen läßt. Dabei kann es so sein, daß die Aussage über einen bloßen Glaubensinhalt ohne einen eigenen Glaubensgrund durchaus ein geschichtliches Ereignis meint, das aber für uns in seiner Geschichtlichkeit nicht mehr auch noch als Moment am Glaubensgrund erfaßbar ist. Die jungfräuliche Empfängnis Jesu mag z.B. durchaus in der Glaubensaussage darüber als Vorkommnis in der geschichtlichen Dimension gemeint sein. Wenn wir aber fragen, ob der Bericht darüber in der Kindheitsgeschichte Jesu im Neuen Testament uns genauso wie z.B. die Machttaten Jesu oder seine Auferstehung im Glaubenszeugnis der Berichte auch die Begründung dieses Glaubens mitergreifen läßt, dann werden wir eine solche Frage ruhig mit einem Nein beantworten dürfen. Bei einem solchen Bericht haben wir auch unter der Voraussetzung unseres Glaubens und unserer Glaubenswilligkeit nicht die Möglichkeit, in einer geschichtlichen Fragestellung Glaubensgrund und -inhalt zu differenzieren.

Man hat auch unter unseren Voraussetzungen des genannten Zirkels Recht und Pflicht, in neutestamentlichen Berichten zu unterscheiden, ob die jeweiligen Angaben Glaubensinhalt oder darüber hinaus noch Glaubensbegründung liefern. Man braucht bei einer solchen fundamentaltheologischen Fragestellung den *geschichtlichen* Wert der Texte für uns nicht bei allen Texten gleich einzustufen. Von da aus ist es selbstverständlich und für unsere Überlegungen sehr wichtig, daß die Zahl der Texte und der Umfang ihrer Aussagen bei einer fundamentaltheologischen Fragestellung viel geringer ist als die Zahl und der Umfang des Inhaltes der Texte, die den neutestamentlichen Glauben bezeugen. Diese Unterscheidung ist auch dann noch zu machen, wenn wir alle diese Aussagen als Glaubende im Zirkel unseres eigenen Glaubens lesen.

Wir geben den Zirkel von Glaubensbegründung und Glaube nicht auf, wenn wir fragen: Was kann in einer geschichtlichen Fragestellung mit einer genügenden Sicherheit an solchen Ereignissen festgestellt werden, die nicht nur Glaubensgegenstand, sondern auch glaubensbegründend sind? Konkret: Hat sich etwa Jesus als der absolute Heilbringer gewußt und kann ein solcher Anspruch für unser Wahrheitsgewissen in genügender Sicherheit als in geschichtlicher Erkenntnis ergriffen behauptet werden? Wir verlassen durch eine solche fundamentaltheologische Fragestellung den festgestellten Zirkel nicht, weil wir ja nicht leugnen, daß diese genügende geschichtliche Erkenntnis sich nur dem wirklich auftut, der sie in einem totalen Akt der Erkenntnis so ergreift, daß sie in den absoluten Akt des Glaubens aufgenommen und ihre an sich sehr relative Sicherheit im Akt des Glaubens selbst ihre Ruhe findet. Umgekehrt ist aber trotz des Bestehens des genannten Zirkels der Unterschied zwischen Texten, die Glaubensinhalt allein und solchen, die geschichtliche Glaubensbegründung bieten, aufrechtzuerhalten. Fundamentaltheologisch und dogmatisch bedeutsame Texte haben nach Zahl und Umfang einen verschiedenen Charakter. Die fundamentaltheologisch-geschichtliche und die dogmatisch-heilsgeschichtliche Perspektive und Fragestellung sind nicht identisch, auch dann und darum noch nicht, weil sie beide im Zirkel des einen Glaubens anvisiert werden.

Ein solcher grundsätzlicher Unterschied berechtigt den Glaubenden, in seiner fundamentaltheologischen Fragestellung nach der geschichtlichen Erkenntnis der glaubensbegründenden (und nicht nur glaubensinhaltlichen) Wirklichkeiten mit größter Strenge voranzugehen. Da auch der Glaubende gehalten ist, Glaubensinhalt und -grund zu unterscheiden, ist es durchaus berechtigt, im Neuen Testament angebotene glaubensbegründende Aussagen streng zu prüfen und zu versuchen, mit einem Minimum von solchen Erkenntnissen auszukommen. Schon die traditionelle Fundamentaltheologie und Apologetik betont, daß sie die „Substanz" der neutestamentlichen Berichte mit genügender Sicherheit als geschichtlich behaupten müsse und wolle, aber alles, was über eine solche „Substanz" hinausgeht, als geschichtlich in einer fundamentaltheologischen Aussage streng als solcher nicht behauptet werde. Man hat früher vermutlich diese für einen Glauben, der sich geschichtlich vermittelt weiß, notwendige „Substanz" geschichtlicher fundamentaltheologischer Kenntnisse konkret wohl zu groß – vielleicht viel zu groß – eingeschätzt. Das ist aber kein grundsätzlicher Fehler gewesen. Und es ist auch immer mit der Möglichkeit zu rechnen, daß man diese Substanz des glaubensbegründenden Geschichtlichen in einer falschen Skepsis zu gering einschätzt.

Die fundamentaltheologisch zu erreichenden geschichtlichen Minimalvoraussetzungen für eine orthodoxe Christologie

Aus unseren Überlegungen ergibt sich, daß wir fundamentaltheologisch eigentlich nur zwei Thesen als geschichtlich glaubwürdig nachzuweisen haben, um die ganze Christologie des orthodoxen Christentums fundamentaltheologisch in ihrem Glaubensgrund zu begründen:

1. Jesus hat sich nicht bloß für einen der vielen Propheten gehalten, die grundsätzlich eine unabgeschlossene Reihe bilden, die nach vorn immer offen ist, sondern er hat sich als den *eschatologischen* Propheten, den absoluten und endgültigen Heilbringer verstanden, wenn auch die genauere Frage, was mit einem endgültigen Heilbringer gemeint ist und was nicht, noch weiterer Überlegungen bedarf.

2. Dieser Anspruch Jesu ist für uns glaubwürdig, wenn wir von unserer gnadenhaften transzendentalen Erfahrung der absoluten Selbstmitteilung des heiligen Gottes aus im Glauben auf das Ereignis blicken, das den Heilbringer in seiner ganzen Wirklichkeit vermittelt: die Auferstehung Jesu. Gelingt es uns, diese beiden Thesen im folgenden als glaubwürdig zu erhärten, dann ist alles erreicht, was zunächst fundamentaltheologisch geleistet werden muß. Alle übrigen Aussagen über Jesus als den Christus können als Glaubensinhalt dem Glauben selbst überlassen werden.

Wir brauchen fundamentaltheologisch nicht vorauszusetzen, daß die Zeugnisse des Neuen Testaments in allem und in jedem gleich zuverlässig erscheinen müssen. Wir haben das Recht, uns nicht vor das Dilemma stellen zu lassen, daß ein Bericht entweder in allen Einzelheiten Glauben verdienen müsse oder schlechthin zu verwerfen sei. Die Antwort auf eine fundamentaltheologisch verstandene Frage hinsichtlich der Zuverlässigkeit der Quellen des Lebens und Selbstverständnisses Jesu und der Legitimation seines Anspruches kann selbstverständlich nur zum Urteil einer „substanziellen" Geschichtlichkeit kommen. Diese Antwort kann und darf das Glaubensurteil einer absoluten Inerranz der Schrift nicht imitieren, indem man den fundamentaltheologischen Stellenwert überall gleich hoch einschätzt. Eine Differenzierung der Quellen hinsichtlich der geschichtlich nachweisbaren Zuverlässigkeit ist darum notwendig und legitim. Der genaue Sinn dessen, was mit „substanzieller" Zuverlässigkeit der Quellen gemeint ist, kann sich nur aus der positiven Einzelarbeit an diesen ergeben. Wir können ruhig bei den Berichten über das geschichtliche Leben Jesu bis zu seinem Tod damit rechnen, daß sie – weil kerygmatische Glaubenszeugnisse und nicht profane Biographie – schon immer mitgestaltet sind durch das von Ostern her gewonnene Glaubensurteil über Jesus.

c) Die empirisch konkrete Gestalt des Lebens Jesu

Die Eigenart unseres Vorgehens

Wenn wir uns nun fragen, was wir vom Leben und der Selbstinterpretation des historischen, vorösterlichen Jesus wissen, dann kann es sich in einer solchen „Einführung in den Begriff des Christentums" auf einer ersten Reflexionsstufe (wie wir das Gemeinte nannten) nicht darum handeln, ausführlich und mit den Mitteln einer heutigen historischen Wissenschaft Exegese zu treiben und auf diese Weise die Frage zu beantworten, was wir mit genügender geschichtlicher Sicherheit oder Wahrscheinlichkeit von diesem Jesus aus den uns zur Verfügung stehenden geschichtlichen Quellen wissen. Eine solche Aufgabe ist nicht die einer ersten Reflexionsstufe, weil dies sowohl den Schreiber wie den Leser einer solchen ersten Einführung notwendig überfordern würde und darum auch gar nicht die Aufgabe einer solchen ersten Reflexion auf die Legitimität des christlichen Glaubens an Jesus als den Christus sein *kann.* Auf dieser Reflexionsstufe haben wir durchaus das Recht, die Ergebnisse solcher ursprünglicher und gelehrter Exegese und Geschichte des Lebens Jesu vorauszusetzen, mindestens hinsichtlich jener Ergebnisse, die diese historischen Wissenschaften uns als genügend sicher oder wahrscheinlich überliefern. Alles, was daher im folgenden gesagt wird, geschieht unter Verweis auf diese Wissenschaften und ihre Ergebnisse, freilich auch mit dem Anspruch, daß dieser Verweis durch diese Wissenschaften legitimiert wird.

Natürlich haben diese exegetischen Wissenschaften nicht einfach Resultate erbracht, die von ihnen schlechthin einhellig gewonnen und von allen solchen Wissenschaftlern in völliger Übereinstimmung ausgesagt werden. Aber so etwas ist in der Geschichtswissenschaft von vornherein nicht zu erwarten, und die Bedingtheiten solcher historischer Wissenschaften, Meinungsverschiedenheiten in ihnen und eine gewisse Grenzunschärfe hinsichtlich ihrer Resultate als durchschnittlich angenommener sind kein Grund, uns ein absolutes Engagement gegenüber einem nur so erkannten Geschichtlichen zu verbieten. Wir berichten also nur zusammenfessend, was man von der Exegese her mit genügend gutem Gewissen als über den vorösterlichen Jesus wißbar und gewußt behaupten kann.

Thesenhafte Zusammenfassung

Folgendes kann also unbefangen als Momente unseres historischen Wissens von Jesus aufgeführt werden (unter vorläufiger Ausklammerung der letzten Eigenart seines Selbstverständnisses):

1. Jesus lebte an sich und von sich her unbefangen in der religiösen Umwelt seines Volkes (seiner ihm vorgegebenen geschichtlichen Situation), die (reli-

giöses Leben, Synagoge, Feste, Brauchtum, Gesetz, Priester, Lehrer, heilige Schriften, Tempel) er im ganzen als legitim und von Gott gewollt annahm und mitlebte. Insofern wollte er ein religiöser Reformator, nicht ein radikaler religiöser Revolutionär sein. Wie und inwieweit seine Botschaft und fordernde Interpretation dieser seiner religiösen Herkunft und Umwelt doch eine radikale „Revolution" darstellt, ist eine andere Frage.

2. Er war ein radikaler Reformator. Als solcher durchbricht er die Herrschaft des Gesetzes, das sich faktisch anstelle Gottes selbst setzt (auch wenn dies nicht die eigentliche Absicht des Gesetzes war und – nebenbei bemerkt – auch von Paulus nicht so interpretiert wurde), kämpft gegen Legalismus sowohl jenseits einer bloßen Ethik frommer Gesinnung als auch einer Werkgerechtigkeit, die den Menschen gegen Gott absichern soll. Er weiß sich in radikaler Nähe zu Gott, der für ihn keine Chiffre für die Bedeutung des Menschen, sondern die letzte Wirklichkeit als selbstverständliche und unbefangen gelebte ist, und ist gerade von daher derjenige, der sich radikal mit den sozial und religiös Deklassierten solidarisch weiß, weil sein „Vater" gerade diese liebt. Er nimmt entschlossen den Kampf an, den seine Haltung und sein Tun von seiten des religiösen und gesellschaftlichen Establishments hervorruft. Von sich aus treibt er aber nicht unmittelbar im soziologischen Sinn Gesellschaftskritik.

3. Während er zunächst auf einen Sieg seiner religiösen Sendung im Sinne einer „Umkehr" seines Volkes hoffte, wächst in ihm immer mehr die Erfahrung, daß seine Sendung ihn in einen tödlichen Konflikt mit der religiös-politischen Gesellschaft bringt.

4. Diesem seinem Tod geht er aber entschlossen entgegen, er nimmt ihn an zumindest als unvermeidliche Konsequenz der Treue zu seiner Sendung und als ihm von Gott her auferlegt.

5. Seine radikal reformatorische Erweckungspredigt will zur Umkehr rufen wegen und in der Nähe des Reiches Gottes und will Jünger sammeln, die ihm „nachfolgen", wobei hier *zunächst* die Frage noch zurückgestellt wird, ob diese Jünger sich somit einer Sache zusagen, die letztlich von ihm selbst unabhängig ist, oder die „Sache", für die er wirbt – d.h. das nahe „Reich Gottes" –, unablöslich gerade mit ihm selbst gegeben ist. Jesus hat nicht daran gedacht, daß jeder und jeder in jeder Zeit ihm *nur* nachfolgen könne in einem *explizit* sozialkritischen Engagement für die Unterdrückten und Entrechteten. Mit dieser negativen Feststellung ist nicht geleugnet, daß *alles* Tun und Lassen des Menschen eine gesellschaftliche Relevanz habe, gerade wenn es nicht *als* solches intendiert ist und vielleicht gerade *nur* beabsichtigt diese Relevanz hat, und daß darum auch die ganze Theologie Jesu als „politische" Theologie gelesen werden könne.

6. *Historisch* gesehen, wird vieles für die Frage nach dem vorösterlichen Jesus offenbleiben müssen: ob er ein verbalisiertes Messiasbewußtsein hatte; welche der über fünfzig Namen, die im Neuen Testament Jesus gegeben

werden, seinem Selbstverständnis am ehesten oder ganz entsprechen; ob etwa der Menschensohntitel der neutestamentlichen Christologie zu den ipsissima verba Jesu gehört oder ob dies nicht nachgewiesen werden kann; ob Jesus etwa (wenigstens zeitweise) an eine mögliche Differenz zwischen ihm selbst und einem künftigen Menschensohn gedacht hat; ob und in welchem Maß und mit welchem Sinn der vorösterliche Jesus seinem Tod eine soteriologische Funktion ausdrücklich zugeschrieben hat über das in der eben gemachten (4.) Aussage Implizierte hinaus; ob und in welchem Sinn er vor Ostern bei seiner Naherwartung des Reiches Gottes seine Jünger als neue, zu stiftende und gestiftete Gemeinschaft, als neues Israel der an ihn Glaubenden voraussah, dies wollte und institutionalisierte.

d) Über das grundlegende Selbstverständnis des vorösterlichen Jesus

Das wahrhaft menschliche Selbstbewußtsein Jesu

Jesus hatte ein menschliches Selbstbewußtsein, das nicht „monophysitisch" identifiziert werden darf mit dem Bewußtsein des Logos Gottes, von dem die menschliche Wirklichkeit Jesus dann letztlich passiv wie eine verlautbarende Livree des einzig aktiven Gottsubjektes gesteuert würde. Das menschliche Selbstbewußtsein Jesu stand Gott in kreatürlicher Abständigkeit, frei, gehorsam, anbetend gegenüber wie jedes andere menschliche Bewußtsein. Der Unterschied zwischen dem menschlichen Selbstbewußtsein und Gott, der verbietet, dieses menschliche Selbstbewußtsein gewissermaßen als Doppel des göttlichen Bewußtseins zu verstehen, zeigt sich überdies in der Tatsache, daß Jesus während seines öffentlichen Auftretens erst erkennen mußte (wir reden immer vom objektivierten und verbalisierten Bewußtsein Jesu), daß das Reich Gottes wegen der Herzensverhärtung der Hörer nicht in der Weise kam, wie er es zu Beginn seiner Verkündigung gedacht hatte.

Unbeschadet einer letzten, in der ganzen Lebensgeschichte durchgehaltenen Selbigkeit eines Tiefenbewußtseins unreflexer Art von einer radikalen und einmaligen Nähe zu Gott (wie es sich auch in der Eigenart seines Verhaltens zum „Vater" zeigt), hat dieses sich objektivierende und verbalisierende (Selbst-)Bewußtsein Jesu eine Geschichte: Es teilt die Verstehenshorizonte und Begrifflichkeiten seiner Umwelt (auch für sich selbst, nicht nur sich „herablassend" für andere); es lernt, es macht neue, überraschende Erfahrungen; es ist von letzten Krisen der Selbstidentifikation bedroht, auch wenn diese nochmals – ohne ihre Schärfe zu verlieren – umfangen bleiben von dem Bewußtsein, daß auch sie selbst in dem Willen des „Vaters" geborgen bleiben.

Das Problem der „Naherwartung"

Sein ihm und (erst) in ihm gegebenes Verhältnis zu Gott objektiviert und verbalisiert Jesus für sich selbst und für seine Hörer durch das, was man als Apokalyptik, Naherwartung und Gegenwartseschatologie zu bezeichnen pflegt. Da die Apokalyptik als zeitgemäßer Vorstellungsrahmen Jesu verstanden werden kann und die Gegenwartseschatologie dem Verständnis der Bedeutsamkeit Jesu eher entgegenkommt, als sie hindert, stellt sich das eigentliche Problem durch das, was man „Naherwartung" nennt, indem man selbst eine Kürze des *zeitlichen* Abstandes zum kommenden Reich Gottes zum entscheidenden Punkt solcher Erwartung macht, während dies Jesus selbst ablehnt und doch eine Naherwartung aussagt. *Wenn* man die von Jesus offen gelassene Frage nach dem letzten Sinn des „Bald" des kommenden Tages Jahwes vernachlässigt, weil dieses „Bald" und das Wissen um die Unbekanntheit des Tages im Bewußtsein Jesu ja doch nicht in eine höhere Einheit synthetisiert worden seien, dann mag man von einem „Irrtum" in der Naherwartung Jesu sprechen, der in diesem „Irrtum" nur unser Los geteilt hätte, weil so zu „irren" für den geschichtlichen Menschen und also auch für Jesus besser ist, als immer schon alles zu wissen. Wenn man aber den existentialontologisch richtigeren Begriff von „Irrtum" voraussetzt und bewahrt, ist kein Grund gegeben, von einem Irrtum Jesu in seiner Naherwartung zu sprechen: Ein echt menschliches Bewußtsein *muß* eine unbekannte Zukunft vor sich haben. Die Naherwartung Jesu war für ihn die *wahre* Weise, in der er in seiner Situation die zur unbedingten Entscheidung rufende Nähe Gottes realisieren mußte. Nur wer in einem falschen, ungeschichtlichen Existentialismus meint, sich jenseits von Zeit und Geschichte für oder gegen Gott entscheiden zu können, kann sich über diese Objektivation der Heilsentscheidungssituation wundern, auch wenn er sie selbst entsprechend *seiner* eigenen Erfahrung *in etwa* anders objektivieren muß und darf.

Jesu Reich-Gottes-Botschaft als endgültige Heilsverkündigung

Jesus verkündigt somit die Nähe des „Reiches Gottes" als der „jetzt" gegebenen absoluten Entscheidungssituation zu radikalem Heil oder Unheil. *Diese* Situation ist aber gerade dadurch gegeben, daß Gott allen als Sündern das *Heil* und nichts anderes anbietet, also nicht bloß eine dauernde ambivalente Situation für die Freiheit des Menschen konstituiert, sondern diese durch seine Tat gerade zugunsten des Heils des Menschen entscheidet, ohne dadurch den Menschen von seiner eigenen Heilsverantwortung zu dispensieren, oder den Aufruf zur freien Metanoia *und* die Proklamation des siegreichen Daseins des Reiches der Begnadigung des Sünders in ein „System" zu vereinigen.

Insofern ist es wahr und bedarf keiner Verschleierung: Jesus verkündigt das

Reich Gottes und nicht sich. Dieser Mensch Jesus ist gerade darum der (reine) Mensch (schlechthin), weil er sich über Gott und dem heilsbedürftigen Menschen vergißt und nur in diesem Vergessen existiert. Eine Selbstaussage Jesu, die es natürlich und unausweichlich gibt, ist also von vornherein nur denkbar, *wenn* und weil sie als unvermeidliches Moment an *der* Nähe des Reiches Gottes auftritt, die Jesus als jetzt erst sich ereignend proklamiert. Die „Funktion" Jesu offenbart sein „Wesen". Diese Nähe Gottes (als des Heiles, das siegreich sich durchsetzt) darf im Bewußtsein Jesu nicht gedacht werden als eine wie ein bleibendes Existential des Menschen *immer* gleichmäßig gegebene Situation, die höchstens vergessen und verdrängt werden kann und darum immer neu gepredigt werden muß. Sie ist mit Jesus und seiner Predigt in neuer, einmaliger, nicht mehr überbietbarer Weise da. *Warum* dem so ist, und zwar nach der Predigt des vorösterlichen Jesus schon unabhängig von seinem Tod und seiner Auferstehung (welche vorausgesetzt das Problem natürlich sehr erleichtern und ganz neu lösen würde), ist nicht leicht zu sagen. Spricht sich in dieser Predigt Jesu einfach sein Gottesverhältnis aus, das er in anderen nicht entdeckt, ihnen aber vermitteln will, soweit sie nur dessen fähig sind? Wäre das Reich ganz „rasch" in vollem Glanz gekommen, wäre Jesu Botschaft nicht abgelehnt worden? Hat er jedenfalls unter dieser Hypothese predigen „müssen"? Wir werden sagen müssen, daß dieses ganze Problem durch Jesu Verwerfung, Tod und Auferstehung in sich *allein* für uns nicht mehr unmittelbar existenziell ist und daß wir darum auch keine eindeutige Lösung erwarten können. Später werden wir noch einmal kurz auf diese Frage zurückkommen müssen. Die Predigt Jesu von der erst mit ihm gegebenen Nähe des Reiches Gottes als unserer Entscheidungssituation ist jedenfalls auch für uns wahr (trotz unseres – unsicher bleibenden – Rechnens mit einer noch langen Geschichte der Menschheit), insofern a) durch seinen Tod und seine Auferstehung eine Entscheidungssituation gegeben ist angesichts des darin *irreversibel* gewordenen Heilsangebotes Gottes selbst, wie sie vorher eben nicht war, auch wenn die ganze Geschichte immer schon verborgen daraufhin und in Hoffnung gegen alle Hoffnung angelegt war, und insofern b) für den einzelnen Menschen, der sich nie in der Menschheit verstecken kann, diese Heilssituation immer sehr kurz befristet ist.

Die Verbindung von Jesu Botschaft und Person

Die nicht immer, sondern „jetzt" und neu gegebene Nähe des Reiches Gottes als die von sich her siegreiche Heilssituation des Menschen (der radikalen Umkehr, Metanoia) ist schon für den vorösterlichen Jesus unlösbar mit seiner Person verknüpft. Diese These ist unter Berücksichtigung und Verwendung aller Prinzipien und Methoden vor allem der formgeschichtlichen und redaktionsgeschichtlichen Methode und unter genauer Einkalkulierung einer

Theologie der Gemeinde zumindest schon im Verhalten des synoptischen Jesus historisch aus den Quellen zu erheben. Und dies ist möglich und muß vom Exegeten im einzelnen geleistet werden, vor allem durch den Hinweis darauf, daß Jesus die Entscheidung im letzten Gericht von der Entscheidung gegenüber seiner Person abhängig macht, worüber sich heute die christliche Exegese einig ist, wenn auch die nichtchristliche Exegese dies entweder leugnet oder als persönlichen Irrtum des irdischen Jesus erklärt. Voraussetzung für diese These ist nur, daß man nicht a priori festlegt, Jesus *könne* eine solche Identität des Nahekommens des Reiches Gottes mit seiner Verkündigung und seiner Person gar nicht ausgesagt haben, und dafür in Kauf nimmt, die Zuschreibung dieser Funktion an Jesus durch die spätere Gemeinde noch weniger erklären zu können. Wenn man einwendet, die Ostererfahrung der Gemeinde kläre diese Zuschreibung, so ist die Gegenfrage zu stellen, warum denn die Erfahrung eines bloßen „Lebendigseins" eines Menschen nach seinem Tod diesem eine Funktion zuschreiben lasse, die der Betreffende selbst nie für sich in Anspruch genommen hat. Offenkundig ist aber die „Auferstehung" als der Sieg und die göttliche Bestätigung eines Anspruchs verstanden worden, der im Tod radikal desavouiert gewesen zu sein schien. Aber welchen Anspruchs? Der Anspruch bloß eines der „Propheten" und religiösen Erwecker, bei denen der Inhalt der Botschaft zwar von ihnen proklamiert wird, aber gerade *als* vom Verkündiger selbst gänzlich unabhängig? Da aber dann die Gültigkeit der Botschaft schon vorausgesetzt wird, da man genügend Prophetenschicksale kannte, die im Tode endeten, ohne darum den Anspruch der Botschaft selbst zu bezweifeln, so ist kein Grund zu erkennen, gerade *diesem* einen Propheten einen Sieg im Tod zuzuschreiben, wenn seine Botschaft unabhängig von seiner Person wäre. Aber diese Überlegungen sollen den historischen Nachweis für diese These nicht ersetzen, sondern nur den Kontext verdeutlichen, innerhalb dessen der Nachweis gewürdigt werden muß.

Der Sinn und die Tragweite dieser These sind noch etwas zu erläutern. Wir haben von einer unlöslichen Verbundenheit zwischen der von Jesus als *neu* verkündigten Nähe des Gottesreiches und seiner „Person" gesprochen. Wir können diese These aber zunächst noch vorsichtiger formulieren (unter Berücksichtigung dessen, was oben zur Reich-Gottes-Botschaft Jesu gesagt worden ist): Der vorösterliche Jesus ist der Auffassung, daß diese neue Nähe des Reiches *durch* das Gesamt seines Redens und Tuns eintritt. Damit haben wir ein Doppeltes „gewonnen":

Einmal ist leichter verständlich, wie Jesus das Reich Gottes mit sich identifizieren konnte, ehe seinem Tod und seiner Auferstehung ein Platz in der (seiner) Theologie zukam. Und es wird besser verständlich, warum Sinnspitze und Mitte seiner Predigt dieses Reich Gottes und nicht unmittelbar er selbst war. Es muß gleich noch hinzugefügt werden, daß es sich bei der von Jesus verkündigten neuen, bis jetzt noch nicht gegebenen Nähe des Reiches Gottes nicht um eine bloß relativ größere Nähe als bisher handelt, die wieder von einer noch größeren Nähe und Dringlichkeit des Anrufs Gottes überboten und so abgelöst werden könnte. Eine solche Vorstellung (die der eines beliebigen Propheten entspräche, der immer weiß oder von seinem Grundverständnis Gottes her wenigstens grundsätzlich immer wissen müßte, daß er abgelöst wird durch andere, die ein neues, anderes Wort Gottes sagen) wird schon durch die Naherwartung Jesu unmöglich. Er ist der letzte Anruf Gottes, nach dem kein anderer mehr folgt und folgen *kann* (wegen der Radikalität, in der Gott – durch nichts anderes mehr vertreten – sich *selbst* zusagt).

Nun ist aber diese so (vorsichtiger) formulierte These alles andere als selbstverständlich. Denn warum und wieso ist die Gegebenheit des Verkündigten abhängig von seiner Verkündigung? Weil man sonst vom Verkündigten nichts weiß und dieses so nicht wirksam werden kann, da das Nichtgewußte nicht in Freiheit aufgenommen werden kann? Aber wenn man so antwortet, müßte man erklären, daß und warum man denn ohne gerade *diese* Verkündigung nichts vom Verkündigten wüßte. Und ferner: *Worin* sollte denn das neue, unüberbietbare Nahegekommensein des Reiches Gottes bestehen, wenn es zwar ohne Jesu Verkündigung nicht gewußt, aber dennoch an sich von seiner Verkündigung unabhängig da wäre? Wie wäre in Jesu religiöser Erfahrung verständlich zu machen, daß er von einem Nahegekommensein Gottes als einem neuen weiß, wenn er an sich bloß Unwissenden sagt, was zwar im voraus zu dieser Verkündigung nicht immer schon bestünde, aber doch unabhängig von ihr sich ereignet hätte? Aber wo, wann und wie wird dies von Jesus selbst erfahren? Unter der gemachten Voraussetzung unbeantwortbarer Fragen und wenn man nüchtern und ehrlich unter Voraussetzung einer bloß gnoseologischen Notwendigkeit der Predigt Jesu vom Reich weiterdenkt, müßte man sagen, daß er gar nichts eigentlich „Neues" gepredigt hat, sondern nur, wenn auch in prophetischer Radikalität, das Alte neu verkündigt hat. (Tatsächlich wird ja vielfältig seine „Originalität" bezweifelt.)

Es bleibt somit nichts übrig, als zu sagen: Jesus erlebte ein Gottesverhältnis, das er einerseits als – im Vergleich zu den sonstigen Menschen – einmalig und neu erfuhr und das er anderseits für die anderen Menschen in deren Gottesverhältnis als exemplarisch erachtete; er empfand sein einmaliges und neues „Sohnverhältnis" zum „Vater" für alle Menschen darin von Bedeutung, daß sich jetzt darin die Nähe Gottes zu allen Menschen neu und unwiderruflich ereignete. In diesem seinem einmaligen und doch für uns exemplarischen Gottesverhältnis kann der vorösterliche Jesus in seiner Person das Neugekommensein des Reiches Gottes begründet erfahren und so dieses Gekommensein gerade mit seiner Verkündigung als eben *seiner* Verkündigung unlöslich verbunden wissen. Damit ist nicht geleugnet, daß durch seinen Tod und seine Auferstehung all dies erst seine letzte Radikalität in sich und für uns erhält. Aber es wird verständlich, wie Jesus sich schon vor Ostern als den absoluten Heilbringer wissen und erfahren konnte, auch wenn diese Selbstinterpretation für uns ihre letzte Glaubwürdigkeit durch Ostern erhält und sich dadurch auch erst in ihrer letzten Tiefe offenbart. Jesus erfährt in sich selbst jene radikale, siegreiche Zugewendetheit Gottes zu sich, die es vorher unter den „Sündern" so nicht gab, und weiß sie als bedeutsam, gültig und unwiderruflich für *alle* Menschen. Er ist als vorösterlicher nach seinem Selbstverständnis schon der Gesandte, der in seinem Reden und Tun das Reich Gottes ausruft, wie es vorher nicht da war und wie es *durch* ihn und *in* ihm da ist. Mindestens in diesem Sinn weiß sich schon der vorösterliche Jesus als der absolute (nicht mehr überbietbare) Heilbringer.

e) Das Verhältnis des vorösterlichen Jesus zu seinem Todesschicksal

Der vorösterliche Jesus ging frei seinem Tod entgegen und wertete ihn (was sein explizites Bewußtsein angeht) zumindest als Prophetenschicksal, das für ihn seine Botschaft und darin ihn selbst nicht desavouierte (wenn auch für ihn in unbegreiflich neuer und unvorhergesehener Weise erfahren ließ), sondern eingeborgen blieb in die Absicht Gottes, die Jesus als vergebende Nähe zur Welt wußte. Dies ist historisch genauer zu erheben bzw. aus der Natur der Ereignisse als selbstverständlich darzutun. Wird man dies als historische Minimalaussage festhalten, so kann die Frage hier für uns historisch offenbleiben, ob der vorösterliche Jesus selbst schon explizit seinen Tod als „Sühneopfer" für die Welt interpretiert hat oder ihn als notwendige, vom Willen des Vaters geforderte Gehorsamstat – im Sinne des „Todes eines Gerechten" – ansah oder ob eine solche Interpretation nachösterliche, obzwar richtige Theologie ist, oder ob eine solche Alternative von vornherein zu grob und zu einfach ist.

Fundamentaltheologisch genügt diese Minimalaussage. Denn: a) übergibt sich der das Todesschicksal frei Annehmende gerade den unvorhergesehenen und nicht kalkulierbaren Möglichkeiten seiner Existenz; b) hält Jesus seinen einmaligen Anspruch einer Identität seiner Botschaft und seiner Person im Tode in der Hoffnung durch, in diesem Tod noch von Gott hinsichtlich seines Anspruchs bestätigt zu werden. Damit ist aber dieser Tod Sühne für die Sünde der Welt und als solcher genügend vollzogen, vorausgesetzt, daß die paulinische Erlösungslehre als berechtigte, aber auch sekundäre Interpretation davon verstanden wird, daß im Tode und der Auferstehung Jesu sich der Gnadenwille Gottes geschichtlich als siegreich und irreversibel zur Erscheinung bringt und dadurch selber in der Welt endgültig „da" ist, daß also mit anderen Worten dieses „Sühneopfer" selbst theologisch richtig interpretiert wird und nicht als „Umstimmung" eines zürnenden Gottes mißdeutet wird.

f) Wunder im Leben Jesu und ihr fundamentaltheologischer Stellenwert

Fragen zur Bedeutung der Wunder Jesu für unser Glaubensverhältnis zu ihm

In den Berichten der Evangelien über das Leben Jesu werden uns Machttaten, Zeichen, Wunder berichtet. Es kann hier vorausgesetzt werden, daß eine historische Kritik diese Machttaten Jesu im ganzen nicht einfach als spätere Dichtungen aus dem Leben Jesu eliminieren kann. Jesus war in irgendeinem Umfang Thaumaturg, der in seinen Taten ein Zeichen dafür erblickte, daß durch ihn eine neue Nähe des Reiches Gottes gekommen sei.

Die Frage für uns ist aber die: Welche Bedeutung haben diese „Wunder" für *unser* Glaubensverhältnis zu Jesus als dem absoluten Heilbringer. Sie kann in folgende Einzelfragen genauer gegliedert werden:

1. Was bleibt an historischen Tatsachen von diesen Wundern übrig, wenn wir in einer historischen Kritik damit rechnen müssen, daß die Berichte in den Evangelien diese Machttaten Jesu, deren Grundbestand als geschichtlich nicht bezweifelt werden soll, schon in etwa „überhöht" haben?

2. Wie wäre das, was dann gewiß noch übrigbleibt, genauer zu interpretieren, weil ja zum Beispiel plötzliche Krankenheilungen nicht sofort und ohne weiteres als unmittelbar durch Gott selbst bewirkte Wunder im Sinne der klassischen Fundamentaltheologie interpretiert werden müssen?

3. Ist es unter Voraussetzung der Beantwortung oder Nichtbeantwortung der beiden ersten Fragen für eine katholische Fundamentaltheologie zwingend erfordert, diesen Wundern (innerhalb des Lebens Jesu und unter Absehung von seiner Auferstehung) *für uns heute* eine unerläßliche Funktion bezüglich der Legitimation des Anspruchs Jesu für unser Wahrheitsgewissen zuzuschreiben?

Über diese Fragen kann eine katholische Fundamentaltheologie, die das Vaticanum I zu respektieren hat, nicht einfach großzügig hinweggehen. Daher müssen sie noch etwas ausführlicher behandelt werden.

Die kirchenamtliche Lehre und die heutige Verstehenssituation

Wenn wir zunächst mit der Tradition der Kirche und besonders auch der Fundamentaltheologie des 19. und 20. Jahrhunderts und der Lehre des Vaticanum I antworten, dann ist zu sagen: Diese Legitimation des Anspruchs Jesu auf unseren Glauben an ihn als den Messias und den endgültigen Anbruch des Reiches Gottes ist gegeben in seinen Wundern und seiner Auferstehung. So antwortet das Vaticanum I (vgl. DS 3009). Wenn es außerdem noch auf Prophezeiungen hinweist, dann brauchen wir diese Differenzierung hier noch nicht eigens durchzuführen. Man wird auch von hier aus sagen können, daß diese traditionelle Lehre, so wenig sie die Wunder innerhalb des Lebens Jesu ausklammert, doch nicht zwingend verpflichtet, diese Wunder innerhalb des Lebens Jesu und ohne Jesu Auferstehung für sich allein als zwingende Legitimation für Jesu Anspruch – und zwar für uns heute – zu betrachten. Soweit diese Aussage kirchenlehramtlich verpflichtend ist, bezieht sie sich global auf die Wunder Jesu, also einschließlich seiner Auferstehung, und verwehrt uns nicht, in diesem Ganzen Unterschiede hinsichtlich der fundamentaltheologischen Bedeutung der einzelnen Momente dieses Ganzen zu machen.

Mit diesem Satz der traditionellen katholischen Fundamentaltheologie und des christlich-katholischen Selbstverständnisses, der Selbstinterpretation des Glaubens für sich ist natürlich eine Fülle von Problemen und – wie unbefangen gesehen werden muß – mehr als *ein* Stein des Anstoßes für den Menschen von heute gegeben. Es fällt diesem Menschen – also uns – gewiß nicht ohne weiteres leicht, die Auferstehung Jesu als Glaubens*grund* zu verstehen, selbst wenn er bereit ist, die Auferstehung als Glaubens*gegenstand* zu ergreifen, wobei sie ihm auch so noch als das verzweifelt kühne Wagnis seines Glaubens erscheinen mag. Wir werden im nächsten Abschnitt dieses Ganges eingehender darüber handeln. Was aber die aus dem Leben Jesu erzählten Wunder im allgemeinen angeht, so wird der Mensch von heute bei aller persönlichen Religiosität und allem menschlichen Respekt vor religiösen Wirklichkeiten, vor einer Wundergläubigkeit anderer Menschen, anderer Zeiten (aber auch bis in unsere Tage hinein), doch leicht der Meinung sein, er verstehe gar nicht recht, was ein Wunder eigentlich sein solle. Er könne so etwas nur als ein Mythologem betrachten, das in die rational-technische Welt, die nun einmal unsere ist, beim besten Willen nicht mehr hineinpasse. Er könne sich eigentlich keinen Gott denken, der – um Menschen zu retten – mit Mirakeln arbeiten müsse. Er könne nicht anders, als an der geschichtlichen Nachweisbarkeit von Wundern im Leben Jesu zu zweifeln oder sie – auf welche Weise auch immer – so zu erklären, daß sie für ihn nicht zwingend als eine unmittelbare Machttat Gottes selbst verstanden werden müssen, die alle Naturgesetze durchbricht. Weiterhin wird er sagen, er sei darüber erstaunt, daß man ihm zumute, es wahrscheinlich zu finden, daß es früher mehr Wunder gegeben haben solle, als er im Umkreis seines eigenen Lebens und der Erfahrungswelt der heutigen Zeit entdecke. Weiterhin ist es ein theologisches Problem, wie sich die Wunder im Leben Jesu zu dem Wunder schlechthin, nämlich zu seiner Auferstehung verhalten, da doch offenbar in der Konzeption des Neuen Testaments diese Wunder innerhalb des vorösterlichen Lebens Jesu und das Wunder der Auferstehung nicht einfach äußerlich nebeneinander liegen, sondern in der apostolischen Glaubensbegründung der Urgemeinde die Auferstehung Jesu zweifellos einen einmaligen Platz einnimmt und nicht unter die übrigen Wunder des geschichtlichen Jesus eingereiht wird. Diese Wunder, die unbefangen im Leben Jesu erzählt werden, tauchen eben doch in der apostolischen Predigt anscheinend nur am Rande auf, werden eigentlich gar nicht als „fundamentaltheologisches", apologetisches Argument verwendet, sondern sie werden nur erzählt als Schilderung eines konkreten Bildes Jesu und seines Lebens.

Zum allgemeinen Begriff des Wunders

Es sei zunächst versucht, etwas zum allgemeinen Begriff des Wunders zu sagen, wenngleich sich gerade dabei herausstellen wird, daß sich die Allgemeinheit eines homogenen oder gar univoken Wunderbegriffs nur mit sehr vielen Vorbehalten und Einschränkungen vertreten läßt.

Zunächst ist im Neuen Testament sehr deutlich, daß diese Wunder im Leben Jesu von vornherein nicht als mirakulöse Demonstrationen gesehen werden dürfen, die der Wirklichkeit, die sie bezeugen und legitimieren sollen, *gänzlich* äußerlich wären. Es ist nicht so, daß grundsätzlich mit jedem Wunder – sofern es nur seine eigene Herkunft von Gott an sich trage – jedwede Wahrheit oder Wirklichkeit bezeugt werden könne, sofern nur eben diese Wirklichkeit bestehe und der Wunder wirkende Gott ihr dieses Wunder hinzufüge. Das Wunder im Neuen Testament ist ein semeîon, ein Zeichen, d.h. die Erscheinung des Heilshandelns Gottes in Gnade und Offenbarung selbst. Das „Zeichen" ist ein inneres, zur Heilstat Gottes selbst gehörendes Moment dieser Heilstat selbst, ist deren Erscheinung in geschichtlicher Greifbarkeit, gewissermaßen die äußerste Schicht, in der das offenbarende Heilstun Gottes in die Dimension unserer leibhaftigen Erfahrung hineinreicht. Ein solches „Zeichen" ist also in seiner eigenen Natur und Gestalt wesentlich und notwendig abhängig und bedingt von der jeweiligen Natur dessen, was durch das „Wunder" sich anzeigen will und was eben – weil es nicht immer das gleiche ist – in einer wirklichen Heilsgeschichte auch jeweils das Wunder ganz anders werden läßt, indem auch die Gestalt des Wunders an dem geschichtlichen Prozeß der Heils- und Offenbarungsgeschichte als solcher partizipiert.

Es ist also von dem eigentlich auch im Neuen Testament bezeugten Wesen des Wunders her von vornherein zu erwarten, daß Wunder – wenn es solche gibt – nicht einfach immer derselben Art sind. Grundsätzlich kann dies durchaus auch von ihrer Häufigkeit gesagt werden. Wunder haben nicht nur eine innere Variabilität; sie sind vielmehr vom selben Wesen her auch darum und von vornherein – das ist nun sehr wichtig – im ersten Ansatz „Wunder" für *einen bestimmten Adressaten.* Sie sind nicht facta bruta, sondern sie sind Anrede an ein erkennendes Subjekt von ganz bestimmter geschichtlicher Situation. Wunder, die nur passierten, die aber niemandem etwas sagen wollten, in denen Gott gewissermaßen den objektiven Verlauf der Welt bloß korrigieren würde, sind von vornherein eine absurde Vorstellung.

Wunder und Naturgesetze

Von daher wird man wohl auch sagen können, daß der Begriff des Wunders als einer fallhaften Aufhebung eines Naturgesetzes durch Gott höchst problematisch ist. Insofern Gott der endlichen Welt gegenüber in Unterschiedenheit von ihr und in allmächtiger Freiheit gegenübersteht, kann man ja einen solchen Wunderbegriff als Durchbrechung eines Naturgesetzes gelten lassen. Wenn man mit dieser Formel, Gott hebe in Wundern die Naturgesetze für einen bestimmten Fall auf, nichts anderes sagen will als die sicher zu einem christlichen Gottesbegriff gehörende Tatsache, daß Gott dieser Welt in souveräner Freiheit, Allmacht und Weltüberlegenheit gegenübersteht und in *diesem* Sinne nicht an Naturgesetze gebunden ist, dann kann man zwar sagen: Wunder sind so etwas wie eine Durchbrechung der Naturgesetze. Aber wenn man so einen gewissen Sinn in dieser traditionellen Aussage über das Wesen des Wunders finden mag, dann ist doch diese Begrifflichkeit damit noch nicht in ihrem Sinn gerechtfertigt und als brauchbar für die Begründung und die Erkennbarkeit des Wunders als Zeichen, als Erscheinen des Heilshandelns Gottes in der Dimension unserer irdischen Erfahrung nachgewiesen. Das ergibt sich schon daraus, daß wohl die meisten Wunder, die in der faktischen Heils- und Offenbarungsgeschichte als glaubensbegründende Zeichen nach der Erfahrung des Neuen Testaments und der Kirche vorkommen, dort, wo sie als geschichtlich wirklich geschehen nachgewiesen werden, nicht oder höchst selten als Aufhebung von Naturgesetzen sicher und positiv nachgewiesen werden können. Wir klammern jetzt hier – weil das ontologisch ein Fall sui generis ist – die Auferstehung Jesu noch aus.

Um zu sehen, warum und wie man den Begriff der Aufhebung eines Naturgesetzes, wenn nicht bestreiten, so doch mindestens auf sich beruhen lassen kann, ohne darum die richtig verstandene Wirklichkeit und glaubenslegitimierende Zeichenfunktion eines Wunders zu leugnen oder zu gefährden, ist Verschiedenes zu bedenken. Zunächst: Für unsere moderne Erfahrung und Weltinterpretation ist jede Schicht, jede Dimension der Wirklichkeit von unten nach oben, d.h. vom Leereren und Unbestimmteren zum Komplexeren und Erfüllteren hin gebaut und für die höhere Dimension offen. Die höhere Dimension impliziert in ihrer eigenen Wirklichkeit als ihr eigenes Moment die niedrigere Dimension, hebt sie – aber im Hegelschen Sinne – in sich auf, wahrend und überbietend, ohne darum die Gesetze der unteren Dimension zu verletzen, so wenig das Höhere nur als der kompliziertere Fall des Niedrigeren verstanden und von daher erklärt werden kann. Die Eigentümlichkeit und radikale Unzurückführbarkeit und wesentliche Neuheit des Menschen gegenüber der bloß biologischen und physikalisch-chemischen Natur impliziert nicht, daß der Mensch, insofern er in seiner Wirklichkeit Materielles, Chemisches, Physikalisches und Tierhaft-Psychologisches in sich aufnimmt, deswegen diese Wirklichkeit in ihrer eigenen Struktur verändern müsse. Man kann vielmehr sagen, daß die Dimension des Materiellen und Biologischen sich in die Freiheit aufhebt, ohne in ihren eigenen Strukturen verändert werden zu müssen, weil sie von vornherein das auf diese höhere Sphäre hin Offene, Multivalente ist. Die Welt des Materiellen und Biologischen kann daher zur Erscheinung des geschichtlichen Geistes als dessen inneres Moment werden; die niedrigere materielle und biologische Welt kann in die höhere Ordnung von ihrem eigenen inneren Wesen und wegen ihrer Unbestimmtheit und weiteren Bestimmbarkeit integriert werden, ohne durch diese Integration ihre eigene Gesetzlichkeit zu verlieren. Der Mensch ist z.B. in den Vollzügen seiner leibhaftigen Geistigkeit nie bloß ein Tier, ohne daß darum in den Geschehnissen seiner leibhaftigen Geistigkeit (die nie adäquat in bloß Geistiges und nur Biologisch-Materielles zerfällt werden kann) die Gesetze der Biochemie oder der allgemeinen Biologie oder des tierischen Verhaltens in einem bloß negativen Sinne aufgehoben und suspendiert werden müßten. Gegenüber dem bloß Biologischen vollzieht der Mensch das Wunder, d.h. die Sinn-Unableitbarkeit seiner leibhaftigen Geistigkeit, gerade indem er Wirklichkeit und Gesetz des bloß Biologischen in seinen Dienst nimmt.

„Wunder" ist insofern die Unableitbarkeit der höheren Sphäre aus der niedrigen Dimension, in der die höhere Dimension in Erscheinung tritt, wobei diese Erscheinung in einem das Wesen der niedrigeren und der höheren Dimension zeigt, ohne daß die beiden Aspekte adäquat voneinander getrennt werden könnten. Es bedarf einer gewissen Intuition und eines gewissen vertrauenden Sicheinlassens, um das Höhere in der Erscheinung des Niedrigeren zu sehen und der Versuchung zu widerstehen, das Höhere doch in das Niedrigere aufzulösen, den qualitativen Sprung zu übersehen.

Dieses in einer geschichteten, pluralen und doch eine Einheit bildenden Welt durchgehende Verhältnis obwaltet nun auch zwischen der Dimension der „Natur" des Menschen als objektiv naturwissenschaftlich feststellbarer und aussagbarer Wirklichkeit einerseits und der Dimension der Freiheit des Einmaligen, des Schöpferischen und Unvorhersehbaren anderseits. Dieses Verhältnis zwischen zwei Dimensionen, von denen die höhere aus der niedrigeren unableitbar ist und doch in ihr erscheint und sich in ihr mit deren eigenen Mitteln ausdrückt, gilt nun nicht nur zwischen der materiellen und biologischen Sphäre des Menschen einerseits und der geistig-personalen im allgemeinen und abstrakten anderseits, sondern auch zwischen dieser Sphäre der geistig-personalen Geschichtlichkeit des Menschen im allgemeinen und der Sphäre des konkreten einzelnen Menschen in seiner Freiheit und je einmaligen Entscheidung. Die je einmalige Entscheidungssituation des Menschen muß sich in der Situation des allgemeinen Geschichtlichen, der zwischenmenschlichen Erfahrung zeigen können, muß darin den Anruf an den einzelnen Menschen greifbar machen können. Es muß darin Zeichen für die Richtigkeit der je einmaligen Entscheidung geben können.

Das Wunder vom Gott-Welt-Verhältnis aus gesehen

Wenn wir hier einen Wunderbegriff, der die Frage der Durchbrechung der Naturgesetze mit Recht nicht aus Skeptizismus, sondern vom Wesen des Wunders her übergreift, einführen, bringen wir nur das ins Spiel, was wir über das faktische Verhältnis Gottes zu seiner geschaffenen Welt gesagt haben. Gott ist nicht nur derjenige, der eine von ihm unterschiedene Welt mit ihren Strukturen, Gesetzen und ihrer eigenen Dynamik schafft und dauernd aus sich, ihrem schöpferischen Grund, heraus setzt. Sondern Gott hat sich selbst in seiner freien übernatürlichen Selbstmitteilung zur letzten und höchsten Dynamik dieser Welt und ihrer Geschichte gemacht, so daß die Schöpfung des anderen von vornherein als ein Moment dieser göttlichen Selbstmitteilung an das andere verstanden werden muß, ein Moment, das diese Selbstmitteilung Gottes als die Bedingung ihrer eigenen Möglichkeit voraussetzt, indem sie eben in der ex nihilo sui et subiecti geschaffenen Welt sich den Adressaten dieser Selbstmitteilung Gottes konstituiert. Von da aus gesehen müssen nun die Naturgesetze und auch die allgemeinen Gesetzlichkeiten des Geschichtlichen von vornherein als Strukturen dieser Vorbedingung, die sich die freie personale Selbstmitteilung Gottes als ihre eigene Möglichkeit schafft, gesehen werden. Das Gesetz der Natur und auch der Geschichte muß von diesem Ansatzpunkt aus betrachtet werden als Moment an der Gnade, d.h. der göttlichen Selbstmitteilung, also auch als Moment an der Offenbarungs- und Heilsgeschichte. Von da aus, also gerade von einem theologischen Ansatz her und nicht bloß von einer modernen rationalen Skepsis her ist nicht einzusehen, warum diese Voraussetzung dann abgeschafft und suspendiert werden müßte, wenn die göttliche Selbstmitteilung in ihrer Voraussetzung, die sie sich ja selbst gibt, in Erscheinung treten, d.h., wenn ein Wunder als Zeichen des Heilstuns Gottes entsprechend der geschichtlichen Phase dieser Selbstmitteilung Gottes erscheinen soll.

Wir dürfen wohl von diesen Vorüberlegungen her sagen: dort ist ein Wunder im theologischen und gerade nicht mirakulösen Sinn gegeben, wo für den Blick des geistigen, für das Geheimnis Gottes offenen Menschen die konkrete Konfiguration der Ereignisse so ist, daß an dieser Konfiguration jene göttliche Selbstmitteilung unmittelbar beteiligt ist, die er in seiner transzendentalen Gnadenerfahrung „instinktiv" immer schon erlebt und die anderseits gerade am „Wunderbaren" in Erscheinung tritt und sich als solche so bezeugt.

Das Wunder als Anruf

Das Außergewöhnliche, das „Wunderbare" einer solchen Erscheinung hinsichtlich ihres Verhältnisses zu der Wirklichkeit, in und aus der diese Erscheinung sich bildet, darf sehr variabel sein, je nach der Bedeutung dessen, wozu eine solche Erscheinung anruft und wofür sie eine Entscheidung des Menschen legitimieren soll. Es genügt, wenn sie, gemessen an der Gesamtsituation des betreffenden Menschen, eine solche Funktion des Anrufes hat, so daß dieser Mensch in seiner Situation sittlich verpflichtet ist, diesem „Wink" zu gehorchen. Es kann darum durchaus sein, daß die Zeichenfunktion einer bestimmten Erscheinung für einen bestimmten Menschen gegeben ist, ohne daß sie darum auch schon für einen anderen Menschen gültig zu sein braucht. Eine „Gebetserhörung" braucht – abstrakt gesehen – die physikalischen oder biologischen Möglichkeiten nicht nachweisbar zu übersteigen, dennoch kann sie für einen bestimmten Menschen eine Zeichenfunktion für den existenziellen Anruf Gottes haben.

Es ist immer zu bedenken, daß ein Wunder nicht einfach ein Vorkommnis innerhalb einer neutralen Sachwelt sein will, das für jedermann gleichmäßig zugänglich und sinnhaft sein müßte, sondern ein Anruf in die Jeeinmaligkeit einer konkreten Situation eines bestimmten Menschen. Bei einer solchen zum Wesen des Wunders selbst gehörenden Funktion des Anrufes kann diese Funktion nicht grundsätzlich und immer davon abhängen, daß das „Wunder" als Durchbrechung der Naturgesetze oder als Überschreitung jeder statistischen Wahrscheinlichkeit nachgewiesen werden kann. Eine plötzliche Krankenheilung z.B. kann in einer konkreten Situation für den konkreten Menschen durchaus ein existenziell und konkret verpflichtendes Argument für Gottes Existenz oder seine Liebe sein, vorausgesetzt, daß dieser Mensch nicht mit einer eindeutigen Sicherheit im voraus zu einem solchen Wunder für sich meint urteilen zu müssen, es gebe keinen Gott. Wenn aber ein solcher Mensch davon überzeugt ist, daß er mit der Existenz Gottes und eines sinnhaften Verlaufes der Welt und mit einer Sinnhaftigkeit auch der Gestalt seines eigenen Daseins rechnen müsse, dann kann eine solche Krankenheilung u. U. die sittliche Pflicht implizieren, ihrem Sinnanruf entsprechend zu handeln, ohne daß eine solche Forderung erst dann gegeben wäre, wenn diese Heilung positiv als Durchbrechung von Naturgesetzen erwiesen wäre. Wenn ein Mensch in einem solchen Fall nicht so handelte, würde er sich ja nicht aus der Ganzheit seiner konkreten Daseinssituation heraus entscheiden.

Wenn wir so das Wunder als ein im Gesichtskreis unserer menschlichen Erfahrung antreffbares Ereignis betrachten, dann ist für dieses Wesen des Wunders als Zeichen vorausgesetzt, daß der Mensch eine innere Offenheit für die letzte Unverwaltbarkeit seines Daseins, eine Merkfähigkeit für die konkrete Sinnhaftigkeit seines Daseins hat, welches nie adäquat in bloß allgemeine Gesetzlichkeit aufgelöst werden kann, sondern einen Sinnanspruch und eine Sinnfrage selbst dort behält, wo – gemessen an den allgemeinen Gesetzen – „alles mit rechten Dingen" zugeht. Das je Einmalige der geistig-personalen Existenz läßt sich nie adäquat als Funktion des Allgemeinen begreifen, wenn auch dieses Konkrete deswegen noch längst nicht aus dem Bereich der allgemeinen Gesetzlichkeit positiv heraustreten und als eine Durchbrechung dieser allgemeinen Gesetze erscheinen muß.

Das Wunder setzt also einen Menschen voraus, der willig ist, in den Tiefen seines Daseins sich anrufen zu lassen in einer willigen Offenheit für das singulär Wunderbare in seinem Leben, das doch die gesamte überblickbare Erfahrungswelt ständig begleitet und zugleich übersteigt: in der eigentümlichen inneren Erschlossenheit und allseitigen Offenheit seiner geistgeprägten Natur, kraft der der Mensch eine grundsätzliche Empfänglichkeit für das Jenseits seiner Erfahrungswelt hat, eine Nachbarschaft zu Gott. Freilich muß er sich diese Nachbarschaft stets neu eröffnen im Durchbruch durch alle innerweltlichen Verfestigungen und Verdeckungen, im schlichten Vollzug der ursprünglichen Weite seines Wesens in jener Glaubenswilligkeit, Gottgehörigkeit und ehrlichen Bejahung seines endlichen Daseins, die ihm eine letzte schwebende Fragwürdigkeit seiner von ihm verwaltbaren Horizonte bewußt macht und so in ihm jene demütig-empfängliche Verwunderung wachhält, in der er die nach verantwortlicher Prüfung als Anruf sich bietenden Ereignisse seiner Erfahrungswelt in ihrer Konkretheit annimmt und sich selbst zu einem geschichtlichen Dialog dadurch mit Gott ermächtigt und verpflichtet weiß. Auch die Heilige Schrift kennt ja diese fundamentale Gläubigkeit im Menschen als Voraussetzung für die Erfahrung des Wunders, wenn Jesus immer sagt: „Dein Glaube hat dich heil gemacht."

Der Naturwissenschaftler *als* solcher braucht eine solche Bereitschaft zum Wunderbaren nicht zu haben. Er hat methodisch das Recht, alles zu erklären, d.h. als Folge allgemeiner Gesetzlichkeit verstehen zu wollen, und er kann darum als solcher das so durch ihn nicht positiv Erklärbare als das noch nicht Erklärte bzw. als das ihn als solchen nicht Interessierende auf sich beruhen lassen. Voraussetzung für all das ist nur, daß der Naturwissenschaftler in seiner methodologischen Abstinenz sich dabei bewußt ist, daß diese seine Methode eine apriorische Einschränkung gegenüber dem Gesamthorizont und der Gesamtfigur seines je einmaligen existenziellen Daseins ist, und daß er sich dabei bewußt ist, daß er nie *nur* Naturwissenschaftler sein kann, sondern im Vollzug seines Daseins diese methodologische apriorische Grenzziehung immer schon überschritten hat und als sittlich Handelnder sich nie *nur* nach den Gesetzen der exakten Wissenschaften allein entscheiden kann.

Die verschiedenen Wunder Jesu und das einzigartige Wunder seiner Auferstehung

Von diesen allgemeinen Erwägungen über das Wesen und die Funktion des Wunders, über die Voraussetzungen seiner Erfahrbarkeit und über seinen Anrufcharakter aus ist es verständlich, daß für unsere Frage nach der Legitimation des Anspruchs Jesu die Frage nach den Wundern in seinem Leben von vornherein eine Frage nach dem Zeichenhaft-Wunderbaren dieses Ereignisses der Wirklichkeit und des Lebens Jesu *als ganzem* ist. Das aber bedeutet für uns konkret, daß wir nach der Auferstehung Jesu zu fragen haben, weil diese ja – wenn annehmbar – *das* Wunder im Leben Jesu schlechthin ist, in dem sich dessen eigentliche Sinndeutung in radikaler Einheit versammelt und für uns zur Erscheinung kommt. Wir bestreiten dadurch nicht die Bedeutung der Wunder, die Jesus in seinem irdischen Leben wirkte, wenn auch zu sagen ist, daß sie in ihrer kategorialen Vereinzelung uns ferner gerückt sind. Sie waren Anrufe für diejenigen, die sie unmittelbar erlebten im Gesamt ihrer existenziellen Situation, die – bezogen auf solche einzelnen Wunder – nicht unsere ist.

Weil uns die einzelnen Wunder im Leben Jesu in ihrer Bedeutung und Erkennbarkeit ferner gerückt sind als die Auferstehung, die uns wegen ihres Charakters einer Antwort auf die totale Sinnfrage unmittelbar anruft, brauchen wir uns hier mit den einzelnen Wundern im Leben Jesu nicht zu beschäftigen. Wir können nur sagen, daß diese Wunder im ganzen geschichtlich aus dem Leben Jesu nicht eliminierbar sind, weil sie von unbezweifelbaren Jesus-Worten vorausgesetzt werden und übrigens z.B. auch in talmudischen Quellen nicht geleugnet werden.

Wir können uns somit auf die Frage nach der Auferstehung Jesu und ihrer geschichtlichen Glaubwürdigkeit beschränken, weil diese uns in wesentlich radikalerer Weise als die einzelnen Wunder in Jesu Leben anruft, da die Auferstehung sowohl eine höchste Identität von Heilszeichen und Heilswirklichkeit (mehr als alle anderen denkbaren Wunder) hat und unsere mit transzendentaler Notwendigkeit gegebene Heils- und Auferstehungshoffnung anruft.

6. DIE THEOLOGIE DES TODES UND DER AUFERSTEHUNG JESU

a) Vorbemerkung

In diesem Abschnitt soll nicht die Theologie des Todes Jesu und seiner Auferstehung dargestellt werden, wie sie schon explizit bei Paulus, Johannes und im Hebräerbrief entfaltet vorliegt oder wie sie kirchenlehramtlich gegeben ist. Beides wird erst im siebten Abschnitt thematisch. Dort kann beides zugleich behandelt werden, weil trotz der Unterschiedenheit der neutestamentlichen Christologien und Soteriologien untereinander und trotz der neuen und begrifflich andersartigen lehramtlichen Christologien der Kirche die „späte" neutestamentliche Christologie und Soteriologie (d.h. die Theologie der neutestamentlichen Autoren) einerseits – durch explizite Logos-Theologie, Präexistenzlehre, johanneische Ich-Aussagen, ausdrückliche Verwendung anderer Hoheitsprädikate, explizite Soteriologien usw. – und die kirchenamtliche Christologie und Soteriologie anderseits im Vergleich mit der Differenz zwischen dem irdischen Jesus, seinem Tod und seiner Auferstehung im Bewußtsein der ersten Zeugen *und* den späteren neutestamentlichen Christologien und Soteriologien keine andersgearteten oder größeren Schwierigkeiten aufweist als die erstere Differenz, zumal die zweitgenannte die bedeutsamere ist. Die gegenseitige Übersetzung hin und her zwischen den neutestamentlichen Christologien und Soteriologien und der kirchenlehramtlichen Christologie ist aufs Ganze gesehen doch kein besonders schwieriges Problem für uns heute, so lange und kompliziert auch die Geschichte der Übersetzung der „späten" neutestamentlichen Christologie und Soteriologie in die nachfolgende kirchenlehramtliche gewesen ist. Die Legitimation der „späten" neutestamentlichen Christologie und Soteriologie vor dem Jesus der Geschichte und der ursprünglichen Erfahrung seiner Person und seines Schicksals weist dieselbe Dringlichkeit und Schwierigkeit auf, wie dies bezüglich der kirchenlehramtlichen Christologie der Fall ist. Darum beschäftigt uns hier zunächst im voraus zu den späteren neutestamentlichen Christologien und Soteriologien nur die Frage nach derjenigen Christologie, die in der ersten Erfahrung der Jünger mit dem gekreuzigten und auferstandenen Jesus gegeben ist.

Was uns hier beschäftigt, ist zunächst die Schaffung der Verständnisvoraussetzungen für jenen Kern ursprünglicher Erfahrung Jesu als des Christus und dann dieser Kern ursprünglicher Erfahrung selbst; dieser Erfahrung, die die ursprüngliche, unableitbare, erste Offenbarung der Christologie ist und sich dann im „späten" Neuen Testament und in der kirchenamtlichen Lehre reflexer und artikulierter auslegt. Wenn wir so zurückfragen hinter die explizite neutestamentliche Christologie, so bedeutet das nicht, daß wir uns dabei nicht doch auch leiten lassen dürften von dieser entfalteten Christologie. Man lernt die Blüte aus der Wurzel kennen *und* umgekehrt. Daß solche Rückkehr zur ursprünglichsten Offenbarung (als Ereignis und Glaubenserfahrung) immer unvermeidlich auch eigene theologische Deutung mit sich bringt, ist kein Einwand gegen diese Absicht. Denn der Zirkel zwischen ursprünglicher Erfahrung und Deutung soll nicht aufgehoben, sondern möglichst verständlich neu vollzogen werden.

b) Verstehensvoraussetzungen für die Rede von der Auferstehung

Die Einheit von Tod und Auferstehung Jesu

Tod und Auferstehung Jesu können nur verstanden werden, wenn die innere Bezogenheit dieser beiden Wirklichkeiten – ihre Einheit – deutlich gesehen wird, der gegenüber der „zeitliche" Abstand zwischen beiden Ereignissen (soweit er überhaupt sinnvoll gedacht werden kann bei der Unzeitlichkeit des in der Auferstehung Gegebenen) hier zwar nicht geleugnet werden soll, aber letztlich unerheblich ist. Der Tod Jesu ist ein solcher, der von seinem eigensten Wesen aus in die Auferstehung sich aufhebt, in *diese* hineinstirbt. Und die Auferstehung bedeutet nicht den Beginn einer neuen, mit anderem Neuen erfüllten, die Zeit weiterführenden Lebensperiode Jesu, sondern gerade die bleibende, gerettete Endgültigkeit des einen, einmaligen Lebens Jesu, der gerade durch den freien Tod im Gehorsam diese bleibende Endgültigkeit seines Lebens gewann. Von da aus kann – wenn das Schicksal Jesu überhaupt soteriologische Bedeutung hat – diese Bedeutung weder in den Tod noch in die Auferstehung allein gelegt werden, sondern nur bald von dem einen, bald von dem anderen Aspekt des einen Ereignisses her beleuchtet werden.

Der Sinn der „Auferstehung“

Wir verfehlen von vornherein den Sinn von „Auferstehung“ im allgemeinen und auch bei Jesus, wenn wir uns ursprünglich an der Vorstellung einer Wiederbelebung eines physisch-materiellen Leibes orientieren. Jene Auferstehung, um die es bei der Auferstehung Jesu (im Unterschied zu den Totenerweckungen im Alten und Neuen Testament) geht, meint die endgültige Gerettetheit der konkreten menschlichen Existenz durch Gott und vor Gott, die bleibende reale Gültigkeit der menschlichen Geschichte, die weder ins Leere immer weitergeht noch untergeht. Diesbezüglich ist gerade der Tod, ohne den es diese Endgültigkeit nicht gibt, der wesentliche Verzicht und die radikale Entsagung gegenüber einem Vorstellungsmodell des „Wie“ dieser Endgültigkeit, mag diese auf den „Leib“ oder auf die „geistige Seele“ dieser einen menschlichen Existenz bezogen werden. Ein als leer festgestelltes Grab bezeugt als solches allein nie den Sinn und die Existenz einer Auferstehung. Die Frage – die nicht von vornherein bestritten werden soll –, welcher Schicht in der Tradition der Auferstehung Jesu das leere Grab angehört und welche Bedeutung es darin habe, kann hier auf sich beruhen. Auferstehung meint von vornherein nicht eine heilsneutrale Bleibendheit der menschlichen Existenz, sondern ihre Angenommenheit und ihr Gerettetsein durch Gott. Was mit denen ist, deren Endgültigkeit Verlorenheit bedeutet, das ist eine andere Frage, die nicht billig durch die Konstruktion eines heilsneutralen Auferstehungsbegriffes bewältigt werden sollte. Von daher ist es auch klar, daß Person und „Sache“ (des irdischen Lebens der Person) nicht getrennt werden dürfen, wenn von Auferstehung und von der Interpretation dieses Wortes die Rede ist. Interpretiert werden muß das Wort Auferstehung – und wird es auch bereits im Neuen Testament – schon deshalb, weil ein Mißverständnis der Auferstehung als einer Wiederkehr in ein vitales, raumzeitliches Dasein, so wie wir es erfahren, abgewehrt werden muß; denn so mißverstanden, könnte

Auferstehung gar nicht das Heil sein, das unter der unbegreiflichen, nur erhofften Verfügung Gottes steht. Die wirkliche „Sache" ist – wird sie nicht idealistisch ideologisiert – die im konkreten Dasein der Person vollzogene Sache; ist also als bleibend gültige die Gültigkeit der Person selbst.

Wollte man also sagen, Auferstehung Jesu bedeutet, daß es durch seinen Tod mit seiner Sache nicht aus sei, dann müßte positiv und kritisch zugleich auf das eben Gesagte hingewiesen werden, um ein idealistisches Mißverständnis dieser „Sache Jesu" abzuwehren, dem zufolge dieses Bleiben der Sache doch nur die Gültigkeit und Wirkkraft einer „Idee" wäre, die sich immer neu erzeugt. Es müßte ferner gefragt werden, wie denn bei dieser Rede deutlich bleibe, daß die Sache Jesu mindestens während seines Lebens und in seiner Selbstinterpretation unlösbar an seine Person gebunden gewesen wäre, wenn *er* einfach untergegangen wäre, wie diese Rede nahezulegen scheint, und bloß die Sache, die nicht mehr wahrhaft *seine* wäre, weiterleben würde. Es ist ferner folgendes zu betonen: Wenn die Auferstehung Jesu die gültige Bleibendheit seiner Person und Sache ist und wenn diese Person-Sache nicht die Bleibendheit irgendeines Menschen und seiner Geschichte meint, sondern die *Sieghaftigkeit* seines Anspruchs bedeutet, der absolute Heilsmittler zu sein, dann ist der *Glaube* an seine Auferstehung ein inneres Moment dieser Auferstehung selbst und nicht die Kenntnisnahme einer Tatsache, die von ihrem Wesen her ebensogut ohne diese Kenntnisnahme bestehen könnte. Wenn die Auferstehung Jesu der eschatologische Sieg der Gnade Gottes in der Welt sein soll, kann sie gar nicht ohne den faktisch erreichten (wenn auch freien) Glauben an sie selbst gedacht werden, in dem ihr eigenes Wesen erst zur Vollendung kommt.

In *diesem* Sinn kann man ruhig und muß man sagen, daß Jesus in den Glauben seiner Jünger hinein aufersteht. Aber dieser Glaube, in den Jesus hinein aufersteht, ist nicht eigentlich und direkt der Glaube an diese Auferstehung, sondern jener Glaube, der sich als göttlich gewirkte Befreitheit über alle Mächte der Endlichkeit, der Schuld und des Todes weiß und sich hierfür dadurch ermächtigt weiß, daß diese Freiheit sich in Jesus selbst ereignet hat und für uns offenbar geworden ist. Wenn, worüber noch zu sprechen sein wird, der Glaube als unsere Hoffnung auf unsere „Auferstehung" gilt, dann glaubt er *diese* Auferstehung primär von Jesus selbst und ersetzt seine Auferstehung nicht durch einen Glauben, für den kein „Inhalt" mehr angegeben werden kann (so sehr letztlich fides qua und fides quae, Glaubensakt und -inhalt, unlöslich zusammen gegeben sein mögen, jede fides qua als absolute Freiheit des Subjekts von Gott her und auf ihn hin mindestens implizit schon fides *quae* der eigenen Auferstehung ist: vgl. dazu den nächsten Punkt).

c) Transzendentale Auferstehungshoffnung als Horizont der Erfahrung der Auferstehung Jesu

Zusammenfassende These

Jeder Mensch vollzieht mit transzendentaler Notwendigkeit entweder im Modus der freien Annahme oder der freien Ablehnung den Akt der Hoffnung auf seine eigene Auferstehung. Denn jeder Mensch will sich in Endgültigkeit hinein behaupten und erfährt diesen Anspruch in der Tat seiner verantwortlichen Freiheit, ob er diese Implikation seines Freiheitsvollzugs zu thematisieren vermag oder nicht, ob er sie glaubend annimmt oder verzweifelt ablehnt. Nun ist aber „Auferstehung" nicht eine zusätzliche Aussage über ein Schicksal eines sekundären *Teils* des Menschen, die man vom Urverständnis des Menschen her gar nicht – hoffend – wissen könnte, sondern das Wort, das von der Konkretheit des Menschen her die bleibende Gültigkeit der einen ganzen Existenz des Menschen verheißt. Auferstehung des „Fleisches", das der Mensch *ist*, meint nicht Auferstehung des Leibes, den als Teil der Mensch *hat*. Bejaht also der Mensch seine Existenz als bleibend gültige und zu rettende und verfällt er dabei nicht dem Mißverständnis eines platonisierenden anthropologischen Dualismus, dann bejaht er hoffend seine Auferstehung. Man soll nicht sagen, daß damit eine ganz bestimmte Anthropologie vorausgesetzt sei, die von zu wenigen faktischen Selbstverständnissen der Menschen geteilt werde, um so einfach schon als Voraussetzung für den Satz von einer transzendentalen Auferstehungshoffnung gelten zu dürfen. Es wird nämlich der Mensch gar nicht in einem besonderen Sinn (neben anderen, nicht von vornherein denkunmöglichen) verstanden, sondern der Mensch wird sehr „unphilosophisch" genommen, wie er ist und von uns als *einer* vorgefunden wird. Denn der Auferstehungsglaube präjudiziert gar nicht die genauere Frage, *wie* die „Teile" und „Momente" des Menschen (die gar nicht explizit unterschieden werden) in seiner Endgültigkeit gegeben sein werden; er verbietet nur *negativ*, bestimmte Momente des Menschen von vornherein als für seine Endgültigkeit unerheblich auszuscheiden, ohne darum nähere Bestimmungen über die Weise dieser Endgültigkeit, je der einzelnen „Momente", je für sich genommen, positiv zu treffen.

Mit dem Satz von einer transzendentalen Auferstehungshoffnung ist nicht bestritten, daß es dem Menschen von der Erfahrung der Auferstehung Jesu her besser gelingt, dieses Selbstverständnis faktisch zu objektivieren. Der Zirkel zwischen transzendentaler und kategorialer Erfahrung ist überall gegeben. Diese transzendentale Auferstehungshoffnung ist der Verständnishorizont für die Glaubenserfahrung der Auferstehung Jesu. Denn diese transzendentale Auferstehungshoffnung sucht – wo sie nicht verdrängt wird – notwendig ihre geschichtliche Vermittlung und Bestätigung, an der sie ausdrücklich werden kann (und dabei die Eigenart einer gerade *eschatologi-*

schen Hoffnung gewinnt, die sich an erfüllter Hoffnung entzündet). Es kann sich also im Grund nur darum handeln, ob diese transzendentale Auferstehungshoffnung noch schlechthin in der Geschichte *sucht,* ob sie einem Auferstandenen begegnen könne, oder ob es ihn „schon" gibt und er als solcher im Glauben erfahren werden kann. Ist dies die einzig legitime Alternative, ist also die noch rein ausständige Verheißung *oder* das Leben innerhalb der schon Erfüllung erfahrenden Hoffnung das dem Menschen Gemäße, dann braucht er sich dem Zeugnis anderer, daß Jesus lebt, daß er auferstanden ist, nicht skeptisch zu verschließen.

Das Wissen um den eigenen Tod

Was hier kurz zusammengefaßt wurde, mag noch etwas erläutert werden, zumal wir in unseren ersten Gängen einer christlichen Anthropologie auf dieses Thema – gemessen an seiner Bedeutung – nur verhältnismäßig kurz eingegangen sind.

Fangen wir nochmals ganz vorne – d. h.: bei uns selber – an. Mit möglichst wenig Philosophie, mit der Hoffnung, daß das, was gesagt wird, eine Erfahrung im Menschen anruft, über die er nicht hinwegkommt, auch wenn er sie verdrängt, auch wenn die Worte über sie nur höchst ungenau und von ferne und indirekt davon reden können. Der Mensch geht seinem Tod entgegen, und er weiß das. Dieses Wissen ist selber noch einmal im Unterschied zum Verenden des Tieres ein Stück seines Sterbens und Todes, weil es gerade den Unterschied zwischen dem Tod des Menschen und dem Verenden des Tieres ausmacht, weil nur der Mensch immer unweigerlich mit seinem Ende, mit der Ganzheit seiner Existenz, mit deren zeitlichem Ende konfrontiert existiert, seine Existenz in dieses Ende hinein hat. Die Frage kann also nur lauten, was uns der Tod, der uns ständig anblickt, über uns sagt, was es eigentlich ist mit dieser Existenz in den Tod hinein.

Anthropologische Überlegungen zu Tod und Endgültigkeit der Existenz

Natürlich kann dieser Tod und dieses Auf-den-Tod-hin-Leben verdrängt werden; man kann erklären, daß die Beschäftigung mit diesem Ende ein Unfug sei, dem man sich nicht ergeben dürfe. Aber eben eine solche Erklärung ruft noch einmal mindestens bei demjenigen das Wissen um den Tod hervor, der einer solchen Erklärung bedarf. Die Frage ist also die, ob im Tod selbst auch noch einer ist, den sein Leben und sein Sterben etwas angeht. Die Hinterbliebenen geht der Tote nichts mehr an, soweit „empirisch" etwas festzustellen ist: das ist sicher. Der Tote ist ausgeschert aus dem Betrieb, den wir machen.

Was ist aber mit diesem, der so verschwunden ist? „Ich" mag mir erlauben, mir diese Frage für die anderen zu ersparen, aber ich kann sie für mich selbst nicht auf sich beruhen lassen, denn ich weiß, daß ich sterben muß. Und wenn ich das, was so wahrhaft mich angeht, auf sich beruhen lasse, habe ich mich auch schon entschieden. So ganz klar, daß da „alles aus" ist, dürfte es doch wohl nicht sein. Denn der oben erwähnte Rest der Tragödie, menschliches Leben genannt, ist doch wohl nicht einmal eine überzeugende Respektierung des „Gesetzes der Erhaltung der Energie". Denn vorher war gewiß zwar auch Stoffwechsel, der jetzt andere Bahnen einschlagen mag nach dem medizinischen Exitus, der ein wenig weniger eindeutig in eine bestimmte Richtung der Aufrechterhaltung des biologischen Systems gesteuert wird. Aber es war vorher doch auch noch einiges andere da: eben ein Mensch mit Liebe, Treue, Schmerz, Verantwortung, Freiheit. Mit welchem Recht behauptet man eigentlich, daß alles aus sei? Warum soll es eigentlich „aus sein"? Weil wir davon nichts mehr merken? Das Argument scheint ein wenig schwach! Eigentlich folgt daraus nur: für mich, den Hinterbliebenen, ist der Tote nicht mehr da. Aber ist er darum für sich selbst nicht mehr da? Muß er für mich da sein? Wäre es denkbar, daß es seine „Gründe" gehabt haben könne, sich so zu verwandeln, daß das neu Gewordene nicht mehr bei uns mitspielt? Wenn wir dieses unser Leben anschauen: es ist von sich aus nicht so, daß man da immer mitmachen möchte, es strebt von sich aus auf einen Abschluß seines jetzigen Daseinsstiles hin. Zeit wird Irrsinn, wenn sie sich nicht vollenden kann. Ein ewiges Weitermachenkönnen wäre die Hölle der leeren Sinnlosigkeit. Kein Augenblick hätte Gewicht, weil man alles ins leere Später, das nie fehlen wird, vertagen und abschieben könnte. Es könnte einem nichts entgehen, und alles ginge damit in die Leere der absoluten Gewichtslosigkeit. Wenn also einer geht: nichts könnte selbstverständlicher sein. Aber kann, wenn der Sterbende geht, das Eigentliche nicht verwandelt über die physikalische Raumzeit enthoben bleiben, weil es schon immer mehr war als das bloße Spiel der „Elementarteilchen" der Physik und der Biochemie, weil es Liebe, Treue, vielleicht auch nackte Gemeinheit und Ähnliches war, das in dieser Raumzeit wird, aber in ihr nicht vollendet ist?

Was meint „Weiterleben" und „Ewigkeit"?

Wir dürfen die Existenz, die aus dem Tod entsteht, nicht als ein bloßes „Weiterdauern" verstehen in jener eigentümlichen Gestreutheit und unbestimmten, immer neu bestimmbaren und somit eigentlich leeren Offenheit des zeitlichen Daseins. In dieser Hinsicht setzt der Tod ein Ende für den ganzen Menschen. Wer die Zeit einfach über den Tod des Menschen hinaus für seine „Seele" „weiterdauern" läßt, so daß neue Zeit entsteht, der bringt sich in unüberwindliche Schwierigkeit des Gedankens und des existenziellen Vollzugs der wahren Endgültigkeit des Menschen, die sich im Tod ereignet. Wer aber meint, „mit dem Tod ist alles aus", weil die Zeit des Menschen wirklich nicht weitergeht, weil die, die einmal begann, auch einmal enden müsse, weil schließlich eine sich ins Unendliche fortspinnende Zeit in ihrem leeren Gang ins immer andere, das das Alte dauernd annulliert, eigentlich unvollziehbar und schrecklicher als eine Hölle sei, der unterliegt ebenso dem Vorstellungsschema unserer empirischen Zeitlichkeit wie der, der die „Seele" „fortdauern" läßt. In Wirklichkeit wird in der Zeit als deren eigene gereifte Frucht „Ewigkeit", die nicht eigentlich „hinter" der erlebten Zeit unseres raum-zeitlichen biologischen Lebens diese Zeit fortsetzt, sondern die Zeit gerade aufhebt, indem sie selber entbunden wird aus der Zeit, die zeitweilig *wurde,* damit in Freiheit Endgültigkeit getan werden könne. Ewigkeit ist nicht eine unübersehbar lang dauernde Weise der puren Zeit, sondern eine Weise der in der Zeit vollbrachten Geistigkeit und Freiheit und deswegen nur von deren rechtem Verständnis her zu ergreifen. Eine Zeit, die nicht gleichsam als Anlauf von Geist und Freiheit währt, gebiert auch keine Ewigkeit. Weil wir aber die die Zeit überwindende Endgültigkeit des in Geist und Freiheit getanen Daseins des Menschen der Zeit entnehmen müssen und sie doch zu ihrer Vorstellung fast unwillkürlich als endloses Fortdauern denken, geraten wir in Verlegenheit. Wir müssen ähnlich wie in der modernen Physik unanschaulich und in diesem Sinne entmythologisierend denken lernen und sagen: durch den Tod geschieht die getane Endgültigkeit des frei gezeitigten Daseins des Menschen. Es ist, was geworden ist, als befreite Gültigkeit des einmal Zeitlichen, das als Geist und Freiheit wurde, um zu sein. Kann also das, was wir unser Leben nennen, nicht der kurze Blitz eines Werdens in Freiheit und Verantwortung sein von etwas, das ist, endgültig ist, weil es wert ist, so zu sein? So, daß das Werden aufhört, wenn das Sein beginnt, und wir davon nichts merken, weil wir selber noch am Werden sind?

Man kann die Wirklichkeit wahrhaftig nicht auf das beschränken, dessen Existenz auch der Dümmste und Oberflächlichste zu bestreiten nicht Lust noch Möglichkeit hat. Es gibt gewiß mehr. So wie es wissenschaftliche Apparate gibt, um ein Mehr an Wirklichkeit im Bereich der materiellen Welt festzustellen, so gibt es ohne Apparaturen (aber nicht ohne eine höher entwickelte Geistigkeit) Erfahrungen, die jene Ewigkeit ergreifen, die nicht als ein zeitliches Weiterdauern „hinter" unserem Leben sich hinzieht, sondern in der Zeit der freien Verantwortung als dem Raum ihres Werdens in die Zeit eingesenkt ist und sich in der sich total beendigenden Zeit des Lebens in seine Vollendung hinein vollzieht. Wer einmal eine sittlich gute Entscheidung auf Leben und Tod getroffen hat, radikal und unversüßt, so daß daraus absolut nichts für ihn herausspringt als die angenommene Güte dieser Entscheidung selbst, der hat darin schon jene Ewigkeit erfahren, die wir hier meinen. Wenn er dann hinterdrein darauf reflektiert und diese ursprüngliche Erfahrung in Theorie umzusetzen versucht, mag er zu falschen Interpretationen kommen, bis zum

Zweifel oder der Leugnung des „ewigen Lebens". Ja er mag vielleicht sogar meinen, er könne die absolute Radikalität seiner freien Entscheidung, die ihm nichts einträgt, nur dann vollziehen, wenn er nicht einmal auf das ewige Leben hofft. Dann hat er freilich dieses ewige Leben nicht als die Endgültigkeit seiner Freiheit verstanden, sondern als eine Weiterdauer, in der er mit etwas anderem als der freien Tat seiner ganzen Existenz belohnt würde.

Wenn jemand aus den verschiedensten Gründen die Erfahrung der Ewigkeit, die er in seiner freien Zeit gemacht hat, reflex hinterdrein nicht zu interpretieren vermag oder objektiv gesehen falsch (aber vielleicht doch existenziell *in* seiner eigenen Freiheitstat richtig) interpretiert, dann ist das zwar bedauerlich, weil es die Gefahr mit sich bringt, solchen totalen sittlichen Entscheidungen auszuweichen, aber es ändert an der ursprünglichen Erfahrung selber nichts.

„Natürliche" oder „gnadenhafte" Unsterblichkeitserfahrung?

Es ist nun hier nicht notwendig, in Reflexion zu scheiden, was an dieser Erfahrung zum geistig-unsterblichen Wesen des Menschen gehört, was daran jene Gnade, d. h. jenes Dabeisein des ewigen Gottes, ist, das für die christliche Daseinsdeutung seinen Höhepunkt in Jesus Christus hat, den ans Kreuz Gehängten und darin Siegenden. Wir können (schon damit die vorgetragene Überlegung den falschen Schein eines rationalistischen Beweises für die „Unsterblichkeit der Seele" vermeidet) annehmen, daß die hier angerufene Erfahrung ihre Kraft und ihr Leben aus jener übernatürlich-gnadenhaften Selbstmitteilung Gottes zieht, die der Ewigkeit setzenden Tat sittlicher Freiheit ihre letzte Radikalität und Tiefe gibt. Damit ist aber bei gegenseitigem, wenn auch variablem Bedingungsverhältnis zwischen transzendentaler Gnadenerfahrung und heilsgeschichtlicher Erfahrung von vornherein gegeben, daß wir das Recht und die Pflicht haben, wenigstens aufzuschauen und zu fragen, ob nicht diese transzendental-gnadenhafte Erfahrung unserer ewigen Gültigkeit hinsichtlich der sittlichen Person heilsgeschichtlich konkret greifbar geworden ist. Ob es sich nicht aus der kategorialen Erfahrung der Heilsgeschichte bestätigt, was natürlich – da wir selbst die noch Sterbenden sind – nur in der Erfahrung der endgültigen Vollendung eines anderen Menschen gegeben sein kann. Von einer echten Anthropologie des konkreten Menschen her sind wir weder berechtigt noch verpflichtet, bei dieser Frage den Menschen von vornherein in zwei „Bestandteile" zu zerfällen, von denen diese Endgültigkeit nur für einen vindiziert wird. Unsere Frage nach der Endgültigkeit des Menschen ist durchaus identisch mit der Frage nach seiner Auferstehung, ob die griechisch-platonische Tradition der kirchlichen Lehre das deutlich sieht oder nicht. Vorausgesetzt natürlich, daß wir diese Auferstehung eben gerade nicht als eine Rückkehr in unsere Raumzeitlichkeit denken, in der es ja die

Vollendung des Menschen per definitionem gar nicht gibt und geben kann, weil diese raumzeitliche Welt als eine solche eben der Raum des Werdens von personaler Freiheit und Verantwortung, nicht aber der Raum der Endgültigkeit dieser personalen Verantwortung ist.

Wenn wir so die Sache betrachten, müssen wir sagen: Die vom Wesen des Menschen her erreichbare transzendentale Erwartungserfahrung der eigenen Auferstehung ist der Verständnishorizont, innerhalb dessen so etwas wie eine Auferstehung Jesu überhaupt nur erwartet und erfahren werden kann. Natürlich bedingen sich diese beiden Momente unserer Existenz, die transzendentale Erwartungserfahrung der eigenen Auferstehung und die heilsgeschichtliche Glaubenserfahrung von der Auferstehung Jesu, gegenseitig. Wir würden es vielleicht faktisch nicht fertigbringen, ohne den Blick auf die Auferstehung Jesu uns in dieser unserer eigenen Erwartung richtig zu interpretieren, aber es ist umgekehrt auch richtig, daß man eigentlich die Auferstehung Jesu nur erfahren kann, wenn man ein Mensch ist, der eine solche Erfahrung schon für sich selber hat.

d) Zum Verständnis der Auferstehung Jesu

Der Glaube an die Auferstehung Jesu als einmaliges Faktum

Den Glauben an die Auferstehung Jesu gibt es. Und zwar als einmaliges Faktum. Das ist in sich schon bedenkenswert. Solche Einmaligkeit besteht, obwohl es genug Menschen – bis hin zu den getöteten „Propheten" – gibt, von denen man erfahren möchte, daß sie leben. Hat diese Einmaligkeit nicht darin ihren Grund, daß der Grund selbst einmalig und einfach und somit „wahr" ist, daß er also nicht jenes zufällige Zusammentreffen von disparaten Erfahrungen und Überlegungen ist, das die Ursache von Irrtümern darstellt? Wer die Auferstehung Jesu leugnet, ohne sie von vornherein mißzuverstehen und dieses Mißverständnis dann mit Recht zu verwerfen, müßte sich dieser Frage stellen, d. h. die Frage beantworten, warum der behauptete Irrtum nicht öfter vorkomme, obwohl seine vorausgesetzten Ursachen dauernd gegeben sind.

Die Einheit von apostolischer und eigener Auferstehungserfahrung

Die christliche Lehrtradition sagt vom Neuen Testament an mit Recht, daß wir alle hinsichtlich des Glaubens an die Auferstehung Jesu vom Zeugnis der vorausbestimmten Zeugen, die den auferstandenen Herrn „gesehen" haben, abhängig seien und bleiben und nur durch dieses apostolische Zeugnis und abhängig von ihm an die Auferstehung Jesu glauben könnten, so daß z. B. selbst die Theologie der Mystik den Visionären, denen Jesus „erscheint", den Charakter von Auferstehungszeugen und ihren Visionen die Gleichartigkeit mit dem Gesehenwerden des Auferstandenen durch die Apostel abspricht. Das alles ist richtig und entscheidend wichtig: Unser Glaube bleibt gebunden an das apostolische Zeugnis. Aber diese Abhängigkeit wäre dennoch aus verschiedenen Gründen falsch interpretiert, wollte man sie nach dem profanen Modell des sonstigen „Glaubens" an ein Ereignis verstehen, bei dem man selbst nicht dabei war und das man dennoch annimmt, weil einer, der es selbst erlebt zu haben versichert, „glaubwürdig" zu sein scheint. Denn zunächst und *einerseits* ist das Gewicht solchen profanen Zeugnisses doch wesentlich von dem Maß abhängig, in dem der Zeugnisempfänger aus ähnlichen Erfahrungen, die er selbst gemacht hat, die Glaubwürdigkeit des Zeugen abzuschätzen imstande ist. Würde also nach dem profanen Modell der Zeugenaussage *allein* das Auferstehungszeugnis der Apostel beurteilt, müßte es als unglaubwürdig abgelehnt werden, selbst wenn man nicht erklären könnte, wie es bei der nicht zu bestreitenden Ehrlichkeit und Selbstlosigkeit der Zeugen zustande gekommen ist. Aber die Voraussetzung für die Anwendung dieses Modells auf unsere Frage trifft nicht zu. Wir selber sind nicht einfach und schlechterdings außerhalb der Erfahrung der apostolischen Zeugen. Denn weiter und *anderseits* (und das ist hier entscheidend) hören wir dieses Zeugnis der Apostel mit jener transzendentalen Auferstehungshoffnung, von der schon die Rede war; wir vernehmen also gar nicht etwas, was gänzlich unerwartet und gänzlich außerhalb unseres Erfahrungshorizontes und unserer Verifikationsmöglichkeit liegt. Wir hören ferner die Auferstehungsbotschaft, die wir mit der „Gnade" Gottes glauben, unter dem inwendigen Zeugnis der Geisteserfahrung. Das hat gar keinen Verdacht auf mythologische Theorie bei sich. Es will vielmehr besagen: Man erfährt glaubend und seine eigene „Auferstehung" hoffend seinen Mut, über dem Tod zu stehen, und zwar im Blick auf den im apostolischen Zeugnis vor uns tretenden Auferstandenen. Und in diesem (frei vollzogenen) Mut bezeugt sich der Auferstandene selbst als lebendig in der geglückten und nicht auflösbaren Korrespondenz zwischen transzendentaler Auferstehungshoffnung und der kategorial-realen Gegebenheit solcher Auferstehung. In diesem Zirkel trägt sich beides gegenseitig und bezeugt sich uns als wahr.

Es ist also nicht so, daß wir an die bezeugte Sache selbst gar nicht herankämen. Im „Geist" erfahren wir selbst die Auferstehung Jesu, weil wir ihn und seine Sache als lebendig und siegreich erfahren. Mit diesem Satz machen wir uns nicht unabhängig von dem apostolischen Auferstehungszeugnis und leugnen nicht das am Anfang dieses Abschnitts Eingeschärfte. Denn selbst wenn und *gerade* wenn wir annehmen, daß es eine transzendentale Auferstehungshoffnung gibt und diese immer ihre kategoriale Greifbarkeit und Bezeugung sucht (welche Annahme dem geboten ist, der an die *christliche* Heilsmöglichkeit *aller* glaubt, auch wenn die meisten von ihnen die explizite evangelische Botschaft nicht gehört haben), dann kann diese transzendentale Auferstehungshoffnung ihrem Grund und Gegenstand eben doch ihren kategorialen Namen nur geben mittels des *apostolischen* Zeugnisses von *Jesus* dem Auferstandenen. Sich zu sich selbst kategorial christlich vermitteln läßt sich die transzendentale Auferstehungshoffnung nur durch das apostolische Zeugnis. Aber ebendies beinhaltet auch, daß es diese geistgewirkte Auferstehungshoffnung gibt und diese Geisterfahrung des unüberwindlichen Lebens (unseres Lebens und des Lebens Jesu) ebenso die Glaubwürdigkeit des apostolischen Zeugnisses trägt, wie sie umgekehrt nur in diesem ganz zu sich selbst kommt. Auch dies alles ließe sich bei Paulus durch das *gegenseitige* Bedingungsverhältnis zwischen Geisterfahrung und Auferstehungsglaube verdeutlichen. Es ließe sich noch deutlicher machen, wenn die ursprüngliche Einheit und Homologie zwischen dem Vorgang der Offenbarung und dem des Glaubens an die Offenbarung genauer dargestellt werden könnte, was hier jedoch nicht möglich ist.

e) Die Auferstehungserfahrung der ersten Jünger

Zum Erweis der Glaubwürdigkeit des apostolischen Zeugnisses von der „Auferstehung" Jesu ist nun unter Voraussetzung des bisher Gesagten dieses Zeugnis selbst zu analysieren. Es kann dabei ruhig zugegeben werden, daß sich die auf den ersten Blick für uns als historische Details der Auferstehungs- bzw. Erscheinungsereignisse bietenden Berichte nicht restlos harmonisieren lassen, also eher zu deuten sind als plastische und dramatisierende Einkleidungen (sekundärer Art) der ursprünglichen Erfahrung „Jesus lebt", als daß sie diese selbst in ihrem eigentlichen ursprünglichen Wesen beschreiben, das – soweit uns zugänglich – eher nach unserer Erfahrung des machtvollen Geistes des lebendigen Herrn zu deuten ist als in einer Art, die entweder diese Erfahrung wieder zu sehr den mystischen Visionen (imaginativer Art) späterer Zeit nähert *oder* sie als fast massiv sinnliche Erfahrung versteht, die es einem wirklich Vollendeten gegenüber auch dann noch nicht gibt, wenn man voraussetzt, er müsse sich zwar frei „zeigen", dann aber müsse alles dem Bereich normal profaner Sinneserfahrung angehören.

Die Analyse der Auferstehungstexte, angefangen von den schlichten bekenntnishaften Formeln: „er ist auferweckt", bis zu den Texten, die die Ostererfahrung unter verschiedensten theologischen Vorzeichen dramatisieren, zeigt, daß man sich der Eigenart der Ostererfahrung bewußt war: von „außen" gegeben, nicht von einem selbst erzeugt, anders als die durchaus bekannten visionären Erlebnisse, sich streng auf den Gekreuzigten mit seiner ganz bestimmten Individualität und seinem Schicksal beziehend, so daß *dieses* als gültig und gerettet erfahren wird (und nicht bloß eine existierende Person, der früher einmal dies und das zustieß), im Glauben allein gegeben und dennoch diesem Glauben Grund und Recht gebend, nicht immer neu zu erwarten und erzeugbar, sondern einer bestimmten Heilsgeschichtsphase vorbehalten und darum notwendig andern weiterzubezeugen und somit diesen Zeugen eine einmalige Aufgabe verleihend. Es wird also eine Erfahrung streng sui generis bezeugt, die anders ist als die Erfahrungen eines religiösen Enthusiasmus, einer Mystik, die erweckbar und wiederholbar sind. Man kann diesen Zeugen den Glauben verweigern. Aber man kann dies nicht tun, indem man vorgibt, man verstehe ihre Erfahrung besser, während diese Zeugen ein uns auch sonst bekanntes religiöses Phänomen falsch interpretiert hätten.

Man kann sagen, „historisch" würden wir nicht die Auferstehung Jesu erreichen, sondern nur die Überzeugung seiner Jünger, daß er lebe. Wenn man unter einem historisch erreichbaren Tatbestand einen solchen versteht, der selbst in seinem eigenen Bestand dem Raum unserer raum-zeitlichen, normalen, d.h. dieselben Phänomene *oft* vorfindenden Empirie angehört, dann ist es selbstverständlich, daß Jesu Auferstehung kein „historisches" Ereignis sein kann und will, weil sie sonst gar nicht die Aufhebung unserer laufenden Geschichte in die Endgültigkeit ihres Ertrages hinein wäre. Wenn man sagt, historisch greifbar sei nur die subjektive Ostererfahrung der Jünger, so muß man jedenfalls nicht irgendein beliebiges „Erlebnis" dabei denken, sondern genau das, was die Jünger beschreiben und von dem abgrenzen, was wir uns dabei zu denken geneigt sind, und uns *dann* fragen, ob wir ein Recht haben, den Jüngern auch dann den Glauben zu verweigern, wenn diese Weigerung in unserer konkreten Situation konkret ein Nein gegen unsere eigene transzendentale Auferstehungshoffnung wäre.

In der abstrakten Theorie der Begriffe sind ein Ja zu unserer Auferstehungshoffnung *und* ein Nein zur apostolischen Erfahrung dieser Auferstehung bei Jesus als koexistent denkbar. Und darum gibt es schuldlosen Unglauben gegenüber der Auferstehung Jesu. Ob dies bei *uns heute* angesichts einer zweitausendjährigen Glaubensgeschichte und vor dem Zeugnis der Jünger bei jedem einzelnen möglich ist, das ist eine Entscheidungsfrage, die an jeden einzelnen gerichtet ist, der heute die Botschaft von der Auferstehung Jesu hört. Wenn diese Botschaft so abgelehnt wird, daß damit auch in uneingestandener Verzweiflung die transzendentale Auferstehungshoffnung – zugestanden oder nicht – verneint wird, dann wird dies das Nein zu einem kontingenten Ereignis, das man nicht a priori deduzieren und darum leicht bezweifeln kann, doch zu einem Nein, das – ob man will oder nicht, ob man es reflex weiß oder nicht – eine Tat gegen die eigene Existenz selber ist.

Mit dieser gegenseitigen Verschränkung unserer eigenen transzendental unvermeidlichen Auferstehungshoffnung und des Glaubens an die Auferstehung Jesu soll natürlich nicht der Unterschied verwischt werden, der zwischen Jesu Auferstehung und unserer erhofften Auferstehung obwaltet. Nach neutestamentlichem Verständnis der Auferstehung Jesu unterscheidet sich seine Auferstehung von unserer dadurch, daß Jesus durch sie zum „Herrn" und „Messias" gemacht wurde (ohne daß dadurch bestritten wird, daß er von der immer schon realisierten Absicht Gottes her dies von Anfang seiner menschlichen Existenz an war, dies aber umgekehrt eben real und für uns sich in seiner Auferstehung geschichtlich vollendete). Unabhängig von der Frage der Harmonisierbarkeit der neutestamentlichen Aussagen über die Erscheinungen des Auferstandenen ist dem Neuen Testament die Überzeugung gemeinsam, daß die Auferstehung die Erhöhung Jesu und seine Einsetzung als Weltenrichter oder Herr ist und sich insofern von unserer erhofften Auferstehung unterscheidet (hier waltet – nebenbei bemerkt – ein ähnlicher Unterschied wie der, den wir früher schon kurz erwähnt haben, der Unterschied nämlich zwischen unserer eigenen Begnadigung mit der Selbstmitteilung Gottes, die auch von Jesus ausgesagt werden muß, und dem besonderen Verhältnis zwischen Gott und Jesus, das wir die hypostatische Union nennen).

Es sei schließlich noch angemerkt, daß nach den Synoptikern Jesus den Glauben an eine Auferstehung aller, der über hundertfünfzig Jahre vor Jesus in den makkabäischen Wirren in Israel seinen Siegeszug gehalten hatte und zur Zeit Jesu allgemeiner Volksglaube war, nicht als etwas durch ihn neu zu Bringendes gelehrt hat, sondern als selbstverständlich gegen die liberalen Sadduzäer behauptete. Wir brauchen diesbezüglich hier die Frage nicht zu untersuchen, wieweit ein solcher Glaube (besonders bezüglich einer möglichen Auferstehung irgendeines Propheten) einen durchaus sinnvollen Verständnishorizont für die Jünger Jesu und deren Erfahrung des Auferstandenen abgegeben hat. Doch scheint uns der allgemeine Glaube an eine künftige und erhoffte Auferstehung aller im Neuen Testament es auch von diesem her zu legitimieren, daß wir auf einer inneren Verschränkung zwischen einer transzendentalen Auferstehungshoffnung für uns und dem Glauben an die Auferstehung Jesu insistieren.

f) Zur ursprünglichen Theologie der Auferstehung Jesu als dem Ansatz für die Christologie überhaupt

Unter erneuter Berücksichtigung der Vorbemerkung zu diesem sechsten Abschnitt des sechsten Ganges ist die „ursprüngliche" Theologie der Auferstehung zu artikulieren, d.h. die Frage zu beantworten, was eigentlich mit der Auferstehung dieses Jesus erfahren, bezeugt und geglaubt wird. Dabei darf nicht schon ein „glaubendes" Wissen um die „metaphysische" Gottessohnschaft dieses Jesus vorausgesetzt werden, so daß die Auferstehung Jesu höchstens noch der faktische Abschluß seines Lebens und von Gott her die fundamental-theologisch äußere Bestätigung seines Selbstverständnisses wäre, das schon vorösterlich diese metaphysische Gottessohnschaft mehr oder weniger explizit und deutlich beinhaltet hätte. So ist hier nicht voranzugehen, zumal nach dem Neuen Testament die erfahrene Auferstehung *inhaltlich* zur

Wesensdeutung der Person und des Werkes Jesu beigetragen hat und nicht bloß die göttliche Bestätigung eines von Jesus vorösterlich schon deutlich ausgesagten Wissens war.

Die Bestätigung und Annahme des Anspruchs Jesu als des absoluten Heilsbringers

Dieser Jesus mit seinem *konkreten* Anspruch und seiner Geschichte wird in der Auferstehungserfahrung als bleibend gültig und von Gott angenommen erfahren. Welcher reale, von ihm selbst unablösbare Anspruch wird dadurch als gültig erfahren? Derjenige, den er in seinem Leben erhoben hat. Wir haben diesen Anspruch historisch vielleicht viel zu minimalistisch festgehalten. Aber was wir erreicht haben, genügt: der Anspruch, daß mit ihm eine neue, unüberholbare, von sich aus siegreich sich durchsetzende, von ihm nicht ablösbare Nähe Gottes gegeben ist, die er das gekommene-kommende Reich Gottes nennt, das den Menschen zu der expliziten Entscheidung zwingt, ob er diesen *so* nahegekommenen Gott annimmt oder nicht.

Durch die Auferstehung ist somit Jesus als der absolute Heilsbringer bestätigt. Wir können auch – zunächst vorsichtiger – sagen: als der *letzte* „Prophet". Denn die durch die Auferstehung bestätigte Selbstinterpretation Jesu in seiner Botschaft macht ihn einerseits zu einem „Propheten", d.h. zum Träger eines Wortes Gottes auf die konkret geschichtliche Existenz hin (über alle „immer gültigen Wahrheiten" hinaus), auf eine Entscheidung hin. Aber dieser Prophet hält sein Wort für das letzte und unüberholbare. Das steht zunächst einmal im Widerspruch zu dem explizit gegebenen oder mit der Echtheit einer prophetischen Berufung durch den freien Gott zu postulierenden Selbstverständnis eines jeden sonstigen echten Propheten, der in seinem Wort Gott größer sein lassen muß in dessen unbegrenzten Möglichkeiten und sein Wort in eine bestimmte Situation hineinspricht, die jetzt ist und dann einer anderen, neuen Platz macht, und der sein Wort wesentlich als eine ins Offene, Unabschließbare gehende Verheißung empfinden und verkünden muß. Jesus ist also ein Prophet, der das Wesen des Propheten mit dem Anspruch seines Wortes gerade aufhebt. Dabei muß bedacht werden, daß sein Wort als das letzte Wort Gottes nicht darum als endgültig gedacht werden kann, weil Gott nun eben willkürlich aufhört weiterzureden, obwohl er weiterreden könnte (die Offenbarung „abschließt", obwohl er sie weiterführen könnte, wenn er nur wollte); es ist das letzte Wort Gottes, das in Jesus da ist, weil darüber hinaus nichts mehr zu sagen ist, weil Gott wirklich streng sich *selbst* in Jesus zugesagt hat.

Von daher erst wird der religiöse Radikalismus Jesu verständlich: Er schafft die religiösen und sittlichen Kategorialitäten (Verwandtschaft, Ehe, Volk, Gesetz, Tempel, Sabbat, Herkommen religiöser Obrigkeiten usw.) nicht ab aus dem bloßen, immer möglichen Fanatismus gegenüber ihrem Ungenügen, sondern er durchbricht sie und hebt sie immer neu auf, weil sie jetzt durch die neue reale, von Gott selbst herkommende Unmittelbarkeit Gottes durchbrochen *sind* und somit nicht mehr genau *jene* Funktion der Vermittlung zu Gott, seiner Stellvertretung haben, die sie einmal mit Recht zu haben beanspruchten.

Jesus ist also die geschichtliche Gegenwart dieses letzten, unüberbietbaren Wortes der Selbsterschließung Gottes: Dies ist sein Anspruch, und als solcher wird er durch die Auferstehung bestätigt, ewig gültig und als ewig gültig erfahren. In diesem Sinn jedenfalls ist er der „absolute Heilbringer".

Der Ansatz für die „späte" neutestamentliche Christologie

Damit ist er derjenige, als den ihn die späte neutestamentliche Theologie und die kirchliche Christologie aussagen wollen. Er ist *der* Sohn und *das* Wort Gottes (zunächst in einem Sinn, der der Vorstellung eines präexistenten Logos-Sohnes noch vorausliegt und von seiner *menschlichen* Wirklichkeit als solcher – freilich wegen deren Angenommenheit durch Gott als *seine* Aussage – prädiziert werden kann und muß, ohne dadurch einem Adoptianismus oder einer doppelten Sohnschaft zu huldigen, wie sie in der klassischen Christologie abgelehnt werden). Denn er ist nicht „Knecht" in der unabschließbaren Reihe der Propheten mit ihrem immer vorläufigen Auftrag, der nie mit Gott selbst identifiziert werden darf, sosehr er *von* Gott *her* kommt; er ist also „Sohn"; er bringt nicht *ein* Wort von Gott her, das abgelöst werden kann und muß, weil sich in ihm Gott als er selber noch gar nicht ganz und endgültig vergeben hat; er ist also *das* Wort Gottes, das uns gesagt ist in all dem, was er war, sagte und was *so* in der Auferstehung endgültig angenommen und bestätigt wurde.

Man mag die Einmaligkeit des Verhältnisses zwischen Gott und Jesus ausdrücken, wie man will. Die klassisch-kirchliche Christologie ist *eine* solche Weise, vielleicht die deutlichste und gemeinkirchlich am leichtesten handhabbare, und in dem, was sie sagen will und sagt, auch wahr. Aber (davon ist später noch ausführlicher zu reden) sie ist nicht a priori als die einzig mögliche zu betrachten, weil sie einerseits das Geheimnis nicht ausschöpfen, also ihr andere Aussagen mindestens zusätzlich hinzugefügt werden können, die nicht notwendig bloße Entfaltung ihrer Formeln sind, und weil anderseits die Dialektik zwischen den einzelnen Aussagen in ihr sie von innen her geschichtlich weitertreiben kann. Dazu kommt, daß schon im Neuen Testament mehrere (wenn vielleicht auch rudimentäre) Christologien vorliegen, die nicht einfach nur verbale Variationen eines selben Grundmodelles sind, in dem die Glaubensüberzeugung nahegebracht wird, daß der konkrete Auferstandene mit seinem Anspruch das einmalige, unüberholbare Dasein Gottes *selbst* bei uns ist. Es mag also verschiedene Vorstellungsmodelle, Terminologien, Ansatzpunkte geben, um die Glaubenserfahrung von dem Auferstandenen mit seinem einmaligen Anspruch auszusagen. Voraussetzung für alle Christologien ist immer, daß diese Einmaligkeit gewahrt wird und deutlich bleibt, daß dieses einmalige Verhältnis verstanden wird als solches zwischen Gott und ihm in seiner Realität und seiner realen Geschichte (und nicht seinem bloß gesagten „Wort"), da er in *dieser* angenommen wurde und gültig bleibt.

Damit ist ein Ansatz (mehr ist hier nicht gemeint) gegeben für eine Christologie von der Einheit des (historisch greifbaren) Anspruchs Jesu und der Erfahrung seiner Auferstehung her. Ein Ansatz für eine „Aszendenzchristologie" (wie sie an vielen Stellen des Neuen Testaments *noch* greifbar ist), die beim historischen Jesus nicht nur insofern beginnt, als sie in seinem Munde eine „Sohn-Logos-Deszendenztheologie" ausgesagt hört und in seiner Auferstehung beglaubigt erkennt, sondern die Erfahrung dieses geretteten Menschen mit seinem Anspruch *an uns* macht und darin das erfährt, was die klassische Christologie metaphysisch-gegenständlich aussagt. Dieser Ansatz überholt das Dilemma zwischen einer „funktionalen" und „essentialen" Christologie von vornherein als Scheinproblem. Er eröffnet auch einen Ort für eine Lösung des Verifikationsproblems der Christologie, weil er die faktische, aber als solche geglückt erfahrene Einheit einer transzendentalen Erfahrung (transzendentale Christologie, transzendentale Auferstehungshoffnung) und einer ihr korrespondierenden geschichtlichen Erfahrung ist.

g) Zur Theologie des Todes Jesu von der Auferstehung Jesu her

Die Interpretation des Todes Jesu als Heilsursache

Mindestens in der „späten" neutestamentlichen soteriologischen Christologie wird dem Tod Jesu eine erlösende, unsere Sündigkeit vor Gott tilgende, das heilshafte Verhältnis zwischen Gott und Mensch herstellende Bedeutung zuerkannt. Man wird dabei nicht sagen können, daß nach dem Neuen Testament (als ganzem) der Tod Jesu uns bloß von einem von diesem Tod schlechthin unabhängigen vergebenden Heilswillen Gottes überzeugt. In einem wahren Sinn (aber genau welchem?) wird offenbar der Tod Jesu als Ursache unseres Heils betrachtet. Diese Ursächlichkeit wird unter anderem vorgetragen als die eines Opfers, das Gott dargebracht wird, seines Blutes, das für uns oder für „die vielen" vergossen wird usw.

Man wird einerseits sagen, daß im Umkreis des Neuen Testamentes solche Aussagen für das Verständnis der Heilsbedeutsamkeit des Todes Jesu hilfreich waren, weil damals die Idee der Versöhnung der Gottheit durch ein Opfer eine gängige, als gültig voraussetzbare Vorstellung war. Man wird aber anderseits sagen müssen, daß erstens uns heute mit einer solchen Vorstellung wenig Hilfe für das gesuchte Verständnis geboten wird und zweitens der Zusammenhang der Idee des Todes Jesu als eines versöhnenden Opfers mit der Grunderfahrung des vorösterlichen und auferstandenen Jesus nicht ohne weiteres deutlich ist.

Zum ersten Punkt ist nämlich zu sagen: Eine allgemeine religionsgeschichtliche Opferidee ist nicht leicht und ohne verbale Kunststücke als möglich verständlich zu machen, wenn man deutlich daran festhält, daß Gott nicht „umgestimmt" werden kann und alle Heilsinitiative (was auch im Neuen Testament gewußt wird) von Gott selbst ausgeht und daß alles wirkliche Heil nur als im Vollzug der je eigenen Freiheit geschehend gedacht werden kann. Sagt man dagegen, dieses „Opfer" sei als freie Gehorsamstat Jesu (auch nach dem Neuen Testament, das das Opfer so „entsakralisiert") zu verstehen, Gott gebe durch seine eigene freie Initiative, durch die er diese Gehorsamstat ermöglicht, der Welt die Möglichkeit, der gerechten Heiligkeit Gottes genugzutun, und die um Christi willen gegebene Gnade sei ja gerade die Bedingung, sich selbst, das Heil Gottes frei ergreifend, zu erlösen, so hat man wohl Richtiges gesagt, aber die Vorstellung des Sühneopfers nicht nur erläutert, sondern auch kritisiert. Denn in dieser Erklärung wird ein gerade den Sünder ursprünglich und grundlos liebender Gott die Ursache seiner Versöhnung, also als ein von sich selbst her Versöhnter versöhnt, und als solcher will er doch offenbar von sich aus *dieselbe* Gnade, die Christus hervorbringt *und* die uns die Möglichkeit der freien Zuwendung zu Gott gibt, wobei dann nur nochmals die Frage entstünde und noch nicht beantwortet ist, wie der Zusammenhang (der ja nicht bezweifelt werden soll) zwischen dem Tod Christi (als Gnade Gottes) und unserer durch die Gnade befreiten Freiheit genauer zu denken ist und *so* die Frage nach der Heilsursächlichkeit des Todes Jesu für uns verständlicher beantwortet werden kann.

Zum zweiten Punkt ist zu sagen, daß es weder historisch einwandfrei feststeht, ob der vorösterliche Jesus seinen Tod (vom sühnend leidenden Gottesknecht bei Deuterojesaja und vom sühnenden, unschuldig leidenden Gerechten in der späteren jüdischen Theologie her) selbst schon als Sühnopfer interpretiert hat; und außerdem ist noch nicht klar, was dies genau bedeuten sollte, wenn die erste Frage nach einigem Zögern doch bejaht werden sollte.

Und endlich ist (die beiden genannten Punkte übergreifend) die Frage zu stellen, ob ein genügendes Verständnis der Heilsbedeutung des Todes Jesu von der Auferstehung Jesu erzielt werden kann, das sowohl Sinn als auch Grenzen der soteriologischen Aussagen über den Tod Jesu (vielleicht im Munde Jesu und sicher in der späteren neutestamentlichen Soteriologie) verständlich macht.

Die Grundlage der soteriologischen Interpretation des Todes Jesu

Es darf sowohl von der Mentalität der Schrift des Alten und Neuen Testaments wie von dem Selbstverständnis des Menschen überhaupt aus wohl vorausgesetzt werden, daß die menschliche Geschichte *eine* ist, daß das Geschick des einen für den anderen Bedeutung hat (wie immer man noch weiter diese Einheit der Geschichte und Solidarität des Menschen näherhin deuten mag). Wenn Gott somit einen Menschen will und heraufführt, der in seiner Wirklichkeit (zu der auch sein Wort gehört!) Gottes letztes, unwiderrufliches und unüberbietbares Zusagewort an die Menschen ist, das in der Geschichte selbst und nicht bloß in transzendentaler Hoffnung ergriffen wird – wenn diese Zusage nur dann die letzte ist und sein kann, wenn sie sich siegreich durchsetzt, also mindestens und zunächst in diesem Menschen als angenommen existiert – wenn eine solche Annahme nur geschehen kann durch die durch den Tod endgültig werdende eine Geschichte des einen ganzen Lebens dieses Menschen – wenn dieses Zusagewort Gottes darum überdies nur vollendet ist, wenn die annehmende Antwort des Menschen darauf als von Gott angenommene und bei ihm angekommene geschichtlich erscheint (eben in dem, was wir „Auferstehung" nennen), *dann* kann und muß gesagt werden, daß dieses eschatologische Zusagewort Gottes seiner freien Initiative entspringt, real in dem Leben Jesu vollzogen und für uns geschichtlich anwesend ist, und sich durch den frei angenommenen Tod vollendet, wobei dieser Tod *als* in freiem Gehorsam vollzogener und das Leben restlos Gott übergebender erst durch die Auferstehung vollendet und für uns geschichtlich greifbar wird. Der rein initiative Heilswille Gottes setzt dieses im Tod sich vollendende Leben Jesu und bringt sich selber so als unwiderruflicher in Wirklichkeit und Erscheinung. Leben und Tod Jesu (in einem genommen) sind somit insofern „Ursache" des Heilswillens Gottes (insofern beide Größen als unterschieden betrachtet werden), als in eben diesen dieser Heilswille sich real und irreversibel setzt, insofern als – mit anderen Worten – also Leben und Tod Jesu (oder der das Leben zusammenfassende und vollendete Tod) eine Ursächlichkeit quasisakramentaler, realsymbolischer Art haben, in der das Bezeichnete (hier: der Heilswille Gottes) das Zeichen (den Tod Jesu mit seiner Auferweckung) setzt und durch es hindurch sich selbst bewirkt.

Wird der Tod Jesu so gesehen, so wird wohl einmal verständlich, daß seine soteriologische Bedeutung (diese richtig verstanden!) schon in der Erfahrung der Auferstehung Jesu mitgegeben ist, als auch zum anderen, daß die „späte" Soteriologie im Neuen Testament (richtig verstanden!) eine berechtigte, aber in etwa doch sekundäre, abgeleitete Aussage der Heilsbedeutung des Todes Jesu ist, weil sie mit Begriffen arbeitet, die zu der ursprünglichen Erfahrung dieser Heilsbedeutung (einfach: wir sind gerettet, weil dieser Mensch, der zu uns gehört, durch Gott gerettet ist und dadurch Gott seinen Heilswillen geschichtlich real und unwiderruflich in der Welt anwesend gemacht hat) von außen als (mögliche, aber nicht einfach unentbehrliche) Interpretamente herangetragen worden sind. Auch an diesem Punkt ergibt sich für das Neue Testament und für die spätere Theologie (wie ihre Geschichte zeigt) die grundsätzliche Möglichkeit verschiedener berechtigter Modelle von Soteriologie, zumal ihre Voraussetzungen (z. B. Wesen der Einheit der Geschichte und der Solidarität aller) zwar in der ursprünglichen Offenbarungserfahrung unthematisch vollzogen, aber nicht selber deutlich thematisiert werden und so verschieden ausgelegt werden können.

7. INHALT, BLEIBENDE GÜLTIGKEIT UND GRENZEN DER KLASSISCHEN CHRISTOLOGIE UND SOTERIOLOGIE

a) Inhalt der klassischen Christologie und Soteriologie

Vorbemerkung

Die klassische Christologie und Soteriologie, so wie sie in den großen Konzilien der alten Kirche (Nikaia, Ephesos, Chalkedon) ausgesagt und mit verhältnismäßig wenigen Vertiefungen und zusätzlichen Fragen in der traditionellen Schultheologie weitergegeben wurde, soll hier nicht aufs neue aus diesen Quellen erhoben werden. Das ist für den Zweck dieser „Einführung" nicht angezeigt und kann – wenn doch gewünscht – von jedem aus H. Denziger – A. Schönmetzers „Enchiridion symbolorum" (^{36}1976) oder auch aus J. Neuner – H. Roos' „Der Glaube der Kirche in den Urkunden der Lehrverkündigung" (^{8}1971) den Texten nach leicht beigebracht werden. Hier kann es sich nur um eine kurze Zusammenfassung dieser klassischen Christologie handeln.

Es ist auch früher schon gesagt worden, daß die „späte" neutestamentliche Christologie, die die ursprüngliche Erfahrung der Jünger mit dem Gekreuzigten und Auferstandenen schon theologisch reflektiert („spät" gegenüber der ursprünglichen Erfahrung des Auferstandenen gemeint, nicht als Behauptung, daß diese neutestamentliche Christologie, die ja schon in den ältesten Paulusbriefen gegeben ist, erst zeitlich später schriftlich niedergelegt worden sei als die Evangelien, die uns von den Erfahrungen der ersten Jünger mit dem Auferstandenen berichten) hier zusammen mit der klassischen Christologie der Kirche verrechnet und mit der ursprünglichen Erfahrung des Auferstandenen konfrontiert werden soll. Damit soll freilich nicht behauptet werden, daß zwischen der „späten" Christologie des Neuen Testaments und der klassischen Christologie der Kirche überhaupt keine Unterschiede bezüglich der Terminologie, der Verstehenshorizonte, der „metaphysischen" Voraussetzungen usw. bestünden. Aber wenn wir hier voraussetzen dürfen, daß auch heilsgeschichtliche und „funktionale" christologische Aussagen unweigerlich (implizit oder explizit) ontologische Aussagen bedeuten, vorausgesetzt nur, daß man onto-logisch denken kann und ontische Aussagen über geistig-personale Wirklichkeiten nicht falsch vergegenständlicht liest, dann ist es hier wohl berechtigt, die nicht bestrittene Differenz zwischen der späten neutestamentlichen Christologie und der klassischen Christologie der Kirche zu vernachlässigen. Dies zumal, weil schon die neutestamentlichen Aussagen, wenn sie ernst genommen und nicht verharmlost werden („und das Wort ist Fleisch geworden"), solches über Jesus aussagen, das auch durch die klassische Christologie in ihrer metaphysischen Terminologie nicht überboten wird, mindestens dann nicht, wenn die klassische Christologie mit ihrer „Metaphysik" auch nicht wieder in einer Weise verabsolutiert wird, die sie auch von dem nicht verlangt, der sie als verpflichtende Norm seines Glaubens anerkennt. Mehr als eine solche Zusammenfassung der klassischen Christologie braucht auch darum hier nicht geboten zu werden, weil wir oben im vierten Abschnitt des sechsten Ganges schon präludierend den Versuch einer essentialen Deszendenzchristologie gemacht haben.

Die kirchenamtliche Christologie

Die kirchenamtliche Christologie ist eine ausgesprochene Deszendenz-Christologie, die die Grundaussage entfaltet: Gott (sein Logos) wird Mensch. Dies ist die Grundaussage, die entfaltet, gegen (sehr deutlich drohende) Mißverständnisse durch Präzisionen abgeschirmt wird, zu der man aber doch immer zurückkehrt, von der man immer wieder ausgeht als der Uraussage, die selbstverständlich ist und verständlich.

Diese Deszendenz- oder Inkarnationschristologie setzt die klassische *Trinitäts*theologie voraus, obwohl geschichtlich beide sich in gegenseitiger Beeinflussung entwickelt haben: in Gott sind drei voneinander verschiedene „Personen", deren eine, die zweite, von Ewigkeit her und unabhängig von der Inkarnation der „Sohn", der „Logos" ist, der, durch ewige „Zeugung" vom Vater, wesensgleich mit ihm und von ihm in einer relationalen Gegensätzlichkeit bei Selbigkeit des göttlichen Wesens unterschieden, geboren, gesagt wird, ausgeht (im ersten innergöttlichen Hervorgang [processio]) und durch diese Zeugung das göttliche Wesen, die göttliche „Natur" vom Vater her besitzt.

Diese göttliche Person des Logos nimmt in einer „hypostatischen" (d.h. nicht in einer Vermischung der „Naturen" bestehenden, sondern die „Hypostase" des Sohnes als solche betreffenden) „Union" eine volle menschliche Wirklichkeit (eben die Jesu) – menschliche „Natur" genannt – als ihre eigene an. Der Logos verbindet diese menschliche Natur mit seiner Hypostase so, daß diese der substanzielle „Träger" dieser „Natur" ist, das letzte „Subjekt" (in Sein und Aussage), dem diese menschliche Natur unlöslich gehört, so daß von dieser Hypostase (Person) des Logos als von dem letzten Träger und Subjekt wahrhaft und wirklich alle Prädikate dieser menschlichen Natur ausgesagt werden können, eben weil diese Natur „substanziell" mit diesem Person-Subjekt geeint ist, von ihm besessen wird und so von ihm prädiziert werden kann und muß.

Das Wesen dieser substanziellen Einigung und Einheit mit der göttlichen Hypostase des Logos wird in der kirchenamtlichen Lehre nicht mehr weiter erläutert. Darin wird sie nur dadurch verdeutlicht, daß gesagt wird, sie erlaube und gebiete als ontologische Voraussetzung die wahre und echte Prädikation des Menschlichen vom Logos selber. Im Mittelalter und in der Barocktheologie wurden genauere Theorien dieser hypostatischen Union zu entwickeln versucht, die aber weder allgemeine Annahme noch Eingang in die kirchenamtliche Lehre fanden.

Diese hypostatische Union läßt die reale Verschiedenheit der beiden „Naturen" der einen göttlichen Hypostase des Logos bestehen; diese werden nicht in eine dritte „Natur" vermischt, sondern bestehen „ungetrennt" (vom Logos) und „unvermischt" (unter sich). Das eigentliche Subjekt (ontisch und logisch) ist somit nicht aus den „Naturen" durch ihre Einigung entstehend, sondern das der Einigung präexistente Logos-Subjekt (was gegen ein „nestorianisches" Verständnis des Wortes „Christus" zu beachten ist). Entsprechend der Unvermischtheit der Naturen darf der aktive Einfluß des Logos auf die menschliche „Natur" in Jesus physisch nicht grundsätzlich anders gedacht werden, als sie sonst von Gott auf eine freie Kreatur hin ausgeht, was freilich in einer monophysitisch eingefärbten Frömmigkeit und Theologie dann oft wieder vergessen wird, indem die Menschheit Jesu allzu sachhaft als „Instrument" gedacht wird, das durch die Subjektivität des Logos bewegt wird.

Von der Unvermischtheit der Naturen und der ungeminderten Ganzheit der menschlichen Natur her wird dann („antimonotheletisch") die Einsicht bewahrt oder (gegen eine monophysitisch gefärbte Frömmigkeit und Theologie, in der eine echte Subjekthaftigkeit des Menschen Jesus auch Gott gegenüber immer wieder vergessen wird) immer wieder gewonnen, daß die menschliche Natur Jesu eine geschaffene, bewußte, freie Wirklichkeit ist, der (wenigstens unter dem Begriff eines kreatürlichen Willens, einer kreatürlichen enérgeia) eine kreatürliche „Subjekthaftigkeit" zugestanden wird, die von der Subjekthaftigkeit des Logos unterschieden ist und Gott in kreatürlichem Abstand frei (gehorsam, anbetend, nicht allwissend) gegenübersteht.

Die ganze Lehre von der unio hypostatica kommt in ihr Ziel, von dem sie auch religiös ausgegangen ist, in der Lehre von der Idiomenkommunikation (diese ontisch und logisch verstanden): Weil das eine und selbe Logos-Subjekt (Person, Hypostase) substanziell Besitzer und Träger der beiden „Naturen" ist, kann man von ihm, das nach je einer der beiden Naturen benannt wird, die

Eigentümlichkeiten je der anderen Natur aussagen. Also z.B. nicht nur: der ewige göttliche Sohn ist allwissend, sondern auch: der ewige Sohn Gottes ist gestorben; Jesus von Nazaret ist Gott usw. Und umgekehrt: weil die Erfahrung des Glaubens von dem einmaligen Da-sein Gottes in Jesus nicht ohne solche Idiomenkommunikation auskommt, setzt sie die Lehre von der hypostatischen Union als der unerläßlichen Voraussetzung und als den Schutz des Rechtes solcher Hoheitsaussagen über Jesus (schon im Neuen Testament) immer wieder in ihr Recht ein.

Die klassische Soteriologie

Die klassische Soteriologie ist über die Aussagen des Neuen Testamentes hinaus kaum weiterentwickelt, wenn sie diese überhaupt eingeholt hat. Wenn wir von einer in der griechischen Patristik gegebenen „physischen Erlösungslehre" absehen, nach der die Welt als gerettet erscheint, schon weil sie in der Menschheit Jesu physisch und unlösbar mit der Gottheit verbunden ist, und einige Vorstellungen mehr bildlicher Art in der Patristik beiseite lassen (Loskauf des Menschen durch Christus aus der zunächst berechtigten Gewalt des Teufels; Überlistung des Teufels, der sich ungerecht an Christus vergreift usw.), so wird im Mittelalter seit Anselm von Canterbury versucht, die biblische Idee der Erlösung durch ein Sühnopfer, durch das „Blut" Jesu dadurch zu verdeutlichen, daß der im Kreuzesopfer betätigte Gehorsam Jesu wegen der unendlichen, weil göttlichen Würde seiner Person eine unendliche Genugtuung (satisfactio) gegenüber dem durch die (an der Würde des beleidigten Gottes zu bemessende) Sünde beleidigten Gott darstellt und uns so, auch Gottes „Gerechtigkeit" Genüge leistend, von ihr befreit, falls und weil Gott diese Satisfaktion Christi für die Menschheit annimmt. Diese Satisfaktionstheorie ist seit dem Mittelalter gängig (und für ein germanisches Denken leicht verständlich), tritt auch am Rand in kirchenamtlichen Aussagen auf, ohne daß aber das außerordentliche Lehramt der Kirche sehr eingehend dazu Stellung genommen hätte.

b) Die Berechtigung der klassischen Inkarnationslehre

Die klassische Christologie hat darin ihre Berechtigung und bleibende Gültigkeit, daß sie (wenn vorausgesetzt) negativ eindeutig verhindert, Jesus als bloß irgendeinen in der Reihe der Propheten, religiösen Genies und Erwecker in den offenen Gang der Religionsgeschichte einzugliedern und einzuebnen, und positiv deutlich macht, daß Gott sich uns in Jesus in einer einmaligen, unüberbietbaren Weise so zugewendet hat, daß er in ihm schlechthin sich selbst gegeben hat, ohne noch durch etwas anderes, einfachhin wie jede andere

Kreatur von Gott Verschiedenes so vertreten zu sein, daß diese Vermittlung nicht die Vermittlung zur Unmittelbarkeit zu Gott als solchem selbst wäre. Wer das, was mit hypostatischer Union und Idiomenkommunikation in *diesem* genannten Sinn auf jeden Fall gesagt ist, gar nicht unter anderen Begriffen als denen dieser klassischen Inkarnationstheologie denken kann, der wird sie unmittelbar als *die* – einzige – Aussage des Glaubens über das wahre Verhältnis Jesu zu Gott und über unser Verhältnis zu ihm beurteilen und so festhalten; er wird dabei allerdings auch – und gerade heute – nicht übersehen dürfen, was über die Grenzen dieser klassischen Christologie noch zu sagen sein wird, und er muß lernen, diese klassische Christologie so zu sagen und vor allem *denen* zu erläutern (eine gar nicht so leichte Aufgabe, wie viele allzu traditionalistisch denken!), die bei dieser Lehre unter Hemmungen und dem Verdacht auf Mythologie leiden, obwohl sie christlich bekennen, daß für sie Jesus der unersetzliche und endgültige Zugang zu Gott ist. Wer meint, das in der klassischen Inkarnationschristologie Gemeinte auch anders sagen zu können, ohne dieses Gemeinte zu verletzen, der darf auch anders reden, vorausgesetzt, er respektiere die kirchenamtliche Lehre als eine kritische Norm für seine eigene Aussage und er wisse, daß diese Lehre für ihn in seinem Reden in der Öffentlichkeit der Kirche eine unerläßliche, aber in ihrer Bedeutung auch nicht zu verabsolutierende Richtschnur sein muß. Eine solche Anerkennung verbannt seine eigene Rede darum nicht aus dieser Öffentlichkeit, weil die kirchenamtliche Lehre ja auch gedeutet und dem heutigen Verständnis nahegebracht werden muß, was nicht durch bloße Wiederholung dieser amtlichen Lehre geschehen kann.

c) Die Grenzen der klassischen Christologie und Soteriologie

Es widerspricht nicht dem Charakter einer kirchlich absolut verbindlichen Glaubenslehre, wenn auf die Grenzen, die mit einer bestimmten Aussage des Dogmas gegeben sind, aufmerksam gemacht wird.

Die Problematik des Verstehenshorizontes

Eine bloße Deszendenz-Inkarnationslehre mochte in früheren Zeiten, die eben doch „mythologisch" (als Verständnishorizont) dachten, leichter *allein* genügen als heute. In der expliziten Aussage über Jesus wird der *Zugang* zu seinem letzten Geheimnis (das die Inkarnationslehre ausspricht) übersprungen: Es ist von *vornherein* das fleischgewordene Wort Gottes, das zu uns herabgestiegen ist, so daß alles von oben *her* und *nicht* darauf *hin* gesehen und gedacht wird. Dann aber sind mythologische Mißverständnisse der richtigen orthodoxen Lehre nicht mehr so leicht im frommen Bewußtsein wirklich auszuschließen: Das Menschliche an Jesus wird unreflex als die Livree Gottes empfunden, in der er sich zugleich zeigt und verbirgt; was dann doch noch menschlich an dieser Verkleidung und Verleiblichung Gottes gesehen und hingenommen werden muß, erscheint als reine Akkommodation und Katabasis Gottes für uns.

Die Problematik der „ist"-Formeln

Wenn die orthodoxe Deszendenz-Inkarnations-Christologie sagt: dieser Jesus „ist" Gott, so ist das bleibende Glaubenswahrheit, *wenn* dieser Satz richtig verstanden wird; so wie der Satz lautet, kann er aber auch monophysitisch – also häretisch – verstanden werden. Denn an diesen Sätzen, die als solche nach den Regeln der Idiomenkommunikation gebildet und gemeint sind, signalisiert nichts ausdrücklich, daß dieses „ist" als Kopula in einem ganz anderen Sinn auftritt und verstanden werden will als in den uns sonst geläufigen Sätzen mit der (scheinbar) selben „ist"-Kopula. Denn wenn wir sagen: Petrus ist ein Mensch, besagt der Satz eine Realidentifikation der Inhaltlichkeit des Subjekts- und Prädikatsnomens. Der Sinn des „ist" bei Sätzen der Idiomenkommunikation in der Christologie beruht aber gerade *nicht* auf einer solchen Realidentifikation, sondern auf einer einmaligen, sonst nicht vorkommenden und zutiefst Geheimnis bleibenden Einheit von real verschiedenen, einen unendlichen Abstand voneinander habenden Wirklichkeiten. Denn Jesus in und nach seiner Menschheit, die wir sehen, wenn wir „Jesus" sagen, „ist" nicht Gott, und Gott in und nach seiner Gottheit „ist" nicht Mensch im Sinn einer Realidentifikation. Das chalkedonische adiairétōs (ungetrennt), das dieses „ist" aussagen will (DS 302), sagt es so aus, daß das asynchýtōs (unvermischt) der gleichen Formel nicht zur Aussage kommt und somit die Aussage immer „monophysitisch", d.h. als eine Subjekt und Prädikat schlechthin identifizierende Formel, verstanden zu werden droht.

Das wollen diese Formeln nicht, die als Schibboleth der Orthodoxie empfunden werden („ist für Sie Jesus Gott?", ja!), aber sie verhindern es auch nicht positiv. Dem traditionell Frommen schaden solche mitschwingenden Mißverständnisse nicht, sondern sie werden von ihm eher als die Radikalität eines orthodoxen Glaubens empfunden. Die Menschen von heute aber sind vielfach geneigt, diese Mißverständnisse als Momente des orthodoxen Glaubens zu verstehen und diesen als Mythologie abzulehnen, was unter *dieser* Voraussetzung nur berechtigt ist. Man sollte zugeben und pastoral darauf Rücksicht nehmen, daß nicht jeder, der an dem Satz: „Jesus ist Gott" Anstoß nimmt, deswegen schon heterodox sein muß.

Die christologischen „ist"-Formeln – „derselbe" ist Gott und Mensch – bleiben also als vermeintliche Parallelen zu „ist"-Sätzen des sonstigen alltäglichen Sprachgebrauchs ständig *in der Gefahr einer falschen Auslegung,* die von diesen Parallelen herrührt: Die darin insinuierte, aber gar nicht gemeinte Identität wird durch die irgendwie *nachträgliche* Erklärung nicht *deutlich* und *ursprünglich* genug ausgeschlossen, davon abgesehen, daß sie als solche wieder rasch vergessen wird. Damit ist nichts gegen die Berechtigung und bleibende Gültigkeit dieser christologischen „ist"-Aussagen gesagt. Aber man muß sehen, daß ihnen die Gefahr eines monophysitischen und somit mythologischen Mißverständnisses anhaftet. Wenn z.B. jemand sagt: „Ich kann doch gar nicht glauben, daß ein Mensch Gott ist, daß Gott ein Mensch (geworden) ist", dann wäre die erste richtige christliche Reaktion auf eine solche Erklärung nicht die Feststellung, hier werde ein christliches Grunddogma verworfen, sondern die Antwort, daß die dem abgelehnten Satz vermutlich gegebene Auslegung dem wirklich christlichen Sinn dieser Aussage auch nicht entspreche. Die wahre „*Inkarnation*" des Logos ist zwar ein Geheimnis, das die Tat des *Glaubens* aufruft. Dieser darf aber nicht durch mythologische Mißverständnisse belastet werden. Wenn auch das christliche Dogma mit Menschengötter-Mythen der Antike an sich nichts zu tun hat, so kann doch unbefangen zugegeben werden, daß bestimmte Formulierungen des Dogmas, die im Raum *dieses* konkret-geschichtlichen Verstehenshorizontes stehen (z.B. Gott „steigt herab", er „erscheint" usw.), früher selbstverständlicher als Auslegungshilfe benutzt und angenommen wurden, als dies uns heute möglich ist. Die Christologie hat *auch heute* eine dringende Aufgabe, die einerseits nicht bloß mit der verbalen Wiederholung der alten Formeln und deren Erklärung (die meist ohnehin nur im Bereich der gelehrten Theologie betrieben wird) erfüllt wird und die anderseits aus sehr vielen, hier nicht näher zu besprechenden Gründen auch nicht in der Abschaffung der alten Formeln bestehen kann. Aber eine gewisse Ausweitung der Horizonte, Ausdrucksweisen und Aspekte für die Aussage des alten christlichen Dogmas ist eine dringende Notwendigkeit.

Die Unbestimmtheit des Einheitspunktes in der hypostatischen Union

Der Einheitspunkt in der hypostatischen Union (in dem Sinn, daß er die Einheit zwischen Person und Naturen bildet und zugleich die gebildete Einheit ist, nämlich die „Person" des Logos) bleibt als solcher in der traditionellen Christologie sehr formal und unbestimmt. Man kann diesen Einheitspunkt nun „Hypostase" des Logos oder „Person" nennen. Verwendet man die hypóstasis-Bezeichnung, womit der „Träger" der göttlichen und menschlichen Wirklichkeit („Natur") des konkret Einen gedacht wird (der Gott und Mensch „ist"), dann bleibt das Träger- und Inhabersein der Hypostase ziemlich formal-abstrakt bzw. fällt beim Versuch weiterer Erklärung leicht in die schlichteren Grundaussagen der Christologie zurück, so daß nicht mehr geleistet wird als eine verbale Absicherung gegen die Tendenz, rationalistisch diese Grundaussagen wegzuerklären. Nennt man aber diesen Einheitspunkt *Person*, dann muß man entweder ausdrücklich feststellen, dieses Wort sei im Sinn der christologisch verstandenen „Hypostase" zu verstehen (was freilich leicht alsbald wieder vergessen wird), oder das Wort „Person" bringt von seiner *modernen Verwendung* her die dauernde Gefahr mit sich, die christologischen Aussagen monophysitisch oder monotheletisch mißzuverstehen, weil dann nur mehr an *ein* Aktzentrum, nämlich an das göttliche, gedacht wird. Es wäre dann übersehen, daß der Mensch Jesus *in* seiner menschlichen Wirklichkeit mit einem kreatürlichen, aktiven und „existenziellen" Aktzentrum Gott in absoluter Unterschiedenheit (anbetend, gehorsam, geschichtlich werdend, frei sich entscheidend, auch neue und für ihn überraschende und als solche im Neuen Testament nachweisbare Erfahrungen in einer echten geschichtlichen Entwicklung machend usw.) gegenübersteht. In diesem Falle wäre aber ein im Grunde mythologisches Verständnis der Inkarnation gegeben – gleichgültig, ob dieses Mißverständnis als Mythologie abgelehnt oder dennoch „geglaubt" wird. Schließlich kommt noch hinzu, daß der Einheitspunkt „Hypostase" oder „Person" die *Heils*bedeutung dieser Einheit „für uns" nur sehr schwer oder höchstens indirekt anschaulich und verständlich macht.

Ungenügender Ausdruck der soteriologischen Bedeutung des Christusereignisses

Die klassische Inkarnationschristologie bringt in ihrer ausdrücklichen Formulierung die *soteriologische* Bedeutung des Christusereignisses nicht deutlich und unmittelbar zum Ausdruck. Das gilt besonders vom abendländischen Verständnis, dem ja die Idee der „Annahme" der *ganzen* Menschheit *in* der individuellen menschlichen Wirklichkeit Jesu ziemlich ferne liegt (wohl wegen des abendländischen Individualismus). Daher ist die hypostatische Union für diesen Verständnishorizont die Konstitution einer Person, die – wenn sie sittlich handelt und wenn ihre Leistung von Gott als stellvertretend für die Menschheit angenommen wird – eine erlösende Tätigkeit *vollzieht*, nicht aber selbst schon in ihrem *Sein* Heil als solches bedeutet (Erlöser, Genugtuung). Von den Schriftaussagen und von unserem heutigen Verständnis her ist aber – schon im voraus zu explizit und speziell soteriologischen Aussagen – eine Formulierung des christologischen Dogmas wünschenswert, die das *Heils*ereignis, das Jesus Christus selbst *ist*, unmittelbar anzeigt und zum Ausdruck bringt, was wiederum in den dann gewählten Formulierungen ein monophysitisches und so mythologisches Mißverständnis leichter zu vermeiden helfen könnte.

8. ZUR FRAGE VON NEUANSÄTZEN EINER ORTHODOXEN CHRISTOLOGIE

Es kann hier nicht unsere Aufgabe sein, eine neue Christologie systematisch über das hinaus zu entwickeln, was an Ansätzen dafür schon bisher andeutungsweise vorgetragen wurde. Es sind hier nur noch einige etwas willkürlich ausgewählte und disparate Bemerkungen zu diesem Thema möglich. Bei Neuansätzen für eine heutige Christologie müßte *unter anderem* auf folgendes geachtet werden:

1. Es wären die für heutige Theologie relevanten Ansätze einer Christologie, die sich in den christologischen Konzeptionen des Neuen Testaments finden, neu zu bedenken.

2. Es müßte eine größere Einheit zwischen *fundamentaltheologischer und dogmatischer* Christologie erzielt werden, genauso wie dies von Fundamentaltheologie und Dogmatik im allgemeinen gilt. Dabei müßten jene Überlegungen zu einer „transzendentalen Christologie" neu eingebracht und entfaltet werden, die im dritten Abschnitt dieses sechsten Ganges nur sehr abstrakt und formal angedeutet wurden und darum nun noch etwas ergänzt werden sollen.

a) Die Notwendigkeit einer größeren Einheit von fundamentaltheologischer und dogmatischer Christologie

Priorität des gelebten Daseinsvollzugs vor der Reflexion darauf

Heil und Glaube als totales Geschehen des einen und ganzen Menschen *können* von vornherein gar nicht adäquat durch bloße Reflexion (im Stil einer regionalen Wissenschaft) *aufgebaut werden,* weil grundsätzlich die Reflexion (des Alltags und der Wissenschaft) den unreflektierten Daseinsvollzug nicht adäquat einholen kann und der Mensch nie bloß aus seiner Reflexion lebt. Das gilt daher auch für die Christologie, wenn diese ein zentrales Moment des christlichen Heils und des Glaubens anvisiert. Eine fundamentaltheologische Christologie darf und braucht also nicht so zu tun, als ob sie auf rein reflex-synthetische Weise den Glauben an Christus (als fides qua und fides quae, Akt und Inhalt) in der Retorte der Wissenschaft aufzubauen hätte. Das heißt nicht, daß es eine christologische Fundamentaltheologie *nur* als apologia ad intra, d.h. als Selbstvergewisserung des Glaubens an Christus *für den Glaubenden selbst,* geben könne, nicht aber als „Rechenschaft des Glaubens" vor den *anderen,* als apologia ad extra. Wohl aber bedeutet es, daß die demonstratio christiana ad extra der Fundamentaltheologie sich an einen Menschen wendet, von dem sie – ihn präsumptiv als Menschen sittlich guten Willens und so in der inneren Gnade Gottes in Christo stehend wertend – *voraussetzt,* daß er ein inneres, unreflektiertes Ja zu Christus schon gesprochen hat, wobei es nicht nur gleichgültig ist, ob er dies weiß oder nicht, sondern auch ob die demonstratio christiana bei ihrem Bemühen ausdrücklich darauf reflektiert hat oder nicht, wenn ihr Bemühen Erfolg hat.

Daraus ergibt sich, daß der Christ zunächst unbefangen und mutig die „Christologie" annehmen darf und muß, die er in seinem Leben treibt: im einen Glauben der Kirche, im Kult ihres auferstandenen Herrn, im Gebet in seinem Namen, in der Teilnahme an seinem Schicksal bis zum Sterben mit ihm. Für diese globale, gewiß nicht adäquat reflektierbare, aber für sich selbst zeugende Erfahrung gilt noch immer das Bekenntnis Gal 1,8f, und im Blick auf sie kann der Christ immer, auch heute, sagen (Joh 6,68): „Herr, zu wem sollen wir gehen? Du hast Worte des ewigen Lebens." Die Reflexion auf das Befreiende, das Leben Tragende und alles in einen geheimen und unergründlichen Sinn Einbergende, das dem Glaubenden von Jesus Christus her zukommt, mag zunächst einmal (als Reflexion!) den Glauben an Jesus Christus bloß als *eine* unter anderen abstrakt denkbaren Möglichkeiten ergreifen, mit dem Leben und dem Tod fertig zu werden. Aber die Reflexion als solche braucht auch nicht mehr zu leisten: sie ergreift *diese* Möglichkeit als gegeben, schon vollzogen, heilsam; sie sieht keine andere, bessere als konkret mögliche; das genügt, damit über die Möglichkeiten der Reflexion hinaus der Glaubende sich ergreifen lassen darf vom Absolutheitsanspruch Jesu, den der *Glaube,* nicht die Reflexion mit dem absoluten und exklusiven Ja beantwortet.

Appelle an die „suchende Christologie"

Aus dem Gesagten ergibt sich weiter, daß die *heutige* fundamentaltheologische Christologie außer dem, was an traditioneller Begründung immer und so auch heute zu sagen ist, auf dreifache Weise in einer Art „Appell" sich an jenes globale, durch die zuvorkommende Gnade schon „christliche", nicht adäquat reflektierbare, aber eben doch anrufbare Daseinsverständnis wenden kann (in einer etwas reflektierteren und inhaltlich erfüllteren Durchführung einer Seite der „transzendentalen Christologie"). Diese drei „Appelle" kommen darin überein, daß der Mensch in seinem Dasein, wenn er es entschlossen annimmt, eigentlich schon immer so etwas wie eine „suchende Christologie" treibt. Diese Appelle versuchen nichts, als diese anonyme Christologie etwas zu verdeutlichen. Daß diese „suchende Christologie" dem, was sie sucht, gerade in Jesus von Nazaret begegnet und nicht bloß „wartet auf den, der kommen soll", diese Überzeugung muß freilich zu diesem Appell an die unreflex „suchende Christologie" im Dasein jedes Menschen hinzutreten. In dieser Hinsicht wäre dann einfach zu fragen, *wo* denn sonst diese suchende Christologie das finden könnte, was sie sucht und mindestens als

Hoffnung der Zukunft bejaht, und ob nicht Jesus und der Glaube seiner Gemeinde zum Akt des Glaubens daran berechtigen, daß in *ihm* gefunden werde, was auf jeden Fall gesucht wird.

Der Appell an die absolute Nächstenliebe

Hier wäre ernst zu nehmen und radikal (und zwar von „unten", von der konkreten Nächstenliebe her, nicht bloß „von oben" her) zu deuten, was Mt 25 steht. Wenn man aus dem Wort Jesu, *er* selbst werde wahrhaft in jedem Nächsten geliebt, nicht ein „als ob" oder nur die Theorie einer juristischen Anrechnung macht, dann sagt dieses von der Erfahrung der Liebe selbst her gelesene Wort, daß eine absolute Liebe, die sich radikal und vorbehaltlos auf einen Menschen einläßt, implizit Christus glaubend und liebend bejaht. Und das ist richtig. Denn der bloß endliche und immer unzuverlässige Mensch kann für sich allein die ihm entgegengebrachte, absolute Liebe, in der eine Person sich selbst schlechthin „engagiert" und an den Anderen wagt, nicht als sinnvoll rechtfertigen; für sich allein könnte er nur mit Vorbehalt geliebt werden in einer „Liebe", in der der Liebende sich selbst reserviert oder sich an das möglicherweise Sinnleere absolut wagt.

Wenn dieses Dilemma *nur* durch die Berufung auf Gott als solchen und so als Garanten und Grenze der Absolutheit solcher Liebe überwunden würde, so wäre das „spekulativ" und abstrakt vom allgemeinen Begriff der absoluten Liebe her vielleicht möglich. Aber die Liebe, deren Absolutheit erfahren wird (wenn sie auch nicht von ihr selbst her, sondern eben nur im Anblick ihrer radikalen Einheit mit der Liebe Gottes durch Jesus Christus ganz zu sich selber kommt), will mehr als nur eine ihr transzendent bleibende göttliche „Garantie": Sie will eine Einheit von Gottes- und Nächstenliebe, in der die Nächstenliebe – wenn eventuell auch bloß unthematisch – Gottesliebe und so erst ganz absolut ist.

Damit aber sucht sie den Gottmenschen, d.h. jenen, der als Mensch mit der Absolutheit der Liebe zu Gott geliebt werden kann, diesen aber nicht als Idee (weil Ideen nicht geliebt werden können), sondern als Wirklichkeit, sei diese schon da oder noch künftig. Voraussetzung für diese Überlegung ist natürlich, daß die Menschen eine Einheit bilden, daß wahre Liebe nicht individualistisch abschließt, sondern bei all ihrer notwendigen Konkretheit immer alle zu umfassen bereit ist und umgekehrt die Liebe zu allen immer sich konkretisieren muß zur Liebe des konkreten Einzelnen und somit der Gottmensch in der einen Menschheit die Absolutheit der Liebe zum konkreten Einzelnen ermöglicht.

Der Appell an die Bereitschaft zum Tode

Die durchschnittliche Predigt sucht im Tode Jesu (bei all seiner radikalen Heilsbedeutung) zu sehr ein partikulares Ereignis kategorialer Art, das auf der Bühne der Welt neben vielen anderen geschieht, seine Eigenart hat, aber eigentlich nicht viel vom innersten Wesen der Welt und des Daseins der Menschen zur Erscheinung und zum Wesensvollzug bringt. Das ist schon darum so, weil man zu schnell auf die äußere Ursache und die Gewaltsamkeit dieses Todes blickt und ihn in einer „Satisfaktion(stheorie)" als bloß äußere Verdienstursache der Erlösung wertet.

Eine Theologie des Todes kann das Ereignis des Todes Jesu und die Grundverfassung des menschlichen Daseins näher verbinden. Der Tod ist die eine, das ganze Leben durchwaltende Tat, in der der Mensch als Wesen der Freiheit über sich als ganzen verfügt, und zwar so, daß diese Verfügung die Annahme der absoluten Verfügtheit in der radikalen Ohnmacht ist (bzw. sein soll), die im Tod erscheint und erlitten wird. Soll aber die freie, bereite Annahme der radikalen Ohnmacht durch das über sich selbst verfügende und verfügen wollende Freiheitswesen nicht die Annahme des Absurden sein, die dann mit ebenso gutem „Recht" unter Protest abgelehnt werden könnte, dann impliziert diese Annahme bei dem Menschen, der zutiefst nicht abstrakte Ideen und Normen, sondern in seiner Geschichtlichkeit (schon gegebene oder künftige) Wirklichkeit als Grund seines Daseins bejaht, die ahnende Erwartung oder Bejahung eines (schon gegebenen oder künftig erhofften) solchen Todes, in dem die – bei uns bleibende – Dialektik von Tat und ohnmächtigem Leiden im Tod versöhnt ist. Das ist aber nur dann der Fall, wenn diese reale Dialektik dadurch „aufgehoben" ist, daß sie die Wirklichkeit dessen selber ist, der der letzte Grund dieser Zweiheit ist.

Der Appell an die Hoffnung der Zukunft

Der Mensch hofft, er geht, planend und zugleich sich ins Unvorhersehbare aussetzend, seiner Zukunft entgegen. Sein Gang in die Zukunft ist das beständige Bemühen, seine inneren und äußeren Selbstentfremdungen und den Abstand zu verringern zwischen dem, was er ist, und dem, was er sein will und soll. Ist die absolute Versöhnung (individuell und kollektiv) nur das ewig ferne, immer nur asymptotisch angezielte, nur in Distanz bewegende Ziel oder als *absolute* Zukunft das erreichbare Ziel, ohne daß es – als erreichtes – das Endliche abschaffen und in die Absolutheit Gottes hinein verschlingen müßte? Ist diese Versöhnung, wenn die absolute Zukunft Gottes wirklich unsere Zukunft ist, dieses Ziel als das noch schlechthin ausständige oder so das Ziel der Geschichte, daß diese schon die unwiderrufliche Zusage dieses Zieles in sich selber trägt, die Geschichte sich also jetzt schon – obwohl noch im

Laufen – in diesem Sinn *in* ihrem Ziel bewegt? Der Mensch, der wirklich hofft, muß hoffen, daß diese Fragen je im Sinne des zweiten Teils dieser Alternativen durch die Wirklichkeit der Geschichte beantwortet werden. Der Christ hat von dieser Hoffnung her ein Verständnis für das, was der Glaube in der Inkarnation und der Auferstehung Jesu Christi bekennt als den irreversiblen Anfang des Kommens Gottes als der absoluten Zukunft der Welt und der Geschichte.

Man kann den Inhalt dieser drei Appelle einer heutigen fundamentaltheologischen Christologie auch dahin zusammenfassen, daß der Mensch Ausschau hält nach dem absoluten Heilsbringer und sein Gekommensein oder seine Künftigkeit in jedem totalen Akt seines von der Gnade auf die Unmittelbarkeit Gottes hin finalisierten Daseins (wenigstens unthematisch) bejaht.

b) Die Aufgabe einer „Christologie von unten"

Es ist bisher schon öfter auf die Notwendigkeit einer Aszendenzchristologie, eine Christologie „von unten" aufmerksam gemacht worden. Dieser Aufgabe müßte sich eine heutige Christologie intensiver widmen. Eine solche Christologie könnte ungefähr in folgenden Schritten vorgehen.

Der Mensch als das Wesen der Hinordnung auf die Unmittelbarkeit zu Gott

In einer „transzendentalen Christologie" kann die Einsicht entfaltet werden, daß der Mensch das Wesen des desiderium naturale in visionem beatificam, des „natürlichen" Verlangens nach der beseligenden Schau Gottes, ist. Dabei ist es hier gleichgültig, wieweit und in welchem Sinn die ontologische Hingeordnetheit (desiderium) auf die Unmittelbarkeit zu Gott zu der „Natur" des Menschen als abstrakter Größe oder zu seiner (durch das übernatürliche Existential, das aber eine ontologische Grundbefindlichkeit ist) gnadenhaft erhöhten, historischen Natur gehört. Da der Mensch – zweitens – sein letztes Wesen nur geschichtlich erfahren und verwirklichen kann, muß diese Hinordnung ihre geschichtliche Erscheinung finden und muß der Mensch in dieser geschichtlichen Dimension die Zusage Gottes erwarten und suchen, soll sie – als nur durch Gottes freie Tat zu verwirklichende – ihre irreversible Gültigkeit und Verwirklichung finden.

Die Einheit von eschatologischem Heilsereignis und absolutem Heilsbringer

Von da aus kann der Begriff des „absoluten Heilsereignisses" und des „absoluten Heilsbringers" (als die beiden Aspekte des einen Geschehens) erreicht werden: das geschichtlich personhafte Ereignis – nicht bloß ein zusätzliches

Wort zur Realität hinzu oder eine bloß verbale Verheißung –, in dem der Mensch sein Wesen (im obigen Sinn) von Gott durch seine absolute, irreversible („eschatologische") Selbstzusage als real bestätigt erfährt, wobei alle seine Dimensionen betroffen werden, weil nur so Heil als ganzmenschliche Vollendung gegeben ist. Dieses personale absolute Heilsereignis und der ereignishafte Heilsbringer (der das Heil ist, nicht nur lehrt und verheißt) in einem muß die reale Selbstzusage Gottes an die Menschheit sein, die irreversibel und nicht bloß vorläufig und bedingt ist; diese Einheit von eschatologischem Heilsereignis und absolutem Heilsbringer muß geschichtlich sein, weil alles „Transzendentale" als solches allein nicht endgültig sein kann, außer es wäre schon Anschauung Gottes oder die Vollendung der Transzendentalität des Menschen könnte an seiner Geschichte vorbei geschehen; es muß auch in einem die *freie* Annahme der Selbstzusage Gottes sein, die eben durch diese Selbstaussage gewirkt wird und die nicht bloß gedanklich, sondern durch die Lebenstat geschieht (auch das gehört zum absoluten Heilsereignis). Dabei darf dieses eschatologische Heilsereignis des absoluten Heilsbringers in seiner Struktur nicht in dem Sinne von „absolut" aufgefaßt werden, daß es mit der Vollendung der Menschheit in der Unmittelbarkeit der visio beata identisch ist, denn sonst wäre die Geschichte bereits vollendet; es muß *so* die reale Irreversibilität des Prozesses auf diese Vollendung hin sein, daß die Zukunft des einzelnen als solchen offengelassen wird, wenn auch schon der einzelne durch die erst mit Jesus gekommene neue Nähe des Reiches Gottes vor einer Verheißung Gottes steht, die die Ambivalenz der Freiheitssituation von Gott her noch einmal übergreift.

Wir setzen hier natürlich schon voraus, daß – erstens – Jesus von Nazaret sich als dieser absolute Heilsbringer verstand und daß in seiner Auferstehung zur Vollendung und Erscheinung kam, daß er es wirklich ist. Natürlich bediente Jesus sich nicht dieser abstrakten Formalisierung, mit der wir knapp und andeutungsweise den Begriff des absoluten Heilsbringers zu umreißen suchten. Aber gewiß verstand er sich nicht als irgendeinen Propheten, nach dem in einer weiter schlechthin offenen Geschichte andere, das Bisherige grundsätzlich überholende und so in Frage stellende Offenbarungstaten Gottes geschehen könnten, die damit radikal neue heilsgeschichtliche Epochen eröffnen würden. Vielmehr entscheidet sich am Verhältnis zu ihm das Heil des Menschen überhaupt, und in seinem Tod ist der neue und ewige Bund zwischen Gott und Mensch begründet. Außerdem setzen wir – zweitens – voraus, daß dieses Selbstverständnis nicht nur als glaubwürdig bezeugt wird, sondern auch Jesus selbst zur Endgültigkeit seiner heilsmittlerischen Funktion und damit zur Vollendung kommt.

Die Vermittlung dieser Überlegung mit der kirchlichen Inkarnationslehre

Das absolute Heilsereignis und die absolute Heilsmittlerschaft eines Menschen besagen nun aber genau das, was die kirchliche Lehre als Inkarnation und hypostatische Union aussagt, vorausgesetzt, daß jener Begriff radikal zu Ende gedacht wird und daß dieser Begriff nicht monophysitisch-mythologisch mißverstanden wird und man sich der Eigenart einer „realen" Offenbarungstat Gottes an der Welt klar ist: Diese Tat hat nie einen bloß sachhaften, sondern immer einen ontologischen Charakter, d.h., sie muß als kreatürliche Wirklichkeit von Bei-sich-Sein, Wort und somit sich selbst habender Bezogenheit auf Gott existieren. Gottes Heilshandeln, sein „Verhalten" (im Unterschied zu seinen „metaphysischen Eigenschaften") ist frei und steht als solches in einem wahrhaft unendlichen Raum der Möglichkeiten: Heilsgeschichte ist daher an sich nach vorn immer offen, so daß jedes Ereignis in ihr immer überholbar, bedingt und unter dem bloßen Vorbehalt eines neuen Geschehens steht, zumal da diese Heilsgeschichte auch die Geschichte der geschöpflichen Freiheit in die ungeplante, vom Früheren her nicht eindeutig errechenbare Zukunft ist und man so erst recht nicht vorausbestimmen kann, was sich aus diesem Zusammenspiel der Freiheiten ergibt. Ein *bloßer* „Prophet" (oder ein bloß „religiöses Genie" als produktives Vorbild eines bestimmten religiösen Verhältnisses zwischen Gott und Mensch) kann grundsätzlich nie „der letzte" sein. Soll Gott dennoch seine äußerste, unüberbietbare, zwar endliche (weil im Raum anderer Möglichkeiten stehend), aber doch endgültige Heilstat setzen, dann kann diese Tat nicht dieselbe grundsätzliche, epochale Vorläufigkeit einer noch offenen Geschichte haben wie sonstige Offenbarungs-„Worte" (das Offenbarungswort ist selbst ja konstituiert durch die Tat und durch das Wort). Diese Vorläufigkeit kann daher auch nicht dadurch aufgehoben werden, daß Gott einfach bloß worthaft „erklärt", er werde „nicht weiterreden", sondern es bei diesem Wort als letztem belassen. Das gilt nicht nur deshalb, weil eine solche „Erklärung" selbst wieder unter dem Vorbehalt und der Vorläufigkeit eines solchen Wortes stünde, sondern auch, weil eine solche Erklärung die Heilsgeschichte als abgeschlossen dekretieren würde, ohne sie selbst in sich wirklich zu einem echten Ende ihrer selbst zu bringen, sie aber gleichzeitig als bloße Exekution des Bisherigen weiterlaufen ließe und so ihre wahre Geschichtlichkeit aufhöbe.

Eine absolute („eschatologische") Heilstat muß also ein real anderes Verhältnis zu Gott haben als sonstiges Heilshandeln Gottes in der noch offenen Heilsgeschichte. Sie kann nicht – wie sonst das von ihm Getrennte – in der reinen Differenz zwischen Kreatürlichkeit und Gott bzw. in der Differenz zwischen „engerem" Wirklichen und „größerem" Möglichen stehen. Sie kann nicht bloß die Geschichte sein, die, von Gott ermächtigt und gesteuert, von uns allein getrieben wird; in dem absoluten Heilsereignis muß Gott dessen Geschichte als seine eigene treiben und als frei getane endgültig behalten, sonst bleibt sie für ihn unverbindlich und vorläufig. Nur wenn dieses Ereignis seine eigene Geschichte ist, die ihn selbst (als in göttlicher und natürlich auch kreatürlicher Freiheit getane) endgültig bestimmt und so unwiderruflich wird, kann von einem absoluten („eschatologischen") Heilsereignis die Rede sein. Seine geschichtlich erscheinende Selbstzusage als unwiderrufliche muß in ihrer Kreatürlichkeit (nicht nur in ihrer göttlichen Herkunft) seine eigene Wirklichkeit sein. Und eben diese ihm selbst eigene Wirklichkeit, die er nicht mehr als überholt entlassen kann, muß als unser reales Heil auf unserer Seite stehen, diesseits der Differenz zwischen Gott und Kreatur. Damit ist ein erster Ansatz für eine Christologie „von unten" gegeben, die ihre sachliche Identität mit der klassisch-kirchlichen Christologie „von oben" findet und zugleich auch die Einheit von inkarnatorischer (essentialer) und soteriologischer (funktionaler) Christologie verständlich machen kann.

Zum Verhältnis von Aszendenzchristologie und der Frage nach der ewigen Gottessohnschaft

Zu dem eben Gesagten sei noch eine erläuternde Bemerkung hinzugefügt: Das Gesagte impliziert die Auffassung, daß eine Aszendenzchristologie, wenn und insofern sie (aus transzendentaler und geschichtlicher Überlegung) den Begriff des absoluten Heilsbringers erreicht, auch schon eine Christologie der ewigen Sohnschaft göttlicher Art erreicht hat und diese Sohneschristologie dazu nicht eine neue, zusätzliche Erkenntnis bedeutet, die die Christologie des absoluten Heilsbringers noch einmal additiv überbieten würde. Natürlich entnehmen wir diese Sohneschristologie zunächst einmal aus den biblischen Quellen, besonders aus Johannes, und es braucht nicht behauptet zu werden, daß *wir faktisch* eine Christologie des ewigen Sohnes des Vaters und des Logos in Jesus rein aus dem abstrakten Begriff eines absoluten Heilsbringers entwickeln würden, wenn uns diese Entwicklung im Neuen Testament nicht schon vorgegeben wäre. Dies aber bedeutet umgekehrt auch nicht, daß wir – bei Vorgegebenheit dieser neutestamentlichen Sohnes- und Logoschristologie – nicht erkennen dürften, daß diese Christologie schon im Begriff des absoluten Heilsbringers enthalten sei, wobei natürlich die Richtigkeit dieser unserer Explikation durch das Neue Testament bestätigt wird.

Das alles soll hier nicht ausführlicher erklärt und als berechtigt nachgewiesen werden. Es sei nur kurz auf zwei Dinge hingewiesen. Einmal: Wenn man ein richtiges und auch kritisches Verständnis der klassischen Trinitätstheologie voraussetzt, wenn deutlich bleibt, daß wir von der „immanenten" Trinität nur etwas wissen, insofern wir eine „heilsökonomische" Trinität Gottes erfahren und beide identisch sind, dann kann grundsätzlich klarwerden, daß das Wissen vom ewigen Sohn und Logos darin gegeben und begründet ist, daß wir die geschichtliche Selbstaussage Gottes in ihrer geschichtlichen Wirklichkeit und darin in ihrer ewigen Möglichkeit erfahren. Das aber ist gerade die Erfahrung des absoluten, eschatologischen Heilsbringers. Wir haben das Recht und die Pflicht, die „spätere" neutestamentliche Christologie als in der Verkündigung Jesu von der eschatologischen Nähe des Reiches Gottes und in seinem Wirken gegeben durch ihn und von ihm her zu verstehen und zu begründen. Wir sind nicht gehalten, in einem biblizistischen Positivismus alle Aussagen des ganzen Neuen Testaments als gleichursprünglich zu verstehen. Wenn dem aber so ist, dann kann und muß gefragt werden: Woher weiß das spätere Neue Testament in seiner Christologie bei Paulus und Johannes, daß Jesus der ewige „Sohn", der ewige Logos ist? Auf diese Frage kann man doch wohl nur eine Antwort finden, wenn man die These aufrechterhält, daß im Begriff des absoluten Heilsbringers auch schon eine Sohnes- und Logoschristologie impliziert ist und diese nicht bloß additiv zur Christologie des absoluten Heilsbringers hinzutritt.

c) Dogmatische Einzelprobleme

Die orthodoxe Möglichkeit einer „Bewußtseinschristologie"

Bei einer *neuen* orthodoxen Christologie darf ruhig mit den Möglichkeiten einer „Bewußtseinschristologie" gerechnet werden neben der klassischen Christologie. Es gab freilich in der protestantischen Theologie zu Beginn dieses Jahrhunderts (in einer Art Neuauflage der nestorianischen „Bewährungs"-Christologie) eine Bewußtseinschristologie, die faktisch häretisch war. Überall dort nämlich, wo man aufgrund einer nur menschlichen Wirklichkeit sekundäre und somit abgeleitete Bewußtseinsinhalte eines Menschen entstehen und sich kombinieren läßt (z.B. ein besonders intensives Vertrauen zu Gott) und diese Haltungen bzw. Inhalte als das in der Christologie allein zu Recht Gemeinte ausgibt, liegt eine rationalistische und somit häretische Christologie vor. Neben eine „*ontische* Christologie", d.h. eine Christologie, die ihre Aussagen mit Hilfe von Begriffen („Natur", „Hypostase") macht, die an sachhaften Wirklichkeiten abgelesen werden können, könnte aber grundsätzlich durchaus auch eine *ontologische* Christologie treten, d.h. eine solche, deren Begriffe, Verstehensmodelle usw. an streng onto-logischen Wirklichkeiten und deren ursprünglicher Selbigkeit von Sein und Bewußtsein orientiert sind. Diese könnte in mancher Hinsicht viel eher und von vornherein die Gefahr eines monophysitisch-mythologischen Mißverständnisses vermeiden als eine „ontische Christologie". Voraussetzung einer solchen „ontologischen Christologie" ist die schon im klassischen Thomismus gegebene Einsicht, daß Sein und Bewußtsein im letzten Verstand dasselbe sind, daß Sein in dem Grad gegeben ist, als das Seiende „bei sich selber" ist, zu sich selbst „zurückkehrt", sich selber dadurch in Erkenntnis und Freiheit überantwortet ist und gerade so auf das Ganze der Wirklichkeit offen wird, intelligens et intellectum ist (ens et verum convertuntur; in tantum aliquid est ens actu, in quantum est intelligens et intellectum actu; der Grad der reditio in seipsum ist identisch mit dem Grad des esse actu und umgekehrt).

Natürlich kann diese Voraussetzung hier an dieser Stelle nicht weiter gerechtfertigt werden. Ist sie aber legitim, dann kann gesagt werden: Grundsätzlich muß eine ontische christologische Aussage in eine ontologische übersetzbar sein. Dieser Grundsatz hat seine „praktische" Bedeutung z.B. für die Sinndeutung und Begründung der scholastischen Lehre, daß Jesus immer eine unmittelbare Gottesschau besaß. Vermutlich wäre von einer „Bewußtseinschristologie" aus manches in der johanneischen Christologie (vgl. die „Ich-Aussagen") exegetisch und sachlich genauer verständlich zu machen; ebenso könnte der Zusammenhang zwischen der „transzendentalen" und der „kategorialen" Christologie besser aufgewiesen werden.

Ein genauerer Aufweis dieser Zusammenhänge müßte folgende Analyse versuchen: Der Mensch Jesus steht in einer seine ganze Wirklichkeit von vornherein und total durchherrschenden Willenseinheit mit dem Vater, in einem „Gehorsam", aus dem er seine ganze menschliche Wirklichkeit bezieht; er ist schlechthin der, der sich dauernd vom Vater her empfängt und der sich immer in allen Dimensionen seiner Existenz dem Vater restlos übergeben hat; er vermag in dieser Übergabe das wirklich von Gott her zu leisten, was wir gar nicht können; er ist der, dessen „Grundbefindlichkeit" (als ursprüngliche Einheit von Sein und Bewußtsein) die radikal vollendete Herkünftigkeit von Gott und Übereignetheit an Gott ist usw. Würde man diese Aussagen konkret explizieren, dann wären sie durchaus in die klassische ontische Christologie rückübersetzbar (was natürlich genauer gezeigt werden müßte). Unter den erwähnten und wirklich verstandenen Voraussetzungen wären solche Aussagen nicht mehr Ausdruck einer häretischen Bewußtseinschristologie, sondern einer möglichen ontologischen Christologie. Diese würde von der ontischen Christologie her immer wieder auf ihre eigene letzte Radikalität verpflichtet, könnte selbst aber die Sache der ontischen Christologie legitim übersetzen und zu einem besseren Verständnis der ontischen Aussagen führen.

Das Problem der Präexistenz

Die neue Christologie wird die Frage nach der „Präexistenz" Christi expliziter und vorsichtiger behandeln müssen, als es bisher geschehen ist. Dazu sei hier Folgendes gesagt:

Die Frage der Notwendigkeit der „Präexistenz" Christi für eine orthodoxe Christologie wird heute (manchmal zweifelnd) neu gestellt, wenigstens sofern sie als notwendige Implikation des christlichen Dogmas auftritt und mehr sein will als irgendein Vorstellungsmodell. Wenn aber Jesus Christus die absolute eschatologische Selbstaussage und Selbstzusage Gottes ist – und ohne dies ist eine Christologie unchristlich – und in Einheit damit deren freie, von der Zusage in formaler Prädefinition selbst erwirkte kreatürliche Annahme ist und nur so absolutes Heilsereignis sein kann, dann ist der Sich-Zusagende und sich selbst Aussagende, eben Gott, „präexistent", und zwar radikal anders, als es der Fall ist, wenn Gott einer sonstigen (zeitlichen) Kreatur präexistiert, die nicht seine Selbstaussage ist. Man darf und soll jedoch den Exegeten die Freiheit lassen, unbefangen zu untersuchen, ob genau das, was Jesus *selbst* mit „Sohn" des Vaters schlechthin meint, einfach identisch ist mit dem sich in der Zeit *selbst* und so auch als präexistent aussagenden Gott oder *auch* ein Moment enthält, das mit diesem Gott nicht identisch und so noch nicht „präexistent" ist. Auch die zweite Möglichkeit schließt nicht aus, daß das sich selbst aussagende göttliche Subjekt, das die klassische Terminologie (neben Logos) „Sohn" nennt, präexistent ist. Im übrigen ist dann diese Frage eher ein Problem der Trinitätstheologie als der Christologie und hängt mit der Unvermeidlichkeit und Schwierigkeit zusammen, in Gott von drei „Personen" zu reden. Versteht man unter den drei Personen, d.h. genauer unter den „Person"-bildenden und „Person"-unterscheidenden Formalitäten drei Subsistenzweisen des einen Gottes, von denen die zweite gerade identisch ist mit der geschichtlichen Aussag*barkeit* Gottes, die gerade so, Gott immanent und wesentlich zugehörig, immanent-trinitarisch ist, dann kann und muß von einer Präexistenz des sich selbst in Jesus Christus aussagenden Subjekts gesprochen werden, ohne daß dies zu jenen Fraglichkeiten führt, denen heute eine zweifelnde Infragestellung der Präexistenz offenbar ausweichen will.

Die Rede vom Tod Gottes

Die neue orthodoxe Christologie müßte ans Licht bringen, was an Wahrheit in der häretischen Gott-ist-tot-Theologie steckt. Nicht um einer oberflächlich-modischen „Gott-ist-tot-Theologie" Vorschub zu leisten, sondern um von der Sache her in einer Christologie von heute den Tod Jesu nicht nur in seiner Heilswirkung, sondern in sich selbst genauer zu bedenken. Dies zumal, da dieser Tod nicht nur ein biologisches, sondern ein ganzmenschliches Vorkommnis ist. Wenn man sagt, der fleischgewordene Logos sei „bloß" in seiner menschlichen Wirklichkeit gestorben, und dies stillschweigend dahin versteht, daß dieser Tod Gott nicht berühre, dann hat man nur die halbe Wahrheit gesagt und die eigentlich christliche Wahrheit ausgelassen. Der „unwandelbare Gott" hat zwar „an sich selbst" kein Schicksal und so keinen Tod, aber er *selbst* (und nicht nur das andere) hat am anderen durch die Inkarnation ein Schicksal. So sagt eben dieser Tod (wie die Menschheit Christi) Gott aus, wie *er* selbst ist und uns gegenüber sein wollte in einem freien Entschluß, der ewig gültig bleibt. Dieser Tod *Gottes* in seinem Sein und Werden am anderen der Welt muß dann offenbar zum Gesetz der Geschichte des neuen und ewigen Bundes gehören, den wir zu leben haben. Wir haben das Schicksal Gottes an der Welt zu teilen. Nicht indem wir in modischer Gott-losigkeit erklären, Gott sei nicht, oder wir hätten mit ihm nichts zu tun, sondern indem unser „Haben" Gottes immer wieder durch die Gottverlassenheit des Todes, in der Gott allein radikal uns entgegentritt, darum hindurchgeht, weil Gott sich selbst in Liebe und als die Liebe preisgegeben hat und dies in seinem Tod real wird und zur Erscheinung kommt. Der Tod Jesu gehört zur Selbstaussage Gottes.

9. DIE PERSÖNLICHE BEZIEHUNG DES CHRISTEN ZU JESUS CHRISTUS

Die Notwendigkeit einer „existenziellen" Christologie

In einer durchschnittlichen Dogmatik kommt das Thema gar nicht vor. Es wird seltsamerweise den Lehrern des geistlichen Lebens und der christlichen Mystik zur alleinigen Behandlung überlassen.

Im Rahmen unserer Überlegungen hat es aber nicht nur darum seine Bedeutung und Notwendigkeit, weil das Christentum in seiner ausdrücklichen und vollen Gestalt nicht bloß eine abstrakte Theorie und eine objektiv letztlich doch sachhaft gedachte Wirklichkeit ist, zu der man nachträglich auch noch persönlich Stellung bezieht. Das Christentum versteht sich wirklich als einen existenziellen Vorgang in seinem eigensten Wesen, eben das, was wir die persönliche Beziehung zu Jesus Christus nennen.

Was über diese „existenzielle Christologie" gesagt werden soll, muß freilich von vornherein mit einer gewissen Diskretion und einem gewissen Vorbehalt gesagt und gehört werden. Es gibt ein implizites, anonymes Christentum. Wir haben schon sehr oft im Lauf unserer Überlegungen zu betonen gehabt, daß es durchaus eine gewissermaßen anonyme und doch wirkliche Beziehung des einzelnen Menschen zur Konkretheit der Heilsgeschichte und somit auch zu Jesus Christus in demjenigen gibt und geben muß, der die ganze konkrete geschichtliche und dabei ausdrücklich reflektierte Erfahrung in Wort und Sakrament mit dieser heilsgeschichtlichen Wirklichkeit noch nicht gemacht hat, sondern die existenziell reale Beziehung bloß implizit hat im Gehorsam gegenüber seiner gnadenhaften Verwiesenheit auf den Gott der absoluten, geschichtlich daseienden Selbstmitteilung, indem dieser Mensch sein eigenes Dasein vorbehaltlos annimmt, und zwar gerade in dem, was darin im Wagnis dieser Freiheit nicht übersehen und verwaltet werden kann. Daneben gibt es das volle, explizit zu sich selbst gekommene Christentum im glaubenden

Hören des Wortes des Evangeliums, im Bekenntnis der Kirche, im Sakrament und im ausdrücklichen christlichen Lebensvollzug, der sich selbst als auf Jesus von Nazaret bezogen weiß.

Zwischen diesen beiden Extremen gibt es aber fließende Übergänge. Es gibt sie auch in dem, der als Kind getauft wurde und in einem gesellschaftlichen Sinn als kirchlicher Christ erzogen worden ist und so lebt. Auch für diesen bleibt es eine nie ganz vollendbare Aufgabe, existenziell dasjenige in der Geschichte seines eigenen Daseins langsam einzuholen, was er in einem zunächst mehr begrifflichen Glauben weiß und was er durch sein übernatürliches Existential, d.h. durch die in seiner Freiheit immer angebotene Selbstmitteilung Gottes und deren Erscheinung im Sakrament, in seiner Zugehörigkeit zur Kirche und in williger kirchlicher Lebenspraxis ansatzhaft immer schon ist. Man ist immer Christ, um es zu werden, und eben dies gilt auch von dem, was wir die persönliche Beziehung in Glaube, Hoffnung und Liebe auf Jesus Christus hin nennen. So etwas ist nicht einfach da oder nicht da, sondern ist als eine existenzielle Wirklichkeit im Christen, durch die Selbstmitteilung Gottes in der Tiefe des Gewissens, durch die Situation unter den Sakramenten, der Predigt des Evangeliums und einer willigen christlichen und kirchlichen Lebenspraxis immer schon gegeben als etwas, das der Mensch erst noch einholen und zu einem radikalen Vollzug in dem Einsatz seiner ganzen Existenz durch die ganze Länge und Breite und Tiefe seines Lebens bringen muß.

Wenn daher manches, was über diese persönliche Beziehung des einzelnen Christen zu Jesus Christus gesagt werden muß, manchem als eine Überforderung oder eine irreale Ideologie vorkommen mag, als etwas, für das er auf den ersten Blick in seiner individuellen religiösen Erfahrung keinen Anhaltspunkt zu finden vermeint, dann ist dies kein Argument gegen die Wahrheit des zu Sagenden. Es sagt die eigentliche Wahrheit und Wirklichkeit des christlichen Daseins aus, und die menschliche Erfahrung ist nichts anderes als eine Aufforderung, in Geduld, Offenheit und Treue sich der Entwicklung des eigenen christlichen Daseins anzuvertrauen, bis dieses Leben langsam, vielleicht unter Schmerzen und in Untergängen, sich zur Erfahrung einer persönlichen Beziehung zu Jesus Christus hindurchentwickelt. Dann ist das eine Erfahrung, die von sich selbst her das einholt und bestätigt, was hier unvermeidlich nur in blasser Abstraktion gesagt werden kann, obwohl es das Konkreteste meint, das gleichzeitig das Absoluteste ist, nämlich wir selbst in unserem je einmaligen Verhältnis zu Jesus Christus.

Das individuelle, konkrete Verhältnis zu Jesus Christus

Es ist nicht leicht, einen verständlichen Zugang zu dem zu finden, was hier gemeint ist. Es handelt sich nämlich um den absoluten Gott, wie er sich in der konkreten Einmaligkeit Jesu Christi uns zuwendet, so daß dieser Gott so wirklich das absolutum concretissimum wird. Es handelt sich um das je einmalige Heil des einzelnen, der nicht bloß eine allgemeine, allen gleiche menschliche Natur, ein abstraktes menschliches Dasein in Glaube und Liebe dem sich selbstmitteilenden absoluten Geheimnis Gottes anvertrauen soll, sondern wirklich je sich selbst in seiner unvertretbaren Einmaligkeit, die ihm als einem geschichtlichen Freiheitswesen unvertretbar und unabwälzbar zukommt. Durch beides aber ist schon grundsätzlich gesagt, daß es ein je einmaliges, ganz persönliches, in einer abstrakten Norm und allgemeinen Forderung nicht aufgehendes Verhältnis des einzelnen zu Jesus Christus in seinem Glauben, seiner Hoffnung und seiner einmaligen Liebe geben muß und daß dieses je einmalige Verhältnis sogar selbstverständlich eine individuelle Geschichte in der Konkretheit des Daseins hat, die unberechenbar und letztlich der eigenen Verfügung entzogen ist, ja letztlich identisch ist mit dem Schicksal und der Tat, die jedem Menschen in seinem ganzen Leben zugemutet und überantwortet ist. Daß es so ein je einmaliges Verhältnis des einzelnen zu Jesus Christus geben kann und gibt, daß es in einzelnen Christen eine ganz persönliche, intime Liebe zu Jesus Christus geben muß und diese Liebe nicht bloß Ideologie, vage religiöse Stimmung oder ein Analgeticum zur Betäubung des Schmerzes über die Frustration einer anderen zwischenmenschlichen Beziehung ist, das läßt sich theologisch von einem doppelten Ausgangspunkt, von oben und von unten her, verdeutlichen.

Eine theo-logische Überlegung

Zunächst von oben: Der christliche Glaube bekennt von Jesus Christus, daß er der absolute Heilsbringer, die konkrete geschichtliche Vermittlung unseres unmittelbaren Verhältnisses zum Geheimnis Gottes als des sich selbst Mitteilenden ist. Dabei weiß dieser Glaube, daß der Gottmensch als das Ereignis absoluter Einheit von Gott und Mensch nicht mit dem Ende der zeitlich verlaufenden Geschichte aufhört, sondern selbst bleibt und ein wesentliches Moment der ewigen Vollendung der Welt bildet. Das ergibt sich schon aus der christlichen Grundwahrheit von der Auferstehung Christi. Die menschliche Wirklichkeit Jesu Christi bleibt als die des ewigen Logos selbst ewig. Diese zeitenthobene ewige Vollendung der *Menschheit* Christi, die selbst als die des göttlichen Logos die unmittelbare Anschauung Gottes genießt, kann nun aber offenbar nicht bloß aufgefaßt werden als eine individuelle Vollendung und Belohnung des Menschen Jesus in seinem eigenen menschlichen Dasein für ihn selbst. Das „Christus gestern, heute *und in Ewigkeit*" des Hebräerbriefes (vgl. 13, 8) muß eine soteriologische Bedeutung für uns selbst haben. Die menschliche Wirklichkeit Christi muß immer die bleibende Vermittlung zur Unmittelbarkeit Gottes für uns sein. Wir werden bei dem Versuch der Begründung dieses personalen Verhältnisses zu Jesus Christus von unten her, d. h. aus der eigentümlichen Einheit von konkreter Nächstenliebe und Gottesliebe noch besser verstehen, daß die persönliche Liebe zu Jesus Christus als existenziell realste Verwirklichung und Begründung dieser zu Gott hin vermittelnden Nächstenliebe die bleibende Vermittlung zur Unmittelbarkeit Gottes sein kann. Gibt es also eine bleibende Heilsbedeutung der Menschheit Christi, besser: des Menschen Jesus? Ist dieser Mensch und seine menschliche Wirklichkeit als solche auch ein inneres Moment an unserer eigenen Heilsvollendung als solcher und nicht nur an deren zeitlicher Geschichte und ist unser Heil das je Einmalige, dann kann nicht bestritten werden, daß ein persönliches Verhältnis zu Jesus Christus in intimer Liebe personaler Art zum christlichen Dasein wesentlich gehört. Dadurch, daß der Mensch Gott findet, daß er gleichsam hineinstürzt in den absoluten, unendlichen, unbegreiflichen Abgrund alles Seins, wird er gerade eben nicht selber verbrannt in Allgemeinheit, sondern wird er gerade erst der absolut Einmalige, weil er ja nur so ein einmaliges Verhältnis zu Gott hat, in dem dieser Gott *sein* Gott und nicht nur ein allgemeines, gleichmäßig für alle gültiges Heil ist. Dabei ist immer zu bedenken, daß Heil keine sachhaft objektive Zuständlichkeit, sondern eine personale ontologische Wirklichkeit besagt, daß also Heil und Vollendung sich ereignen in der objektiv realsten Wirklichkeit radikalster Subjektivität, also in der erkennenden und liebenden Übergabe des Subjekts in das unmittelbar aufgehende und gerade so radikal bleibende Geheimnis Gottes hinein. Dies geschieht eben durch die bleibende personale Beziehung zum Gottmenschen hindurch, in dem und in dem allein jetzt und in Ewigkeit die Unmittelbarkeit Gottes erreicht wird, ohne daß mit gerade dieser Beziehung zum Menschen Jesus Christus die Heilsbedeutsamkeit der Interkommunikation zu einem anderen Menschen, ja zum Menschen überhaupt, aufgehoben oder bestritten wird.

Die Einheit von konkreter Nächsten- und Gottesliebe

Nach der Lehre des Christentums von der Einheit von Gottes- und Nächstenliebe als eines im letzten einzigen und umfassenden und in beidem von der Selbstmitteilung Gottes getragenen heilsschaffenden Daseinsvollzuges ist die Nächstenliebe nicht bloß ein Gebot, das erfüllt werden muß, wenn der Mensch in einem heilbringenden Verhältnis zu Gott stehen will, sondern der Vollzug des Christentums schlechthin, vorausgesetzt, daß diese Nächstenliebe zu ihrem eigenen vollen Wesen sich entfaltet hat und ihren Grund und ihren geheimnisvollen Mitpartner ausdrücklich annimmt, nämlich Gott selbst, ohne den die personal liebende Interkommunikation unter den Menschen gar nicht zu ihrer radikalen Tiefe und Endgültigkeit kommen kann. Es soll nun gewiß nicht bestritten werden, daß eine personale Interkommunikation in der ganz konkreten raumzeitlichen und zwischenmenschlichen Erfahrung eines ganz bestimmten, leibhaftig begegnenden Du für das Bestehen, die Entwicklung und Reifung der Existenz des Menschen von grundlegender und notwendiger Bedeutung ist und durch nichts anderes ersetzt werden kann. Aber eine solche Liebe unmittelbar zwischenmenschlicher Begegnung will doch gerade absolute Treue, bedeutet einen geistigen Daseinsvollzug, der mindestens, insofern er, von der Gnade getragen, eine absolute Tiefe und ein Moment hat, das in das „ewige Leben" zwischen Gott und den Menschen aufgenommen ist, das im letzten doch diese unmittelbare, raumzeitliche, leibhaftige Begegnung immer auch transzendiert und sich versteht als durch den Tod unaufhebbar, vorausgesetzt nur, daß man im christlichen Daseinsverständnis den Tod als Vollendung und nicht als bloß alles endendes Ende versteht und vollzieht. Darum ist eine solche Liebe nicht in den Grenzen einer schlechthin leibhaftig unmittelbaren Erfahrung eingefangen, kommt sogar erst zu ihrem radikal christlichen Wesen und zu ihrer menschlichen Vollendung, wenn sie im Glauben und in der Hoffnung diese Grenzen transzendiert. Und darum kann eine solche Liebe zu einem Menschen, die die Vermittlung der Liebe zu Gott ist und mit dieser eine letzte unauflösliche Einheit besitzt, sich auf *Jesus* richten. Man kann ihn als einen wahren Menschen lieben in der eigentlichsten und lebendigsten Bedeutung dieses Wortes. Ja diese Liebe ist sogar aus dem Wesen des Gottmenschen heraus der absolute Fall der Liebe, in der die Liebe zu einem Menschen und die Liebe zu Gott ihre radikalste Einheit finden und sich gegenseitig vermitteln. Jesus ist das absolutum concretissimum und darum der, dem gegenüber die Liebe ihre absoluteste Konkretheit und Eindeutigkeit erreicht, die sie aus ihrem Wesen sucht, weil sie nicht die Bewegung auf ein abstraktes Ideal, sondern auf die konkrete, individuelle, unauflösliche Einmaligkeit ist, und eben diese Liebe findet in ihrem Du die absolute Weite des unbegreiflichen Geheimnisses.

Das Wagnis der Begegnung

Wir haben schon betont, daß in diesem Zusammenhang vom Konkretesten noch einmal sehr abstrakt geredet werden muß. Wirklich verstanden kann das Gesagte nur von dem werden, der es versucht und wagt, Jesus wirklich persönlich zu lieben durch Schrift und Sakrament und Feier seines Todes hindurch, durch das Leben in der Gemeinde seiner Gläubigen; der es wagt, ihm persönlich zu begegnen, der dabei den Mut als Gnade empfängt, nicht mehr zu fürchten, er meine doch nur die abstrakte Idee eines unendlichen Gottes, wenn er Jesus sagt; der erfährt, wie die Begegnung mit dem konkreten Jesus der Evangelien in der Konkretheit und Unableitbarkeit dieser bestimmten geschichtlichen Gestalt den Menschen, der die unbegreifliche Unendlichkeit des absoluten Geheimnisses Gottes sucht, nicht einengt auf eine aus Liebe oder Torheit vergötzte Konkretheit, sondern wirklich eröffnet in die Unendlichkeit Gottes. Und zwar darum, weil jede Begegnung mit dem konkreten Menschen Jesus in seiner je einmaligen Nachfolge, die nicht Nachahmung, sondern je einmaliger Anruf aus dessen konkretem Leben heraus ist, in der Teilnahme an dem Mysterium des Lebens Jesu von seiner Geburt bis zu seinem Tod immer und überall gleichzeitig die Einweihung in seinen Tod und seine Auferstehung ist. Alles Endliche geht ein in die Unendlichkeit Gottes, in deren unmittelbarer Erfahrung dieses Endliche in Jesus und in uns nicht untergeht, sondern aufgeht zu seiner Vollendung.

Es ist hier nun nicht mehr möglich, genauer von der in diesem Sinne verstandenen Nachfolge Jesu und Partizipation an dem Mysterium des Lebens Jesu und vor allem an seinem Tod in unmittelbarer Einheit von Gottesliebe und Liebe zu diesem ganz bestimmten Menschen zu handeln. Aber es ist mit dem Gesagten doch wenigstens darauf aufmerksam gemacht, daß das christliche Leben nicht bloß Erfüllung allgemeiner Normen ist, die von der amtlichen Kirche verkündigt werden, sondern darin und darüber hinaus der je einmalige Anruf Gottes, der aber vermittelt ist durch die konkret liebende Begegnung mit Jesus in einer Mystik der Liebe, die immer ganz einmalig und unableitbar ist und dennoch sich vollzieht in der Gemeinschaft der glaubend Liebenden, die Kirche heißt, weil darin, in ihrem Evangelium, in ihrem Kerygma, das über alle Belehrung hinaus auf das unvertauschbare Herz des einzelnen zielt, im Sakrament und in der Feier des Todes des Herrn, aber auch im einsamen Gebet und in der letzten Gewissensentscheidung Jesus als der Christus und in ihm sich Gott unmittelbar geben.

Damit ist natürlich nicht bestritten, sondern positiv impliziert, daß der Mensch, dem Christus in der ausdrücklichen geschichtlichen und von daher ankommenden Bezeugung noch nicht begegnet ist, ihn dennoch finden kann in seinem Bruder und der Liebe zu ihm, in dem Jesus Christus sich gleichsam anonym finden läßt, da er selbst gesagt hat: „Was ihr dem geringsten meiner Brüder getan habt, das habt ihr mir getan" (Mt 25, 40), ihm, der sein Leben lebt in den Armen, Hungernden, Eingekerkerten und Sterbenden.

10. JESUS CHRISTUS IN DEN NICHTCHRISTLICHEN RELIGIONEN

Was bedeutet es genau und konkret, wenn gesagt wird, daß Jesus Christus auch in den nichtchristlichen Religionen gegeben ist? Das ist die Frage, mit der sich diese Überlegungen beschäftigen wollen. Diese Frage mag – mehr oder weniger implizit – bisher auch schon mitbedacht worden sein. Aber sie wird wohl mit Recht am Ende dieses Ganges noch einmal ausdrücklich gestellt.

Denn für die Nichtchristen bedeutet das Bekenntnis einer universalen Heilsbedeutung Jesu für alle Zeiten und alle Menschen angesichts seiner raumzeitlichen Begrenztheit immer ein Ärgernis. Bei der Überlegung in diesem Abschnitt kann es sich natürlich nicht mehr eigentlich um die allgemeinere Frage nach dem gegenseitigen und unauflöslichen Bedingungsverhältnis zwischen dem transzendentalen Wesen des Menschen und seiner Geschichtlichkeit und Geschichte handeln. Dazu ist ja schon an mehreren Stellen etwas gesagt worden.

Beschränkung auf eine dogmatische Überlegung

Zunächst ist zu betonen, daß es sich hier um eine dogmatische, nicht um eine religionsgeschichtliche oder religionsphänomenologische Überlegung handelt. Der christliche Dogmatiker kann den aposteriorisch arbeitenden Religionsgeschichtlicher schon darum bei dieser Frage nicht ersetzen, weil ja seine eigenen, für ihn verbindlichen Glaubensquellen in ihrem Werden im Alten und Neuen Testament und sogar in den darauf aufbauenden kirchenlehramtlichen Erklärungen (die Erklärung des Zweiten Vatikanischen Konzils über die nichtchristlichen Religionen in etwa ausgenommen) ohne einen unmittelbaren Kontakt mit dem allergrößten Teil der nichtchristlichen Religionen entstanden sind und darum das religionsgeschichtliche Material, das für unsere Frage in Betracht kommt, in keiner Weise schon verarbeitet haben. Hinzu kommt, daß alle diese Quellen, soweit sie sich überhaupt mit den nichtchristlichen Religionen von ferne befassen, dies aus verständlichen Gründen in einer eher abgrenzenden und abwehrenden Weise tun und darum im großen und ganzen für unsere Frage sehr unergiebig sind. Die hier anzustellenden Überlegungen eines Dogmatikers sind daher gegenüber der Aufgabe des Religionsgeschichtlichers, Christus – soweit wie möglich – in den nichtchristlichen Religionen a posteriori zu entdecken, apriorisch und können nur so etwas wie ein vorläufiger Hinweis für den Religionsgeschichtler sein, der vielleicht seinen suchenden Blick lenken und schärfen kann für eine Aufgabe, die ihm der Dogmatiker nicht abnimmt.

Die Frage ist hier also nur die: Was scheint von dogmatischen Prinzipien und Überlegungen her im voraus zu einer religionsgeschichtlichen Untersuchung für Fragestellung und vermutliches Ergebnis postuliert werden zu müssen hinsichtlich einer Präsenz Christi in den nichtchristlichen Religionen? Eine solche „Präsenz" Jesu Christi in der ganzen Heilsgeschichte und gegenüber allen Menschen kann ja vom Christen nicht geleugnet oder übersehen werden, wenn er an Jesus als das Heil *aller* glaubt und nicht der Meinung ist, daß das Heil der Nichtchristen von Gott und seinem Erbarmen an Jesus Christus vorbei gewirkt wird, vorausgesetzt nur, daß diese Nichtchristen guten Willens seien, auch wenn dieser gute Wille gar nichts mit Jesus Christus zu tun habe. Muß es aber eine Präsenz Christi in der ganzen Heilsgeschichte geben, dann kann sie dort nicht fehlen, wo der Mensch konkret in seiner Geschichte religiös ist, in der Religionsgeschichte. Denn wenn auch Heil geschieht und geschehen kann, wo dieses Heilstun nicht ausdrücklich religiös thematisiert ist (in aller sittlichen Entscheidung), so wäre es doch sinnlos, solches Heilstun immer und nur dort als gegeben zu denken, wo es sich nicht ausdrücklich thematisiert und religiös objektiviert.

Zwei Voraussetzungen

Für die Beantwortung der so begrenzten dogmatischen Frage werden zwei Voraussetzungen gemacht. *Zunächst* ist ein allgemeiner und in der Welt wirklich wirksamer, übernatürlicher Heilswille Gottes vorausgesetzt. Damit ist die Möglichkeit eines übernatürlichen Offenbarungsglaubens überall, also in der ganzen Länge und Breite der Menschheitsgeschichte, gegeben. Im fünften Gang ist darüber ja schon ausführlich gehandelt worden. Diese Voraussetzung wird auch vom Zweiten Vatikanischen Konzil ausdrücklich gelehrt. Das Zweite Vaticanum ist zwar hinsichtlich der Frage, *wie* außerhalb des Bereichs des Alten und Neuen Testamentes ein solcher heilschaffender Glaube an eine wirkliche Offenbarung Gottes im strengen Sinn zustande kommen könne, außerordentlich zurückhaltend. Das verbietet aber dem Theologen nicht die Frage, wie eine solche universelle Glaubensmöglichkeit gegeben sein könne, und kann ihn eigentlich auch nicht davon dispensieren.

Die oder eine mögliche Antwort auf diese Frage, auch wenn sie etwa im Stil des 11. Kapitels des Hebräerbriefes noch ohne Verdeutlichung des christologischen Charakters eines solchen heilschaffenden Glaubens erfolgt, ist hier nicht eigentlich zu geben, sondern darf vorausgesetzt werden. Es sei nur nochmals kurz vermerkt, daß die gnadenhafte Erhebung der menschlichen „Transzendentalität" mit einem dadurch schon gegebenen übernatürlichen, wenn auch nicht reflektierten und gegenständlich objektivierten Formalobjekt den Begriff einer übernatürlichen Offenbarung und (wenn in Freiheit angenommen) den Begriff des Glaubens schon im voraus zu der Frage realisiert, welche geschichtliche und objektivierende Vermittlung die Annahme einer solchen übernatürlichen und offenbarenden Erhebung genauerhin hat. Kann man diese Frage als positiv beantwortbar und schon einigermaßen geklärt voraussetzen, dann ist wirklich nur noch zu fragen, ob und wie ein solcher heilschaffender Offenbarungsglaube auch *Christus* erreichen könne und müsse auch außerhalb des Bereichs eines expliziten Christentums oder ob dies – weil unmöglich – nicht erforderlich sei und in dieser Hinsicht Unmöglichkeit und guter Wille von dem *christologischen* Charakter eines im übrigen überall möglichen Glaubensaktes dispensiere.

Übrig bleibt aber auch noch die Frage, ob beim Zustandekommen eines solchen Glaubensaktes (in der einen oder der anderen Weise verstanden, also christologisch oder nicht christologisch) die nichtchristlichen Religionen als konkrete geschichtliche und gesellschaftliche Phänomene eine positive Bedeutung haben oder nicht. Je nachdem ist dann die Frage nach einer Präsenz oder Nichtpräsenz Christi in den nichtchristlichen Religionen zu beantworten.

Wir machen hierzu eine *zweite* Voraussetzung: In dem Heilserwerb eines nichtchristlichen Menschen durch Glaube, Hoffnung und Liebe können die nichtchristlichen Religionen nicht so gedacht werden, daß sie bei diesem Rechtfertigungs- und Heilserwerb gar keine oder nur eine negative Rolle spielen. Bei diesem Satz handelt es sich nicht um eine ganz bestimmte christliche Interpretation und Beurteilung einer konkreten nichtchristlichen Religion. Es handelt sich auch nicht darum, eine solche hinsichtlich ihrer Heilsbedeutung mit dem christlichen Glauben gleichzusetzen oder ihre Depraviertheit oder heilsgeschichtliche Vorläufigkeit zu leugnen, oder zu bestreiten, daß eine solche konkrete Religion auch negative Wirkungen auf das Heilsgeschehen in einem einzelnen nichtchristlichen Menschen haben kann.

All das vorausgesetzt, muß aber doch gesagt werden: Wenn eine nichtchristliche Religion von vornherein überhaupt keinen positiven Einfluß auf das übernatürliche Heilsgeschehen im einzelnen Menschen, der Nichtchrist ist, haben könnte oder von vornherein keinen solchen haben dürfte, dann würde in einem solchen Menschen das Heilsgeschehen völlig unsozial und ungeschichtlich gedacht. Dies aber widerspricht fundamental dem geschichtlichen und gesellschaftlichen (kirchlichen) Charakter des Christentums selbst. Man hat zwar, um die göttliche Offenbarung an einen nichtchristlichen Menschen heranzubringen, der von der christlichen Verkündigung nicht erreicht wird, an Privatoffenbarungen, außergewöhnliche Erleuchtungen (besonders in der Stunde des Todes) und so weiter gedacht. Aber abgesehen davon, daß dies willkürliche und unwahrscheinliche Postulate sind, von denen man nicht einsieht, warum man sie nur in außergewöhnlichen Sonderfällen eintreten lassen dürfe, widersprechen solche Aushilfen dem Grundcharakter der christlichen Offenbarung und dem Wesen des Menschen, der auch in seiner personalsten Geschichte immer noch ein Wesen der Gesellschaftlichkeit ist, dessen innerste Entscheidungen vermittelt sind durch die Konkretheit seines gesellschaftlichen und geschichtlichen Lebens, und nicht in einem von vornherein getrennten Sonderbereich sich abspielen.

Dazu kommt, daß in einer Theologie der Heilsgeschichte, die den universalen Heilswillen Gottes ernst nimmt und dabei an den ungeheuren zeitlichen Abstand zwischen „Adam" und der alttestamentlichen Offenbarung von Moses denkt, die ganze Zwischenzeit zwischen beiden Punkten (an der auch die Konstitution Dei Verbum Nr. 3 des Zweiten Vaticanum ein wenig zu schnell vorbeigeht) nicht von göttlicher Offenbarung leer gedacht werden kann. Diese aber wäre nicht einfach schlechthin getrennt von aller Geschichte der konkreten Religionen. Denn denkt man sich diese alle einmal einfach weg, dann läßt sich überhaupt nicht mehr sagen, wo denn Gott mit seiner Heils- und Offenbarungsgeschichte in der Welt noch zu finden sei. Will man diesen Zwischenraum durch das Postulat einer Tradition der ,,Uroffenbarung" überbrücken, dann wäre nochmals zu sagen, daß ein solches Postulat bei der ungeheuren Länge der Menschheitsgeschichte sehr problematisch ist und daß vor allem als Träger einer solchen Tradition, die den einzelnen erreichen soll, doch konkret wiederum nur die geschichtlichen und gesellschaftlich verfaßten Religionen in Frage kommen, die die Möglichkeit und Verpflichtung der Bezogenheit des Menschen auf das ihn anfordernde Geheimnis des Daseins erwecken und wachhalten, wie immer die einzelnen Religionen dieses Urgeheimnis des Daseins auslegen und die Bezogenheit des Menschen auf es konkretisieren und in etwa auch depravieren mögen.

Kommt man aber bei einem auch ,,infralapsarisch" (d.h. trotz der ,,Erbsünde" gegebenen) universellen und wirksamen Heilswillen Gottes und bei der damit gegebenen allgemeinen Möglichkeit eines heilschaffenden Offenbarungsglaubens zunächst einmal mindestens in dieser Zwischenzeit nicht ohne eine positive Heilsfunktion vorchristlicher Religionen aus, dann ist kein Grund zu sehen, warum man von vornherein und grundsätzlich eine solche (wenigstens partiell) positive Funktion der nichtchristlichen Religionen für die Menschen bestreiten müßte oder auch nur könnte, die in einer sie unmittelbar schon verpflichtenden Weise von der christlichen Botschaft noch nicht erreicht sind. Wir haben hier die konkreten Weisen, in denen eine nichtchristliche Religion eine positive Funktion für die Möglichkeit eines eigentlichen Offenbarungsglaubens haben kann, nicht zu diskutieren.

Die Fragestellung

Unter diesen beiden Voraussetzungen wenden wir uns nun unserer eigentlichen Frage zu: Wie kann Jesus Christus in den nichtchristlichen Religionen von der christlichen Dogmatik her und somit a priori zu einer auf diese Frage hin angestellten aposteriorischen Beschreibung als gegenwärtig und wirksam verstanden werden? Bei der Erörterung geht, das muß zunächst offen und nüchtern eingestanden werden, die Antwort zuerst und unmittelbar auf die Frage: Wie ist Jesus Christus präsent und wirksam in dem Glauben des einzelnen Nichtchristen? Darüber hinaus, d.h. in bezug auf die nichtchristlichen Religionen als gesellschaftliche und institutionelle Wirklichkeiten, kann hier mit Hinweis auf die Eingangsbemerkungen nichts mehr gesagt werden, so bedauerlich das scheinen mag. Was über die Präsenz Christi in den nichtchristlichen Religionen über seine Präsenz in dem heilschaffenden Glauben des Nichtchristen hinaus eventuell gesagt werden kann, ist Sache des religionsgeschichtlich und aposteriorisch arbeitenden Theologen.

Die Präsenz Christi im Heiligen Geist

Christus ist im nichtchristlichen Glaubenden (und somit in den nichtchristlichen Religionen) unter den oben gemachten Voraussetzungen und Einschränkungen gegenwärtig und wirksam durch seinen *Geist.* Zunächst ist ein solcher Satz eine dogmatische Selbstverständlichkeit. Wenn es einen heilschaffenden Glauben im Nichtchristen geben kann und er als faktisch in großem Umfang wirklich gegeben erhofft werden darf, dann ist selbstverständlich ein solcher Glaube ermöglicht und getragen durch die übernatürliche Gnade des Geistes. Und dieser ist der Geist, der vom Vater und vom Sohn ausgeht, so daß er als Geist des ewigen Logos mindestens einmal in diesem Sinne Geist Christi, des Mensch gewordenen göttlichen Wortes, genannt werden kann und muß.

Aber mit dieser dogmatischen Selbstverständlichkeit ist der eben formulierte Satz in seinem Sinn und seiner Rechtfertigung noch nicht wirklich eingeholt. Die Frage ist ja gerade, ob die übernatürliche Glaubens- und Rechtfertigungsgnade des Hl. Geistes, wie sie in den Nichtgetauften wirkt, Geist *Jesu* Christi genannt werden kann und wenn ja, was dies genauerhin bedeute. Auf diese Frage wird nun zweifellos noch jede katholische Schuldogmatik eine positive Antwort geben und sie durch die Erklärung verständlich zu machen suchen, daß dieser Glauben ermöglichende und rechtfertigende Geist überall und zu allen Zeiten intuitu meritorum Christi gegeben werde und so mit Recht Geist *Jesu* Christi genannt werden könne. Diese Auskunft ist zunächst gewiß berechtigt, wird auch als (wenigstens einigermaßen) verständlich erachtet und kann somit ruhig als Ausgangspunkt unserer weiteren Überlegungen dienen.

Diese Auskunft beantwortet aber gewiß nicht alle Fragen, die man hier stellen kann. Zunächst ist durch diesen Satz der Zusammenhang zwischen der überall und zu allen Zeiten gegebenen Geistesgnade einerseits und dem raumzeitlich punktförmigen, geschichtlichen Ereignis des Kreuzes doch nicht so verständlich und deutlich, wie es auf den ersten Blick scheinen mag. Läuft – so könnte man fragen – der Zusammenhang zwischen diesen beiden Wirklichkeiten nur über die Erkenntnis und den Willen des der Heilsgeschichte selber transzendenten Gottes, so daß *zwischen* diesen beiden Wirklichkeiten *selbst* doch kein wirklicher Zusammenhang bestünde? Kann das Kreuzesereignis als („physisch" oder „moralisch") Gott „beeinflussend" gedacht werden, so daß Gott aufgrund einer solchen, gewissermaßen von der Welt herkommenden und bei ihm ankommenden (immer schon vorausgewußten) Beeinflussung schon immer die Gnade des Geistes über die Welt ausgießt? Wenn man dies aber wegen der souveränen „Unbeeinflußbarkeit", Unberührtheit und Unveränderlichkeit Gottes im eigentlichen Sinne nicht sagen kann, was heißt dann, daß er seinen Geist wegen der Verdienste Jesu Christi als der moralischen Verdienstursache dieses Geistes gäbe? Wenn man sagt, der fragliche Satz verknüpfe nicht das Leiden Jesu als Beweggrund für Gott mit Gott, sondern mit der Geistesgnade, so wie man vom Bittgebet z. B. sagen müsse, es sei nicht die Ursache des Entschlusses Gottes zur Erhörung des Bittgebetes, sondern die moralische Ursache (durch freie Verknüpfung von seiten Gottes) der in Erhörung von Gott gegebenen Wirklichkeit, dann fragt man sich, was dies denn eigentlich heißen solle, zumal wenn diese innerweltliche moralische Ursache, die nicht auf Gott selbst „einwirken" soll, zeitlich viel später ist als ihre Wirkung. Man könnte darauf hinweisen, daß es doch vermutlich in dem zweiten Beispiel, dem Bittgebet, niemand einfalle, für eine schon früher geschehene Wirklichkeit in der Welt bittend vor Gott einzutreten, obwohl dies doch auch sinnvoll sein müßte, wenn die vulgäre Interpretation des intuitu meritorum sinnvoll sei. Zu diesen Fraglichkeiten kommt noch hinzu, daß man den freien Heilswillen Gottes als apriorische und durch nichts außerhalb Gottes bedingte Ursache auch der Inkarnation und des Kreuzes Christi auffassen kann und muß, so daß auch von daher nicht leicht zu sehen ist, wieso das Kreuz Christi Ursache des Heilswillens Gottes für andere Menschen sein könne, wenn dieser Heilswille Gottes doch als Ursache und nicht als Wirkung dem Kreuz Christi vorausgeht, und dann gar nicht anders gedacht werden kann, denn als auf alle Menschen bezogen, weil ein nur auf Christus allein bezogener Heilswille von vornherein sinnlos wäre und der Tatsache widerspräche, daß Jesus Christus von vornherein durch den Heilswillen Gottes als Erlöser der Welt gemeint ist.

Wir kommen aus diesen und ähnlichen (nicht erwähnten) Verlegenheiten nur heraus, wenn wir Inkarnation und Kreuz als „Finalursache" (in scholastischer Terminologie formuliert) der mit dem – keinen Grund außerhalb Gottes habenden – Heilswillen gegebenen universalen Selbstmitteilung Gottes an die Welt (Heiliger Geist genannt) sehen und Inkarnation und Kreuz in *diesem* Sinne als Ursache der Mitteilung des Heiligen Geistes immer und überall in der Welt betrachten, wie schon in diesem Gang (im Abschnitt 6, g) gesagt wurde. Insofern dieser Geist immer und überall von vornherein die Entelechie der Offenbarungs- und Heilsgeschichte ist, seine Mitteilung und Annahme sich von seinem Wesen her nie in bloß abstrakter Transzendentalität, sondern in geschichtlicher Vermittlung ereignet, ist diese Mitteilung von vornherein auf ein geschichtliches Ereignis hin ausgerichtet, in dem diese Mitteilung und deren Annahme trotz ihrer Freiheit irreversibel und auch in dieser eschatologischen Sieghaftigkeit geschichtlich greifbar werden. Dies aber geschieht in dem, was wir Inkarnation, Kreuz und Auferstehung des göttlichen Wortes nennen. Insofern die universelle Wirksamkeit des Geistes von vornherein auf den Höhepunkt ihrer geschichtlichen Vermittlung ausgerichtet ist, das Christusereignis – m. a. W. – die Finalursache der Geistmitteilung an die Welt ist, kann in aller Wahrheit gesagt werden, daß dieser Geist von vornherein und überall der Geist *Jesu* Christi, des mensch-gewordenen Logos Gottes, ist. Der an die Welt mitgeteilte Geist hat als solcher selbst, und nicht nur in den welttranszendenten Absichten Gottes, die ihm äußerlich wären, eine innere Bezogenheit auf Jesus Christus; dieser ist die „Ursache" jenes, wenn auch gleichzeitig das umgekehrte Verhältnis ebenso gilt, wie dies eben bei Einheit und Verschiedenheit und gegenseitigem Bedingungsverhältnis zwischen Wirkursache und Finalursache gegeben ist. Insofern die Wirkursache von Inkarnation und Kreuz, also der Geist, sein Ziel als innere Entelechie in sich trägt, sein eigenes Wesen (als der Welt mitgeteilter) erst in Inkarnation und Kreuz einholt, ist er von vornherein der Geist Jesu Christi. Insofern dieser Geist immer und überall den rechtfertigenden Glauben trägt, ist dieser Glaube von vornherein immer und überall ein Glaube, der im Geiste Jesu Christi geschieht, der in diesem seinem Geist in allem Glauben präsent und wirksam ist.

Die suchende „memoria" jedes Glaubens richtet sich auf den absoluten Heilsbringer

Jesus Christus ist immer und überall im rechtfertigenden Glauben präsent, weil dieser die immer und überall suchende memoria des absoluten Heilsbringers ist, der per definitionem der Gottmensch ist, der durch Tod und Auferstehung zur Vollendung kommt. Dieser Satz ist hier nicht in all seinen Momenten nochmals genauerhin darzulegen, weil dies *hier* zu weit führen müßte. So ist vor allem nicht weiter zu begründen, daß der geschichtliche Heilbringer, der die Zuwendung Gottes zur Welt irreversibel macht und als solche zur Erscheinung bringt, notwendig der menschgewordene Logos Gottes ist, der sich in seiner irdischen Wirklichkeit durch Tod und Auferstehung vollendet. Es ist auch der genauere Zusammenhang zwischen der ersten und dieser zweiten These nicht darzulegen. Beide hängen natürlich eng miteinander zusammen; aber dies soll uns hier nicht weiter im einzelnen beschäftigen.

Von dem Thema unserer Überlegungen her ist es nur wichtig, ein wenig zu verdeutlichen, was mit der These gemeint sei, daß die suchende memoria jedes Glaubens, wo immer er sich auch ereignet, auf den absoluten Heilsbringer hingeht, wobei es noch einmal eine hier nicht zu behandelnde Frage ist, wieweit das Ziel dieser suchenden memoria hier explizit oder nur implizit gegeben sein muß (eine Frage, die ja auch noch einmal differenziert werden müßte, je nachdem, ob ein kollektives oder ein individuelles Glaubensbewußtsein gemeint ist). Wenn wir von memoria reden, dann scheint dieser Begriff von vornherein im Wiederspruch zu der Eigentümlichkeit zu stehen, die wir dieser memoria zusprechen, indem wir sagen, sie sei eine suchende. Im vulgären Verständnis des Wortes memoria scheint diese sich immer nur auf das in der Vergangenheit schon Gefundene zu beziehen, nicht aber auf etwas, das noch allgemein oder für einen selbst aussteht, noch erst gefunden werden muß und also noch zu suchen ist. Aber wenn man (was hier darzutun nicht möglich ist) an die Anamnesis-Lehre bei Platon oder an die memoria-

Lehre bei Augustinus denkt, sieht man sofort, daß die Sache nicht so einfach ist. Darauf weist ja auch letztlich die ganze Problematik des Verhältnisses zwischen Transzendentalität und Geschichte hin, zwischen dem Apriorischen und dem Aposteriorischen der Erkenntnis. Finden und Behalten dessen, was dem Menschen in der Geschichte begegnet, kann man nur, wenn in der findenden und behaltenden Subjektivität des Menschen ein apriorisches Prinzip der Erwartung, des Suchens, der Hoffnung gegeben ist. Dieses Prinzip aber kann man mit einer Tradition, die sich durch die ganze abendländische Geistesgeschichte verfolgen läßt, memoria nennen. Dabei darf eben diese memoria nicht als das bloße Vermögen der Rezeption von allem und jedem verstanden werden, als der einfach leere Raum, in den die zufällige Geschichte wahllos und willkürlich alles einfährt, was nur immer in ihr passiert sein mag. Die memoria hat selber apriorische Strukturen, die zwar nicht einfach das Freie und Unerwartete der Geschichte vorwegnehmen, aber allererst die Möglichkeiten bieten, in dieser Geschichte selber etwas unterscheidend und ihm einen bestimmten Platz anweisend wahrzunehmen. Die memoria ist die apriorische Möglichkeit geschichtlicher Erfahrung als geschichtlicher (im Unterschied zu den apriorischen Bedingungen der Möglichkeiten der aposteriorischen Erkenntnis von Sachen in den Naturwissenschaften).

Diese allgemeine memoria-Lehre kann hier natürlich nur angedeutet werden. Es kommt auf den Satz an: sie ist (auch, ja vor allem) die in der Geschichte suchende und Ausschau haltende (formale und darum die Konkretheit der Geschichte nicht vorwegnehmende, sondern deren erleidende, Erfahrung offenlassende) Antizipation des absoluten Heilsbringers. Der Mensch erfährt in seiner Transzendentalität als Geist und Freiheit immer seine Verwiesenheit auf das unumfaßbare Geheimnis, das wir Gott nennen. Er erfährt in sich die (wenn auch von ihm selbst her nicht einklagbare) Hoffnung, daß diese Verwiesenheit so radikal sei, daß sie ihre Erfüllung in der unmittelbaren Selbstmitteilung Gottes findet, von der übernatürlichen Gnade getragen, befreit und radikalisiert ist. Diese durch die Gnade radikalisierte Transzendentalität des Menschen ist aber als immer wenigstens anfanghaft reflektierte und als in Freiheit angenommene oder abgelehnte vermittelt durch die geschichtliche Erfahrung, an deren Inhalten der Mensch seiner eigenen Transzendentalität innewird. Diese geschichtliche Erfahrung als die Vermittlung des Menschen zu seiner eigenen gnadenhaft erhobenen Transzendentalität kann gewiß die verschiedensten Inhalte haben, sie braucht nicht einmal immer und überall notwendig von religiöser Thematik zu sein, vorausgesetzt nur, daß sie den Menschen zu sich selbst als zu dem über sich als einen und ganzen in Freiheit Verfügenden vermittelt. Aber als Geschichte, die nicht bloß eine amorphe Masse von räumlich oder zeitlich nebeneinander liegenden Dingen ist, hat sie eine Struktur, in der ihre einzelnen Momente einen je verschiedenen Ort in Raum und Zeit haben und nicht alle die gleiche Bedeutung besitzen. Die suchende Antizipation dieser Struktur gehört zum

Wesen dieser memoria. Insofern die Geschichte eine Freiheitsgeschichte ist und Freiheit nicht das Vermögen des immer wieder anderen Beliebigen, sondern das Vermögen der Entscheidung auf Endgültigkeit hin ist, gehören zu der von der memoria antizipierend erwarteten Struktur der Geschichte solche Entscheidungen, durch die ihr Lauf aus der offenen Pluralität von gleich-gültigen Möglichkeiten teilweise oder ganz zu frei getanem Endgültigem kommt.

Einmal vorausgesetzt, daß in der noch laufenden Geschichte ihr in ihr zu wirkendes Endgültiges für sie als ganze überhaupt zu geschichtlicher Erscheinung und Greifbarkeit kommen könne und solches nicht einfach identisch sein müsse mit der Aufhebung der Geschichte als ganzer, können wir darum sagen, daß die memoria der gnadenhaft erhobenen Transzendentalität des Menschen hoffend und antizipierend nach jenem Ereignis in der Geschichte suche, in dem die freie Entscheidung zu einem heilshaften Ausgang der Geschichte als ganzer fällt und greifbar wird, und zwar in einem von der Freiheit Gottes und der Menschheit her und für die eine Geschichte der Menschheit als ganzer. Dieses so von der memoria gesuchte und erwartete Ereignis aber ist das, was wir den absoluten Heilsbringer nennen; dieser ist die Antizipation der memoria, die mit jedem Glauben gegeben ist.

Die Frage nach der konkreten Religionsgeschichte

Es ist natürlich eine weitere, letztlich aber nur aposteriorisch in der Religionsgeschichte zu beantwortende Frage, ob und wieweit, wie explizit oder implizit in Mythologie oder Geschichte diese Antizipation des absoluten Heilsbringers durch die memoria des Glaubens nachweisbar ist. Wie schon gesagt, muß an diesem Punkt der Dogmatiker die Frage an den Religionsgeschichtler und an dessen christliche Interpretation dieser Religionsgeschichte weitergeben. Dabei scheint es eine dogmatisch letztlich sekundäre Frage zu sein, ob die suchende Erwartung in Mythen eines Heilsbringers objektiviert oder auf geschichtliche Gestalten hin projiziert wird, denen der Charakter eines solchen Heilsbringers als eines bloß vorläufigen oder eines endgültigen zuerkannt wird. Der Dogmatiker kann von seinen Voraussetzungen her nur sagen, es solle doch die Religionsgeschichte genau und liebevoll daraufhin befragt werden, ob und wie in ihr solche Heilsbringergestalten zu finden sind. Er wird sagen, daß vom dogmatischen Standpunkt her kein Grund gegeben ist, solche Entdeckungen von vornherein auszuschließen oder sie nur minimalisierend als bloß negativ zu wertenden Kontrast zum Glauben an Jesus als den eschatologisch unüberholbaren Heilsbringer zu würdigen. Heilsbringergestalten in der Religionsgeschichte können durchaus auch als Anzeichen dafür betrachtet werden, daß der von der Gnade immer und überall bewegte Mensch antizipierend nach jenem Ereignis ausschaut, in dem seine absolute Hoffnung geschichtlich irreversibel wird und als solche zur Erscheinung kommt.

SIEBTER GANG

Christentum als Kirche

1. EINLEITUNG

Die notwendige institutionelle Vermitteltheit von Religion und ihre Besonderheit im Christentum

Jesus Christus hat sich auch in seiner vorösterlichen Zeit als „absoluter Heilsmittler" gewußt, als die Ankunft des Reiches Gottes, als eschatologischer Höhepunkt der Heilsgeschichte. Die geschichtliche Bleibendheit Christi durch die Gemeinde derer, die an ihn glauben und ihn explizit im Bekenntnis als diesen Heilsmittler erfassen, ist das, was wir Kirche nennen. Und wenn schon die vorchristliche Zeit getragen war durch den Heilswillen Gottes in Selbstmitteilung und so Geschichte der Hoffnung, wenn auch in eine offene und von der Freiheit des Menschen und der Menschheit her ambivalente Zukunft hin, war, dann ist die nachchristliche Zeit erst recht geprägt und getragen von dem expliziten, bekennenden Wissen davon, daß dieser Jesus Christus das Heil der Welt ist, daß Gott sich in ihm *unwiderruflich* der Welt zugesagt hat und so die Hoffnung zwar bleibt, weil dem Menschen trotz der in Christus gekommenen Nähe des Reiches Gottes die Verantwortung seiner Freiheit nicht abgenommen ist, sie aber doch einen ganz anderen, „eschatologischen" Charakter vor der irreversiblen Selbstzusage Gottes an die Welt erhalten hat. Ist aber die nachchristliche Zeit auch in der Dimension des ausdrücklichen Bekenntnisses, der geschichtlichen und institutionalisierten Greifbarkeit der Irreversiblität der Heilsaussage Gottes die „christliche Zeit", dann ist sie die Zeit der Kirche.

Offenbar ist vom christlichen Daseinsverständnis aus gesehen das, was wir Kirche – also institutionelle Verfaßtheit der Religion des absoluten Heilsmittlers – nennen, dem Wesen des Menschen als des Wesens auf Gott hin nicht zufällig. Wenn der Mensch nicht nur nebenbei auch das Wesen der Interkommunikation ist, sondern diese Eigentümlichkeit die ganze Breite und Tiefe seines Daseins mitbestimmt, und wenn das Heil den ganzen Menschen meint, ihn als ganzen mit allen Dimensionen seines Daseins in Beziehung zu Gott setzt, wenn also Religiosität nicht irgendeinen Sektor des menschlichen Daseins bedeutet, sondern das Ganze des menschlichen Daseins in seinem Verhältnis zu dem alles tragenden, alles umfassenden, alles auf sich selbst ausrichtenden Gott – dann ist damit gesagt, daß diese Zwischenmenschlichkeit auch in die Religion des Christentums hineingehört. Diese Zwischenmenschlichkeit darf aber vom Wesen des Menschen her nicht bloß als eine Sache des Gefühls gesehen werden, der reinen geistig-personalen Beziehung von Mensch zu Mensch, sondern sie muß auch eine gesellschaftlich sich konkretisierende Zwischenmenschlichkeit sein. Wenn Heilsgeschichte als die Geschichte der transzendentalen Selbstmitteilung Gottes an den Menschen Geschichte ist, erfahrbare Geschichte in Raum und Zeit, dann ergibt sich auch von dieser Seite her, daß Religion im christlichen Verstand notwendigerweise eine kirchliche Religion ist.

Dazu kommt noch eine epochale Eigentümlichkeit, die heute und morgen die unsere ist. Es mag vielleicht seit dem 18. bis in die erste Hälfte des 20. Jahrhunderts so ausgesehen haben, als ob der Mensch seine Religion in einer privaten Innerlichkeit ergreifen könne. Der Mensch hat versucht, die Religion gerade dort anzusiedeln, wohin er aus der Härte seiner konkreten Geschichtlichkeit, seiner Gesellschaftlichkeit fliehen möchte. Wenn wir aber heute mehr und mehr der Einheit einer einzigen Weltgeschichte, der Entwicklung der menschlichen Gemeinschaft zu engeren sozialen Verflechtungen entgegengehen und sehen, daß der Mensch seine Persönlichkeit, seine Je-Einmaligkeit gar nicht finden kann, indem er sie in einem absoluten Gegensatz sucht zu seiner Gesellschaftlichkeit, sondern nur *in* dieser Gesellschaftlichkeit und *im* Dienst an dieser Gesellschaftlichkeit, wenn Gottes- und Nächstenliebe ein gegenseitiges Bedingungsverhältnis zueinander haben und somit die Nächstenliebe nicht bloß eine sekundäre Konsequenz moralischer Art aus unserem richtigen Verhältnis zu Gott bedeutet, wenn überdies Nächstenliebe nicht bloß ein privatistisches Verhältnis zum einzelnen anderen meinen kann, sondern eine gesellschaftspolitische Größe mitmeint und Verantwortung für gesellschaftspolitische Strukturen bedeutet, innerhalb deren Nächstenliebe geübt oder nicht geübt werden kann, dann ergibt sich eben auch, daß es im Grunde eine spätbürgerliche Auffassung wäre, wollten wir meinen, daß Religion mit Gesellschaftlichkeit, mit Kirchlichkeit im Grunde nichts zu tun habe. Der Mensch ist – er bemerkt das heute in einer ganz neuen, unausweichlichen Weise – das gesellschaftliche Wesen, das Wesen, das nur in dieser Interkommunikation mit anderen durch alle Dimensionen des menschlichen Daseins hindurch existieren kann – und von daher wird christliche Religion als eine kirchliche Religion neu verständlich.

Die Lehre von der Kirche ist nicht die Kernaussage des Christentums

Auf der anderen Seite müssen wir aber auch ebenso deutlich sehen, daß die Lehre von der Kirche, ihrer gesellschaftlichen Verfaßtheit, nicht der Kern der letzten Wahrheit des Christentums ist. Es gibt bis in unsere Gegenwart hinein ein Kirchenbewußtsein militanter Art als Gegenströmung zum Individualismus des 19. Jahrhunderts, eine militante Kirchlichkeit, die in einer indiskreten Weise die Kirchlichkeit zum Eigentlichsten und Zentralsten des Christentums zu machen in Versuchung war. Wenn es in der „Action française" zu Beginn des 20. Jahrhunderts das Stichwort gab, man sei zwar katholisch, aber deswegen noch längst nicht Christ, wenn man damit sagen wollte, daß diese militante Gesellschaftlichkeit das Auszeichnende, das Eigentümliche des Römischen Katholizismus sei, dem gegenüber das Christliche der Bergpredigt, der Liebe, des freien Geistes eine höchst verdächtige Sache seien, dann zeigt das in einer extremen Deutlichkeit die Gefahr, die mit unserem traditionellen Kirchengefühl verbunden sein kann.

Das Vaticanum II hat in seinem Ökumenismusdekret (Unitatis redintegratio 11) davon gesprochen, daß es ein Ordnungsgefüge, eine „Hierarchie der Wahrheiten" der katholischen Lehre gebe. Wenn wir dies bedenken, dann sind die Ekklesiologie und das Kirchenbewußtsein auch des orthodoxen, eindeutig katholischen Christen nicht der tragende Grund und das Fundament des Christentums. Jesus Christus, der Glaube, die Liebe, das Sich-Anvertrauen an die Finsternis des Daseins in die Unbegreiflichkeit Gottes hinein im Vertrauen und im Blick auf Jesus Christus, den Gekreuzigten und Auferstandenen – das sind die zentralen Wirklichkeiten eines Christen. Wenn er diese nicht erreichen könnte, wenn er diese nicht wirklich in der innersten Kraft seines Daseins realisieren könnte, dann wäre seine Kirchlichkeit, sein Sich-zugehörig-Fühlen zur konkreten Kirche im Grunde gesehen doch nur leerer Schein und täuschende Fassade.

Die schwierige Frage nach der wahren Kirche

Es ist aus der Theologie der verschiedenen christlichen Bekenntnisse bekannt und aus der Dogmengeschichte klar erkennbar, daß die Frage nach der Kirche, nach der wirklich von Christus beabsichtigten, gegründeten Kirche, eine der schwierigsten und auch kontroverstheologisch umstrittensten Fragen ist. Wir kommen hier, wenn wir von der Kirche sprechen, in die nicht zu verschleiernde Situation, daß wir sagen müssen, *welche* Kirche wir meinen, und daß wir sagen müssen, warum wir unsere konkrete Kirche als *die* Kirche Jesu Christi glauben. Eine solche Frage aber ist bibeltheologisch und historisch außerordentlich schwierig. Es kann hier nicht davon die Rede sein, daß wir all die geschichtlichen Fragen des Werdens der Kirche, der Entwicklung der kirchlichen Verfassung, der Beurteilung der verschiedenen Trennungen, die es in der Geschichte der Kirche gegeben hat, historisch genau beantworten könnten.

Es ist selbstverständlich, daß vieles, was wir vom Wesen der Kirche zu sagen haben, in seiner formalen Aussage von sehr vielen, auch nichtkatholischen Christen, als zu ihrem Kirchenverständnis zugehörig empfunden werden wird. Aber es gibt natürlich auch formale und materiale Aussagen über die Kirche, die die katholische Theologie als nur von ihrer Kirche aussagbar erklärt und die sie trotzdem als zum Wesen der von Christus gemeinten Kirche gehörig erklärt. Und hinsichtlich dieser Sachverhalte und Aussagen ist eine kontroverstheologische Rechenschaft notwendig. Eine solche Rechenschaft könnte prinzipiell in einer direkten, materialen Aufarbeitung der betreffenden Fragen bestehen. Dann müßte z. B. in einer genaueren Exegese gezeigt werden, was eigentlich über das Petrusamt in Mattäus 16 steht, inwieweit damit der geschichtliche Jesus eine Dauerinstitution in seiner Glaubensgemeinde schaffen wollte, warum ein Episkopat mit einer apostolischen Sukzession wirklich zu den institutionellen Gegebenheiten der von Christus definitiv gemeinten Kirche gehört. Es müßte gezeigt werden, wie sich dieses Petrusamt in der Kirche weiterentwickelt hat, daß es seinem ursprünglichen Wesen getreu geblieben ist, daß die spätere Auslegung des Umfanges und des Wesens dieses Amtes dem ursprünglichen Anfang entspricht, wenn auch in einer kirchengeschichtlichen und dogmengeschichtlichen Entfaltung von einem Ausmaß, das oft die Selbigkeit der ersten und der heutigen Kirche gar nicht so leicht erkennen läßt.

Es kann für uns aber auf der ersten Reflexionsstufe nicht in Frage kommen, daß wir diesen direkten Weg material-sachlicher Auseinandersetzung mit den einzelnen Institutionalitäten der römisch-katholischen Kirche durchführen. Wir werden versuchen, einen eher indirekten Weg einzuschlagen, wie er eben unserer ersten Reflexionsstufe in dieser ganzen Einleitung in den Begriff des Christentums entspricht. Dieser Weg wird mehr in einer Reflexion des katholischen Christen auf seine Zugehörigkeit zu der römisch-katholischen Kirche bestehen; er wird gewissermaßen aus seiner religiösen Situation heraus die Frage beantworten, warum der katholische Christ glaubt und davon überzeugt ist, daß er in seiner Kirche wirklich Jesus Christus begegnet und keinen Grund hat, die ihm als existenzielle Situation überlieferte Position in seiner Kirche aufzugeben oder anzuzweifeln.

2. KIRCHE ALS STIFTUNG JESU CHRISTI

Zur Fragestellung

In diesem Abschnitt wollen wir nur kurz und ohne das eben grundsätzlich für unsere Methode Gesagte zu vergessen oder in den Hintergrund treten zu lassen, doch einiges dazu sagen, warum und inwieweit die Kirche (gemeint noch im voraus zur Verschiedenheit der christlichen Kirchen und Konfessionen) eine Stiftung des geschichtlichen, auferstandenen Jesus ist. Wir wollen wenigstens einen kurzen Blick auf den Zusammenhang der Kirche mit Jesus Christus selbst werfen. Hier hat sich natürlich die Problemlage im Laufe des 19. und 20. Jahrhunderts sehr oft und rasch gewandelt. Eine Kirche als bloß in einem abstrakten Sinne gemeinte spirituelle Gemeinschaft der an Jesu Botschaft Glaubenden, einer Botschaft, die selbst keine Botschaft Jesu auch über die Kirche ist, wird heute unter den ernsthaften Theologen sämtlicher christlicher Konfessionen kaum mehr vertreten. Sonst könnte ja im Grunde genommen eine ökumenische Frage, also eine Frage über die notwendig anzustrebende Einheit der Kirche oder der Kirchen unter den Christen von heute, gar nicht bestehen. Man müßte ja sonst sagen, überall dort, wo an die vergebende und uns Gott selbst zusagende Botschaft Jesu Christi geglaubt wird, ist Christentum da, und mehr bedürfe es nicht. Insofern gibt es heute einen neuen Konsens darüber, daß es von Christus her eine Kirche als eine reale Größe geschichtlicher Art gibt oder geben muß.

Damit sind natürlich die eigentlich kontroverstheologischen Fragen noch nicht aus der Welt geschafft. Denn die Frage, ob der geschichtliche Jesus selbst eine sichtbare, verfaßte, universale Kirche beabsichtigt und gestiftet hat, ist geblieben und hat sich verschärft, und es besteht anderseits sogar die Frage, ob er überhaupt nach seiner eschatologischen, an Israel gerichteten Botschaft eine solche Kirche als dauernde Größe habe stiften *können*. Wenn ihm zugeschrieben wird, daß er sich nur als der letzte Prophet, als der letzte Warner vor dem jetzt in seiner Zeit hereinbrechenden Kommen Gottes in Gericht und Gnade (oder besser: durch Gnade) empfunden hat, wenn er also seine ganze Botschaft auf eine absolute, *zeitlich* verstandene Naherwartung hin aufgebaut hätte, wenn er absolut keine Zeit, die man als Zwischenzeit bezeichnen könnte, gewußt hätte, dann wäre natürlich eine solche Möglichkeit einer Kirchenstiftung im Horizont der Verkündigung Jesu von vornherein gar nicht gegeben.

In der heutigen Ekklesiologie aller christlichen Konfessionen wird aber doch mehr oder minder allgemein anerkannt, daß es bald nach Ostern so etwas wie eine Konstitution der Kirche gegeben habe; über ihr damaliges, urchristliches Selbstverständnis aber, über ihre Einheit, über den – empirisch gesehen – recht zögernden Aufbruch der Kirche in die Heidenwelt hinein sind die Meinungen sehr verschieden. Am stärksten divergieren – weil das unmittelbar die ekklesiologischen Kontroversfragen tangiert – die Ansichten über die konkrete Verfassung der Kirche, soweit sie auf Jesus zurückgeführt werden kann: über den Primat des Petrus, über die Stellung der Zwölf und die Frage der apostolischen Sukzession in dem Sinne, daß sich dieses Zwölferkollegium im Bischofskollegium und das Petrusamt im römischen Papsttum als Weitergabe des Amtes, das Christus gestiftet hat, fortsetzt, oder ob die Berufung auf eine von Jesus selbst verfaßten Gemeinde unberechtigt ist.

In der nichtkatholischen Theologie kompliziert sich diese Meinungsverschiedenheit auch noch insofern, als zum Teil bestritten wird, daß in der neutestamentlichen Zeit innerhalb der nachösterlichen Gemeinden, die sich christlich nannten, überhaupt ein *gemeinsames* Kirchenverständnis bestanden habe. Es wird die Meinung vertreten, daß schon in der neutestamentlichen Zeit verschiedene Kirchenkonzeptionen und verschiedene Arten einer Kirchenverfassung nebeneinander bestanden hätten. Ein Anspruch, daß eine bestimmte Gemeinde *die* von Christus gemeinte Kirche und so allein iuris divini sei, widerspreche somit den historischen Tatbeständen.

Voraussetzungen für ein „kirchenstiftendes" Wirken Jesu

Wenn wir nun zunächst auf die Voraussetzungen blicken, die wir machen müssen, damit überhaupt innerhalb des Raumes des geschichtlichen Jesus so etwas wie eine Kirchenstiftung denkbar ist, dann ist zunächst einmal zu sagen: Jesus verkündigt nicht allgemeine religiöse Ideen, vielleicht in einer besonders originellen und werbenden Weise, aber an sich grundsätzlich immer und überall denkbar und erreichbar, sondern er richtet eine eschatologische Botschaft an Israel aus. Er verkündet ein geschichtliches Ereignis, das jetzt erst, da *er* ist, durch ihn gegeben ist. Er sagt, daß jetzt die Basileia, das Reich Gottes, in ihm und in seiner Person in einer ganz neuen, radikale Forderungen stellenden Weise angekommen sei. Zu dieser Basileia gehört selbstverständlich ein Heils-, ein Gottesvolk, das diese Basileia bildet, da sie ja ein Ereignis ist, das der Heilswille Gottes gerade dadurch zustande bringt, daß er das Volk der Glaubenden sammelt. Und dementsprechend sehen wir, daß Jesus Heilsanwärter in seine Nachfolge sammelt, da sie der wahren Führung entbehrende, verlorene Schafe des Hauses Israel waren.

Im Gegensatz aber zu den anderen religiösen Gruppen der damaligen Zeit, den Pharisäern, den Essenern usw., gesteht Jesus allen, auch den Sündern, das Heil zu, wenn sie das Evangelium, die frohe Botschaft vom Gekommensein des Reiches Gottes, annehmen und seine sittlichen Forderungen erfüllen. Das zu betonen ist wichtig, weil sich daraus ergibt, daß Jesus nicht eigentlich innerhalb der jüdischen Synagoge eine Sondergruppe, eine Art Orden gründen wollte, gleichsam eine Organisation eines heiligen Restes. Er meinte wirklich *alle*, er wollte alle berufen. Und damit aber ist schon von vornherein die Situation gegeben, daß entweder Israel, an das er seine Botschaft zunächst richtet, sich selbst als Ganzes, als religiöse Institution, in diese Gemeinde der Nachfolge Christi, in diese Gemeinde – die die Basileia repräsentiert – verwandelt oder Jesus nicht innerhalb, sondern außerhalb Israels diese Gemeinde der ihm glaubenden Nachfolgenden gründen muß. Und so führt die Ablehnung der Botschaft Jesu durch den Großteil des jüdischen Volkes zur Frage, wie Gott seinen Heilsplan trotz des jüdischen Unglaubens verwirklicht. Dabei ist noch deutlich zu sehen, daß Jesus auch empirisch die Notwendigkeit seines Todes weiß und sie auch seinen Jüngern offenbart, mindestens insofern er davon überzeugt ist, daß durch seinen Tod seine Proklamation von der siegreichen Nähe des Reiches Gottes nicht desavouiert wird, sondern sich dadurch gerade endgültig erfüllt. Sein Sühnetod wird zur Grundlage einer neuen, von Gott gegebenen Gnadenordnung, die Grundlage eines neuen Bundes. Jesus sieht zwischen seinem Tod und dem Kommen des vollendeten Gottesreiches eine Zeit verstreichen. Es ist nicht nur eine Art Wartezeit, sondern auch eine Zeit der Sammlung und der Zurüstung des auf der neuen Grundlage gebildeten Gottesvolkes. Diese Voraussetzungen lassen sich als bei Jesus gegeben nur bestreiten, wenn man Jesus ein klares Wollen und sinnvolles Handeln bis zu seinem Tod (einschließlich) abspricht. Es ist mit ihm ein neues Gottesvolk da; er sammelt es, muß sich also mit der Frage auseinandersetzen, was mit dieser Sammlung der Nachfolge um ihn herum geschehen muß, wenn das Volk Israel das Angebot, in dieses neue Gottesvolk einzutreten und es gleichsam zu tragen, ablehnt.

Die These und ihre Probleme

Jesus hat seine Kirche „gestiftet". Das ist, wenn wir zunächst noch von der Frage absehen, was genauer „Stiftung" heißt und welche der in den Theologien der christlichen Kirchen gegebene Deutung dieses Wortes die richtige ist, gemeinsame Überzeugung der christlichen Kirchen. Wo kirchliches Christentum gegeben ist, hat es die Überzeugung, von Jesus herkünftig zu sein, die Überzeugung, daß es nicht autonom und von sich aus eine Beziehung zu Jesus setzt, sondern diese von dem Gekreuzigten und Auferstandenen selber herkommt und gesetzt ist, Tat Jesu und nicht primär die der Kirche selber ist. Wenn das richtig ist, ist ein grundlegender Sinn und eine Berechtigung für den Satz schon gegeben, daß die Kirche die Stiftung Jesu sei. Doch damit sind noch viele Fragen dunkel und offen und in der Grundthese, die wir formuliert haben, der Sinn von „Stiftung" selbst auch noch dunkel.

Die hier anstehenden Fragen sind bekannt. Nochmals: Konnte Jesus bei seiner Naherwartung mit einer „Zeit der Kirche" rechnen? Konnte er ausdrücklich sehen und wollen, daß sein engerer Jüngerkreis, die Zwölf, einmal mit wesentlich gleicher Funktion sich fortsetzen würde in dem, was wir später in der Kirche als Bischöfe und Bischofskollegium sehen? Kann man historisch ernsthaft der Meinung sein, daß Jesus selbst schon eine bestimmte rechtliche Organisation einer Einzelgemeinde, die seine Botschaft von der Nähe des Reiches Gottes (und darin von ihm) annimmt und bekennt, oder gar der Gesamtheit solcher Gemeinden vorgesehen hat? Läßt sich historisch denken, daß er selbst die bevorzugte Stellung, die er im Kreis der Zwölf dem Kefas zuerkannt hat, als Dauerinstitution für alle kommenden Zeiten seiner Kirche gemeint hat?

Versuch einer Antwort: Prinzipielle Überlegungen

Wenn man geneigt ist (unter Vorbehalt von manchem, was später noch positiv hinsichtlich einer Stiftung der Kirche durch Jesus mit historischer Wahrscheinlichkeit gesagt werden soll), diese und ähnliche Fragen nicht mit einem apodiktischen Ja zu beantworten, zumal wenn man sieht, wie sehr nach Ostern und in der ganzen apostolischen Zeit die Organisation der Kirche noch im Werden und Fließen ist und die gesellschaftlichen Konturen der Gemeinden und der Gesamtkirche undeutlich bleiben, dann empfiehlt sich vielleicht schon an diesem Punkt zunächst eine indirekte Methode für die Beantwortung der Frage (auch wenn sie zunächst minimalistisch ist), inwiefern auf jeden Fall von einer „Stiftung" der Kirche durch Jesus gesprochen werden kann. Wir sagen darum:

a) Die Kirche ist zunächst dadurch gestiftet, daß Jesus der ist, als der er von den Gläubigen als absoluter Heilsbringer, als die geschichtlich irreversible Selbstzusage Gottes in geschichtlicher Greifbarkeit, bekannt wird, und dadurch, daß er nicht wäre, was er ist, wenn die in ihm gegebene Selbstzusage Gottes *von* dieser Selbstzusage *selber her* nicht dauernd in einem geschichtlich greifbaren Bekenntnis und Glauben an Jesus in der Welt präsent bliebe. Der bleibende Glaube an Jesus ist ein inneres konstitutives Element an der in ihm irreversibel gewordenen Selbstzusage Gottes, wie wir früher gesagt haben, daß in diesem Sinn – in positivem, nicht exklusivem Sinn – Jesus notwendig in dem Glauben seiner Jünger für alle Zeiten auferstanden ist. Insofern dieser Glaube von Jesus Christus herkommt, ist Kirche als die Gemeinschaft solcher Glaubenden von Jesus herkünftig. Glaube und somit Kirche dürfen nicht als die absolut neue und autonome Reaktion der Menschen auf diesen Gekreuzigten und Auferstandenen allein betrachtet werden.

b) Dieser Glaube darf von vornherein nicht als ein Geschehen privater Innerlichkeit einzelner betrachtet werden. So könnte er nie die Bleibendheit der geschichtlichen Selbstzusage Gottes in Jesus sein. Er muß vielmehr öffentlich, muß Bekenntnis, muß der Glaube einer Gemeinschaft sein. Kirche ist somit von Jesus herkünftig, weil Glaube als öffentliches, gemeinschaftliches Bekenntnis zu ihm von ihm selbst herkünftig ist.

c) Der Glaube, der in diesem Sinne kirchenbildend ist, und somit diese Kirche selbst müssen eine *Geschichte* haben, weil es Heils*geschichte* gibt, weil der Glaube an Jesus in einer späteren Generation immer durch Tradition von der vorausgehenden Generation mitbedingt ist und nicht immer absolut neu durch eine Art Urzeugung entsteht. Diese Geschichtlichkeit des Glaubens und der Kirche in echter Veränderung und bleibender Selbigkeit (beides gehört zur echten Geschichte) schließt nun aber doch folgendes ein: Jede spätere Epoche einer solchen Geschichte bleibt dauernd herkünftig von der vorausgehenden, auch wenn sie diese verändert. Damit ist aber gegeben, daß die geschichtliche Ambivalenz (die Breite der Möglichkeiten geschichtlicher Entscheidungen) einer früheren Epoche nicht einfach auch auf eine spätere Epoche übergehen muß. Soll Kontinuität, Selbigkeit, innerhalb eines geschichtlich wesenden Seienden gewahrt werden, dann ist es gar nicht vermeidlich, daß in einer früheren Phase dieses geschichtlichen Seienden freie Entscheidungen gesetzt werden, die irreversible Norm für kommende Epochen bilden. Ob dies in einem bestimmten Fall gegeben oder nicht gegeben ist, ob also solche Entscheidungen wieder durch neue revidiert werden können, hängt einerseits von der Tiefe und Absolutheit einer solchen Entscheidung einer früheren Epoche ab und anderseits von der Treue, in der eine spätere Epoche – um die Selbigkeit des Geschichtlichen zu wahren – zu einer solchen Entscheidung der vorausgehenden Epoche steht. Jedenfalls sieht man ein, wenn man wirklich geschichtlich Veränderung und Selbigkeit eines Geschichtlichen zusammendenkt und die Einbahnigkeit der Geschichte ernst nimmt (die auch frühere Möglichkeiten durch freie Entscheidungen verliert), daß auch im Werden der Kirche als eines freien Geschichtlichen nicht immer alles *das* jetzt noch möglich ist und möglich sein muß, was früher einmal (nach einem – vielleicht sogar fragwürdigen – historischen Urteil von heute her) in ihr als Möglichkeit einer Entscheidung gegeben gewesen ist. Damit eine geschichtliche Entscheidung in einer Epoche für spätere zur Wahrung geschichtlicher Kontinuität verbindlich sei, kann ernsthaft nur gefordert werden, daß diese Entscheidung *innerhalb* der echten Möglichkeiten des Ursprungs lag und ihm nicht widerspricht, nicht aber, daß diese Entscheidung die einzig mögliche und als einzige vom Ausgangspunkt her gebotene war. Eine echte – wenn auch nicht vom Ursprung her zwingende – und für die folgende Geschichte verpflichtende Entscheidung eines Geschichtlichen, das in Veränderung seine Kontinuität wahrt, kann durchaus sich als durch seinen Ursprung legitimiert, von ihm herkünftig, von ihm „gestiftet" erachten.

Anwendung auf das Problem der Kontinuität zwischen Jesus und der Kirche

Setzen wir diese (nur gerade angedeuteten) Prinzipien eines geschichtlich und dabei frei wesenden Seienden voraus, das sich verändert und gleichzeitig seine Selbigkeit bewahrt, und setzen wir voraus, daß die Gemeinde der an Jesus Glaubenden ein solches geschichtliches und in Freiheit sich zeitigendes Seiendes ist, dann ergibt sich folgendes:

a) Eine Herkünftigkeit und in diesem Sinne eine Gestiftetheit von Jesus her ist auch dann noch gegeben, wenn sich diese Gemeinde in geschichtlichen Entscheidungen in einer Entwicklung Strukturen gibt, die einerseits aus einer breiteren Zahl von echten Möglichkeiten, die an sich und abstrakt gegeben sind, ausgewählt werden und doch für die kommenden Epochen irreversibel und verpflichtend sind. Von da aus gesehen können solche Strukturen (z.B. eine monarchisch-episkopale Verfassung und ein bleibendes Petrusamt) als iuris divini von Jesus herkünftig verstanden werden (mindestens einmal, wenn sie in der apostolischen Zeit getroffen werden, weil darin, wie z.B. die Bildung der normativen Schriften des Neuen Testamentes zeigt, die öffentliche Offenbarungsgeschichte noch nicht abgeschlossen ist), auch wenn sie nicht auf ein eigenes und für uns eindeutig historisch greifbares Stiftungswort Jesu zurückgeführt werden können, vorausgesetzt nur, es könne verständlich gemacht werden, daß solche Entscheidungen (solche verfassungsgebende Akte der Kirche) innerhalb der durch Jesus und den Glauben an ihn gegebenen echten Möglichkeiten liegen. Auch solche Akte können für die späteren Generationen unter den schon genannten Voraussetzungen irreversibel verpflichtend und in diesem Sinne iuris divini sein.

b) Von da aus gesehen ist es grundsätzlich (im Sinne unserer hypothetisch minimalistischen Methode) gar nicht zwingend notwendig, daß wir die konkreteren Verfassungsstrukturen der (katholischen) Kirche, die diese jetzt als für sie immer verbindlich erklärt, auf ein historisches Stiftungswort Jesu ausdrücklicher Art zurückführen müßten, um die so konstituierte Kirche als von Jesus herkünftig und gestiftet zu verstehen.

Unter diesen und nur unter diesen Voraussetzungen ist das zu lesen, was positiv über einzelne Momente des Zusammenhangs der ersten (und späteren) Kirche mit dem historischen Jesus in ihren konkreteren Strukturen noch gesagt werden soll. Wir können – ohne es jedesmal noch eigens zu betonen – unbefangen die historische Problematik solcher Aussagen zugestehen. Wenn das bisher Gesagte richtig ist, ist es letztlich doch unerheblich, ob dieses oder jenes Moment an der in apostolischen Zeiten sich bildenden Kirche mehr oder weniger unmittelbar auf den historischen Jesus zurückgeführt werden kann oder als geschichtliche, aber irreversible und innerhalb der echten Möglichkeiten der ursprünglichen Kirche liegende Entscheidung dieser Kirche zu denken ist. Ist eine durch die Kraft des Geistes und des Glaubens an Jesus, den Auferstandenen gewirkte Kirche da und so von Jesus herkünftig, „gestiftet", dann kann muß ihr nicht bloß (was niemand bestreitet) die Möglichkeit freier akzidenteller Veränderungen – je nach der konkreten Situation, in der sie sich jeweils befindet – zugebilligt werden, sondern auch aus diesem Ursprung heraus ein Werden in ihr volles *Wesen* hinein.

Kirchenstiftende Akte Jesu

Wir werden in den folgenden beiden Abschnitten auch einige exegetische Ergebnisse zu resümieren haben. Da für unseren Zweck eine Diskussion des exegetischen Forschungsstandes weder sinnvoll noch möglich ist, orientieren wir uns hier an zusammenfassenden Arbeiten – vor allem von Rudolf Schnackenburg (Art. Kirche I, in: LThK² VI, 167–172, und: Die Kirche im Neuen Testament, Freiburg i.Br. ³1966) –, die aber „auf eigene Gefahr" übernommen werden und hier deshalb nicht einzeln nachgewiesen werden sollen.

Manche Taten und Worte Jesu haben kirchenstiftenden Charakter, dies freilich in verschiedenem Maße, je nach ihrer heilsgeschichtlichen Stellung. Diese These ist im folgenden zu erläutern.

Zunächst einmal kann nicht bezweifelt werden, daß Jesus Jünger um sich sammelte, um dadurch das Gottesvolk – zunächst Israel – um sich zu scharen. Dabei ist die Bildung des Kreises der Zwölf von Bedeutung, die historisch kaum bezweifelt werden kann. Jesus offenbart dadurch seinen Anspruch auf das ganze Israel; es ist somit schon historisch falsch zu meinen, Jesus hätte zwar irgendeinen Kreis um sich geschart, dieser wäre aber von ihm nur als eine Art Orden innerhalb Israels aufgefaßt worden ohne einen Anspruch Jesu auf das gesamte Volk. Die Zwölf sollen ja gerade durch ihre Zahl Gesamtisrael – das eschatologische, von Jesus intendierte Israel – symbolisch repräsentieren. Daher werden sie von Jesus zur Verkündigung ausgesandt und haben teil an jenen Heilungskräften Jesu, die für ihn gerade ein Zeichen sind, daß mit ihm die eschatologische Basileia als jetzt andringende und gegenwärtige Größe wirksam wird.

Daß diese Fragerichtung nach „kirchenstiftenden" Akten Jesu berechtigt ist, zeigt sich auch dadurch, daß die Jüngergemeinschaft nach der Ablehnung Jesu durch einen Großteil des jüdischen Volkes beibehalten wird; die Anerkennung ihrer Erwählung durch Gott, die Hinführung zu seinem Leidensgeheimnis, Unterweisung über kommende Verfolgungen u.a. lassen erkennen, daß Jesus an dem Gedanken einer Heilsgemeinde festhält, die sich um ihn schart und grundsätzlich alle Menschen zur Metanoia, zur Umkehr und zum Glauben, aufruft. Von hier aus wäre auch das letzte Abendmahl mit der Stiftung der Eucharistie als auf die neue Heilsordnung, den neuen Bund, ausgerichtet zu deuten. Ebenso macht das Wort an Simon (Lk 22,31f) deutlich, daß die Gemeinde der Jünger auch weiterhin bestehenbleiben soll. In diese Linie gehört auch die Verheißung der eschatologischen Erfüllung dessen, was hier sakramental getan wurde, im Gottesreich (Lk 22, 16.20.30a).

Schließlich ist noch auf die „ekklesiologischen Auftragsworte des Auferstandenen" (A. Vögtle) zu verweisen, weil sie endgültig die Jesus verliehenen Gewalten den Jüngern zur Fortsetzung seines Wirkens in der Welt verleihen (vgl. Mt 28 usw.).

In den Versen Mt 16, 18f wird nun ein unmittelbarer Wille Jesu zur Kirchenstiftung ausgesprochen. Zunächst kann sicher gesagt werden, daß dieses Wort an Simon als den Felsen der Kirche, als den Schlüsselträger der Kirche Jesu, als den mit Binde- und Lösegewalt Ausgerüsteten, wirklich in das alte Evangelium der Kirche hineingehört. Die Echtheit wird nahegelegt durch semitischen Rhythmus und Sprachcharakter, Qumranparallelen, vor allem aber durch die mit diesem Text engstens verbundene Kefastradition, deren Entstehen – wobei aus einem sachlichen Beinamen ein Eigenname wird – sonst kaum erklärbar ist. Überall in der Urgemeinde heißt Simon Kefas, Petrus. Und dieser Namenswechsel kann eigentlich als Ursache für den in der Urgemeinde geltenden Namen des Simon kaum anders erklärt werden als durch die Herkunft von dem Kefaswort Jesu in Mt 16, 18. Eine gültige Bestreitung der Echtheit dieses Wortes wäre wohl nur möglich, wenn ein solches Wort als von vornherein im Munde Jesu unmöglich nachgewiesen werden könnte. Aber das ist eben nicht der Fall, denn man kann nicht behaupten, daß die Naherwartung und die Predigt vom kommenden, in Jesus schon andrängenden Gottesreich im Horizont, in der Mentalität der Theologie, in der Selbstinterpretation Jesu einen Raum für den Kirchengedanken schlechthin nicht zulassen (auch wenn wir uns natürlich nicht darüber den Kopf zerbrechen müssen, wie weit der historische Jesus ausdrücklich vorausgedacht haben muß und wie konkret er dies getan haben muß, wenn er eine in etwa doch institutionalisierte Gemeinde derer konzipierte, die an seine Botschaft und an ihn glauben und das endgültige und nicht mehr aufhaltbare Kommen des Reiches Gottes erwarten). Es wäre dann ja auch nicht mehr richtig verständlich, warum und wie die Jerusalemer Urgemeinde nun selbst in einer schöpferischen Theologie etwas fertiggebracht habe, was wir Jesus selbst von vornherein nicht zutrauen dürften. Wo dieser Spruch Jesu bei Mt 16, 18 geschichtlich zu lokalisieren ist im Leben des vorösterlichen Jesus, können wir den Exegeten überlassen, weil es letztlich für unsere Überlegungen nicht von entscheidender Bedeutung ist. Selbst wenn man der Meinung ist, daß er von Mattäus an eine Stelle im Ablauf des Lebens Jesu gerückt sei, die nicht die ursprünglich geschichtliche sein könne, folgt daraus für unsere Frage schließlich nichts; auch der Vergleich mit dem Text bei Lk 22, 31f – eine Stelle, die durchaus unverdächtig ist – zeigt, daß der vorösterliche Jesus, mindestens unmittelbar vor seinem Leiden, einen solchen Satz gesagt haben kann. Der Sinn dieses Satzes ist: Jesus will seine Heilsgemeinde auf Simon, auf dessen Person als den Fels, gründen, und er sichert gegen die Pharisäer dieser seiner Ekklesia Bestand gegenüber den

Todesgewalten, den „Hadespforten", zu. Simon wird durch die Schlüsselübergabe, die nicht den Pförtner, sondern den Hausverwalter bezeichnen, bevollmächtigt, in die künftige Basileia einzulassen (was im Vergleich mit dem gegen die „Schriftgelehrten und Pharisäer" gerichteten Vers Mt 23,13 noch deutlicher wird). Diese Grundvollmacht des Simon als der pétra, des Felsen in dem neuen Gottesbau, der als seine, Jesu Kirche ausdrücklich von dem bisherigen Israel als Gottesvolk abgesetzt wird, wird noch näher erläutert durch das Bild vom Binden und Lösen, wobei es uns wiederum hier zunächst gleichgültig ist, was nun ganz genau diese Binde- und Lösegewalt, die ja in Mt 18 auch den Zwölfen, den Aposteln, gegeben wird, innerhalb der einzelnen Gemeinde und der Gesamtkirche bedeutet. Es genügt uns gemäß der Absicht der geschichtlich indirekten, existenziell unmittelbaren Argumentation festzustellen, daß Jesus offenbar eine Kirche als seine gewollt hat, ihr eine gewisse fundamentale Verfassung gibt, insofern er den Simon als Fels und Schlüsselinhaber konstituiert und ihn ausstattet mit einer Vollmacht des Bindens und Lösens. Er gibt ihr so wirklich eine grundlegende, wenn auch noch nicht weiterentwickelte Verfassung. Diese Petrus (Mt 16,18) zuerkannte, fundamentale, „petrinische" Stellung wird als Vorzugsstellung im Kreis der Brüder durch Lk 22,31f bestätigt, und in Joh 21,15ff wird seine Leitungsgewalt über die Herde Christi in einem Wort des nachösterlichen Jesus ausgesprochen. Die Binde- und Lösegewalt erhalten freilich auch die übrigen Zwölf; dabei ist es auch hier wieder für uns nicht von unmittelbarer Bedeutung zu fragen, wie sich diese Binde- und Lösegewalt der Zwölf zu der Gewalt des Bindens und Lösens verhält, wie sie dann in der nachapostolischen Gemeinde gegeben ist. Es ist schließlich auch auf Joh 20,22ff zu verweisen, wo in einem – für uns jetzt auch nicht weiter zu untersuchenden – Text eine analog zur Binde- und Lösegewalt konzipierte Vollmacht den Aposteln vom Auferstandenen verheißen wird. Sicher darf man auch umgekehrt sagen, daß Jesus außer dieser grundlegenden Vorsorge alles weitere dem verheißenen Geist und der vom Geiste geleiteten Geschichte der Kirche und vor allem natürlich der Geschichte der Urkirche überlassen hat, insofern in dieser urapostolischen Geschichte der ersten Generation nun dieser Grundansatz sich konkretisiert und verfestigt, der für die folgenden Zeiten der Kirche grundsätzlich maßgebend bleibt. Wenn schließlich noch die Frage gestellt wird, ob und wieweit Jesus selbst die Organisation seiner Gemeinde um Kefas herum als eine für alle Zeiten – die er konkret doch gar nicht habe voraussehen können – gültige gedacht haben könne, dann ist auf diese Frage – so will uns scheinen – schlicht auf das zu verweisen, was wir schon weiter oben über das Werden eines Wesens eines geschichtlichen Seienden gesagt haben.

3. KIRCHE IM NEUEN TESTAMENT

Zum Selbstverständnis der Urgemeinde

Muß auch das bisher Gesagte hier genügen, um die frühe Kirche als Stiftung Jesu selbst zu legitimieren, so soll doch noch in Kürze etwas über das Selbstverständnis der Kirche gesagt werden, wie es sich im Neuen Testament bezeugt, wobei die Frage nicht mehr ausdrücklich gestellt werden soll, mit welchem Recht sich dieses Selbstverständnis der apostolischen Kirche wiederum auf Jesus selbst berufen kann.

Die erste Selbstbezeichnung der Christen als der an Jesus als ihren auferstandenen Herrn und Heilbringer Glaubenden war wahrscheinlich „die Heiligen" (Apg 9,13.32.41; 26,10 usw.) und auch wohl die „Gemeinde Gottes", in einer Übernahme der alttestamentlichen Charakterisierung Israels. Und zwar wird diese Bezeichnung „Gemeinde Gottes", „Kirche Gottes" zunächst von einzelnen judenchristlichen und dann auch paulinischen Gemeinden, schließlich aber auch von der Gesamtkirche (Apg 20,28; 1 Tim 3,15; usw.; vgl. überhaupt die Briefeingänge der paulinischen Briefe) ausgesagt. Die Urgemeinde in Jerusalem ist zwar zunächst noch fest an die Volks- und Religionsgemeinschaft Israels gebunden. Aber sie versteht sich doch nicht als eine israelitische Sondergruppe, sondern als die durch ihren Messias Jesus gesammelte und durch ihn aufgerufene Gemeinde, die ganz Israel zum Glauben an Jesus und zur Umkehr rufen soll (Apg 2,36 usw.). Sie hat dabei schon ihren eigenen Kult und ist auch schließlich – nach einigen Gegensätzen – dem Ruf Gottes zur Ausdehnung ihrer Mission auf die Heidenwelt gefolgt. Im pfingstlichen Geistbesitz erfährt sich diese Gemeinde als eschatologische, zu heiligem Leben verpflichtete Heilsgemeinde, auch dort, wo sie dieser Verpflichtung im Rahmen des jüdischen Gesetzes nachzukommen sucht. Dieses Bild gewinnt durch neuere exegetische Forschungen zwar nochmals eine reiche Differenzierung. Doch haben diese Forschungen naturgemäß auch einen stark hypothetisch-heuristischen Charakter, so daß wir sie – da sie die Grundlinien nicht entscheidend und mit entsprechend hoher Sicherheit ändern können – für unser Vorgehen außer Betracht lassen können.

Zur lukanischen und mattäischen Theologie der Kirche

Bei Lukas und Mattäus – und erst recht und ganz ausdrücklich bei Paulus – haben wir dann eine eigentliche Kirchen*theologie.* Sucht man nach der speziellen Leistung des Lukas für die Kirchentheologie in der Durchführung und der Grundlage von Evangelium und Apostelgeschichte, die ja als ein zusammengehöriges Doppelwerk zu sehen sind, so wird man sie darin sehen müssen, daß er ausdrücklich die „Zeit der Kirche" und ihre missionarischen Aufgaben zwischen „Himmelfahrt" Jesu und Parusie einordnet. Damit soll gerade nicht gesagt werden, daß eine solche Kirchenidee erst entstanden sei durch die Erfahrung, daß diese an Jesus Glaubenden nicht einfach bloß auf die von Jesus verheißene, baldige Ankunft des offenbar gewordenen Reiches zu warten hätten. Aber Lukas hat in seiner Kirchentheologie zweifellos deutlicher herausgearbeitet, daß es zwischen Jesu Aufnahme in den Himmel und seiner Wiederkunft wirklich eine Zeit der Kirche gibt, so daß eben die Heilsgeschichtstheologie des Lukas drei Zeiten kennt: die Zeit Israels (vgl. Lk 16, 16), die Zeit Jesu als die „Mitte der Zeit" und eben die Zeit der Kirche, die sich bis zur Offenbarwerdung jener eschatologischen Endgültigkeit erstreckt, die sich in der Mitte der Zeit, die die Zeit Jesu ist, ereignet hat. In der Konsequenz dieser heilsgeschichtlichen Sicht liegt es, daß sich die Kirche zunächst an Israel, das alte Gottesvolk, wandte und daß sie dann erst aufgrund des jüdischen Unglaubens sich endgültig mit der Heidenmission befaßte. Die Kirche geht von Jerusalem aus in alle Welt, aber sie behält eben so auch ihre heilsgeschichtliche Kontinuität mit dem alten Israel bei, trotz der radikalen Zäsur, die durch Jesus und den ihm begegnenden Unglauben seines Volkes geschaffen ist.

Um die Stellung Israels und ihre heilsgeschichtliche Interpretation geht es auch bei Mattäus. Vom jüdischen Volk heißt es: „Das Reich Gottes wird euch genommen und einem Volk gegeben werden, das seine Früchte bringt" (Mt 21, 43). Dieses Volk ist das wahre Israel, das aus Juden und Heiden besteht, die an Jesus Christus glauben. Das Mattäusevangelium müht sich, das Wesen und die Gestalt dieses Volkes herauszustellen. So wird es zum eigentlich „kirchlichen Evangelium" (Schnackenburg). In diesem Rahmen sind die einzelnen Elemente zu sehen: Das Gesetz Christi wird in der Bergpredigt für dieses neue Gottesvolk verkündigt, für diesen neuen Bund. Die Universalität der Kirche tritt in Erscheinung (vgl. Mt 8, 10ff; 28, 18ff: der Aussendungsbefehl Jesu), aber auch ihre Verfassung, ihre Führung, die Disziplin der Gemeinden werden deutlich gemacht. Es wird ein Blick auf die Übeltäter in ihr geworfen, auf die Gegenwart und den Beistand des Herrn für diese seine Gemeinde. Natürlich ist dies alles noch in einem kleinen, bescheidenen Rahmen, wenn wir z.B. an die Gemeinderegel Mt 18 denken, in der Gemeinden vorausgesetzt werden, die wir uns heute kirchensoziologisch nicht mehr leisten könnten; aber das ändert grundsätzlich nichts daran, daß es im Mattäusevangelium schon eine „Theologie der Kirche" gibt. Der Ruf Jesu und seine Heilsbedeutung wendet sich nicht bloß an den einzelnen in der Innerlichkeit seines Gewissens, sondern er bildet wirklich Kirchengemeinde um Jesus mit seinen das Gesetz des Alten Testaments überbietenden und sprengenden „Gesetzen", mit dem Kult der Anamnese des Heilstodes Jesu, auch mit einer Führung, die dem Simon Petrus und den Zwölfen gegeben ist.

Zur paulinischen Theologie der Kirche

In den paulinischen Briefen ist nun im eigentlichen Sinne eine Theologie der Kirche entwickelt, die auch in der heutigen Kirchentheologie nicht überboten werden kann. Es ist für uns wiederum relativ gleichgültig, wieweit und in welchem Sinne Paulus auch die gesellschaftliche Verfaßtheit der Kirche reflektiert. Er ist ja noch als der eigentliche Apostel da, der in Sendungsautorität vom Erhöhten her redet. Er empfindet sich absolut als eine kirchliche Autorität, so daß dann – wenn wir einmal von den Pastoralbriefen absehen – die Frage einer Kirchenverfassung für spätere Zeiten, wo diese unmittelbare apostolische Sendung nicht mehr vorhanden ist, für ihn nicht sehr aktuell zu sein braucht. Aber Paulus weiß sich immerhin an die Übereinstimmung mit Petrus und der Jerusalemer Urgemeinde gebunden. Er verkündet auch eine Lehre, die er in Tradition empfangen hat, in einer eigentlichen parádosis, er ist also auch nicht bloß der christliche Pneumatiker eines Auferstandenen, sondern er ist im Ganzen auch schon der in einer Kirche wirkende Apostel; er fühlt sich deswegen auch immer der Jerusalemer Urgemeinde verantwortlich. Auch dort, wo er dem Simon ins Angesicht widersteht, weiß er sich dazu ja gerade verpflichtet, und er respektiert im Grunde auch so noch die Kirche als Gesamtkirche mit ihrer – auch ihm, dem nachträglichen Apostel – vorgegebenen Struktur.

Die Grundzüge seiner Theologie der Kirche lassen sich etwa wie folgt knapp andeuten: Die Kirche besteht aus Juden *und* Heiden (im möglicherweise deuteropaulinischen Epheserbrief ist deren Einswerden das „Christusgeheimnis" schlechthin, vgl. Eph 3,4.6). Aber auch die heilsgeschichtliche Rolle Israels, die noch nicht zu Ende ist, wird anerkannt (vgl. Röm 9–11). In der Taufe und Eucharistie wird diese neue Gemeinschaft der Kirche sakramental begründet. Der mystische Leib Christi lebt von jenem Leibe, der im Abendmahl empfangen wird. Bei Paulus ist zweifellos auch ein gesamtkirchliches Bewußtsein gegeben. Gewiß, die Einzelgemeinde heißt auch Kirche, ekklesia, und in ihr erscheint die Gegenwart Christi als das letzte eschatologische Heil. Insofern ist für Paulus die Einzelgemeinde zweifellos nicht bloß eine Art Verwaltungsbezirk einer Großorganisation, die sich allein Kirche nennen dürfte. Aber trotzdem ist das gesamtkirchliche Bewußtsein bei Paulus durchaus vorhanden. Und wenn die Kirche in Ephesus oder in Kolossä ist, dann bedeutet ja auch dieser Ausdruck – richtig interpretiert – noch einmal, daß eben die gesamte, glaubend sich um Jesus im Abendmahl und durch die Taufe versammelnde Gemeinde in aller Welt die Kirche ist und hier in dieser einzelnen Ortsgemeinde in ihrer höchsten Aktualität erscheint.

Die Kirche ist weiter für Paulus eine gleichsam himmlisch anwesende und kosmische Größe, wie in der Kirchentheologie des Epheserbriefes besonders deutlich wird. Der tiefgreifende Gedanke vom Leib Christi ist zuerst und besonders deutlich von Paulus entwickelt worden. Aber es wäre auch falsch, wenn man die Kirchentheologie des Paulus einlinig und allein auf diesen Kirchenbegriff reduzieren wollte. Denn Paulus hat eine weit umfassendere und reichere Symbolik zur Verfügung: von der Pflanzung, von dem Bau, vom Tempel, vom oberen Jerusalem, von der Braut, von der Ehefrau Christi. Auch die eschatologische Bestimmung der Kirche wird bei Paulus angesprochen.

In den Pastoralbriefen (wenn wir auch die Frage der Herkunft dieser Briefe von Paulus offenlassen) finden wir jedenfalls ein Selbstverständnis der Kirche in apostolischer Zeit. In ihnen wird die Kirche als das wohlgeordnete Haus Gottes und darum die Stütze, die Grundfeste der Wahrheit beschrieben. Es werden schon sehr deutliche Anweisungen für die Ämter, die Ordination, die Unterweisung, die Reinerhaltung der Lehre gegeben. Damit ist sicher ein stärker institutionell geprägtes Kirchenbild gegeben, das aber deswegen noch lange nicht im Widerspruch zu einem eschatologischen Kirchenbild steht; es werden vielmehr Ansätze, die in den paulinischen Hauptbriefen zweifellos gegeben sind, für fortgeschrittenere Verhältnisse weiterentwickelt.

Weitere Theologien der Kirche im Neuen Testament

In der Hauptstelle des ersten Petrusbriefes für unsere Frage (1 Petr 2, 4–10) sind verschiedene Gedanken, Bilder und alttestamentliche Bezüge zu einer theologischen Synthese verschmolzen: Christus als der Grundstein, die Kirche als das im Heiligen Geist errichtete geistige Haus, die in diesem Tempel geistige Opfer darbringende heilige Priesterschaft der Christen, eine königliche Priesterschaft, ein neues Gottesvolk aus Juden und Heiden. An anderen Stellen reflektiert der erste Petrusbrief über die Zerstreuung und Anfeindung der Kirche, über ihre Stärke in der Hoffnung und durch die Brüderschaft – soweit kurz einige Grundgedanken des ersten Petrusbriefes.

Wiederum eine andersgeartete Synthese einer Kirchentheologie findet sich im Hebräerbrief. Er nimmt den alttestamentlichen Exodusgedanken, den Gedanken vom „wandernden Gottesvolk" (E. Käsemann), auf (vgl. Hebr 3, 7 bis 4, 11) und verbindet dabei in einer ebenfalls mit alttestamentlichem Gedankengut angereicherten Gedankenbewegung die Verheißung himmlischer Berufung, den Eingang in die Sabbatruhe Gottes und somit die Anteilnahme an den himmlischen Gütern dadurch, daß der Hohepriester dieses wandernden Gottesvolkes – nämlich Christus – schon „die Himmel durchschritten hat" (Hebr 13, 14), mit der eschatologischen Erwartung. So gibt es gleichsam ein Ineinander von Erfüllung und Verheißung, eine Zugehörigkeit der Kirche zum himmlischen Jerusalem, zur Festversammlung an Gottes Thron bei gleichzeitigem Stehen im irdischen Kampf der Bewährung und des Leidens.

Wenn wir uns das Johannesevangelium und die johanneischen Briefe ansehen, so ist die Kirche dort eigentlich nie – im Gegensatz etwa zu den Paulusbriefen – ausdrücklich unter dem Wort „Kirche" erwähnt. Trotzdem ist die Kirche aber überall in ihnen anwesend: in den Sakramenten – die es durchaus auch in diesem pneumatischen Evangelium gibt – wirkt der erhöhte Herr durch den von ihm ausgehenden Geist und erfüllt so sein Heilswirken erst eigentlich. Der Blick des irdischen Jesus richtet sich beständig in die Zukunft, in der er als erhöhter „alle an sich ziehen" (Joh 12,32) wird, die Mission fortsetzen wird, in der die Sammlung der zerstreuten Gotteskinder die eine Herde mit sich bringen wird und in der er bei den Seinen, wie der Weinstock, der seine lebendige Kraft an die Reben abgibt, mit ihnen verbunden sein wird. Das Zeugnis der Kirche für Christus im Heiligen Geist, dem Parakleten, wird die Welt überführen.

In der Apokalypse, der Geheimen Offenbarung, die ja gerade der gegenwärtigen Kirche Glaubens- und Lebenskraft schenken will, wird der gedrückten Kirche ihre Würde als das eschatologische Israel (vgl. Offb 7) vor Augen gestellt, das durch Gottes Siegel geschützt ist. Die himmlische Frau als Gegenspielerin des Satansdrachens (Offb 12) ist auch wohl ekklesiologisch zu deuten. Zusammen mit der Schar der Erlösten im Himmel – aus welcher Verbindung sie Kraft und Siegeszuversicht schöpft – erwartet die Kirche als die Braut des Lammes ihre Hochzeit (Offb 19,7). So geht die Kirche vollendet in das Neue Jerusalem, das eschatologische Gottesreich, ein.

Vielfalt und Einheit im neutestamentlichen Kirchenbild

Wir sehen schon in dieser knappen Skizze, daß das neutestamentliche Kirchenbild äußerst vielschichtig ist. Es ist durchaus schon eine Kirche gegeben, die institutionell ist. Sie hat Bischöfe, Diakone, Presbyter; sie ist organisiert; es haben in ihr bestimmte Ämter und Vollmachten einen bestimmten Rang und Platz; die einzelnen Gemeinden hängen auch organisatorisch irgendwie miteinander zusammen. Auf der anderen Seite haben wir eine Kirchentheologie, die besonders auf die innere, gnadenhaft glaubensmäßige Wirklichkeit der Kirche hinblickt – etwa wenn sie gesehen wird als das wandernde Gottesvolk, als die Gemeinde der um Christus Gescharten, als die Zeugen, als der Leib Christi, in den der einzelne durch die Taufe eingegliedert wird, ein Leib Christi, der immer wieder neu durch die Feier des Abendmahls belebt und konstituiert wird. Trotz der vielen Bilder der sich entwickelnden Anschauungen besteht letztlich eben doch eine tiefere Einheit der Kirchenidee im Neuen Testament. So wird man entgegen älteren Behauptungen der Forschung den Kirchenbegriff des Paulus nicht mehr als unvereinbar mit dem der Urgemeinde ausgeben können. Auch kann und braucht man keine unüberbrückbare Kluft zwischen der judenchristlichen Urgemeinde, jüdisch-hellenistischen Gemeinden, hellenistischem Christentum (was im übrigen auch für die Forschung nicht immer so sauber zu scheiden ist), zwischen

Paulus und dem sogenannten Frühkatholizismus, der bei Lukas und in den Pastoralbriefen deutlich wird, behaupten. Es finden sich doch letztlich überall gleiche Grundüberzeugungen, gleiche theologische Grundstrukturen. Es gibt die eine von Christus gestiftete, von ihm erworbene, mit ihm verbundene Kirche, die gleichzeitig eine sichtbare und unsichtbare ist, die eine irdische und himmlische Seinsweise besitzt, die eine äußere Gestalt und ein inneres geisterfülltes, geheimnisvolles Wesen besitzt. Es braucht nicht behauptet zu werden, daß in der existenziellen und unmittelbar religiösen Akzentsetzung überall das gleiche Kirchenbild herrsche. Es ist selbstverständlich, daß in der damaligen Zeit, wo sich die Kirche in einem radikalen Gegensatz zu der gesamten heidnisch-hellenistischen Umwelt empfand, wo der Glaube, das Bekenntnis zu Christus, die Taufe die zentralen Ereignisse im Leben des Christen waren, viele andere kirchensoziologische Aspekte durchaus noch flüssig waren und noch gar nicht so reflex ins Bewußtsein treten mußten wie in späteren Zeiten, wo schon die gesellschaftlichen Voraussetzungen einer Massenkirche solche Aspektverschiebungen hervorrufen mußten.

Dazu kommt noch, daß wir auch von einem katholischen Kirchenverständnis aus damit rechnen müssen, daß das Recht der Kirche, ihre Verfassung, zur apostolischen Zeit bis zum Ende des ersten Jahrhunderts derart war, daß erst am Ende des apostolischen Zeitalters – also erst zu Beginn des zweiten christlichen Jahrhunderts oder sogar noch später: vgl. die Bildung des Kanons der Schriften des Neuen Testaments – alles dasjenige da war, was wir heute mit Recht als göttliche Verfassung der Kirche betrachten. So wie jeder Christ auch dort, wo er nach dem Kanon fragt, die Heilige Schrift als Ganze als das Dokument des christlichen Glaubens betrachtet, das für ihn maßgebend ist, und das tut, obwohl innerhalb dieser neutestamentlichen Schriften verschiedene Aspekte auch in der Theologie gegeben sind und obwohl darin eine theologische Entwicklung feststellbar ist, so ist es durchaus mit einem katholischen Kirchenbegriff einer in den Grundzügen durch göttliches Recht gegebenen Verfassung der Kirche vereinbar, innerhalb der apostolischen Zeit eine Entwicklung zu beobachten, die nicht notwendigerweise mit allen ihren Ansätzen, die ursprünglich gegeben waren, zur Entfaltung kommt. Wenn wir also vielleicht in einer hellenistischen Gemeinde eine mehr „demokratische" Verfassung sehen, dann bedeutet das noch nicht, daß die episkopale Struktur der einzelnen Kirchen, wie wir sie am Ende des ersten Jahrhunderts als gegeben sehen, eine falsche oder auch nur eine beliebige Entwicklung sei, neben der es für uns heute auch noch völlig andere Möglichkeiten einer Kirchenverfassung gäbe.

4. GRUNDSÄTZLICHES ZUR KIRCHLICHKEIT DES CHRISTENTUMS

Die notwendige Kirchlichkeit des Christentums

Kirche ist von vornherein mehr als eine gesellschaftliche Organisation zu religiösen Zwecken, auch wenn diese christlich gemeint und geprägt wäre. Überall wo Menschen sind, gibt es im Sinne einer Religionsorganisation „Kirche". Und selbst diejenigen, die gegen Kirche protestieren, schließen sich dort, wo überhaupt eine religiöse Haltung und eine religiöse Praxis gegeben ist, religionssoziologisch zu einer Gemeinschaft zusammen und bilden in diesem vorläufigen, ganz weiten Sinne so etwas wie „Kirche", selbst wenn sie sich dann „freireligiös" nennen. Wenn wir sagen, es muß das Christentum kirchlich verfaßt sein, dann meinen wir, daß diese kirchliche Gemeinschaft, ganz gleichgültig zunächst, wie sie genauer konkret verfaßt sein muß, zur religiösen Existenz des Menschen als solcher gehört. Sie gehört zur Heilsfrage des Menschen und ist für sein Verhältnis zu Gott grundsätzlich mitkonstitutiv. In diesem Sinne behaupten wir, daß Kirche etwas mit dem Wesen des Christentums zu tun hat und nicht bloß eine Organisation ist für einen religiösen Vollzug, der in seiner eigentlichen Bedeutung auch unabhängig von einer solchen religiösen Organisation denkbar wäre.

Wenn wir Kirche erst dort gegeben sehen, wo die religiöse Organisationsfrage selbst in das eigentliche Wesen des Christlich-Religiösen hineintritt und so selber eine Heilsbedeutung bekommt, so ist damit nicht gesagt, daß jedweder, der einem solchen kirchlich verfaßten Christentum nicht angehört, seines Heils verlustig ginge oder das letzte, entscheidende Verhältnis zu Gott, das in der Gnade Christi begründet ist, nicht haben könnte. Aber die Tatsache, daß das Heilswirken Gottes sich grundsätzlich jedem Menschen anbietet und grundsätzlich das Heil des Menschen bewirkt, wenn es im Gehorsam gegen das sittliche Gewissen angenommen wird, schließt nicht aus, daß das volle, zu seinem geschichtlichen Vollzug gekommene Christentum der Selbstmitteilung Gottes auch ein kirchliches ist.

Die Kirchenfrage ist nicht bloß eine Frage der menschlichen Zweckmäßigkeit, sondern im eigentlichen Sinne auch eine Glaubensfrage. Kirche muß vom Wesen des Christentums aus so verstanden werden, daß sie selber aus dem Wesen des Christentums als der übernatürlichen, aber geschichtlich zur Erscheinung kommenden und in Jesus Christus seinen endgültigen und geschichtlichen Höhepunkt findenden Selbstmitteilung Gottes an die Menschheit erwächst. Kirche ist ein Stück Christentum als des Heilsereignisses selber. Wir können das Gemeinschaftliche, Gesellschaftliche, die Interkommunikation nicht aus dem Wesen des Menschen, auch als des Subjekts der Religion, des Verhältnisses zu Gott, ausklammern. Wenn Gott nicht im Grunde genommen eine partikulare Wirklichkeit neben allen anderen Möglichkeiten ist, sondern der Ursprung und das absolute Ziel des einen und ganzen Menschen, dann ist der ganze Mensch – also auch in seiner Interkommunikation und Gesellschaftlichkeit – auf diesen Gott bezogen. Man kann vom Wesen des Menschen und vom Wesen Gottes und vom Wesen des Verhältnisses des Menschen zu diesem richtig verstandenen Gott her das Gesellschaftliche nicht aus dem Wesen des Religiösen ausklammern. Es gehört dazu, weil der Mensch in seinen sämtlichen Dimensionen auf diesen einen Gott des Heiles des ganzen Menschen bezogen ist. Sonst würde die Religion eine bloß partikulare Angelegenheit des Menschen und würde aufhören, Religion zu sein.

Der autonome Anspruchscharakter der Botschaft Jesu Christi

Wenn Religion nicht ein Daseinsentwurf ist, der vom Menschen ausgeht, sondern einen Anruf Gottes bedeutet, des lebendigen Gottes, und wenn dieser Anruf des freien, personalen Gottes – unbeschadet der Göttlichkeit Gottes – nicht bloß eine transzendentale Angelegenheit des innersten Gewissens des Menschen sein kann, sondern geschichtlich ergeht, dann gehört zum Wesen einer solchen, von Gott in die Geschichte hineingestifteten Religion das, was wir das Autoritative nennen können. Die Religion als Religion Gottes, nicht der menschlichen Erfindung, die Religion, die wirklich eine geschichtliche Größe ist, muß dem Menschen so gegenübertreten, daß diese Religion nicht erst dort eine reale Größe im menschlichen Leben ist, wo sie der Mensch gleichsam von seiner eigenen Mentalität her entworfen und gestaltet hat. Es ist einfach die Frage für den religiösen Menschen, ob es im Bereich seiner Erfahrung, seiner Geschichte eine Größe gibt, die er von sich unabhängig gesetzt sieht und die er als das nicht von ihm Gefügte, sondern als das über ihn Verfügende Macht gewinnen lassen kann. Wenn Religion im Grunde genommen nur das wäre, was je ich als die Darstellung und Interpretation meines eigenen Daseinsgefühls und meiner eigenen Daseinsdeutung empfinde, dann fehlt doch dem Religiösen ein wesentlicher Grund und eine wesentliche Eigentümlichkeit.

Natürlich muß Religion, um Religion, muß Christentum, um Christentum zu sein, aufgenommen, übersetzt, subjektiv realisiert werden; es ist nur dort wirklich gegeben, wo persönliche Glaubensentscheidung, Hoffnung und Liebe gegeben sind. Und natürlich kann das Objektive, Autoritative, Institutionelle dieses persönliche Christentum niemals ersetzen. Aber eine echte Subjektivität, die sich vor Gott gestellt sieht und deswegen von vornherein weiß, daß sie sich von einem von ihr nicht gesetzten Objektiven verfügen lassen muß, versteht, was Kirche innerhalb des Religiösen ist: daß nämlich hier eine Größe ist, die mich verpflichtet, die einen Punkt bildet, an dem ich mich orientieren kann, die nicht erst gegeben ist, wenn ich mit meiner eigenen Subjektivität religiös zu sein beginne. Eben die unvertretbare, unabwälzbare Subjektivität des Menschen verlangt aus ihrem eigenen Wesen heraus, daß ihr eine diese Subjektivität normierende Objektivität entgegenkommt.

Innerhalb dieser ihr frei personal eingeräumten Möglichkeit muß sie dieser Subjektivität gegenüber normierend auftreten können, muß sie die Religion Gottes und nicht nur eine Explikation meines eigenen Daseinsgefühl sein als eine autoritativ handeln könnende Größe. Das Christentum ist die Religion des fordernden, meine Subjektivität gleichsam aus sich herausrufenden Gottes erst dann, wenn es in einer Kirchlichkeit autoritativer Art mir entgegentritt. Sonst bleibt eben doch der konkrete Mensch, der nicht nur Transzendentalität, sondern konkreter Mensch mit Leib und Seele, geschichtlicher Bedingtheit, mit einer subjektiven Subjektivität ist, seiner eigenen Ärmlichkeit, Problematik und Möglichkeit der Verkehrung und Mißdeutung des Religiösen ausgeliefert. Wenn Christus nicht nur eine Idee, sondern ein konkreter Mensch ist, wenn sich das Heil in Christus nicht nur durch die Mitteilung einer Ideologie ereignet, die grundsätzlich auch unabhängig von Jesus und seiner Verkündigung erreichbar wäre, wenn an seinem konkreten Ereignis des Kreuzes, des Todes, der Auferstehung das Heil hängt, dann kann dieses Heil eben nicht nur durch eine subjektive Innerlichkeit gegeben und getragen sein, dann muß diese Konkretheit Jesu Christi als die mich anfordernde mir in dem entgegentreten, was wir die Kirche nennen, die Kirche, die nicht erst ich bilde, die nicht erst durch meine Wünsche und religiösen Bedürfnisse konstituiert wird, sondern die in einer Sendung, einem Auftrag, einer Proklamation, die mir wirklich die Heilswirklichkeit präsent macht, entgegentritt.

Geschichtlichkeit und Gesellschaftlichkeit gehören zur Vermittlung des Heils hinzu

Man könnte das ganze Kirchenproblem auf die sehr einfache Formel bringen: Ist der Mensch bloß durch seine transzendentale, wie immer auch genauer interpretierte Beziehung der Religiöse, oder hat diese selbstverständlich gegebene fundamentale Beziehung Gottes zum Menschen und des Menschen zu Gott in dem, was wir Geist und Gnade nennen, selber eine greifbare Geschichte konkreter Art? Es gibt im Grunde genommen bei allen religiösen Formen und Mischformen doch letztlich nur zwei Möglichkeiten. Entweder ist die Geschichte selber heilsbedeutsam, oder das Heil geschieht nur in einer subjektiven, letztlich transzendentalen Innerlichkeit, so daß das übrige menschliche Leben damit eigentlich nichts zu tun hat. Ist die erste Lösung die einzige wirklich echt menschliche, dann gehört Kirche nicht nur als irgendeine nützliche Religionsorganisation, sondern als die kategoriale Konkretheit und Vermittlung gnadenhaften Heils selber in die Heilsgeschichte der göttlichen Gnade hinein, und damit wird erst Kirche wirklich Kirche.

Die Epoche, in der ein Mensch glauben konnte, das Eigentliche seines Daseins, das Humane, das eigentlich Persönliche könne in einer Intimität leben und sich vollziehen, die mit dem harten Alltag der Menschen, der Gesellschaft der Menschen, ihrer konkreten Interkommunikation, mit weitreichender Vergesellschaftung nichts zu tun habe, ist vorbei. Es gibt zwar noch die Illusion, daß die Menschen sich gesellschaftlich vernünftig arrangieren können und im übrigen das Weltanschauliche aus diesem Gesellschaftlichen herausgehalten werden könnte. Aber es wird sich immer mehr zeigen, daß auch die profanste, durch Machtmittel aufrechterhaltene Gesellschaft einer „ideologischen", weltanschaulichen Grundlage nicht entbehren kann und diese auch herstellen und verteidigen wird. Damit ist nicht gesagt, daß die Ideologie einer kommenden, hochorganisierten Gesellschaft entweder identisch mit dem Christentum oder notwendigerweise antichristlich sein müßte. Aber die Entwicklung, auf die wir hingehen, zeigt eben doch, daß zwischen der Gesellschaftlichkeit des Menschen und dem Menschlichen am Menschen, auch seiner weltanschaulichen Interpretation des Daseins, so enge Beziehungen und Zusammenhänge herrschen, daß diese beiden Größen nicht einfach in einer weltanschaulich neutralen Gesellschaft getrennt werden können. So zeigt sich dann, daß der Mensch auch in seiner Weltanschauung der Gesellschaftliche ist. Wenn so das Christentum umgekehrt sagt, der Mensch sei auch als Christ in seinem letzten Verhältnis zu Gott der Kirchliche, so ist das dann nicht eine alte, längst überholte Meinung, sondern etwas, was auch epochal dem Menschen der nächsten Zeiten sehr deutlich werden wird.

Mit diesem Hinweis darauf, daß vom Wesen des Menschen als eines geschichtlich seine Transzendentalität vollziehenden Seienden und von dem autonomen Anspruchscharakter der Botschaft Christi her der Christ ein kirchlicher Christ sein müsse, darf natürlich die Selbstverständlichkeit nicht verdunkelt werden, daß die freie Annahme der Kirche und ihrer Autorität selbst noch einmal ein Akt der Freiheit und Entscheidung ist, den jeder Christ – auch der katholische – in der Einsamkeit seines eigenen Gewissens verantworten muß, ohne sich an *diesem* Punkt seiner Freiheitsgeschichte schon auf die Autorität der Kirche als solcher stützen zu können. Und von dieser „einsamen" Entscheidung bleibt das faktische Wirksamwerden der Autorität der Kirche beim einzelnen Christen immer getragen. An diesem Punkt gibt es keinen wesentlichen Unterschied zwischen einem katholischen Christentum und demjenigen evangelischen Christentum, das überhaupt irgendeine autoritative Instanz (z.B. die Heilige Schrift) als „von außen" kommend und so verbindlich anerkennt.

5. ÜBER EINE INDIREKTE METHODE DER LEGITIMATION DER KATHOLISCHEN KIRCHE ALS DER KIRCHE CHRISTI

Die normale, in ihrem wissenschaftstheoretischen Verständnis durchaus berechtigte Methode der üblichen Fundamentaltheologie geht dahin, einen direkten historischen Nachweis dafür zu liefern, daß die römisch-katholische Kirche konkret die Kirche Christi ist, die von ihm so gewollt ist, wie sie nach ihrem Selbstverständnis bezüglich ihrer wesentlichen Verfassung ist und von Jesus Christus in einer geschichtlichen Kontinuität herstammt. Wir meinen nicht, daß dieser Weg prinzipiell unmöglich sei, aber er ist zweifellos für den konkreten Christen heute, in einem Abstand von zweitausend Jahren, außerordentlich schwierig, d. h., er würde eine solche Fülle schwieriger, geschichtlicher Fragen und Nachweise erfordern, daß er *praktisch* für das Wahrheitsgewissen eines „normalen" Katholiken bei den ihm wirklich zu Gebote stehenden Erkenntnismöglichkeiten unbegehbar wäre.

Darum versuchen wir einen indirekten Weg einzuschlagen, indirekt gegenüber den geschichtlichen Nachweisen der Identität der jetzigen Kirche mit der Kirche Jesu Christi. Dieser indirekte Weg ist auf der anderen Seite der direktere, weil er unmittelbarer von unserem eigenen, konkreten, gelebten Christentum ausgeht. In dieser Absicht haben wir *zunächst* einige formale Prinzipien über diesen Weg zu bedenken und dann in einer zweiten Überlegung diese prinzipiellen Aussagen auf die konkrete Kirchenfrage anzuwenden und zu fragen, was sich daraus für die Selbstreflexion und Legitimation unseres *katholischen* Christentums ergibt.

Nochmals zur Notwendigkeit der Kirche

Das Christentum ist – wie schon gesagt – wesentlich und nicht in einer sekundären, religionsgesellschaftlichen und religionspädagogischen Weise kirchlich. Die Kirche gehört als solche in das Christentum hinein, wenigstens dort, wo es wirklich zu sich selbst kommt und wo es die Kontinuität einer wirklichen Heilsgeschichte weiterführen will und fortsetzen muß. Kirche ist mehr als eine bloße praktische, menschlich unvermeidliche Organisation zur Erfüllung und Befriedigung religiöser Bedürfnisse. Das Christentum als Heilsgeschehen und als Tat Gottes an uns und als Antwort des Menschen auf diese letzte Selbstmitteilung Gottes ist kirchlich. Wir haben das zu zeigen versucht von der letzten Heilssituation und Beanspruchtheit des ganzen Menschen für das Heil des ganzen Menschen, der wesentlich ein interkommunikatives, ein gemeinschaftliches und darum auch ein geschichtlich-gesellschaftliches Wesen ist. Wir haben diese Erkenntnis auch weiter dadurch zu gewinnen versucht, daß wir sagten, der Christ muß, gleichgültig wie sich das genauer konkret auswirkt, eine autoritative Kirche erwarten, die also mehr ist als seine eigene gesellschaftliche Organisation, wenn und insofern das Christentum wesentlich mehr ist als die Angelegenheit und Objektivation seiner eigenen, subjektiven, frommen Zuständlichkeit und seines religiösen Bewußtseins. Kirche ist von da aus von vornherein die Kirche, die mich in Anspruch nimmt, die Kirche, die die Konkretheit der Anforderung Gottes an mich ist, eine Konkretheit, die im Grunde genommen zu erwarten ist, wenn eben Christentum nicht die Religion ist, die ich mache, sondern das Heilsereignis, das Gott in seiner eigenen, mir nicht errechenbaren Initiative zuschickt. Und wenn dieses Heilsereignis als Tat Gottes bei mir nicht bloß ankommen soll in irgendeiner letzten Tiefe des Gewissens, sondern in der Konkretheit meiner Existenz, dann ist eben die Konkretheit dieses mich anfordernden, von mir nicht konstituierten, von mir nicht erfundenen Gottes dieser Jesus Christus und seine konkrete, mich weiter auf dieselbe Weise anfordernde Kirche.

Dasselbe ergibt sich ja auch aus der Tatsache, daß, insofern Christentum personale Selbstmitteilung des heiligen Geheimnisses Gottes ist, es doch so zu uns kommt, daß eine wirkliche Geschichte dieser Selbstmitteilung Gottes an uns geschieht und diese übernatürliche, transzendentale Selbstmitteilung Gottes notwendigerweise geschichtlich vermittelt ist. Gibt es so Heilsgeschichte, und zwar eine solche, die sich letztlich zu ihrem absoluten und irreversiblen Höhepunkt in der Geschichte Jesu, des Gekreuzigten und Auferstandenen hineinentfaltet hat, dann kann diese Konkretheit der Heilsgeschichte als die Vermittlung und Konkretheit meines übernatürlichen, gnadenhaft transzendentalen Verhältnisses zu Gott nicht mehr aufhören, d.h. aber, es muß Kirche sein.

Die Kirche Jesu Christi muß eine *sein*

Das Zweite, was bei diesen grundsätzlichen Überlegungen zu sagen ist, ist die Einsicht, daß diese Kirche Jesu Christi *eine* sein muß. Wenn und insofern Kirche eben nicht dasjenige ist, was fromme, von Christus erweckte Christen zur weiteren Durchführung ihrer eigenen religiösen Subjektivität gesellschaftlich bilden, sondern die Ankunft der Heilsgeschichte in Jesus Christus, dann ist klar, daß Kirche nicht dadurch gebildet werden kann, daß beliebige Gruppen von Christen innige religiöse Gemeinschaften bilden. Sie, die Kirche, die wahrhaft eine solche ist und bleiben will, geht von Christus aus, kommt mit dem fordernden Anspruch zu mir, die Repräsentation Christi in der weiterdauernden Heilsgeschichte, die durch Christus geprägt ist, zu sein.

De facto ist es so, daß im Neuen Testament die Einheit der Kirche, sowohl bei Paulus wie auch bei Johannes gesehen, gefordert und vorausgesetzt wird. Natürlich ist das Verhältnis der einzelnen Christengemeinden an einem bestimmten Ort, in einer Feier des Abendmahles des Herrn und in der Verkündung seiner Botschaft nicht einfach ein Verwaltungsbezirk einer Kirche als der einen Gesamtkirche. Selbstverständlich ist das Verhältnis zwischen der Ortsgemeinde und der Gesamtkirche anders zu denken als in einem Staat oder in einer sonstigen profanen Gesellschaft. Es ist gewiß wahr, daß es nach dem Zeugnis des Neuen Testamentes eben die ekklesia in Ephesus, in Kolossä, usw. gibt. Und es ist sicher, daß Kirche, nicht in dem Sinne der Ortsgemeinde, sondern im eigentlich theologischen Sinne, sich dort ereignet, wo Abendmahl gefeiert wird, wo getauft wird, wo das Wort Christi Glauben fordernd im Geiste Christi verkündet wird. Aber eben dieses schließt nicht aus, sondern ein, daß es *eine* Kirche gibt. Zunächst einmal ist ja gerade die Grundüberzeugung bei Paulus, daß die Kirche Christi, die Gemeinde seiner Gläubigen, der Leib Christi, das Volk Gottes, in einer solchen Ortsgemeinde gerade deswegen in Erscheinung tritt, weil die einzelnen Ortsgemeinden nicht einfach für sich bestehende Größen sind, die sich dann noch nachträglich aus irgendwelchen ideologischen Gründen zu Großverbänden zusammenschließen, sondern weil das Eine, das Kirche ist, als es selbst eben in den einzelnen Gemeinden zum Vollzug und zur Erscheinung kommt. Darum sind sie, wenn sie überhaupt wahrhaft und voll Kirchen sind, schon von vornherein vereinigt. Das Eine und Selbe des vom Geiste Gottes erfüllten Volkes Gottes tritt in jeder Ortsgemeinde in Erscheinung.

Es ist aber dann auch selbstverständlich, daß diese Einheit von der letzten Wurzel der Wirklichkeit her auch in der gesellschaftlichen Dimension zur Erscheinung kommen muß. Die einzelnen Gemeinden können sich nicht einfach als vertikal von Gott her begründet empfinden und dann nachträglich feststellen, daß es das Gnadenereignis einer solchen glaubenden Gemeinde auch irgendwoanders gibt; diese verschiedenen Gemeinden sind durch die Predigt der Apostel in der Sendung Jesu von Jerusalem ausgegangen, sie haben sich auch in der apostolischen Zeit in der Dimension des Gesellschaftlichen verbunden gewußt. Der Apostel fühlt sich als der autoritative Leiter einer Gemeinde auch dann, wenn er nicht zugegen ist. Die Gemeinden tauschen ihre Briefe aus. Sie wissen sich im letzten auf den Petrus als den Fels der Kirche gebaut. Wie genauerhin die gesellschaftliche Struktur der Kirche gedacht werden muß, was notwendigerweise dazugehört und was vielleicht eine geschichtlich bedingte, nicht notwendige Realisation einer solchen Einheit sein kann, das braucht uns jetzt nicht zu beschäftigen. Jedenfalls ist es vom Neuen Testament und vom Wesen der Kirche her klar, daß es nur *eine* Kirche geben kann.

Diese Überzeugung, daß es eine Kirche geben müsse und daß die Frage, ob es eine Kirche oder mehrere beliebige christliche Religionsgemeinschaften gebe, nicht im Belieben der Christen steht, ist heute eine gemeinchristliche. Damit ist natürlich noch nicht die Frage erledigt, worin diese Einheit bestehen müsse, welche gesellschaftlichen Wirklichkeiten erfüllt sein müssen, damit eine solche Einheit gegeben sei. Es ist natürlich auch nicht die Frage erledigt, wo genau eine solche Kirche, die sich legitim auf Christus zurückführt, gegeben sei. Es ist auch die Frage noch nicht zu einem Konsens gekommen, ob nicht doch diese verschiedenen kirchlichen Gemeinschaften, die es gibt, auch schon jetzt in einer tieferen Weise miteinander zu einer Kirche verbunden seien. Es besteht heute in der Christenheit auf das Ganze gesehen die Überzeugung, die man durchaus als ein Moment des christlichen Bekenntnisses erfährt, daß es *eine* Kirche geben müsse, und auch darüber hinaus, daß doch die konkrete Zuständlichkeit der Gesamtchristenheit heute diese von Christus gewollte und notwendig aus dem Wesen der Kirche erfolgende Einheit noch nicht genügend realisiert. Es sind hier Spaltungen, Trennungen, Bekenntnisdifferenzen, Verweigerung der Abendmahlsgemeinschaft gegeben, die nicht sein dürften, weil sie mit dem Wesen der Kirche unvereinbar sind. Es muß *eine* Kirche geben, und nur so ist dem Wesen des Christentums wirklich Genüge getan.

Das berechtigte Vertrauen in die eigene kirchliche Gemeinschaft

Der einzelne Christ als solcher hat nun durchaus das Recht der Präsumption, daß seine eigene, geschichtlich-kirchliche Existenz zunächst einmal als die legitime anerkannt werden soll, von der aus er denkt, an der er bis zum Beweis des Gegenteils festhält. Der Mensch ist das geistig freie, geschichtliche Wesen, das so in der Verantwortung seines Daseins vorgehen muß. Zunächst aber ist der Mensch derjenige, der sich auf die ihm vorgegebene Situation vertrauensvoll einläßt. Er ist natürlich das Wesen der Reflexion, das Wesen der Kritik, das Wesen, das in Frage stellt, das Wesen, das seine eigene, ihm vorgegebene geschichtliche Position fragend untersucht und unter Umständen auch überholt, überwindet, auch in einer existenziellen Revolution, in der er aus einer solchen vorgegebenen Daseinssituation ausbricht und sie vielleicht radikal verändert. Dabei ist es eine ganz andere Frage, wie tief eigentlich eine solche revolutionäre Veränderung im letzten Verstande gehen kann. Jeder Mensch ist zunächst einmal auch in seinem freien, geistigen und deswegen selbst zu verantwortenden Dasein nicht derjenige, der einfach am absoluten Nullpunkt anfängt, der die Totalität seines Daseins absolut neu entwirft. Zunächst hat deshalb jeder Christ das Recht, die ihm geschichtlich zugeschickte, von ihm übernommene christlich-kirchliche Situation als die zu präsumierende anzunehmen. Das ist zweifellos ein Satz, der in der üblichen, abstrakten und theoretischen Fundamentaltheologie innerhalb der katholischen Kirche kaum reflektiert, nicht ausdrücklich ausgesprochen wird. Aber diese grundsätzliche, allgemeine Fundamentaltheologie an sich und in abstracto leugnet diese Situationsgebundenheit und die Berechtigung einer Präsumption der Legitimität der geschichtlich bedingten Situation nicht.

Selbstverständlich gilt das nicht bloß für den katholischen Christen, sondern für jeden. Selbstverständlich anerkennen wir damit, daß z. B. der evangelische Christ, der Orthodoxe, der Angehörige einer Sekte in einem Vorschuß gebenden Vertrauen auf den Sinn seines Daseins diese seine, ihm vorgegebene, zugeschickte Situation annimmt, von hier aus denkt, und das mit Recht. Kein Christ hat als Christ die Aufgabe und die Verpflichtung, gleichsam aus der Geschichtlichkeit seiner Daseinssituation herauszutreten und in einer totalen Reflexion die Konkretheit seines Daseins erst gründen zu wollen. So etwas ist der menschlichen Erkenntnis und dem menschlichen Daseinsvollzug a priori unmöglich und kann deswegen auch hier nicht gefordert werden. Damit ist natürlich nicht die Verpflichtung des Menschen geleugnet, auf die eigene Situation in Verantwortung zu reflektieren, sie in einem gewissen Sinne in Frage zu stellen, unter Umständen durch die existenzielle Erfahrung seines Lebens zusammen mit seiner Reflexion diese seine vorgegebene Situation vielleicht sogar sehr radikal zu ändern. Aber zunächst einmal fängt der Mensch damit an, daß er seinen Eltern vertraut, daß er die überkommene Kultur als sinnvoll annimmt, daß er auch überkommene Wertungen zunächst einmal präsumiert, d. h. nicht absolut bejaht, aber doch als sinnvoll, als vertrauenswürdig, als das Dasein wirklich echt tragend anerkennt. Dazu kommt noch, daß der Christ – gleichgültig welcher Konfession er angehört – innerhalb dieses bestimmten konfessionellen Christentums Erfahrungen christlichen Daseins, der Gnade, der Heilshaftigkeit seines Daseins, eines letzten Trostes des Daseins macht, Erfahrungen, die er durchaus mit Recht als aus seinem konkreten Christentum herkommend erfährt. Es ist ja nicht so, daß der konkrete Christ innerhalb des innersten Bezirkes seines subjektiven Bewußtseins und Gewissens etwas von der Gnade Gottes, von der Vergebung Gottes, von der Sinnhaftigkeit seines Daseins erfährt und dann diese Erfahrung als völlig unabhängig von diesem konkreten, ihm vorgegeben kirchlichen Christentum erklärt. Nein, aus der Gemeinde, aus der Predigt des Wortes, aus dem Vollzug der Sakramente, ganz gleich, in welcher christlichen Gemeinschaft er diese Erfahrung macht, kommt ihm diese innere Erfahrung des Christentums zu, und er hat daraus auch das Recht, dieses ihm geschichtlich zugeschickte, konfessionelle Christentum als das mindestens einmal für ihn legitime zu präsumieren.

Wenn das unbefangen zugegeben wird, bedeutet das zweifellos eine Erschwerung der katholischen Fundamentaltheologie als Apologetik der römisch-katholischen Kirche auch an die Adresse anderer Christen. Wenn eine katholische Theologie trotzdem den Anspruch macht, daß die römisch-katholische Kirche die Kirche Christi ist, dann muß sie nicht nur in einer theoretischen Weise mit historischen Argumenten nachzuweisen suchen, warum im römisch-katholischen Christentum die legitime Sukzession der Kirche Christi gegeben sei, sondern eine Apologetik muß auch mit der Tatsache einer solchen echten, wirklichen, christlichen Erfahrung, die aus einem anderen konfessionellen Kirchentum herkommt, fertig werden. Nur wenn sie auch das tut, kann sie den Anspruch einer wirklichen Apologetik für die katholische Kirche machen. Wenn wir von dieser Position ausgehen, dann ist es selbstverständlich, daß jede echte – wenn vielleicht auch hinsichtlich ihrer Interpretation einer Kritik zugängliche und auch bedürftige – Erfahrung des Christentums eine Erfahrung der wirklich in Gottes Geheimnis hinein gründenden Macht unseres Daseins bleiben muß und darf.

Kriterien und Voraussetzungen

Was aber nun die konkrete Institutionalisierung, in der wir uns vorfinden und die wir zunächst als legitim präsumieren, angeht, so ist zu sagen, daß diese Institutionalität *erstens* sicher dieser Grundsubstanz des Christentums nicht widersprechen darf, jener Grundsubstanz des Christentums, die wir sowohl in unserer persönlichen Erfahrung als auch in unserer theoretischen Reflexion darüber ergreifen; *zweitens* muß doch offenbar von dieser Institutionalität gefordert werden, daß sie in einer möglichst dichten geschichtlichen Kontinuität und Nähe zum ursprünglichen Christentum als kirchlich verfaßtem steht. Der Mensch wird von seiner Kirche eine Antwort auf diese Frage erwarten, weil eben diese anderen kirchlichen Gemeinschaften innerhalb seines Daseins auftreten. Im Blick auf diese anderen Gemeinschaften wird er seine Kirche fragen, ob sie in der größtmöglichen Nähe zur Kirche Christi ist, ob bei einer solchen geschichtlich und institutionell gesellschaftlichen Nähe auch wirklich die eigentliche Substanz des Christentums gewahrt wurde und ob sie wirklich in dem Sinne, von dem wir schon eingangs gesprochen haben, Kirche ist.

Die Präsumption eines vertrauenden Sich-Einlassens auf die vorgegebene christlich-kirchliche Existenz ist etwas, was wir hier in unseren Überlegungen voraussetzen dürfen. Während eine theoretische, absolut wissenschaftlich reflexe Fundamentaltheologie – gleichgültig innerhalb welcher konfessionellen Theologie und Kirche – diese Präsumption einklammert, setzen wir diese Präsumption hier ausdrücklich und reflex voraus – gerade auch als eine Vorgegebenheit der Reflexion auf unser Kirchenverständnis – und kalkulieren sie ausdrücklich ein. Wir gewinnen so eine Methode unserer Reflexion über die gewissensmäßige Berechtigung unserer konkreten Kirchenzugehörigkeit, die uns in unserer konkreten Situation manche historischen Überlegungen, Beweisgänge und Untersuchungen mit Recht erspart. Damit sind solche Untersuchungen einer reflexen, theoretischen Fundamentaltheologie nicht überflüssig, sondern es ist nur mit der schlichten Tatsache gerechnet, daß in der konkreten Situation des Menschen eine solche Reflexion auf die Gründe seines christlichen und kirchlichen Daseins nie adäquat sein kann und den Anspruch darauf auch gar nicht machen muß.

Das Kriterium der Kontinuität zum Ursprung und die Abwehr eines ekklesiologischen Relativismus

Unter dieser Voraussetzung bedeutet dann unsere hier einzuschlagende Methode, daß wir uns auf dieses uns vorgegebene, konkrete, überkommene, kirchliche Christentum einlassen können, *wenn* es eine möglichst dichte, geschichtliche Nähe zum ursprünglich kirchlichen Christentum Jesu Christi hat; je näher der konkrete geschichtliche Zusammenhang unseres Christentums mit dem ursprünglich kirchlichen Christentum ist, um so mehr hat dieses kirchliche Christentum, das uns überkommen ist, die Aussicht und die Präsumption, die Kirche Christi zu sein.

Es gibt heute sowohl unter evangelischen wie unter katholischen Christen solche, die die Voraussetzung machen, daß die faktisch bestehenden kirchlichen Gemeinschaften, Kirchen, konfessionellen Denominationen, von vornherein als mehr oder minder gleichberechtigt anzusetzen seien, so daß es mehr eine Frage der bloßen geschichtlichen Zufälligkeit und des individuellen Geschmackes sei, welcher Kirche ein konkreter Christ angehören wolle. Ein solcher ekklesiologischer Relativismus kann aber für uns von vornherein nicht in Frage kommen. Und dies auch deswegen nicht, weil ein solcher kirchlicher Relativismus auch den frühen Kirchen der Reformationszeit, also auch dem evangelischen Kirchenverständnis bei den Reformatoren des 16. Jahrhunderts, vollkommen fremd war. Sie waren durchaus der dogmatischen Meinung und Ansicht, daß es die konkrete Kirche Jesu Christi auch in ihrer Zeit geben müßte, die im Unterschied und Nein zu anderen solchen Gemeinschaften allein den Anspruch machen könne, die Kirche Jesu Christi zu sein. Welche Kriterien für einen solchen Anspruch aufzustellen sind, darüber war man sich natürlich auch im 16. Jahrhundert nicht einig. Aber die Uneinigkeit darüber, wo konkret die wahre Kirche Jesu Christi zu finden ist, hinderte nicht die Grundüberzeugung der damaligen Zeit, daß es diese konkrete Kirche Jesu Christi geben müsse, daß die Spaltung auf jeden Fall nicht sein solle und daß man angeben könne, wo die wahre Kirche Christi sei. Wenn die ‚Confessio Augustana' die legitime Verkündigung des Evangeliums, die legitime Autorität dieser Verkündigung und die rechte Verwaltung der Sakramente, der Taufe und des Abendmahls, als alleinige Kriterien dafür gelten ließ, dann ändert auch eine solche Differenz hinsichtlich der aufzustellenden und anzuwendenden Kriterien an der Kirche nichts daran, daß z.B. konkret gesehen die Reformatoren in absoluter Glaubensentscheidung davon überzeugt waren, daß die römische Kirche, besonders in ihrem Papst und dessen Ansprüchen, eine widerchristliche Erscheinung, die Kirche des Antichrist sei.

Wenn es also heute sehr viele Christen gibt, die grundsätzlich die verschiedenen kirchlichen Gemeinschaften als gleichberechtigte Größen auffassen, dann setzt eine solche ekklesiologisch relativistische Meinung voraus, daß die Kirche Jesu Christi, so wie sie von ihm gewollt war, entweder gar nicht existiert oder trotz der Spaltung der Christen so existiert, daß sie eigentlich gar nicht hergestellt werden muß. Im Grunde genommen wären dann alle ökumenischen Bemühungen und Bestrebungen um die eine Kirche von vornherein überflüssig oder ökumenische Bestrebungen zielten nur auf eine zusätzliche Einheit, die mit der wesentlichen, schon gegebenen Einheit der Kirchen letztlich doch nichts zu tun hätte.

Gehen wir nicht von einem solchen ekklesiologischen Relativismus aus, suchen wir in der konkreten Wirklichkeit diese konkrete Kirche, dann können wir die erste Norm aufstellen, daß wir dort am ehesten die Kirche Jesu Christi finden, wo sie die dichteste, die einfachste, greifbarste Kontinuität mit dem Urchristentum und der Kirche des Urchristentums hat. Es kann sich ja nicht darum handeln (wenn wir wirklich an die Inkarnation und an die Geschichtlichkeit des Christentums und seiner Gnade glauben), die Kirche immer neu entstehen zu lassen. Jeder wirkliche Lutheraner oder auch reformierte Christ wird durchaus die Kirche vor der Reformation als seine Kirche in Anspruch nehmen. Er kann und will gar nicht den Anspruch erheben, daß die Kirche durch die Reformation erst gegründet worden sei. Er wird sagen, daß diese frühere kirchliche Gemeinschaft, Kirche genannt, unter vielen Depravationen, Verdunklungen des Evangeliums litt; aber daß sie schlechterdings nicht vorhanden war, das kann er – wenn er die Kirche überhaupt noch als einen Artikel seines eigenen apostolischen Glaubensbekenntnisses festhält – nicht behaupten, und er tut es auch de facto nicht. Er nimmt die Kirche vor der Reformation als seine Kirche in Anspruch, als die Kirche, die in geschichtlicher und kirchlicher Legitimität auf ihn zukommt und die in den Kirchen der Reformation ihre legitime Fortsetzung findet. So können wir durchaus in einer formalen Weise das erste Prinzip aufstellen, daß eine solche kirchliche Institution, der wir uns als der Kirche Christi anvertrauen können, dann dafür in Frage kommt, wenn und insofern sie eine möglichst konkrete geschichtliche Kontinuität zur Kirche des Urchristentums hat. Die Zeiten dazwischen können nicht einfach als widerchristlich, widerkirchlich, als antichristlich übersprungen und verneint werden. Denn sonst wäre es ja um diese inkarnatorische, geschichtlich leibhaftige Kontinuität und damit auch um eine leibhaftige von je mir unabhängige Größe kirchlicher Art von vornherein schon geschehen.

Das Kriterium der Bewahrung der Grundsubstanz des Christentums

Das zweite Prinzip unserer indirekten Methode der Rechtfertigung unseres konkreten Kirchenglaubens ist, daß die Grundsubstanz des Christentums, dasjenige, was man auch selbst in seiner religiösen Existenz als gnadenhaft erfahren hat, in dieser konkreten Kirche nicht grundsätzlich verleugnet werden darf. Wenn wir von einer abstrakten, prinzipiellen Ekklesiologie theoretisch-fundamentaltheologisch ausgingen, könnten wir dieses zweite Prinzip der reinen Gegebenheit der eigentlichen Grundsubstanz des Christentums in der konkreten Kirche auslassen. Denn in einer solchen Ekklesiologie sucht man ja gerade nachzuweisen, daß die Erhaltung der Grundsubstanz in der betreffenden Kirche durch die Strukturen und Eigentümlichkeiten dieser Kirche garantiert sind. Wir haben aber hier durchaus das Recht, umgekehrt zu sagen: weil ich als der konkrete Christ in meiner konkreten Glaubenserfahrung doch schon in einer gewissen Weise weiß, was Christentum ist, und weil ich überzeugt bin, daß nur dort wahre Kirche Jesu Christi ist, wo diese von mir schon in der Kraft des Geistes erfahrene, pneumatische Wirklichkeit des Christentums gegeben ist, darum kommt für mich eine christliche Kirche und Gemeinschaft als die echte Kirche Jesu nur dann in Frage, wenn und insoweit sie dieser schon von mir in der eigenen Existenz erfahrenen Grundsubstanz des Christentums nicht widerspricht. Und insofern wäre das reformatorische Prinzip der ‚Confessio Augustana', nur dort könne die wahre Kirche sein, wo das Evangelium rein gepredigt wird, in sich formal durchaus richtig: Eine kirchliche Gemeinschaft, die autoritativ von ihrem eigenen Wesen und dogmatischen Selbstverständnis aus eine wesentliche Grundstruktur des Christentums verleugnet, bekämpft, ausstreicht, kann nicht die wahre Kirche Christi sein. Und ich kann mich insofern durchaus auch auf das Zeugnis des Geistes berufen, das mir die Wirklichkeit des Christentums persönlich, existenziell in meinem konkreten Leben bezeugt. Zwar bleibt natürlich dann die Frage auch noch offen, wo und wie ich die Kirche Jesu Christi finden könne, *wenn* eine kirchenspaltende Differenz von dem inneren Zeugnis her *nicht* nach der einen oder anderen Seite hin überwunden werden kann, und es bleibt die Frage offen, ob ich denn hinsichtlich dieser Erfahrung des lebendigen Christentums Jesu Christi immer und überall so sicher bin, daß ich von da aus ein kirchenunterscheidendes Kriterium bilden kann. Aber hinsichtlich der existenziellen, konkreten Situation, die reflex nicht absolut aufgelöst werden kann, bleibt dieses vorhandene subjektive pneumatische Kriterium berechtigterweise am Platz und in Geltung.

Das Kriterium objektiver Autorität

Das dritte Prinzip ist dieses: daß offenbar die religiöse Gemeinschaft Kirche sein muß als eine von meiner Subjektivität unabhängige Größe. Selbstverständlich ist die objektivste, von meiner Subjektivität noch so unterschiedene Größe, die ich suche, immer nur gegeben und vermittelt durch meine eigene, existenzielle Gewissensentscheidung. Das ändert aber nichts an dem Postulat, daß – wenn es überhaupt Kirche geben soll – christliche Religiösität noch nicht Religion ist, es sei denn, es komme die konkrete, gesellschaftliche, von mir unabhängige Größe Kirche hinzu. Innerhalb dieses Zirkels von Subjektivität und Objektivität muß ein konkreter Unterschied zwischen dieser meiner Subjektivität und der Objektivität gegeben sein, auch wenn diese objektive Größe, die mich normieren kann, die nicht einfach meiner Subjektivität ausgeliefert ist, mir nur innerhalb meiner Subjektivität begegnen kann. Wenn Subjektivität, eigene Verantwortung, Gewissen grundsätzlich eine objektive Wirklichkeit, eine normierende Größe nicht ausschließt und nicht ausschließen kann, dann gilt das auch hier. Wir können durchaus unbeschadet einer Letztheit des Gewissens und der freien Gewissensentscheidung sagen: wenn Kirche überhaupt zum Christentum hinzukommen und hinzugehören soll als ein konstitutives Moment eines solchen inkarnatorischen Christentums, dann muß Kirche wirklich Kirche sein, d.h. die Größe, die nicht einfach von meinem Belieben abhängt. Wodurch eine solche Kirche dann Kirche wird, das ist natürlich dann nochmals eine andere Frage. Es ist denkbar, daß ein evangelischer Christ und Theologe dieses dritte Kriterium formaler Art durchaus bejaht, aber diese Objektivität der Kirche gegeben sieht in der Objektivität des geschriebenen Wortes Gottes, des Neuen Testamentes allein.

Die Besonderheiten der Anwendung dieser Kriterien in unserer Situation

Suchen wir nun diese formalen Prinzipien einer solchen indirekten Rechtfertigung auf unser eigenes katholisches Christentum anzuwenden. Natürlich ist in einem solchen Falle eine, wenn auch indirekte kontroverstheologische Überlegung nicht vermeidbar. Man muß auch heute noch fragen: wo ist für mein Gewissen die Kirche Jesu Christi? Und die schlichte Tatsache, daß eine Antwort auf eine solche Frage der Antwort eines anderen Christen widerspricht, ist noch kein Argument und keine Rechtfertigung dafür, diese Frage auszulassen oder einfach als unbeantwortbar beiseite zu legen. Selbstverständlich wird jeder Christ zugeben, daß diese Frage sehr schwer zu beantworten ist, und er darf dieses Zugeständnis auch deswegen ruhig machen, weil die auch im Dekret über den Ökumenismus anerkannte Hierarchie der christlichen Wahrheiten (Unitatis redintegratio 11), die nicht alle die gleiche existenziell heilsmäßige Bedeutung haben, es durchaus zuläßt, daß vielleicht der Zugang zu Jesus Christus und zu seinem befreienden Evangelium leichter ist als die Antwort auf die schwierige Frage, in welcher konkreten Gemeinschaft nun die wahre Kirche Jesu Christi in ihrer geschichtlichen, rechtlichen Legitimität und Grundsubstanz gegeben ist.

Es ist kein Zweifel, daß wir Christen von heute durchaus zugeben als Forderung unseres christlichen Glaubens und nicht nur als pazifistische Konzession, daß der andere Christ in der Gnade Gottes lebt, daß er erfüllt ist vom Heiligen Geist, gerechtfertigt, Kind Gottes, mit Jesus Christus verbunden ist und daß er auch in der Dimension des kirchlich Gesellschaftlichen in sehr vieler Hinsicht mit allen andern Christen, allen anderen Konfessionen verbunden ist. So verbindet uns zweifellos viel mehr und Grundlegenderes, als was die Christen der verschiedenen Kirchen trennt.

In dieser Situation können wir zunächst sagen, daß für den Katholiken des Abendlandes, der in seiner katholischen Kirche lebt und darin die Erfahrung des Christentums gemacht hat, wohl nur das Bekenntnis der reformatorischen Christenheit des 16. Jahrhunderts und des Christentums, das von daher kommt, eine wirklich existenzielle Frage ist. Er stellt sich nicht einfach auf einen absoluten Nullpunkt, auf einen Standpunkt außerhalb jeder konkreten, geschichtlichen Existenz, sondern er fragt: Habe ich für mein Glaubensgewissen ein Recht, katholisch zu sein und der katholischen Kirche auch weiterhin anzugehören? In einer solchen Situation können für uns, im Abendland, ernsthaft die in Frage kommende Anfechtung für unsere Präsumption doch nur die evangelische(n) Kirche(n) sein. Denn das evangelische Christentum gehört wirklich zu unserer eigenen, unausweichlich geschichtlichen Existenz, und es ist eine konkrete Frage an uns.

Die geschichtliche Kontinuität der katholischen Kirche

Wenn wir uns nun unter diesen Voraussetzungen als Katholiken fragen, warum wir in dieser Methode, unter diesen Voraussetzungen die Kirche Christi in der katholischen Kirche finden, dann können wir antworten: weil sie konkret nach einem sehr einfachen Befund die dichtere, die selbstverständlichere, die unbefangenere geschichtliche Kontinuität mit der Kirche der Vergangenheit bis in die apostolische Zeit hinein hat.

Es ist natürlich bei diesem Satz nicht bestritten, daß diese Kirche, so wie sie durch die ersten fünfzehn Jahrhunderte von der apostolischen Zeit her auf uns zukommt, außerordentlich große Wandlungen, Amplifikationen, Entfaltungen in ihrem Glaubensbewußtsein und in ihrer konkreten Gestalt und Verfassung gefunden hat. Aber von unserer Methode aus ist es weder notwendig noch praktisch durchführbar, diese Kontinuität und die Legimität dieser Kontinuität in einer reflexen historischen Nachprüfung aufzuweisen. Das ist nicht prinzipiell und von vornherein unmöglich, und es ist die Aufgabe einer historisch arbeitenden und theoretischen Fundamentaltheologie, kommt aber für uns konkret nicht in Betracht.

Dennoch können wir aber sagen, daß die geschichtliche Kontinuität zwischen der nachtridentinischen, nachreformatorischen und der alten Kirche größer, eindeutiger, selbstverständlicher ist in der katholischen Kirche als in den anderen kirchlichen Gemeinschaften, auch in der Dimension des evangelischen Christentums. Die katholische Kirche ist eine Kirche, in der es ein Petrusamt und einen Episkopat gibt, der einen selbstverständlichen geschichtlichen Zusammenhang bis auf die apostolischen Zeiten hat. Mag vielleicht z.B. auch das Petrusamt in der Deutlichkeit, in der rechtlichen Ausdrücklichkeit eine außerordentlich große Entwicklung gehabt haben, wenn wir die Anfänge am Ende des ersten Jahrhunderts oder gar in der Schrift mit dem mittelalterlichen Papsttum vergleichen, so ist dennoch nicht zu bestreiten, daß es einen römischen Episkopat und eine gewisse Autorität dieses römischen Episkopates in der Kirche vor der Reformation gegeben hat und daß es deshalb eine dichtere, unmittelbarere, selbstverständlichere Kontinuität des nachreformatorischen katholischen Christentums mit der alten Kirche gibt. Die evangelische Christenheit muß in dieser früheren vorreformatorischen Kirche, um ihre eigene geschichtliche und theologische Kontinuität mit ihr zu beweisen, vieles als entweder überflüssig oder sogar unchristlich und antichristlich erklären. Wir können sagen, daß wenigstens hinsichtlich der episkopalen Verfassung der Kirche, hinsichtlich der normalen selbstverständlichen Weitergabe dieses Episkopates und hinsichtlich des Petrusamtes die selbstverständlichere, ununterbrochenere, unbefangener weitergegebene Kontinuität zwischen der alten Kirche und der des nachtridentinischen Katholizismus besteht. Ähnliches ließe sich auch für vieles andere sagen, z.B. hinsichtlich des Rechtes, hinsichtlich der sakramentalen Praxis.

Es ist ja auch geschichtlich eindeutig gegeben, daß das ursprüngliche evangelische Christentum der Reformationszeit zunächst einmal – wie in der ‚Confessio Augustana' sehr deutlich ist – die Kirche mit Bischof und Papst als die an sich legitim überkommene Kirche betrachtete und nur deshalb aus ihr auszog, weil das evangelische Christentum überzeugt war, daß diese konkrete Kirche in einer eindeutig unakzeptierbaren Weise das wahre Christentum, die kirchliche Lehre von der allein rettenden Gnade nicht oder nicht genügend deutlich wahrte. Es kann natürlich dann – aber nur unter dieser Voraussetzung – das Kirchliche, das es auch der alten Kirche nicht absprach: Taufe, Predigt des Evangeliums, Abendmahl usw. als dasjenige betrachten, was auch in der früheren Zeit allein das wesenhaft Kirchenbildende war. Es braucht grundsätzlich auch von einem katholischen Christen nicht abgestritten zu werden, daß in der spätmittelalterlichen Kirche, in ihrem Leben, ihrer Praxis, ihrer Mentalität durchaus massive Tendenzen gegeben waren, die den eigentlichen Grundanliegen des evangelischen Christentums widersprechen und heftige Widerstände gegen eine durch die Zeitsituation gebotene Weiterentwicklung der konkreten Kirche bedeuteten. Daß aber die mittelalterliche Kirche oder auch die tridentinische oder nachtridentinische katholische Kirche in einer autoritativen und schlechthin verpflichtenden Weise etwas als zu ihrem eigenen definitiven Selbstverständnis gehörend gelehrt haben, was dem eigentlichen Grundanliegen der Reformatoren so zuwiderläuft, daß der betreffende Christ darum einfach gezwungen wäre, aus der katholischen Kirche auszuziehen, das kann der katholische Christ nicht einsehen.

Das Kriterium der Wahrung der Grundsubstanz – von den reformatorischen Bestreitungen her gesehen

Betrachten wir in dieser Hinsicht die drei berühmten sola: sola gratia, sola fide, sola scriptura, die doch den Kern des ursprünglichen reformatorischen Christentums darstellen und den Grund geben, warum damals und heute ein evangelischer Christ erklärt, nach seinem Gewissen der katholischen Kirche nicht angehören zu können, auch dann nicht, wenn er nicht leugnet, daß die klarere und selbstverständlichere geschichtliche Kontinuität an sich für die katholische Kirche sprechen würde.

Sola gratia – allein aus Gnade

Was zunächst das sola gratia angeht, so kommt es natürlich hier nicht darauf an, jedwede im evangelischen Verständnis und in der evangelischen Theologie vorkommende Interpretation der Gnade zu untersuchen. Denn hinsichtlich dieser detaillierteren Interpretationen eines evangelischen Grundaxioms gibt es ja auch innerhalb der evangelischen Christenheit keinen Konsens, und darum kann eine solche Interpretation rein als solche weder kirchenbildend noch kirchenspaltend sein. Wenn wir aber sagen: sola gratia bedeutet, daß der Mensch sein Heil wirklich durch die freie, absolut souveräne Gnade Gottes findet, daß es also in diesem Sinne keinen Synergismus zwischen Gott und Mensch in dem Sinne geben könne, daß der Mensch selbst etwas zu seinem Heil beitragen kann, was ihm nicht durch die freie Gnade Gottes geschenkt wäre, dann ist das eine Lehre, die nicht nur innerhalb der katholischen Lehre unbeanstandet vorgetragen und gelehrt werden kann, sondern eine Lehre, die absolut zur katholischen Lehre vom Verhältnis des Menschen zu Gott gehört. Selbstverständlich lehrt das Tridentinum eine Freiheit des Menschen auch in seinem Heilswirken. Aber eine Freiheit des Menschen, ein Vermögen des Menschen, eine Potenz des Menschen, die von sich aus in eigener Autonomie und Selbstherrlichkeit irgend etwas Eigenes und Positives zu dem Heil beitragen könnte, so daß das christliche Heil nicht rein und restlos die Gabe Gottes wäre, die Gott in seiner nicht erzwingbaren Liebe dem Menschen schenkt, eine solche Auffassung gibt es innerhalb der amtlichen, verpflichtenden katholischen Lehre nicht. Sie mag vielleicht da und dort in einem vulgären Katholizismus gegeben sein, aber sie widerspricht dann eben der amtlichen Lehre der Kirche. Nichts, was zum Heile des Menschen beiträgt, kann etwas anderes sein als die reine, freie Gnade Gottes, die nicht nur das Vermögen, das Können, sondern auch das Vollbringen des Heils gibt. Wenn das Trienter Konzil betont, daß der Mensch in der Geschichte des Heils seine Freiheit betätigt, dann wird eine solche Auffassung auch in der evangelischen Theologie nicht durch eine gegenteilige und „amtlich" für eine evangelische

Kirche konstitutive Ansicht bestritten. Daß aber trotz dieser Freiheit erst eine von Gott in Vermögen und Akt ermächtigte, eine von Gott befreite Freiheit zum Heile, zur Liebe, zum Gehorsam gegenüber Gott Heilsfreiheit ist – das eben ist durchaus katholische Lehre, die gerade im Trienter Konzil, vielleicht gegen einige nominalistische Verzeichnungen im Spätmittelalter, ausdrücklich definiert worden ist. Ein Pelagianismus oder ein wirklicher Semipelagianismus oder ein vulgärer Synergismus, der das Heil zwischen Gottes Gnade und der menschlichen Freiheit stückhaft aufteilt, sind in der katholischen amtlichen Lehre nicht vorhanden. Dort, wo der Mensch sein Heil in Freiheit wirkt, wird er das Vermögen und die Tat seiner Freiheit wieder lobpreisend und dankend als die Tat, die ihm Gott in unableitbarer Huld gegeben hat, zurückgeben. Dieses sola gratia kann also und muß durchaus mit einem christlichen und katholischen Pathos vertreten werden. Und manches, was darin dann den Protest der evangelischen Christenheit der Reformationszeit erregt hat – die Lehre von der Freiheit, die Lehre vom Verdienst, die Lehre von der sogenannten eingegossenen Gnade – hätte vielleicht damals und kann sicher jetzt als gegenseitiges Mißverständnis erkannt und beseitigt werden. Die Freiheit hebt die absolute Gnadenhaftigkeit des Heils nicht auf, die Lehre von der Gnade will gar nichts anderes sagen, als daß der Mensch durch die Tat Gottes, durch die freie, unerzwingbare Tat Gottes wirklich innerlich wahrhaft und wirklich aus einem Sünder ein Gerechter wird, der auch gerade über diese Gerechtigkeit als dauernd bedrohte und in ihm verborgene niemals urteilen kann und insofern auch als Gerechtfertigter keine autonome Position Gott gegenüber beziehen kann.

Sola fide – allein aus Glauben

Die Lehre von dem sola fide, die Lehre, daß der Mensch allein durch den Glauben gerechtfertigt wird, ist nichts anderes als die subjektive Kehrseite des sola gratia. Weil das Heil das freie Geschenk der unergründlichen und unerzwingbaren Gnade Gottes ist, muß der Akt, in dem dieses Heil angenommen wird, selber ein Akt sein, den Gott dieser Freiheit schenkt. Er ist in diesem Sinne nicht das autonome Verdienst, das der Mensch in seinem eigenen Vermögen Gott entgegenträgt, um so gleichsam seine Huld, seine Liebe, die Gabe des Heils erzwingen zu können. In diesem Sinne ist der antwortende Akt auf die Gnade Gottes, die allein heilig macht, nicht Werk, sondern – paulinisch gesprochen – Glaube. Daß dieser Glaube nicht bloß ein dogmatisches Theorem ist, daß dieser Glaube innerlich getragen sein muß von einer Hoffnung auf die reine Gnade Gottes und innerlich durchleuchtet und vollendet sein muß durch das, was die Heilige Schrift als Liebe kennt, als rechtfertigende, heiligende Liebe, das ist katholische Lehre; auch ein evangelischer Christ kann, im Grunde genommen, nichts dagegen einwenden. Daß die scholastisch-mittelalterliche, etwas schematische Unterscheidung von Glaube, Hoffnung und Liebe die Totalität dieses einen, rechtfertigenden Grundaktes, den die Gnade Gottes dem Menschen frei und als Freiheit schenkt, unter Umständen verdunkeln kann, und daß diese Schematik einer vorsichtigen Interpretation bedarf, das ändert nichts an einem katholisch richtigen Verständnis paulinischer Art von dem sola fide.

Sola scriptura – die Schrift allein

Das dritte sola, das das reformatorische Christentum als Grundcharakteristikum und Grundaxiom des Glaubens und von da aus auch des Kirchenverständnisses aufgestellt hat, ist das sola scriptura. Hier kann man leichter eine inhaltliche und wirklich sachliche und nicht nur terminologische Lehrdifferenz zwischen dem evangelischen und katholischen Christentum feststellen. Denn die katholische Lehre betont die Notwendigkeit und Gültigkeit sowohl der Tradition wie auch des katholischen Lehramtes.

Zunächst einmal wird der evangelische Christ von heute im Gefolge der modernen, gerade innerhalb des evangelischen Christentums entstandenen und durchaus legitimen, historischen Bibelwissenschaft zugestehen, daß die Schrift sehr wesentlich ein Produkt der Kirche, und zwar eine sehr heterogene und eine nur verhältnismäßig schwer unter einen inneren Kanon zu bringende Größe ist. Schrift ist, historisch gesehen, der Niederschlag der Glaubensgeschichte der Urgemeinde. Von da aus aber ist es selbstverständlich, daß die Schrift zunächst einmal getragen und entstanden ist aus der lebendigen, konkreten Predigt der lebendigen Kirche. Und insofern ist die Schrift schon das Ergebnis von Tradition, von Überlieferung. Der Überlieferungsbegriff ist ja als die legitime Zeugenfolge, die sich nicht selbst gleichsam ernennen, sondern die ihre Legitimität durch ihre Herkunft von legitimen Zeugen bis zum großen Zeugen Jesus Christus nachweisen muß, ein in der ältesten Kirche jedem selbstverständlicher Gedanke. Es gibt autoritative Sendung, Bezeugung des Glaubens an Jesus Christus, und von dieser lebendigen Tradition, die eine Traditionsfolge der Zeugen und eine Traditionsfolge des Bezeugten in einem ist, stellt die Schrift selber das Resultat und Ergebnis dar. Sie präsentiert sich deshalb als eine Größe, die überhaupt nur auftritt im Zusammenhang mit der lebendigen, autoritativen Sendung und dem geistgegründeten Zeugnis der Kirche. Von da aus wird die Schrift von vornherein, wie sehr sie einen normativen Charakter für die spätere Kirche hat, dennoch einen kirchlichen Charakter zeigen. Sie ist, weil Kirche ist; sie ist nicht nur dasjenige, was Kirche bildet. Und diese Kirche ist die lebendig und autoritativ in Tradition lehrende Kirche und hat so Schrift. Das ergibt sich ja auch dadurch, daß man ja im Grunde ohne einen solchen inneren Zusammenhang von Tradition und Schrift den Kanon der Schrift gar nicht wirklich kirchenbildend bestimmen kann, die autoritative Bedeutung der Schrift für die Kirche gar nicht legitimieren und ausweisen könnte.

Es kann natürlich jemand sagen, daß die gewissensüberführende Macht der Schrift aus ihr selbst kommt, insofern sie nicht als toter Buchstabe, sondern gleichsam als Ereignis des Geistes selbst aufgefaßt wird. Selbst wenn man das zugibt und auch als Katholik letztlich unbefangen zugeben kann, bleibt doch die Frage, wie, inwieweit und auf welche Weise diese innere pneumatische Mächtigkeit der Schrift ernsthaft kirchenbildend und auch kirchentrennend sein kann. Und da versagt dann eben das Prinzip der sola scriptura doch. Das sola scriptura ist ein letztlich doch sich selbst aufhebendes Axiom, wenigstens wenn es indiskret aufgefaßt wird. Das zeigt sich daran, daß die altreformatorische Lehre des sola scriptura, die innerlich und notwendig verbunden war mit einer Konzeption der *Verbal*inspiration der Schrift, historisch nicht haltbar ist und in der heutigen evangelischen Theologie auch gar nicht mehr gelehrt wird. Denn nur dort, wo sich die Schrift gleichsam unabhängig von einem geschichtlichen und sehr differenzierten Werden als das einzig und allein unmittelbar gleichsam von Gott her entstehende Produkt auffaßt, kann ich ja der Schrift eine Autorität zusprechen, die sie völlig unabhängig macht von dem lebendigen Zeugnis der Kirche. Man kann aber im Grunde genommen das Prinzip einer absoluten Verbalinspiration der Schrift nicht aufgeben, wie es tatsächlich getan wurde, und dennoch das Prinzip der sola scriptura in dem damaligen, reformatorischen Sinne aufrechterhalten, ohne mit sich in Widerspruch zu geraten oder im Grunde nicht das sola scriptura, sondern die letzte, unausweichbare, existenzielle Geisterfahrung des Menschen zu dem einzigen Prinzip des Glaubens zu machen. Dann hat man aber eigentlich nicht mehr eine Schrift, die in der Schrift, in den konkreten Büchern gegeben ist; sondern man hat ein Prinzip, eine letzte schriftenbildende Größe, die sich höchstens an der Schrift entzündet. Die Kirche wäre dann doch eben mehr die Größe, die aus den Christen nachträglich wird, aber nicht eine Größe, die den einzelnen Christen wirklich verpflichtende Autorität ist.

Die Schrift ist auf jeden Fall literarische Konkretisation der lebendigen Bezeugung der Kirche. Kirche und ihre Verkündigung sind vor der Schrift da gewesen und tragen sie im Grunde. Das kann aus historischen Gründen nicht bestritten werden. Schrift ist schon immer eine Wirklichkeit, die von vornherein in Kirche, in einer schon formierten und auch einer schon durchaus autoritativ auftretenden Kirche gebildet wird als Reflex der lebendigen Verkündigung. Und dieses Verhältnis kann auch dadurch nicht mehr geändert werden, daß diese Schrift von der Kirche als inspirierte und autoritative Größe bezeugt wird, also durchaus auch katholisch als eine norma non normata für die *künftige* Kirche akzeptiert wird. Das katholische Schriftverständnis leugnet in keiner Weise, daß die Heilige Schrift als geschriebenes Wort Gottes, wenn auch von der Kirche getragen und bezeugt, für die nachapostolische Kirche die konkrete Norm des künftigen Glaubensverständnisses ist und bleibt. Es ist auch für ein katholisches Kirchen- und Glaubensbekenntnis und für eine katholische Interpretation dessen, was wir Katholiken Lehramt nennen, selbstverständlich, daß die Schrift als solche, als geschriebene, eine wirkliche Norm für die nachapostolische Kirche ist. Die Kirche erhält über diese Schrift und damit auch über die apostolische Verkündigung der Urkirche hinaus keine neuen Offenbarungen, sondern das kirchliche Glaubensverständnis und das Lehramt haben keine andere Aufgabe, als innerhalb dieses überlieferten, letzten, eschatologisch Geoffenbarten zu bleiben.

Freilich ist die katholische Kirche davon überzeugt, daß es eine wirkliche Entfaltung des bleibenden einen, in seiner Substanz unveränderlichen apostolischen Glaubensgutes gibt. Die Schrift ist nicht einfach eine Größe, die gleichsam in einer schriftlich fixierten Invariabilität das Dogma der Kirche aussagt, diese Invariante hat vielmehr selber eine bleibende Geschichtlichkeit, weil sie während der apostolischen Zeit und der Zeit der Kanonbildung eine Geschichte gehabt hat und nicht einzusehen ist, warum eine solche plötzlich schlechthin aufhören sollte. Es gibt nicht nur Schrift und variable, zeitgebundene Theologie, sondern es gibt ein *Glaubens*verständnis, das, aus der apostolischen Überlieferung herkommend, eine echte Geschichte hat und nur in dieser echten, sich entfaltenden Geschichtlichkeit eine wirkliche dialogische Größe gegenüber dem jeweiligen, epochal sich verändernden Daseinsverständnis ist und so Christus selber in der jeweiligen Zeit gegenwärtig machen kann.

Sehr vieles in der Exegese und in der biblischen Theologie wird de facto offenbleiben und der menschlichen Theologie überlassen sein, aber grundsätzlich hält die katholische Kirche daran fest, daß die Gemeinde der Glaubenden in ihrem gemeinsamen Bekenntnis und mit Hilfe der Organe, die das gemeinsame Bewußtsein der den einen Glauben Bekennenden bilden, wirklich eine den einzelnen Christen bindende Interpretation der Schrift – mindestens grundsätzlich – geben kann. Sonst hört ja auch, im Grunde genommen, die Kirche als eine von der eigenen Subjektivität und privaten Theologie unabhängige Größe auf zu existieren. Wir wären dann gewissermaßen nur der Subjektivität, der eigenen Interpretation der Schrift überlassen. Wenn der evangelische Christ dagegen sagen könnte, daß der Geist Gottes de facto verhindern wird, daß die religiöse Subjektivität angesichts des Buchstabens der Schrift die Schrift um ihre Autorität bringt, dann ist nach katholischem Kirchen- und Glaubensverständnis zu sagen, daß wir dem Wort Gottes und der Schrift durchaus zutrauen, eine solche glaubensschaffende Macht auszuüben; aber es ist dann für uns Katholiken eben gerade die Frage, *wie* dies konkret geschieht und wie diese Macht Gottes in der Kirche und im Zeugnis der Schrift konkret erfaßt werden kann. Damit wird die Schrift nicht entthront; sie hört dadurch nicht auf, die norma non normata für die Kirche und auch für ihr Lehramt zu sein. Wir haben die Bibel nicht irgendwo aus eigener Neugier entdeckt, sondern sie tritt ja überhaupt nur als glaubensweckende und glaubensbringende und geistvermittelnde Größe an uns heran in der Predigt der konkreten Kirche. Und diese sagt uns: hier ist Gottes Wort, das sie dann durchaus so bezeugt, daß es sich auch nach katholischem Glaubensverständnis durch seine eigene Kraft manifestieren kann.

Wenn wir die Schrift selbst als Größe in der sie bezeugenden Kirche einmal supponieren, dann können wir sagen, daß alles, was ursprüngliches apostolisches Kerygma ist, sich in der Schrift niedergeschlagen hat und daß es daneben und daran vorbei keine andere Tradition gibt. Man kann also in diesem Sinne durchaus ein sola scriptura vertreten. Auch für einen katholischen Christen haben Tradition und Lehramtsverständnis nur in der Heiligen Schrift eine materielle Quelle und norma non normata. Selbst wenn wir mit vielen Theologen – wenigstens in der nachtridentinischen Zeit – annehmen wollten, daß es eine Tradition gibt, die bestimmte Glaubensinhalte von der apostolischen Zeit her vermittelt, ohne daß sie in der Schrift gegeben wären – was keine verpflichtende Lehre des katholischen Lehramtes ist, sondern durchaus auch bestritten werden kann –, dann bliebe immer noch die Tatsache bestehen, daß eine solche Tradition nochmals durchaus an der Schrift ihre Norm hätte. Kein katholischer Theologe kann leugnen oder bezweifeln, daß es schon in den frühesten Zeiten neben der eigentlich lebendigen Überlieferung der göttlichen Offenbarung menschliche Theologie, menschliche Theoreme, zeitgeschichtlich bedingte und nicht bleibende theologische Vorstellungen gegeben hat. Wenn also gefragt werden soll, welche Inhalte der konkreten Tradition eigentlich göttlicher Offenbarung und welche menschliche Theoreme oder auch positives, abänderbares Kirchenrecht und -gesetz sind, dann kann in einer solchen Frage das Lehramt letztlich eine entscheidende Antwort geben, aber die Norm dieses Lehramts, das ja keine neuen Offenbarungen empfängt, kann, im Grunde genommen, nur die Schrift sein. Sie bietet göttliche Offenbarung in menschlicher Begrifflichkeit, in menschlicher Aussage, in einem geschichtlich sich wandelnden Verständnis, aber gleichzeitig enthält sie für die Christenheit katholischen Verständnisses die Garantie, daß die menschliche Gestalt der göttlichen Offenbarung diese Offenbarung nicht verändert oder verdirbt. Insofern ist auch noch einmal für ein katholisches Schriftverständnis die Heilige Schrift des Alten und erst recht des Neuen Testamentes eine Norm, die ihresgleichen sonst nicht in der Kirche hat, wenn auch das lebendige Glaubensverständnis der Schrift, ihre Übersetzung in eine wirklich pneumatische Glaubenserfahrung der von der Schrift gemeinten Wirklichkeit ein Vorgang ist, der von der Schrift selber nicht ersetzt werden kann, wenn auch dieser Vorgang des lebendigen Glaubensverstehens der Schrift selber noch einmal eine kirchliche Struktur hat. Sie ist nicht einfach bloß die Sache der einzelnen religiösen Subjektivität, sondern ursprünglicher der Kirche als solcher, der einen Gemeinde der Glaubenden, innerhalb deren der einzelne Christ sein konkretes Glaubensverständnis vollzieht. Diese Glaubensgemeinde ist nicht nur die Summe einzelner religiöser Subjektivitäten, sondern sie hat wirklich eine Struktur, eine hierarchische Verfassung, eine autoritative Leitung, durch die dieses eine kirchliche Glaubensverständnis seine Eindeutigkeit und Verpflichtung erhält.

Man braucht also, um katholisch zu sein, das sola scriptura nicht zu bestreiten, sondern dieses ist durchaus ein Prinzip, das von der katholischen Dogmatik anerkannt werden kann und muß.

Die drei reformatorischen „sola" und der Katholizismus. Ergebnis

Für ein katholisches Glaubensverständnis ist nicht einzusehen, warum die Grundanliegen des evangelischen Christentums, so wie sie in dem dreifachen sola ausgesprochen worden sind, innerhalb der katholischen Kirche keinen Platz haben sollten. Als letzte Grundformeln des Christentums akzeptiert, brauchen sie nicht aus der katholischen Kirche hinauszuführen. Dort natürlich, wo andere, fundamentalere Dogmen der katholischen Kirche bestritten werden, dort könnte u.U. ein Konsens nicht mehr hergestellt werden. Aber solche Theologien, etwa der Entmythologisierung, der Leugnung der Göttlichkeit Jesu Christi, der Trinität usw., sind evangelischerseits nicht kirchenbildend. Denn die Reformatoren des 16. Jahrhunderts haben die überlieferte Lehre von Gott, von Christus, von der einen göttlichen Person in Christus, von den zwei Naturen nicht geleugnet, sondern als selbstverständlich vorausgesetzt, wenn auch bei Luther, bei Calvin da und dort aus einer letzten theologischen Grundhaltung Dogmen der ganzen christlichen Überlieferung eine gewisse Modifizierung in ihrer Interpretation, hinsichtlich der Akzente und Perspektiven bekamen.

Die positive Bedeutung evangelischen Christentums auch für die katholische Kirche

Wenn eine katholische Auffassung der Kirche den nichtrömischen Kirchen nicht einfach die*selbe* heilsgeschichtliche und theologische Qualität hinsichtlich der Frage nach der Kirche Jesu Christi zuerkennen kann, dann ist damit eine positive Bedeutung des evangelischen Christentums für die evangelischen Christen und auch für die katholische Kirche in keiner Weise geleugnet. Es gibt – auch nach katholischer Überzeugung – Schrift als Autorität innerhalb der evangelischen Christenheit; es gibt eine gültige Taufe, es gibt sehr viel anderes – auch in der Dimension des Gesellschaftlich-Kirchlichen –, was positiv von Gott gewollte geschichtliche Konkretheit des Christentums ist. Das katholische Glaubens- und Kirchenverständnis leugnet in keiner Weise, daß es innerhalb der evangelischen Christenheit Gnade, Rechtfertigung und Heiligen Geist gibt, also jene Wirklichkeit als Ereignis und Macht der Gnade Gottes da ist, für die alles Institutionelle, Worthaft-Sakramentale,

Rechtliche, Verwaltungstechnische, Organisatorische nur Vorbereitung, geschichtliche Erscheinung ist und sonst nichts. Infolgedessen gibt es eine Einheit sowohl in sehr vielen kirchenbildenden, kirchenkonstituierenden Elementen in der Dimension des Greifbaren, des heilsgeschichtlich Kategorialen und darüber hinaus erst recht in der Dimension des Pneumatischen. Und hinsichtlich beider Dimensionen hat natürlich das evangelische Christentum, so wie es an einzelne evangelische Christen herankommt, eine durchaus positive, geisthafte Funktion.

Dieses evangelische Christentum hat trotz aller Fragen und zu präsumierender Schuld auf *beiden* Seiten durchaus auch eine positive Funktion gegenüber der katholischen Kirche. Wenn die katholische Kirche aus dem Willen Christi heraus die Kirche ist, die sich prinzipiell dazu bekennt, alles Christliche zu bewahren, das Christentum nicht nur zu kennen in der letzten Reduktion auf die letzten Grunderkenntnisse, nicht nur zu leben auf das letzte Grundereignis der rechtfertigenden Gnade hin, sondern die Kirche sein will, die dieses Letzte, Fundamentalste nun auch unbefangen entfaltet, die ganze Breite des Geschichtlichen, des Gesellschaftlichen, des Reflexen, ohne zu befürchten, daß dieser Aufgang aus der letzten Kraft und Ursprünglichkeit ein Abfall von diesem Ursprünglichen sein müsse; dann können die evangelische Theologie, die evangelische Christenheit und auch die evangelischen Kirchen hinsichtlich dieser katholischen Kirche bei der Reduktion auf das Letzte, das Eigentliche, das Treibende, das den letzten Sinn des Christentums Hergebende durchaus eine positive Funktion für die katholische Kirche haben. Sie können die katholische Kirche immer wieder darauf aufmerksam machen, daß wirklich die sola gratia, die sola fides das Rettende sind und daß wir – die katholischen Christen – bei aller Steuerung durch Dogmengeschichte und Lehramt immer wieder ad fontes, zurück zu den Quellen, finden müssen, in die erste Ursprünglichkeit der Heiligen Schrift und erst recht des Heiligen Geistes, der durch Gottes Gnade die innerste Mitte unserer Existenz bildet und von da aus wirkt. Natürlich wird der katholische Christ bei seinem Kirchenverständnis abstrakt sagen, daß dies möglich sein müsse für die katholische Kirche als Stiftung Christi, auch wenn es kein evangelisches Christentum gäbe; aber auch der katholische Christ kann unbefangen anerkennen, daß die Konkretheit des Handelns Gottes und seines Christus an seiner katholischen Kirche vermittelt und konkret durchgeführt ist durch sehr vieles, was eben tatsächlich in geschichtlicher Konkretheit als reformatorischer Stachel, als Korrektur, als Warnung vom evangelischen Christentum an das katholische Christentum herankommt. Für ein katholisches Kirchenverständnis ist unbefangen zuzugeben, daß die katholische Kirche der Neuzeit sehr viel der Existenz des evangelischen Christentums verdankt. Man könnte sich die konkrete Realität des katholischen Christentums, *geschichtlich* gesehen, gar nicht vorstellen außerhalb einer geschichtlichen Situation, zu deren geschichtsmächtigen Momenten nicht auch das evangelische Christentum gehörte.

Die fundamentale Einheit der Christenheit und die Frage nach dem „Sinn" der Spaltung

Auch für eine katholische Dogmatik ist eine „Hierarchie der Wahrheiten" selbstverständlich. Es ist deswegen auch selbstverständlich, daß nicht nur über die Spaltung der Christenheit hinaus eine Einheit unter den Christen und den christlichen Kirchen besteht, insofern sie sehr vieles auch in der Dimension des Kirchlich-Gesellschaftlichen gemeinsam haben, sondern es gibt auch darüber hinaus eine Einheit. Durch das Bekenntnis zu Gott in Jesus Christus dem Erlöser, zu seiner Gnade, seinem Wort, dem eschatologischen Heil, das durch Christus gegeben ist, besteht in der Hierarchie der Wahrheiten eine größere Einheit, als durch die kontroverstheologischen Fragen, die die Kirchen trennen, verhindert wird. Wenn wir in dieser Hierarchie der Wahrheiten, in ihrem religiösen, existenziellen Gewicht Unterschiede machen, dann ist auch von da aus noch einmal selbstverständlich, daß die Christen in radikalerem Sinne eins sind, als sie – wenngleich in einem wahren und auch bedeutsamen Sinne – uneins sind. Wir können nicht in einem sogenannten Fundamentalismus alle Streitpunkte, durch die die Christenheit getrennt ist, als bloßes Theologengezänk abtun; aber wir können und müssen als Christen sagen, daß das, was uns im Bekenntnis einigt, fundamentaler, entscheidender, heilsbedeutsamer ist als das, was uns trennt.

Von da aus läßt sich vermutlich auch noch eine Ahnung hinsichtlich der Frage erreichen, wieso denn Gott in seiner Heilsprovidenz diese Spaltung der Christenheit zuläßt. Diese Frage ist heute schwieriger zu beantworten als in den Zeiten der Reformation. Damals wurde praktisch und konkret, wenn auch vielleicht nicht in der sublimsten Theorie, von beiden Seiten vorausgesetzt, daß diese Spaltung eine Schuld bedeutet, und zwar jeweils auf der anderen Seite. Heute werden wir zugeben, daß die schuldhaften, historisch greifbaren Gründe der Kirchenspaltung auf beiden Seiten liegen. Über diese Feststellung hinaus ist ein genaueres Ermessen der Schuld, die auf beiden Seiten zu verteilen ist, für den Christen und auch den Historiker nicht möglich. Ein Urteil in diesem Sinne ist dem Christen verwehrt, weil dieses Urteil dem alleinigen Gerichte Gottes anheimzustellen ist. Beide Seiten haben also gegenseitig die bona fides auf der anderen Seite zu präsumieren. Wir können sogar in einem menschlich humanen Urteil und auch in einem Heilsoptimismus – der durchaus berechtigt ist, ja vom Christen als Tugend der Hoffnung gefordert ist – sagen, daß auf allen christlichen Seiten mindestens der Großteil der Christen wirklich in einem inneren positiven und schuldlosen Verhältnis zu seiner und den anderen Kirchen steht. Setzen wir dies aber voraus, dann ist die Frage nach der Spaltung in einer theologisch radikaleren Weise eine Frage der Theodizee, eine Frage, die gleichsam an *Gott* gestellt werden muß. In dem Augenblick, wo eine bestimmte geschichtliche Tatsache unmittelbar aus der Schuld des Menschen stammt, bleibt zwar immer noch die Frage, wie Gott eine solche Schuld zulassen könne, wieso er, der heilige, gerechte und unendlich liebende Gott eine Welt zulassen und schaffen konnte, in der es eine solche Schuld gibt. Aber dort, wo wir eine solche Schuld gar nicht annehmen können oder mindestens gar nicht annehmen müssen, verschärft sich das Theodizeeproblem; denn die geschichtlichen Tatsachen, die gleichsam schuldlos entstehen, sind in einem viel unmittelbareren und intensiveren Sinne auf die „Rechnung Gottes" zu setzen als jene, die einer eigentlichen, subjektiven, schweren Schuld der Menschen entspringen. Und insofern müssen wir, angesichts der Gespaltenheit der Christenheit, mindestens jetzt unter der Voraussetzung einer im großen und ganzen vorhandenen Schuldlosigkeit der Menschen viel intensiver fragen und fordern, daß solche Tatsachen einen positiven Sinn in der Heilsprovidenz Gottes haben und haben müssen, als wenn sie nur die Objektivation einer abgründigen Schuld des Menschen wären.

Wenn wir so die Frage nach der Heilsprovidenz der Spaltung neu stellen, dann können wir vermutlich sagen, daß die Christen die eigentlich radikalen, fundamentalen Wahrheiten und Wirklichkeiten des christlichen Bekenntnisses und des christlichen Daseins deutlicher erleben und erfahren, als es vielleicht der Fall wäre, wenn alle in der kirchlich-gesellschaftlich gleichen Situation wären, wenn sie alle von selbst und selbstverständlich der einen und selben Kirche angehörten. Die radikale Frage, was eigentlich Christentum sei, und die dauernde kritische Haltung gegenüber dem Christentum, das sie selbst darleben, bleibt in der Spaltung offen. Man kann natürlich nicht sagen, daß ein solcher Heilsprozeß die Christen davon dispensieren dürfte, alle Kräfte einzusetzen, nach einer kirchlichen Einheit zu streben, sich für diese Einheit verantwortlich zu fühlen. Aber solange wir nun einmal getrennt sind, solange die Gewissen der einzelnen durch die Fügung Gottes davon überzeugt sind, daß sie kirchlich getrennt sein müssen, können wir durchaus nach einem positiven Heilssinn dieser Situation fragen und uns sagen, daß wir daraus das Beste machen müssen, d.h. uns gegenseitig zwingen müssen, möglichst Christen zu sein, zu werden und das eigentlich Radikale der christlichen Botschaft ein wenig besser zu verstehen. Die Christenheit auch in ihrer Spaltung steht heute in einer geistesgeschichtlichen, gesellschaftlichen, kulturellen Situation, die alle diese getrennten Christen verpflichtet, sich zu fragen, wie sie der andrängenden Zukunft gerecht werden können. Und dort, wo die Theologien der verschiedenen Kirchen sich mühen, die Fragen der nichtchristlichen Zeit an das Christentum wirklich zu beantworten, wird die größte Chance sein, daß diese neue Theologie auf der Basis der verschiedenen Kirchenzugehörigkeit doch aus dem allen gemeinsam gestellten Thema langsam eine Einheit theologischer Art entwickelt, die dann auch manches kontroverstheologische und im Augenblick unlösbare Problem überholt und bis zu einem gewissen Grade gegenstandslos macht.

6. DIE SCHRIFT ALS DAS BUCH DER KIRCHE

Hier ist vielleicht im Ganzen unserer Überlegungen der passende Ort (oder wenigstens ein möglicher und sachgerechter), um über die Heilige Schrift des Alten und Neuen Testamentes wenigstens das Fundamentalste vorzutragen. Denn wenn wir die Schrift von vornherein als das Buch der Kirche betrachten, haben wir wohl am besten einen Zugang zum Verständnis dessen, was die amtliche Glaubenslehre der Kirche selbst über ihr heiliges Buch sagt, ohne in Gefahr zu kommen, Wesen und Aufgabe dieses Buches zu „mythologisieren".

Einige Rückverweise

Der Sache nach haben wir schon oft implizit oder im Vorübergehen anderswo über die Schrift gesprochen. Das letzte theologische Grundproblem bezüglich des Wesens der Schrift ist ja eine Frage, die sich der Sache nach durch alle unsere Überlegungen hindurchzieht: Das Problem der Einheit von transzendentaler und geschichtlicher Offenbarung. Die Geschichte, durch die die Begnadigung des Menschen und damit die *offenbarende* Zuwendung Gottes zum Menschen diesem vermittelt wird, ist zwar nicht schon immer und im ersten Ansatz das Wort und – davon abgeleitet – das schriftliche Wort, sondern die Heilsgeschichte überhaupt, die – wie wir schon gesagt haben – ja nicht einmal immer und überall ausdrücklich religiös thematisiert sein muß, wenn sie auch in einer solchen explizit thematisierten Geschichte zu ihrem eigentlichen Ziel und Höhepunkt kommt und so im üblichen Sinne Heils- und Offenbarungsgeschichte wird. Wenn also die Schrift als eine, wenn auch bevorzugte, Weise verstanden wird, in der Geschichte die offenbarende Selbstmitteilung Gottes dem Menschen zu einer thematischen Ausdrücklichkeit vermittelt, dann ist verständlich, daß all das, was wir (besonders im fünften und sechsten Gang) über das Verhältnis von transzendentaler Offenbarung und Geschichte gesagt haben, auch schon das eigentliche Grundproblem der Schrift in sich enthält. Dann ist schon eigentlich ohne weiteres verständlich, daß die Schrift nur als Wort Gottes im Unterschied zu einem Wort *über* Gott verstanden werden kann, wenn sie in Einheit verstanden wird mit dem, was Gnade, Selbstmitteilung Gottes, Geist, gnadenhaft transzendentale Offenbarung, Glaube heißt. Dieses Problem soll natürlich hier nicht noch einmal verfolgt werden; es soll eben nur gesagt sein, daß wir über die Schrift – ohne sie ausdrücklich zu nennen – schon früher sehr Wesentliches gesagt haben. Ferner wurde z.B. schon vom Propheten gesprochen, von seiner Funktion, durch die die allgemeine Offenbarung und Offenbarungsgeschichte sich unter der Dynamik der Gnade und der besonderen Providenz Gottes authentisch und rein in die spezielle Geschichte des Alten und Neuen Testaments hinein konkretisiert. Wir haben ferner schon vom Verhältnis des Alten und des Neuen Testamentes zueinander gesprochen, wobei die Geschichte des Alten Bundes und sein heiliges Buch in einem gemeint waren. Wir haben schließlich im sechsten Gang das Neue Testament (in dem Umfang, der in diesen Vorlesungen möglich war) „fundamentaltheologisch" ausgewertet in der Beantwortung der Frage, wer Jesus von Nazaret sei und was er für uns bedeute. Das Axiom der evangelischen Christenheit von der sola scriptura wurde ebenfalls bereits besprochen. In solchen und ähnlichen Zusammenhängen war also schon von der Schrift die Rede.

Das Buch der Kirche

Aber dennoch soll wenigstens kurz auch noch ausdrücklicher von der Schrift die Rede sein. Wir betrachten sie als das Buch der Kirche, in dem die Kirche des Anfangs als normative Größe für uns konkret immer greifbar bleibt, und zwar als solche Größe, die schon von dem abgehoben ist, was es natürlich auch in der Urkirche gegeben hat, ohne daß es einen normativen Charakter für unseren Glauben und das Leben der späteren Kirche haben kann. Wenn die Kirche aller Zeiten in Glaube und Leben ihrem Anfang verpflichtet bleibt – wenn sie als Glaubensgemeinde des Gekreuzigten und Auferstandenen in Glaube und Leben selber das eschatologisch irreversible Zeichen der definitiven Zuwendung Gottes zur Welt in Jesus Christus sein soll, ein Zeichen, ohne das Jesus Christus selbst nicht die irreversible Ankunft Gottes in der Welt, den absoluten Heilsbringer bedeuten würde –, wenn diese Kirche des Anfangs mindestens faktisch (und in den gegebenen geschichtlichen und kulturellen Voraussetzungen, in denen sie wurde, auch notwendig) sich in schriftlichen Dokumenten objektiviert, dann ist mit all dem zusammen der Ansatzpunkt für ein Verständnis des Wesens der Schrift gegeben, ein Ansatzpunkt, von dem her sich auch ein genügendes und gleichzeitig kritisches Verständnis von dem erreichen läßt, was mit Schriftinspiration und verbindlichem Schriftkanon wirklich gemeint ist. Die Schrift muß als abgeleitete Größe vom Wesen der Kirche als der eschatologisch irreversiblen Bleibendheit Jesu Christi in der Geschichte her verstanden werden. Von da aus ist sie als normative Größe in der Kirche zu begreifen. (Wie auch von daher das Alte Testament nicht bloß als Sammlung religionsgeschichtlich interessanter Dokumente der Geschichte Israels, sondern als Teil der christlichen Glaubensnorm begriffen werden kann, darüber ist das Nötigste schon im fünften Gang gesagt worden.)

Das apostolische Zeitalter

Die Schrift, so sagen wir, ist die für uns normative Objektivation der Kirche des apostolischen Zeitalters. In einem anderen Zusammenhang haben wir schon gesagt, daß man aus verschiedenen Gründen dieses apostolische Zeitalter nicht zeitlich zu kurz verstehen darf, also es nicht zu primitiv schon mit dem Tod der „Zwölf" als *der* „Apostel" und mit dem Tod des Paulus für beendet erachten darf, ohne in überflüssige theologische Schwierigkeiten zu kommen. Man kann natürlich die genaue zeitliche Erstreckung des apostolischen Zeitalters nicht einfach aus theologischen Prinzipien deduzieren. Es macht aber von der Sache her auch keine besonderen Schwierigkeiten zu sagen, es sei nach dem Selbstverständnis der Alten Kirche dann beendet gewesen, wenn die letzten Schriften des Neuen Testamentes vorgelegen haben, also etwa in den ersten Jahrzehnten des zweiten Jahrhunderts. Natürlich ist damit ein gewisser Zirkel gegeben: Normativ soll die apostolische Kirche sein; die apostolische Zeit ist somit das Kriterium für das, was als Schrift gelten kann. Und umgekehrt bestimmen wir von der Ausdehnung der Kanongeschichte her das, was als apostolische Zeit gelten darf. Aber dieser Zirkel ist wohl doch in der Natur der Sache, im Wesen einer geschichtlichen Größe gegeben, die den Umfang ihres „Anfangs" in etwa selber bestimmt und so aus der Masse dessen, was in dieser Anfangsperiode gegeben war, wesensgerecht, aber auch in einer nicht mehr adäquat rationalisierbaren Hellsichtigkeit, herauserkennt, was für sie in Zukunft daraus normativen Charakter haben soll.

Unter diesen eben nur angedeuteten Voraussetzungen sagen wir also: Die Kirche der apostolischen Zeit objektiviert sich selbst in der Schrift. Diese Schrift hat darum den Charakter und die Eigentümlichkeiten, die dieser Kirche in ihrem Verhältnis zu den künftigen Zeiten der Kirche eigen sind. Was das genauer bedeutet, wird sich ergeben, wenn wir nun im folgenden (wieder mehr von den traditionellen Daten der kirchenamtlichen Lehre und der Schultheologie her) über Kanon, Kanonbildung, Inspiration, Inerranz der Schrift etwas zu sagen versuchen.

Kanonbildung

Es ist hier natürlich nicht möglich, die Geschichte der Erkenntnis des Umfangs des Kanons nachzuzeichnen. Das ist eine Aufgabe der biblischen Einleitungswissenschaften, die hier nicht übernommen werden kann. Die Schwierigkeit eines solchen Unternehmens für den dogmatischen Systematiker wurde ja eben schon angedeutet: Die Kanonizität und Inspiration der einzelnen Teile des faktischen Neuen (und Alten) Testaments soll nicht konstituiert sein durch die Anerkennung von seiten der Kirche (eine Vorstellung, die das Erste Vaticanum ablehnt, vgl. DS 3006); aber der Umfang des Kanons und damit die Inspiriertheit der einzelnen Schriften im streng theologischen Sinn ist uns faktisch doch nur bekannt durch die Lehre der Kirche; diese aber kann nach dem Zeugnis der Kanongeschichte nicht so begründet werden, daß man sagt, die Kirche habe durch mündliche Tradition, die auf das ausdrückliche Zeugnis der ersten Offenbarungsträger (Apostel bis zum Tod des letzten Apostels) zurückgeht, in ausdrücklichen Zeugnissen eine Kenntnis davon erhalten, was inspiriert und was nicht inspiriert sei im Schriftgut der apostolischen Zeit und was darum in den Kanon der Heiligen Schriften hineingehöre. Wir werden zwar dem Ersten Vaticanum recht geben müssen, daß Inspiriertheit und Kanonizität nicht durch eine Anerkennung bestimmter Schriften von seiten der späteren Kirche konstituiert werden, durch eine Anerkennung, die gewissermaßen von außen zu diesen Schriften hinzutritt und ihnen von außen her eine höhere Würde zudiktiert, als sie von sich aus haben. Wenn wir aber das Entstehen dieser Schriften selbst als ein Moment an der Bildung der Urkirche als einer für künftige Zeiten normativen Größe (an dem Werden des Wesens der Kirche im theologischen Verstand), als Moment an der Konstitution dieses Wesens, die durchaus eine *zeitliche* Erstreckung haben kann, auffassen, dann fällt eine Herleitung des Wesens der Schrift aus dem Wesen der Kirche nicht unter das Verdikt des Ersten Vaticanum. In der apostolischen Zeit konstituiert sich das eigentlich theologische Wesen der Kirche in einem geschichtlichen Prozeß, in dem die Kirche zu ihrem vollen Wesen und zum glaubenden Besitz dieses Wesens kommt. Diese Selbstkonstituierung des Wesens der Kirche bis zu ihrem vollen geschichtlichen Dasein, in dem sie erst ganz Norm der künftigen Kirche sein kann, impliziert auch schriftliche Objektivationen. Dieser Prozeß ist darum *auch* (nicht nur) der Prozeß der Kanonbildung: Die Kirche objektiviert ihren Glauben und ihr Leben in schriftlichen Dokumenten und erkennt diese Objektivationen als so geglückt und rein, daß sie diese apostolische Kirche als Norm für künftige Zeiten überliefern können. Von da aus bildet es auch keine unüberwindliche Schwierigkeit, daß die Bildung solcher Schriften und die Erkenntnis ihrer Repräsentativität als Objektivationen der apostolischen Kirche nicht einfach zeitlich zusammenfallen, Kanonbildung erst in nachapostolischer Zeit vollendet wird. Die Kanonizität der Schriften wird in dieser Auffassung durch Gott begründet, insofern er durch Kreuz und Auferstehung als irreversiblem Heilsereignis die Kirche konstituiert, für die die reinen Objektivationen ihres Anfangs konstitutiv sind.

Schriftinspiration

Von da aus – so will uns scheinen – ist auch verständlich zu machen, was in der Kirchenlehre über die Schrift „Inspiration" genannt wird. In den kirchlichen Dokumenten wird immer wieder gesagt, daß Gott der auctor, der

Urheber, des Alten und des Neuen Testamentes (als Schriften) sei. Die Schultheologie hat – bis in Enzykliken von Leo XIII. bis zu Pius XII. – immer wieder versucht, durch psychologische Theorien verständlich zu machen, daß Gott selbst der *literarische* auctor, der Verfasser, der Heiligen Schriften sei, und die Lehre von der Inspiration so zu formulieren und verdeutlichen versucht, daß Gott als literarischer Verfasser der Schriften verständlich wird, wenn dadurch auch nicht geleugnet wurde und im Zweiten Vaticanum auch ausdrücklich gesagt wurde, daß ein solches Verständnis von der Urheberschaft Gottes und der Inspiration die menschlichen Urheber dieser Schriften nicht zu bloßen Schreibgehilfen Gottes degradieren dürfe, sondern ihnen den Charakter einer eigenen literarischen Urheberschaft belasse.

Natürlich kann man diese hier nur angedeutete Interpretation der Inspiriertheit der Schrift so verstehen, daß man auch heute dagegen nicht notwendig den Vorwurf auf Mythologie erheben muß. Diesbezüglich müßte bedacht werden, was wir im fünften Gang über die Einheit von transzendentaler Offenbarung und deren geschichtlicher Objektivation (in Wort und Schrift) und über die Erkenntnis der Geglücktheit dieser Objektivationen gesagt haben. Auf jeden Fall wird man in der katholischen Kirche nicht leugnen können, daß Gott der Urheber des Alten und des Neuen Testamentes ist. Aber darum braucht er nicht auch schon als literarischer Verfasser dieser Schriften gedacht zu werden. Er kann auf mannigfaltige andere Weise als Urheber der Schriften verstanden werden, und zwar so, daß die Schrift wahrhaft (in ihrer Einheit mit der Gnade und dem Licht des Glaubens) Wort Gottes genannt werden kann, zumal ja schon anderswo gesagt wurde, daß ein Wort *über* Gott, auch wenn es von ihm verursacht wäre, nicht schon eo ipso Wort *Gottes* wäre, in dem sich Gott selber zusagt, wenn dieses Wort sich nicht ereignen würde als von Gott gewirkte Objektivation der Selbstaussage Gottes, die von der Gnade getragen bei uns selber undepotenziert ankommt, da ihr Hören von Gottes Geist getragen ist.

Wenn die Kirche von Gott selbst gestiftet ist durch seinen Geist in Jesus Christus – wenn die *Ur*kirche noch einmal als Norm für alle künftige Kirche in einer qualitativ einmaligen Weise Gegenstand göttlichen Wirkens auch im Unterschied zur Bewahrung der Kirche im Lauf der Geschichte ist – wenn die Schrift ein konstitutives Element dieser Urkirche als Norm der künftigen Zeiten ist, dann ist damit (positiv und abgrenzend zugleich) schon in genügender Weise gesagt, daß Gott der Urheber der Schriften ist, sie „inspiriert" hat, ohne daß an *dieser* Stelle eine besondere psychologische Inspirationstheorie zu Hilfe gerufen werden kann. Es kann vielmehr das faktische Entstehen der Schriften unbefangen so zur Kenntnis genommen werden, wie es sich aus der sehr verschiedenen Eigenart der einzelnen Schriften für den unbefangenen Beobachter ergibt. Die menschlichen Verfasser der Heiligen Schriften arbeiten genau so, wie sonstige menschliche Verfasser; sie brauchen nicht einmal reflex etwas von ihrer Inspiriertheit zu wissen. Wenn Gott mit einem absoluten, formal praedefinierenden heilsgeschichtlichen und eschatologischen Willen die Urkirche als indefektibles Zeichen des Heiles für alle Zeiten will und somit mit diesem ganz bestimmten Willen all das will, was für diese Kirche konstitutiv ist (also auch u. a. und in vorzüglicher Weise die Schrift), dann ist er inspirierender auctor der Schrift, auch wenn die Schriftinspiration „nur" ein Moment an der Kirchenurheberschaft Gottes ist.

Die Inerranz der Schrift

Aus der Lehre von der Inspiriertheit der Heiligen Schrift leiten die Theologie und die kirchenamtliche Lehre den Satz von der Inerranz, der Irrtumslosigkeit der Schrift ab. Wir können gewiß mit dem Zweiten Vatikanischen Konzil (Dei verbum 11) sagen: „Da also alles, was die inspirierten Verfasser oder Hagiographen aussagen, als vom Heiligen Geist ausgesagt zu gelten hat, ist von den Büchern der Schrift zu bekennen, daß sie sicher, getreu und ohne Irrtum die Wahrheit lehren, die Gott um unseres Heiles willen in heiligen Schriften aufgezeichnet haben wollte." Aber wenn wir in diesem, zunächst globalen Sinn und vom Wesen der Schrift als Heilsbotschaft aus die Irrtumslosigkeit der Schrift bekennen, dann sind über den Sinn dieser Aussage und ihre Grenzen noch längst nicht alle Fragen gelöst und alle Schwierigkeiten ausgeräumt, die vom faktischen Befund der Schrifttexte her erhoben werden können. Man hat gewiß früher die Inerranz der Schrift in einem zu engen Sinn verstanden, besonders wenn man die Inspiration im Sinne einer Verbalinspiration interpretierte und die Hagiographen nur als die Sekretäre Gottes und nicht als eigenständige und auch geschichtlich bedingte literarische Verfasser ansah. Daß hier noch Schwierigkeiten im Verständnis und in der genaueren Auslegung der kirchlichen Lehre von der Inerranz der Schrift bestehen, zeigt ja auch die Geschichte des eben zitierten Textes des Konzils, aus der sich ergibt, daß das Konzil die Frage offenbar offenlassen wollte, ob das Wort von der Wahrheit, die Gott *um unseres Heiles willen* aufgezeichnet haben wollte, einen restriktiven oder explikativen Sinn hat.

Wir können hier natürlich nicht alle diese Fragen und Schwierigkeiten im einzelnen behandeln und beantworten, zumal wir ja nicht auf Einzeltexte der Schrift, die besondere Schwierigkeiten hinsichtlich ihrer „Wahrheit" machen, eingehen können, sondern diese den Einleitungswissenschaften und der Exegese überlassen müssen. Wir können hier auch nicht auf die Frage eingehen, ob nicht in den päpstlichen Enzykliken des letzten Jahrhunderts bis zu Pius XII. die Lehre von der Inerranz der Schrift da und dort in einem zu engen, gewissermaßen materialistischen Sinn verstanden worden ist. Es ist auch selbstverständlich, daß manches, was anderswo in diesem Buch gesagt wurde (z. B. über die Irrtumslosigkeit Christi, die Irrtumslosigkeit eigentlicher

Dogmen der Kirchenlehre), in entsprechender Weise auch bei dieser Frage geltend gemacht werden kann.

Hier soll nur ganz kurz gesagt werden: Die Schrift als ganze und eine ist die Objektivation der irreversibel siegreichen Heilszusage Gottes an die Welt in Jesus Christus und kann so als diese eine und ganze nicht aus der Wahrheit Gottes verpflichtend herausführen; alles einzelne muß, um seinen wahren Sinn richtig zu erkennen, im Kontext dieses einen Ganzen gelesen werden, kann nur *so* in seinem eigentlichen Sinn verstanden, dann aber auch wirklich als „wahr" ergriffen werden; die sehr verschiedenen literarischen Genera der einzelnen Schriften müssen (deutlicher als früher) gesehen und zur Feststellung des wirklichen Sinnes einzelner Aussagen ausgewertet werden (Es ist z.B. auch für die Erzählungen des Neuen Testamentes u.U. nicht ausgeschlossen, daß midraschartige Formen gegeben sind – und auch ursprünglich als solche gemeint waren –, so daß die „historische" Wahrheit einer Erzählung im Sinne der Schrift selbst unbefangen relativiert werden kann); auch die Sätze der Schrift werden unter geschichtlich und kulturell bedingten Vorstellungshorizonten ausgesagt, was einkalkuliert werden muß, wenn die Frage, was „eigentlich" in einem bestimmten Text gesagt wird, richtig beantwortet werden soll; es kann u.U. durchaus legitim unterschieden werden zwischen der „Richtigkeit" und der „Wahrheit" eines Satzes; es darf nicht von vornherein die Frage übersehen werden, ob sich nicht der wirklich verpflichtende Aussagesinn eines Satzes in der Schrift ändert, wenn eine solche Schrift, die zunächst einmal außerhalb des Kanons als Arbeit eines einzelnen entsteht, in das Ganze der kanonischen Schriften aufgenommen wird; so wie es eine analogia fidei als hermeneutisches Prinzip vom Wesen der Sache her für die richtige Interpretation der einzelnen kirchenlehramtlichen Aussagen gibt, so daß der einzelne Satz immer nur in der Einheit des Gesamtglaubensbewußtseins der Kirche richtig verstanden werden kann, so gibt es auch analog (oder als Einzelfall dieses Prinzips) eine analogia scripturae als hermeneutisches Prinzip der Auslegung einzelner Schrifttexte; wenn es eine „Hierarchie der Wahrheiten" gibt, wenn also ein einzelner Satz nicht immer das gleiche sachliche und existenzielle Gewicht wie ein anderer hat, dann muß dies auch bei der Auslegung einzelner Schriftsätze beachtet werden, ohne daß darum der „ungewichtigere" Satz im Verhältnis zu einem anderen schon als unrichtig, als falsch qualifiziert werden muß.

Wenn man solche und ähnliche Prinzipien geltend macht und anwendet, die aus der Natur der Sache (und des menschlichen Redens überhaupt) folgen und nicht Prinzipien eines billigen „Arrangements" und feigen Vertuschens von Schwierigkeiten sind, dann braucht man gewiß nicht unvermeidlich in die Verlegenheit zu kommen, einzelne Sätze der Schrift in ihrem wirklich gemeinten, und zwar als verpflichtend gemeinten Aussagesinn für „wahr" erachten zu müssen, obwohl eine nüchterne und ehrliche Exegese sie als unrichtig, als irrig (im Sinne eines Nein zur „Wahrheit") erklären möchte.

Schrift und Lehramt

Was das Verhältnis von Schrift und Lehramt angeht, ist das Nötigste im nächsten Abschnitt mitgesagt, in dem über das kirchliche Lehramt gehandelt wird. Insofern das kirchliche Lehramt in späteren Zeiten dauernd an das Glaubensbewußtsein der Urkirche als des konstitutiven Anfangs der Kirche überhaupt gebunden bleibt, das sich in der Heiligen Schrift authentisch und rein objektiviert hat, steht das Lehramt nicht über der Schrift, sondern hat nur die Aufgabe, die Wahrheit der Schriften zu bezeugen, lebendig zu halten und immer neu unter geschichtlich sich wandelnden Verstehenshorizonten als die selbe und bleibende Wahrheit auszulegen.

Schrift und Tradition

Wenn all das bisher Gesagte richtig verstanden wird (und deutlicher entfaltet würde), dann ergibt sich auch das richtige Verständnis für das Verhältnis von Schrift und Tradition. Schrift ist selber der konkrete Vorgang und die Objektivation des Glaubensbewußtseins der Kirche des Anfangs, durch die sich dieses Glaubensbewußtsein den weiteren Epochen der Kirche „tradiert". Die Kanonbildung ist ein Vorgang, der in seiner Legitimität aus den Schriften allein nicht belegt werden kann, sondern selber ein fundamentales Moment an der Tradition ist. Umgekehrt hat das Zweite Vaticanum es abgelehnt, die Tradition zu einer neben der Schrift für sich bestehenden Quelle (für uns heute) zu machen, die material einzelne Glaubensinhalte bezeugt, die in der Schrift gar keine Grundlage haben. Mag das genauere Verhältnis zwischen Schrift und Tradition auch noch mancher weiterer theologischer Erhellungen bedürfen, so ist doch wohl aus dem bereits früher Gesagten offenkundig, daß das sola scriptura der Reformation keine kirchentrennende Unterscheidungslehre (mehr) ist, da ja auch die evangelische Theologie die Schrift als Objektivation des lebendigen Glaubensbewußtseins der Urkirche in einem schon sehr deutlichen Pluralismus der urkirchlichen Verkündigung und ihrer darin gegebenen Theologien anerkennt, die letztlich nur durch das eine lebendige Glaubensbewußtsein der Kirche in einer Einheit zusammengehalten werden.

Was die Heilige Schrift im Leben der Kirche und des einzelnen Christen angeht, so darf auf das sechste Kapitel der Offenbarungskonstitution Dei Verbum des Zweiten Vaticanum verwiesen werden und dieses Kapitel der intensiven und frommen Lesung empfohlen werden.

7. ÜBER DAS KIRCHLICHE LEHRAMT

Das Problem der Einzigartigkeit eines „kirchlichen Lehramtes"

Wenn wir den eigentlichen Sinn des katholischen Kirchenverständnisses hinsichtlich des kirchlichen Lehramtes verstehen wollen, dann müssen wir zunächst einmal die theologische Grundfrage stellen, *warum* es denn nach einem katholischen Verständnis so etwas wie ein autoritatives Lehramt in der Kirche gibt, das sogar unter bestimmten Voraussetzungen eine absolute, letztverbindliche Autorität gegenüber dem Gewissen des einzelnen katholischen Christen hat, wenn diese auch – um konkret im einzelnen Menschen wirksam zu werden – von dem Gewissen des einzelnen in freier Entscheidung ergriffen werden muß.

Zunächst müssen wir darauf reflektieren, daß es vor der Kirche Christi – trotz der Heilsprovidenz Gottes, trotz einer wahren und positiven Heils- und Offenbarungsgeschichte und auch trotz eines von Gott gewollten amtlichen „Kirchentums" im Alten Testament – eine solche absolute Autorität eines Lehramtes nicht gegeben hat. Das Alte Testament kannte keine absolute, formale und als solche anerkannte Lehrautorität. Seine „amtlichen" Vertreter konnten selbst von Gott, seiner Offenbarung und seiner Gnade abfallen. Eben dieses bekennt das Christentum, insofern es sich einerseits als vom Alten Testament herkommend erkennt und anderseits von einer radikalen Zäsur in dieser Heilsgeschichte weiß, insofern das amtliche Alte Testament Jesus Christus nicht anerkannt, sondern verworfen hat.

Das zeigt mindestens, daß wir uns in einer dogmatischen Ekklesiologie auch katholischer Art nicht damit begnügen können, daß Gott nun einmal die Autoritäten der Kirche Jesu Christi – den Gesamtepiskopat mit Petrus und seinen Nachfolgern an der Spitze – mit einer formalen Autorität grundsätzlicher Art ausgerüstet habe. Natürlich ist das in sich richtig, aber es gibt den eigentlich inneren Grund für die Lehrautorität aus dem innersten Wesen der Kirche nicht her und ist deswegen auch immer in Gefahr, in einer formalistischen Weise mißverstanden zu werden, weil eine solche Konzeption einer so radikalen Autorisierung durch bloße willentlich-formale Setzung Gottes den Menschen von heute nicht mehr wahrscheinlich zu sein scheint.

Der christologische Grund des Lehramtes

Wir müssen darum für diese Lehrautorität der Kirche einen wirklich christologischen Grund erkennen und aussagen. Und der besteht im letzten eben darin, daß Jesus Christus selbst der absolute, irreversible und unbesiegbare Höhepunkt der Heilsgeschichte ist. In Jesus Christus ist die grundsätzliche, die ganze Heilsgeschichte der Menschheit tragende Selbstmitteilung Gottes zu einer solchen geschichtlichen Greifbarkeit gekommen, daß damit nun in eben dieser eschatologischen Phase der Sieg der Selbstmitteilung Gottes als Wahrheit und als Gnade, als Heiligkeit irreversibel ist, und zwar auch in der Dimension der geschichtlichen Erscheinung. Jesus Christus ist die Tatsache, die offenbar macht, daß die Selbstmitteilung Gottes als die Wahrheit endgültiger Liebe in der Welt gegeben ist, daß Gottes liebende Wahrheit und wahre Liebe nicht nur dem Menschen und seiner Geschichte angeboten wird, sondern in dieser Geschichte auch wirklich siegt und durch das Nein der Menschen nicht mehr ausgemerzt werden kann. Jesus Christus ist dasjenige Wort, in dem der bis zu Christus offene Dialog, das offene Drama zwischen Gott und der Freiheit der Kreatur zu einer letzten Entscheidung gekommen ist. Gott sagt seine Wahrheit und Liebe und bringt sie auch wirklich zum Siege, er hebt die Freiheit des Menschen nicht auf, aber er umgreift sie doch so in der souveränen Macht seiner Gnade, daß diese Freiheit der Menschheit als ganze – über den einzelnen und sein individuelles Schicksal ist damit noch nichts gesagt – diese Wahrheit auch wirklich annimmt und behält.

Vom Bleiben der Kirche in der Wahrheit

Nun aber ist eben die Kirche Christi die dauernde Präsenz und geschichtliche Greifbarkeit dieses letzten und siegreichen Wortes Gottes in Jesus Christus. Die Kirche muß, soll Christus wirklich den eschatologischen Zeitraum begründen, an dieser Eigentümlichkeit der *siegreichen* Selbstzusage Gottes als Wahrheit und Liebe partizipieren, d.h., sie kann letztlich aus der Wahrheit und aus der Liebe nicht mehr als ganze herausfallen. Nicht deswegen, weil die Freiheit des Menschen oder seine Geschichte schon abgeschafft sei, sondern deswegen, weil Gott gleichsam in seinem machtvollen Wort in Jesus Christus jedes denkbare Nein schon überholt hat und die Freiheit des Menschen und seine Geschichte in Gottes Leben, in seine Wahrheit und in seine Liebe schon wirklich hineinerlöst hat.

Gerade der evangelische Christ, der ja das Christentum als die machtvolle Tat Gottes am Menschen auffaßt, muß, im Grunde genommen, sagen, daß die Kirche Jesu Christi als ganze nicht mehr aus der Wahrheit und aus der Gnade, dem Heile und der Liebe Gottes herausfallen kann. Nicht deswegen, weil wir Menschen nicht die Wahrheit gleichsam immer wieder verkehren könnten, nicht deswegen, weil wir nicht die Lügner wären, denen es von uns aus im Bereich unserer menschlichen Kurzsichtigkeit nicht besser gefiele als im Lichte der strengen, der harten, der unbegreiflichen Wahrheit Gottes – sondern deswegen, weil eben Gott in seiner Gnade auch über unsere menschliche Lügenhaftigkeit in Jesus Christus gesiegt hat und dieser Sieg Christi als eschatologische Heilstat aufrechterhalten wird, bis die Wahrheit Gottes dem Menschen von Angesicht zu Angesicht leuchten wird.

Infolgedessen kann es sich für eine kontroverstheologische Frage zwischen evangelischem und katholischem Kirchenverständnis nicht eigentlich darum handeln, ob die Kirche Jesu Christi aus der Wahrheit Christi herausfallen könne oder nicht, sondern es kann sich im letzten nur darum handeln, *wie* konkret der siegreich bleibende, seine Wahrheit mitteilende Gott in der Kirche siegt. Wenn wir nun aber vom Neuen Testament her und durch die ganze Geschichte des Selbstverständnisses der Kirche bekennen, daß diese Kirche eine hierarchische Struktur hat, daß es in ihr Autorität gibt, die in der Sendung Christi, in der Autorität Christi lehrt, dann kann der katholische Christ sich nicht vor das Dilemma stellen lassen, entweder aus dieser Wahrheit und Wirklichkeit herauszufallen oder die Struktur der Kirche in ihrer konkreten hierarchischen Verfassung zu verwerfen. Wenn es in der Kirche Lehrautorität gibt, die im Namen Christi und nicht aus einer bloß subjektiven Religiosität spricht, die als gesendet von Christus so spricht, wie er von dem Vater gesandt ist, – wenn es eine Lehre gibt, die verpflichtet, dann steht der katholische Christ vor der Unmöglichkeit, daß er wählen müßte zwischen einem Herausfallen aus der Wahrheit Christi oder einem solchen radikalen Ungehorsam gegenüber der Autorität in der Kirche, daß die konkrete Autorität der Kirche geleugnet und verworfen würde. Fällt die Kirche, weil sie die Kirche des eschatologischen, absoluten Heils, weil sie die Kirche Jesu Christi ist, nicht aus der Wahrheit Christi in einem entscheidenden Punkte heraus, und ist diese Kirche gleichzeitig eine Kirche mit Sendungsvollmacht, mit autoritativer Lehrbefugnis – auch schon nach dem Zeugnis des Neuen Testamentes, nach der Praxis der Apostel, auch des Paulus –, dann kann das genannte Dilemma in dieser eschatologischen Situation nicht mehr bestehen.

Die Lehrautorität nach katholischem Kirchenverständnis

Von da aus – aus dieser eschatologischen Situation, die die Christi selbst ist – sagt das katholische Kirchenverständnis, daß dort, wo die Kirche in ihrer Lehrautorität – also im Gesamtepiskopat mit dem Papst zusammen oder in ihrer personalen Spitze dieses Gesamtepiskopats – wirklich mit einer *letzten* Forderung im Namen Christi dem Menschen lehrend gegenübertritt, Gottes Gnade und Macht verhindern, daß diese Lehrautorität aus der Wahrheit Christi herausfällt. Wir haben schon früher betont, daß diese Lehrautorität des Papstes, des Gesamtepiskopates mit dem Papst nicht eine Autorität ist, durch die neue Offenbarung Gottes gegeben wird, sondern eine Autorität, die gemeinkirchlich verpflichtend und gemeinkirchlich realisierbar das eine Glaubensverständnis der Kirche als der Kirche Jesu Christi dem einzelnen und seinem Glaubensgewissen autoritativ vermittelt. Diese Lehrautorität legt nur aus, entfaltet, aktualisiert in je neuer geschichtlicher Konkretisation die Botschaft Christi, sie vermehrt sie aber nicht eigentlich, und sie erhält keine neuen Offenbarungen. Sie ist gewissermaßen nur das konkrete Organ und der Träger der geschichtlichen Greifbarkeit jenes Glaubensverständnisses der Gesamtkirche, das ihr im letzten durch den Geist Jesu Christi und durch den Sieg seiner Gnade vermittelt wird.

Natürlich ist mit dieser letzten, grundsätzlichen Konzeption für die Praxis des katholischen Christen noch längst nicht alles gesagt. Es gibt, wie das bei jeder Autorität der Fall ist, auch in der Kirche Christi eine gestufte, der konkreten Glaubenssituation angepaßte Funktion des kirchlichen Lehramtes. Das Lehramt redet nur in relativ seltenen Fällen unter dem Einsatz der ganzen Autorität. Meistens sind die Erklärungen, Lehren, Interpretationen, Weisungen, Warnungen usw. vorläufige, gleichsam abgestufte Inanspruchnahmen der eigentlichen Autorität, die im Gesamtglaubensbewußtsein der Kirche als einer eschatologischen Größe gegeben ist. Und dementsprechend ist natürlich auch die Gewissenspflicht des katholischen Christen gegenüber dieser kirchlichen Autorität in ihrem gestuften Einsatz sehr verschieden. Es kann hier nicht gleichsam die Kasuistik einer solchen Stufung und des Verhaltens des katholischen Christen diesem Lehramt gegenüber im einzelnen entwickelt werden. Man müßte da auf sehr viele Dinge eingehen: auf die Frage der Dogmenentwicklung, auf die Frage der konkreten Institutionen und Behörden, in denen die kirchliche Lehrautorität sich betätigt. Man müßte eingehen auf die Frage, wie man den bestimmten Grad eines solchen Einsatzes der Lehrautorität und damit des Glaubensbewußtseins der Gesamtkirche selber erkennen und abschätzen könnte, welche Möglichkeiten auch der Kritik, des Protestes gegenüber diesen niedrigeren Erklärungen der Lehrautorität einem katholischen Christen durchaus zustehen und unter Umständen sogar von ihm wahrgenommen werden *müssen*. Auch innerhalb des evangelischen Christentums gibt es so etwas wie eine Lehrautorität der Kirche; es gibt ja dort auch unter Umständen ein Lehrzuchtverfahren; mit anderen Worten, eine Kirche kann nicht Kirche sein, wenn sie nie und nimmer den Mut hätte, ein Anathem zu sprechen, wenn sie schlechterdings alles und jedes als gleichberechtigte Meinung der Christen dulden könnte. Der Unterschied zum katholischen Christentum liegt also nur darin, daß eine absolut *letzt*verbindliche Äußerung des kirchlichen Lehramtes innerhalb der evangelischen Kirche abgelehnt wird.

Die „Hierarchie der Wahrheiten" und ihr subjektiver Nachvollzug

Man darf von vornherein die einzelnen Sätze der kirchlichen Lehre nicht isoliert sehen. Sie sind glaubensmäßig auch nur verständlich in dem gläubigen Sich-Hineingeben in das Ganze dieser geoffenbarten Wahrheiten. Das Ökumenismusdekret des Vaticanum II weist – wie schon erwähnt – auf die „Hierarchie der Wahrheiten" (Unitatis redintegratio 11) hin, die – obwohl alle geoffenbart – doch einen ganz verschiedenen Zusammenhang mit dem eigentlichen Kern des Glaubens haben. Infolgedessen ist objektiv wie auch subjektiv das einzelne immer nur im Ganzen seinem eigenen Wesen entsprechend zu greifen. Der Glaube ist nicht ein Vorgang der Stellungnahme, der Annahme, der existenziellen Realisation einer Summe von einzelnen Sätzen, sondern er zielt immer auf das Eine-Ganze der Wahrheit und kann darum auch immer nur das einzelne im ganzen Akt des Glaubens verstehen. Denn Glaube erfaßt und setzt als personales Verhältnis zu dem sich offenbarenden Gott die einzelnen Sätze im Akt eines personalen Verhältnisses zum sich mitteilenden lebendigen Gott als solchem. Es handelt sich also beim Glauben des katholischen Christen zwar durchaus um eine Summe artikulierter, material voneinander verschiedener Einzelsätze, eben diejenigen des kirchlichen Dogmas; aber diese Summe ist nur realisierbar und erkennbar in einem Akt, der nicht auf menschliche Glaubenssätze, sondern auf die Unmittelbarkeit Gottes geht, ist nur in dieser Summe, in dieser Einheit erreichbar, weil der lebendige Gott, der sich offenbart, *einer* ist – auch in seinem Verhältnis zu mir. Die objektive Summe dieser Sätze hat einen inneren Zusammenhang, eine ganz bestimmte Struktur, und auch der Akt des Glaubens ist im Grunde als subjektiver Akt des einzelnen ein einzelner und einer.

Von da aus gesehen, kann der katholische Christ, wenn er das Lehramt der Kirche, das Wesen der eschatologischen Wahrheitswirklichkeit und des sich persönlich offenbarenden Gottes wirklich verstanden hat, keine Auswahl zwischen den einzelnen geoffenbarten und autoritativ als Dogma gelehrten Sätzen des kirchlichen Glaubens in dem Sinne treffen, daß er die einen als ihm entsprechend, als wahr oder wahrscheinlich annimmt und andere verwirft. Aber wenn auch katholischer Glaube immer das Sich-Hineingeben in das Glaubensverständnis der einen Kirche als autoritativ geformtes ist und nicht in subjektiver Willkür gestaltete Auswahl von persönlich zusagenden Meinungen, so gibt es trotzdem einen subjektiven Nachvollzug jener Hierarchie der Wahrheiten, die mit dem Kern, der Substanz des christlichen Glaubens einen verschiedenen Zusammenhang haben. Ja, innerhalb des subjektiv vollzogenen Glaubens ist eine solche Differenz noch sehr viel mehr möglich. Ein katholischer Christ lebt immer aus dem einen Glaubensverständnis der Glaubensgemeinde Jesu Christi, das er in seiner Kirchengemeinschaft findet. Aber das bedeutet dennoch nicht notwendigerweise, daß er nun gehalten sei, die ganze geschichtliche und sachliche Differenziertheit und Auseinandergefaltetheit des Glaubens nachzuvollziehen. Es gibt für den einzelnen, auch katholischen Christen, der die Autorität der Kirche absolut annimmt, ein legitimes Ausweichen in die fides implicita der Kirche. Nicht jeder Christ muß sich für alles in gleicher Weise existenziell glaubend interessieren. Er überläßt gewisse Fragen und durchaus auch klare Themen des Glaubensverständnisses der Kirche, die ihn in seiner existenziell konkreten Situation nicht näher tangieren und tangieren können, dem Glaubensbewußtsein der Kirche selbst. Es ist sogar zu sagen, daß es manchmal besser wäre, ein Christ wüßte von gewissen Details des katholischen Katechismus weniger und hätte die letzten entscheidenden Fragen: Gott, Jesus Christus, seine Gnade, Sünde, Liebe, Einheit von Gottes- und Nächstenliebe, Gebet wirklich einmal in einer echten und ursprünglichen Weise realisiert. Würde er das tun, dann dürfte er ruhig auch eine Ignoranz hinsichtlich gewisser Katechismusfragen, die er nicht bezweifelt, in Kauf nehmen. Der Christ lebt von vornherein in dem Gesamtglaubensbewußtsein der Kirche, weil sein Glaubensbewußtsein davon abhängt, nicht nur in der Dimension äußerer formaler Lehrautorität, sondern in der inneren Wirklichkeit der Sache, die geglaubt wird und die als Geglaubte in der Kirche, d.h. in der Gnade Gottes gegeben ist.

Zur Frage der nachtridentinischen Dogmenentwicklung

Es gibt durchaus evangelische Theologen, die es für denkbar halten, daß die getrennte abendländische Christenheit sich über jene dogmatischen Lehren einigen könnte, die in der vorreformatorischen Kirche schon Gemeingut waren. Aber sie sind der Ansicht, daß die römisch-katholische Kirche durch ihre nachtridentinischen Dogmen des Primats und der Lehrautorität des Papstes, der Unbefleckten Empfängnis der seligsten Jungfrau Maria und der Aufnahme der heiligen Jungfrau in den Himmel Dogmen für verbindlich erklärt hat, die der nichtkatholische Christ prinzipiell ablehnen müsse. Man müsse der katholischen Kirche den Vorwurf machen, daß sie neue und unüberwindliche Hindernisse für die Einigung geschaffen habe, Hindernisse, die vor der Trennung der Wege im 16. Jahrhundert nicht vorhanden gewesen seien. Nun ist zweifellos zuzugeben, daß diese Dogmen vor der Reformation im selben Grade theologischer Reflexion und reflexer Ausdrücklichkeit und Verbindlichkeit in der katholischen Kirche nicht bestanden haben. Es sind also Dogmen hinzugekommen, die ein evangelischer Christ, wollte er katholisch werden, über die Verständigung hinsichtlich der in der Reformationszeit strittigen Fragen hinaus als katholische Glaubenslehre annehmen müßte.

Der Primat des römischen Bischofs und seine Lehrautorität

Was zunächst die Frage des primatialen Anspruchs des römischen Bischofs, des Papstes und seiner, unter bestimmten Bedingungen unfehlbaren Lehrautorität angeht, so ist zu sagen, daß dem Papst als dem sichtbaren Haupt der Kirche nur diejenigen Prärogativen zugeschrieben werden, die der Kirche als solcher nach dem katholischen und dem vorreformatorischen Glaubensverständnis eindeutig zukommen. Daß die Kirche als solche in einem Konzil mit einer letzten, irreversiblen, das Gewissen des Christen verbindlich normierenden Autorität sprechen kann, darüber kann ja für die vorreformatorische Kirche kein Zweifel sein. Die alten Konzilien wurden in dieser Weise als definitive, nicht mehr revidierbare, wenn auch nach vorn sich entwickeln könnende Lehre der Kirche betrachtet und als für das Gewissen des glaubenden Christen verbindliche Normen. Infolgedessen ist hinsichtlich der Lehrautorität des Papstes nur die Frage, ob eine solche Autorität, die in der Kirche nach dem vorreformatorischen Glaubensverständnis gegeben war, nun auch dem Papst als solchem zukommen könne. Wenn wir sagen: dem Papst als solchem, dann bedeutet das natürlich nicht: dem Papst als Privatperson. Es besagt vielmehr: dem Papst, insofern er die höchste Autorität in der hierarchischen Kirche ist und insofern er als solche handelt. Es meint, daß der Papst nur in dem Fall infallibel ist, wo er in Berufung auf seine höchste Autorität in einer Frage der Interpretation der in der Schrift und damit auch der in der Tradition gegebenen Offenbarung eine letzte Entscheidung trifft kraft seiner Stellung in der Kirche.

Insofern bedeutet also das Dogma des Ersten Vatikanischen Konzils gar nichts anderes, als daß ein Satz, der von der Kirche, von den ökumenischen Konzilien im katholischen Glaubensverständnis schon immer gegeben war, vom Papst ausgesagt wird. Hier ist zu sagen, daß eine theologische Schwierigkeit, einer bestimmten Einzelperson eine solche Funktion in der Kirche zuzuschreiben, nicht größer ist, als wenn man sie dem Konzil oder dem Gesamtepiskopat zuschreibt, vorausgesetzt, daß der Papst immer als die handelnde Spitze, als die das Gesamtkollegium repräsentierende Person betrachtet wird. Hier gleichsam demokratische Bedenken eintragen ist für die Kirche und für das, worum es sich hier handelt, fehl am Platze. Eine große Zahl von Bischöfen repräsentiert und garantiert hinsichtlich dieser letzten Entscheidung in den Fragen des Glaubens, die das letzte innerste Gewissen eines Menschen treffen sollen, ganz gewiß nicht mehr an Wahrheit und Unfehlbarkeit als eben eine einzelne Person, vorausgesetzt nur, daß man den Gesamtepiskopat auf einem Konzil oder den Papst als sogenannte Einzelperson immer nur als die Konkretheit der konkreten Kirche sieht, die nicht durch die Fähigkeit, die Intelligenz, die theologische Bildung von Menschen, sondern durch den Geist Christi in dieser eschatologischen Wahrheitswirklichkeit gehalten wird. Sieht man das so, dann darf man letztlich sagen, daß eine personale Spitze der synodalen, kollegialen Repräsentation auch das menschlich Sinnvollere und Naheliegendere ist. Natürlich hat eine solche Autorität des Papstes menschlich gesehen immer ein ungeheures Risiko, sie steht gleichsam auf der scharfen Schneide zwischen menschlicher Fehlbarkeit, Endlichkeit, Geschichtlichkeit einerseits und der Macht des Geistes Christi, der die Kirche in und trotz ihrer Menschlichkeit in seiner Wahrheit bewahrt. Aber das gilt für die Kirche als ganze auch. Denn die Summe von Menschen macht den

Menschen und die Menschheit nicht weniger menschlich, als der einzelne es schon ist, da es sich ja hier nicht um eine kollektive Wahrheitsfindung handeln kann, in der grundsätzlich, wirklich von der Sache her, mehr Leute eine größere Chance an Wahrheitsfindung haben als ein einzelner. Denn hier handelt es sich um die Gabe des Geistes an die Kirche. So wie der Geist sich letztlich eben gerade nicht in dieser Glaubenswahrheit als einer freien Entscheidung des Menschen notwendigerweise an den einzelnen und sein Wahrheitsgewissen – wenn auch in dem Gesamt der Kirche – richten muß und der gehörte und glaubend angenommene Glaube der Grund des lehrbaren, des autoritativ verkündbaren Glaubens ist, so ist, im Grunde genommen, die Idee, die hinter dem Lehrprimat des römischen Papstes steht – nämlich, daß eine solche Lehrautorität gar nicht von einer konkreten Person getrennt werden kann –, durchaus einer Idee, die die innere theologische Berechtigung des Primats in genügender Weise dartut.

Es handelt sich ja bei unserer Frage entsprechend unserer indirekten Methode, die wir eingeschlagen haben, nicht darum, etwa aus Mt 16, 18 in einer direkten bibeltheologischen Weise die unfehlbare Lehrautorität des Papstes herzuleiten. Es handelt sich hier um die Frage, ob die katholische Kirche, die durch ihren Gesamtepiskopat im Vaticanum I diese primatiale Vollmacht des Papstes als zu ihrem eigenen Glaubensverständnis gehörig erklärt hat, notwendigerweise geirrt, gegen das innerste Wesen des Christentums verstoßen haben müsse, so daß ein Christ im Namen des Christentums aus dieser katholischen Kirche ausscheiden müßte. Wenn es in der Kirche eine solche letztverbindliche Lehrautorität gibt und geben kann, dann ist ein theologischer Grund, im Namen des Christentums gegen einen personalen Träger einer solchen Vollmacht zu protestieren, nicht vorhanden.

Das ergibt sich ja auch aus der Beobachtung, daß schon Luther und erst recht moderne evangelische Theologie nicht eigentlich nur dem Papst, sondern ebenso dem Konzil oder einer sonst greifbaren, handlungsfähigen Autorität in der Kirche die Möglichkeit einer solchen absoluten Bindung des Glaubensgewissens absprechen. Damit aber wird die Differenz zwischen den verschiedenen Christenheiten der Gegenwart aus einer erst durch das Vaticanum entstandenen Differenz in Wirklichkeit zu einer Differenz, die zurückdatiert werden muß weit hinter die Zeit der Reformation. Denn daß z.B. den ersten ökumenischen Konzilien, *formal* gesehen, eine Autorität wie der Schrift selber zuerkannt werden müsse und ein Widerspruch gegen ihren Spruch einfach die Kirche und das Christentum aufheben würde, das war auch schon in jenen Zeiten der Kirche und ihrem Glaubensbewußtsein klar, wo es weder die Spaltung zwischen reformatorischen oder katholischen noch die Spaltung zwischen östlichem und westlichem Christentum gab.

Wenn die Kirche eine ist und wenn die Einheit trotz der Vielfalt der episkopalen Ortskirchen eine ist und als diese eine deswegen auch eine handlungsfähige Spitze hat und haben muß, dann kann auch hinsichtlich der eigentlichen

Primatialgewalt des Papstes im Unterschied von der Lehrautorität des Papstes kein grundsätzlicher Protest möglich sein im Namen des Christentums. Damit ist eine solche personale Spitze primatialer Gewalt, Leitungsgewalt in der Kirche noch nicht positiv hergeleitet. Aber es ist die Behauptung aufgestellt, daß sie dem Wesen des Christentums als dem in einer konkreten Gesamtkirche gegebenen Christentum nicht wirklich widerspricht.

Die „neuen" Mariendogmen

Auch bei den „neuen" Mariendogmen ist es so, daß sie im Ganzen des christlichen Glaubensverständnisses gesehen werden müssen. Sie können nur richtig verstanden werden, wenn man wirklich an das glaubt und das zum Bestand des Christentums rechnet, was wir die Inkarnation des ewigen Logos selbst in unserem Fleisch nennen. Von dieser Position aus ist zunächst einmal unmittelbar und nach dem Zeugnis der Schrift zu sagen, daß Maria nicht einfach nur eine individuelle Episode in einer theologisch uninteressanten Biographie Jesu Christi bedeutet, sondern daß sie in dieser Heilsgeschichte eine ausdrückliche heilsgeschichtliche Größe ist. Wenn wir Mattäus, Lukas und Johannes lesen und wenn wir das Apostolische Glaubensbekenntnis beten, in dem die Geburt Jesu, des göttlichen Logos, aus Maria der Jungfrau bekannt wird, dann ist damit – wenn auch in noch so einfacher Form – gesagt, daß Maria eben nicht nur in einem biologischen Sinne die Mutter Jesu war, sondern dann ist Maria als diejenige gesehen, die eine ganz bestimmte, ja einmalige Funktion in dieser amtlichen und öffentlichen Heilsgeschichte einnimmt. Im Apostolischen Glaubensbekenntnis hat Maria einen Platz, der ihr mindestens von Luther selbst nicht wirklich bestritten wurde, wenn er auch im damaligen spätmittelalterlichen Marienkult Tendenzen zu sehen glaubte, die das sola gratia bedrohten oder leugneten.

Es wird im Dogma nichts anderes gesagt, als daß Maria die radikal Erlöste ist. Von da aus ist die Grundkonzeption, daß Maria als diejenige, die in ihrer personalen und nicht nur biologischen Mutterschaft das Heil der Welt glaubend angenommen hat, auch der höchste und radikalste Fall der Verwirklichung des Heiles, der Heilsfrucht, der Heilsempfängnis ist, eigentlich selbstverständlich. Dies war durch 15 Jahrhunderte eigentlich eine Selbstverständlichkeit in der östlichen und westlichen Christenheit, wenn auch nicht immer in dieser ausdrücklichen Reflexion. Und von da aus läßt sich das, was „Unbefleckte Empfängnis" und „Aufnahme in den Himmel" sagen, relativ leicht verstehen, ohne daß dies nun Dogmen werden, die noch zusätzlich zur wirklichen letzten Substanz des Christentums herausspekuliert werden müßten. Wenn unter Umständen heute der evangelische Christ sagt, daß er eine höchste Problematik an der Erbsünde selbst empfindet, wenn wir heute mehr als je – und zwar durchaus urbiblisch – die Sünde Adams als von dem Heilswillen und der Erlösung Christi überholt und gleichsam umfaßt empfinden, so daß wir sagen müssen, wir sind immer die Geheiligten und Erlösten, insofern wir von Christus herkommen, wie wir die pneumalosen Sünder sind, insofern wir uns von Adam herkommend betrachten, dann macht eigentlich die Aussage, daß die Mutter des Sohnes von vornherein als die Heilsempfängerin in Glaube und Liebe von Gottes absolutem Heilswillen gedacht und gewollt war, keine besondere Schwierigkeit.

Assumptio der seligen Jungfrau mit Leib und Seele in den Himmel sagt nichts anderes von Maria als dasjenige, was wir auch für uns in dem Glaubenssatz des Apostolischen Glaubensbekenntnisses bekennen: Auferstehung des Fleisches und ein ewiges Leben. Wie genauer theologisch die Auferstehung des Fleisches im allgemeinen zu deuten ist, darüber soll noch einiges gesagt werden, wenn wir uns der Eschatologie zuwenden. Jedenfalls ist es doch eine in der evangelischen Theologie mindestens mögliche Vorstellung, daß die Vollendung des einen und ganzen Menschen nicht notwendigerweise auf einer Zeitachse, die unsere ist, sich ereignet, sondern sich beim Menschen bei seinem Tod in seiner eigenen Eschatologie ereignet. Wenn wir also als Katholiken der seligsten Jungfrau wegen ihrer ganz besonderen Stellung in der Heilsgeschichte und weil wir sie als den radikal geglückten Fall der Erlösung erkennen, Vollendung zuschreiben, dann ist mindestens theologisch nicht einzusehen, warum ein solches Dogma der Grundsubstanz des Christentums widersprechen müsse.

Ob und warum es opportun war, daß Pius XII. dieses Dogma definiert hat, darüber läßt sich noch weiter theologisch nachdenken, und da ist der Katholik von diesem Dogma her ganz gewiß nicht auf eine bestimmte Meinung verpflichtet. Jedenfalls sieht man aber, daß hier nichts gesagt wird, was grundsätzlich dem Eigentlichen der Substanz des Glaubens widerspräche. Denn wir bekennen ja von Maria, was wir als unsere Hoffnung für uns alle bekennen. Diese assumptio ist nichts als die Vollendung der Heilstat Gottes an einem Menschen, an diesem Menschen, die Vollendung einer Heilstat Gottes und seiner Gnade allein, die wir auch für uns erhoffen. Die Grundsubstanz, das sachlich damit Gemeinte also ist eine durchaus gemeinchristliche Selbstverständlichkeit.

Die weitere Frage, wie die Mariendogmen in der apostolischen Überlieferung wenigstens implizit enthalten sind, obwohl sie gewiß nicht explizit in der Schrift bezeugt sind und in der expliziten Tradition der ersten Jahrhunderte auch nicht gegeben waren, wie dieser theologische Entfaltungsvorgang eines grundsätzlichen Wissens über die heilsgeschichtliche Stellung der heiligsten Jungfrau genauer vor sich gegangen ist, kann auf der ersten Reflexionsstufe nicht ausdrücklich behandelt werden.

8. DER CHRIST IM LEBEN DER KIRCHE

Zur Kirchlichkeit des Christen

Für ein christliches Glaubens- und Daseinsverständnis muß Kirche sein. Das Christentum ist nicht die ideologische Schöpfung eines religiösen Enthusiasmus, einer religiösen Erfahrung des einzelnen, sondern kommt dem einzelnen auf dem Wege zu, auf dem er sonst sein Leben, auch geistig, empfängt – aus der Geschichte. Niemand entwickelt und entfaltet sich selbst gleichsam aus rein formal vorgegebener Struktur seines Wesens, sondern er nimmt aus der Gemeinschaft der Menschen, aus einer Interkommunikation, aus einem objektiven Geist, aus einer Geschichte, aus einem Volk, aus einer Familie die Konkretheit seines Lebens entgegen und entfaltet sie (auch seine ureigenste und persönlichste) immer nur in dieser Gemeinschaft. Und das gilt auch für das Heil und für die christliche Religion, für das Christentum des einzelnen. Selbstverständlich ist der Christ von der innersten Wurzel seines vergöttlichten Wesens her Christ. Und er wäre und würde niemals ein Christ werden, würde er nicht aus der innersten Mitte seines vergöttlichten, begnadeten Wesen leben. Aber eben das, was er so von der Wurzel, von dem Ursprung auch seines individuellsten Daseins her durch die Gnade Gottes ist, aus deren Bereich er gar nicht heraustreten kann, eben dieses kommt ihm nun konkret als das Eigene aus der konkreten Heilsgeschichte entgegen: in dem Bekenntnis der Christen, in dem Kult der Christen, in dem Leben der Gemeinschaft der Christen, kurz in der Kirche. Absolut individuelles Christentum persönlichster Gnadenerfahrung und kirchliches Christentum sind so wenig radikale Gegensätze wie Leib und Geist, wie transzendentales Wesen des Menschen und geschichtliche Verfaßtheit des Menschen, wie Individualität und Interkommunikation. Beides bedingt sich gegenseitig. Durch das, was wir Kirche nennen, wird das, was wir von Gott her sind, in der Konkretheit der Geschichte vermittelt; und es wird nur in und durch diese Vermittlung in einem vollen Maße unsere eigene Wirklichkeit, unser eigenes Heil. Darum ist und muß Kirche sein. Sie ist einfach die Selbstverständlichkeit für den Christen jedweden Bekenntnisses, die Selbstverständlichkeit dessen, was die notwendige Dimension seines christlichen Daseins ist.

Darum kann und darf weiterhin der Christ diese Kirche in aller Nüchternheit als die Kirche seines christlichen Alltags sehen. Natürlich gibt es – übrigens auch schon von der Theologie des Neuen Testamentes her (vgl. z.B. den Epheserbrief) – einen hymnischen Enthusiasmus der Kirche. Aber so wahr das ist, was darin erlebt und ausgesagt wird, so ist der Christ wahrhaftig nicht gehalten, die nüchterne Alltagswirklichkeit der Kirche zu verkennen und zu übersehen. So wie sich Liebe zu seinem Vater, seiner Mutter, zu seiner konkreten geschichtlichen Situation, zur Sendung und zur geschichtlichen

Aufgabe des eigenen Volkes durchaus verbinden können, ja verbinden müssen mit absolut nüchterner, sachlicher Ehrlichkeit, die die Endlichkeit und die Problematik des eigenen Elternhauses sieht, die die Fürchterlichkeiten der Geschichte des eigenen Volkes erkennt, die die Problematik auch des Geistes, des objektiven Geistes des Abendlandes erkennt, so können und müssen wir mit dem Apostolicum die heilige, katholische Kirche bekennen. Wir sind gerade deswegen gehalten, die Kirche in ihrer Konkretheit, in ihrer Begrenztheit, in ihrer Last der Geschichte, in all den Versäumnissen, vielleicht auch Fehlentwicklungen zu sehen und *so* diese konkrete Kirche als den Raum unseres christlichen Daseins vorbehaltlos entgegenzunehmen: In Demut, in einer tapferen Nüchternheit, in einer wirklichen leistungswilligen Liebe zu dieser Kirche und eben in der Bereitschaft, ihre Last mitzutragen durch uns und unser Leben und die Schwäche unseres eigenen Zeugnisses nicht auch noch zur Last dieser Kirche hinzuzufügen. Denn letztlich ist es doch so – und das ist ja auch ein Moment am neuen Kirchenverständnis und -erlebnis der katholischen Kirche im Zweiten Vaticanum: Die Kirche sind wir selber, die armseligen, die primitiven, feigen Menschen, die eben zusammen die Kirche darstellen. Wenn wir sie gleichsam von außen betrachten, dann haben wir eben nicht begriffen, daß wir die Kirche sind und uns im Grunde genommen nur unsere eigene Unzulänglichkeit aus der Kirche anblickt. Der Christ hat nicht nur nicht das Recht, seine Kirche in einer falschen Weise zu idealisieren; er hat auch die Glaubenspflicht, in dieser konkreten Kirche der Armseligkeit, der geschichtlichen Bedrohtheit, des geschichtlichen Versagens, der geschichtlichen Fehlentwicklung die Kirche Gottes, die Versammlung Jesu Christi zu erkennen. Denn hier, in dieser Knechtsgestalt unter dem Kreuz ihres Herrn, in dem dauernden Ausgeliefertsein an die Mächte der Finsternis und des Todes, darin und nicht daran vorbei vollzieht sich der Sieg der Gnade Gottes in uns Menschen, die wir zusammen die Kirche sind. Diese Kirche bleibt eben doch immer die lebendige, weil in ihr wirklich nicht nur Glaube, Hoffnung und Liebe geschieht, nicht nur das Abendmahl des Herrn gefeiert wird, nicht nur sein Tod verkündet wird, sondern eben dieses Eigentliche, das die Kirche ausmacht, immer wieder für den, der offenen Herzens und glaubenden Auges die Kirche ansieht, auch genügend in Erscheinung tritt.

Zu Recht und Ordnung der Kirche

Die Kirche als eine Gemeinschaft, als der Leib Christi, als die Versammlung der Glaubenden, als die Repräsentantin Christi, seines Wortes und seiner Gnade ist notwendigerweise auch hierarchisch strukturiert. Ohne ein heiliges Recht, ohne eine Verteilung der Funktionen, Aufgaben und damit auch der Rechte auf einzelne, ohne eine solche Differenzierung der Funktionen in der

Gemeinschaft würde die Kirche aufhören, das Volk Gottes, das Haus Gottes, der Leib Christi, die Gemeinde der Glaubenden zu sein. Sie würde zu einem zusammenhanglosen Konglomerat von religiösen Individualisten werden. In der Kirche muß es eine heilige Ordnung, ein heiliges Recht, also auch Vollmacht geben, die rechtmäßigerweise von einem gegenüber anderen ausgeübt werden muß und darf. Und insofern gibt es natürlich über die Vollmacht aller hinaus, die Wahrheit zu bezeugen, eine Vollmacht der Leitung, der Regierung der Kirche, der einzelnen Ortskirche und der Gesamtkirche. Jedwede religiöse Gemeinschaft, die sich christlich nennt, hat sich, wenigstens über kurz oder lang, selbst eine Ordnung, ein Kirchenrecht gegeben. Gleichgültig, wie man im einzelnen die fordernde Macht eines solchen Rechtes genauer theologisch interpretiert, ist man überall davon überzeugt, daß der einzelne Christ eine wirkliche Verpflichtung seines Glaubensgewissens hat gegenüber der kirchlichen Autorität und ihrem notwendigen, aus dem Wesen der Sache selbst entspringenden Anspruch.

Selbstverständlich gibt es einen wesentlichen Unterschied zwischen dem göttlichen Gebot, Ansprüchen Gottes und Christi, gegenüber dem einzelnen Gewissen einerseits und den Ansprüchen anderseits, welche die Kirche aufgrund ihrer Leitungsgewalt dem Gewissen des katholischen Christen gegenüber macht. Göttliches Gebot und Kirchengebot sind nicht dasselbe. Im zweiten spricht eine, wenn auch durch den Willen Gottes legitimierte menschliche Autorität. Sie spricht in einem Recht, in einer angeordneten Sitte, in einem gemeinsam gelebten kirchlichen Leben. Das alles ist, obwohl es seinen Anspruch an das Gewissen des einzelnen erhebt, grundsätzlich im Unterschied zum göttlichen Gebot veränderlich, und es ist zunächst auch der Kritik, den Wünschen nach Abänderung von seiten der Glaubenden unterworfen. Ein göttliches Gebot vom Wesen des Menschen oder vom innersten Wesen des geschichtlichen, in Christus verfaßten Heiles her kann die Kirche nur verkünden. Sie kann soweit sie dazu die Möglichkeit hat, sich bemühen, daß diesem göttlichen Gebot auch wirklich gehorcht werde. Sie selber aber steht unter diesem Gebot, sie kann es nicht abändern, sie kann es erklären, aber sie ist nicht Herrin dieses Gebots. Manche Gebote aber, z.B. daß man sich an bestimmte Fast- und Abstinenztage halten sollte, viele Dinge des Kirchenrechts, die sehr praktisch in das Leben des einzelnen eingreifen, sind Kirchengebote, und das Verhältnis des katholischen Christen zu diesen Kirchengeboten ist wesentlich ein anderes als zu den eigentlich göttlichen Normen und Geboten. Der unmittelbare Ursprung, die Möglichkeit der Veränderung bzw. die Unveränderlichkeit, die religiöse und existenzielle Bedeutung dieser beiden Arten von Geboten sind wesentlich verschieden. Sind Kirchengebote auch Gebote, die sich an das Gewissen des katholischen Christen richten, so bleibt sein Verhältnis zu ihnen in einer viel lockereren, viel freiheitlicheren Art als es dort gegeben ist, wo der eigentliche Wille Gottes selbst – wenn auch vielleicht durch den Mund der Kirche – an den Menschen herantritt. Es kann nun hier nicht unsere Aufgabe sein, durch alle Einzelheiten und konkreten Fragen hindurch die Grenzlinie zwischen diesen beiden Geboten zu ziehen. Aber – um ein konkretes Beispiel zu geben – das sogenannte Sonntagsgebot läßt sich im Grunde genommen nicht auf das Gebot der Sabbatheiligung vom Sinai zurückführen und so als ein unmittelbar göttliches Gebot hinstellen. Wieweit sich hinter einem solchen Gebot hinsichtlich des Geistes, der sich darin konkret realisiert, z.B. hinsichtlich des geforderten Verhältnisses des Christen zum Abendmahl Christi, etwas verbirgt, was über ein Kirchengebot hinausgeht, das ist wieder eine ganz andere Frage. Vieles, was die kirchliche Ordnung und Regelung der Ehe angeht, ist ebenso kirchliches Gebot und nicht göttliches Gebot. Es geziemt sich durchaus, daß der katholische Christ – auch wenn er nicht Theologe und Priester ist – in den Dingen, die sein Leben berühren, von einer solchen Grenzziehung etwas weiß und diese Unterscheidung in seinem konkreten Leben anwenden kann. Hinsichtlich kirchlicher, nicht unmittelbar göttlicher Gebote gibt es einen viel größeren Raum für die Interpretation durch den einzelnen, der durchaus erkennen kann, daß er unter Umständen an ein bestimmtes kirchliches Gebot, an eine bestimmte kirchliche Regelung in seinem Gewissen nicht gebunden ist. Hier kann z.B. die Liebe, nicht nur die Zwangslage, uns von einem solchen kirchlichen Gebot entschuldigen, ganz abgesehen davon, daß natürlich auch die Möglichkeit einer ausdrücklichen kirchlichen Dispens durch eine kirchliche Autorität gegeben ist.

Die gestufte Relativität des Rechtes

Es kann den Fall einer Diskrepanz zwischen der Ebene des kirchlich Geregelten und Regelbaren einerseits und dem eigentlichen Gewissensbereich des einzelnen Christen anderseits geben, eine Diskrepanz, die nicht wiederum noch einmal durch materiale, inhaltliche Normen aufgearbeitet werden kann. Dabei muß von vornherein darauf aufmerksam gemacht werden, daß es sich hier nicht um die Lehrautorität der Kirche handelt, sondern um Normen der Kirche praktischer Art, um Kirchengebote, um Kirchengesetz, um kanonistische Vorschriften der Kirche, die sich natürlich prinzipiell mit der Forderung eines loyalen Gehorsams an das Gewissen des einzelnen katholischen Christen richten und dazu auch das Recht haben. Aber je komplizierter das menschliche Leben wird, je differenzierter der einzelne Mensch auch in der Kirche wird und zu werden das Recht hat, um so häufiger wird der Fall einer jetzt hier in diesem Zusammenhang gemeinten Diskrepanz zwischen der Ebene des kirchlich Geregelten und Regelbaren und der konkreten Situation des einzelnen Christen werden können. Der heutige gebildete Christ muß wissen, daß es so etwas wirklich gibt.

Es gibt in der Kirche hinsichtlich ihres *Rechtes* eine wirkliche Relativität. Eine solche Relativität des Rechtes in der Kirche ist natürlich noch einmal sehr verschieden abgewandelt und gestuft, je nachdem es sich z.B. um die Sakramente, ihre Notwendigkeit und Verpflichtung oder um außersakramentales Recht der Kirche handelt, je nachdem es sich um göttliches oder menschliches Recht in der Kirche handelt, um gesatztes Recht oder Gewohnheitsrecht, um zwingendes oder nachgiebiges, um vollkommenes oder unvollkommenes Recht. Wenn wir hier von einer Relativität des Rechtes sprechen wollen, so bezieht sich die Relativität des Rechtes auf das Recht als solches, das heißt, insofern es sich wirklich um Normen der gesellschaftlichen Ordnung der Kirche handelt, also nicht auf die sittliche Norm, insofern diese göttliches Gesetz der Offenbarung oder der Natur bedeutet und einen Sachverhalt ausspricht, der unmittelbar allein von Gott gesetzt ist und in sich selbst eigentlich und unmittelbar heilsbedeutsam ist. Zwar können die rechtlichen Normen selber eine eigentlich sittliche und darum heilsbedeutsame Forderung einschließen. Und wo dies und sofern dies der Fall ist, soll hier auch von einer Relativität nicht die Rede sein. Aber eine solche im eigentlichen Sinne sittliche Forderung beinhaltet das Recht eben nur dort, wo und soweit es der gesellschaftlichen Ordnung – hier eben der Kirche – dient. Diese gesellschaftliche Ordnung betrifft aber weder alle Dimensionen des menschlichen Daseins, noch ist sie – soweit sie in allgemeine materiale Normen gefaßt werden kann – immer und auf jeden Fall so, daß es von vornherein selbstverständlich wäre oder sein müßte, daß sie mit anderen Dimensionen, Wirklichkeiten, Rechten und Freiheiten des Menschen nicht in Konflikt kommt.

Erläutern wir das an ein paar konkreten Fragen: Hat z.B. ein katholisch getaufter Christ keine Möglichkeit zu heiraten, wenn nicht nur kein Priester, sondern auch keine Zeugen des Eheabschlusses für längere Zeit zu Gebote stehen? An sich ordnet das kirchliche Recht an, daß zur Gültigkeit einer Ehe, selbst wenn kein Priester vorhanden ist, Zeugen erforderlich sind. Gilt das immer und in jedem denkbaren Falle? Hat jemand – ein anderes Beispiel – wirklich kein Recht auf Ehe mehr, der die Nullität einer früheren Ehe vor dem kirchlichen Gericht nicht nachweisen kann? Was kann jemand tun, der – zum Priester geweiht – nicht nachweisen kann, daß die Bedingungen des Kanons 214 im kirchlichen Rechtsbuch bei ihm wirklich zutreffen – Bedingungen, die ihn, wenn sie als vorhanden nachgewiesen werden könnten, von allen priesterlichen Verpflichtungen befreien würden? Könnte – natürlich ist das ein sehr extremer Fall – ein verschleppter Priester auch dann einen andern nicht zum Priester weihen, wenn dafür ein dringendes Bedürfnis bestünde und für lange Zeit voraussichtlich kein Bischof zu finden wäre, der diese Priesterweihe vornehmen könnte? Gibt es hinter den verschiedenen eisernen Vorhängen nicht Situationen, die ein Handeln erlauben, ja sogar fordern, das weder material noch formal im Recht der Kirche vorgesehen ist? Ist es sicher, daß die formalen und materialen Normen des Gesetzes als menschlich reflektiertes und allgemeines im voraus jede denkbare menschliche Situation in genügender Weise so einfangen, daß ein bestimmtes Handeln entweder als nach diesen Normen geschehen vor dem Forum der Kirche gerechtfertigt werden kann oder – weil ihrem Buchstaben widersprechend – eo ipso auch unsittlich ist und als solches von der Kirche deklariert werden kann?

Man wird vielleicht sehr viele Fälle, an die man in einem Zusammenhang denken kann, mit Berufung auf eine Entschuldigung, auf eine kanonische Billigkeit und sonstige formale Normen der Handhabung des materialen Rechtes in der Kirche bewältigen können. Das ist zuzugeben. Und es ist auch selbstverständlich, daß so etwas immer anzustreben ist. Aber mindestens in einigen Fällen eines möglichen, vielleicht sogar pflichtgemäßen Versuches wird die Interpretation und die Anwendbarkeit eines solchen formalen Prinzipes wiederum nur bei einer Interpretation dieser formalen Prinzipien möglich sein, einer Interpretation, die – mag sie auch objektiv richtig sein – von der kirchlichen Autorität als Vertreterin und Hüterin der formalen und materialen allgemeinen Gesetzesnorm mindestens nicht positiv gebilligt ist und vermutlich auch in manchen Fällen amtlich und positiv nicht gebilligt werden kann, weil eben gerade die Situation darin bestehen kann, daß eine solche amtliche Interpretation konkret nicht möglich ist. Vom Wesen der menschlichen Erkenntnis her kann keine Interpretation das zu Interpretierende adäquat aufarbeiten, sondern wesentlich und unvermeidlich nur neue Aporien schaffen, zumal auch die an sich denkbare Billigung eines bestimmten einzelnen Handelns von seiten der Kirche nicht unfehlbar wäre. Letztlich würde der Mensch doch seiner eigenen Entscheidung und Verantwortung überantwortet. Weil diese Entscheidung einer kirchlichen Instanz wieder prinzipieller Natur wäre, würde das konkrete Problem des Falles selber genausowenig adäquat erreicht wie durch die sonstigen, bisher schon reflektierten Prinzipien. Die hier angezielte Relativität des Rechtes ist kein „Situationsrecht", wie man es in Analogie zu der von der Kirche abgelehnten Situationsethik verdachtsweise formulieren könnte. Eine *solche* Relativität des Rechtes ist so etwas schon darum nicht, weil man sonst auch der Gewohnheit gegen das Recht, die es gibt, und der Epikie, die es auch gibt, denselben Vorwurf machen könnte. Diese beiden haben ja auch den Buchstaben des Gesetzes gegen sich und sind nur, was sie sein sollen, solange der Gesetzgeber gerade nicht gefragt und die ausdrückliche Zustimmung nicht gegeben ist. Denn durch eine solche Zustimmung würde ja aus solchen Größen der Entschuldigung, der Epikie, der Gewohnheit gegen das Recht ein neues Gesetz oder mindestens eine eigentliche Dispens von seiten des Gesetzgebers.

Ferner darf man auf folgenden Sachverhalt dogmatischer Art aufmerksam machen, der gewöhnlich nicht unter diesem Aspekt gesehen wird: Sakramente können durchaus auch unter das sakrale Recht der Kirche subsumiert werden, auch wenn sie „göttlichen" und nicht nur positiv kirchlichen Rechtes sind. Die Lehre von der gebothaften und sogar mittelhaften Heilsnotwendigkeit bestimmter Sakramente weist nun in dieselbe Richtung, die wir hier anzielen. Ein Mensch ist an eine bestimmte Norm seines Verhaltens, das einen

Bezug auf eine Gesellschaft hat, auch hier gebunden. Trotzdem erklärt die Dogmatik, daß die eigentlich entscheidende Wirkung dieser Sakramente, ohne daß diese deswegen aufhören, an sich verpflichtend zu sein, auch ohne sie erlangt werden könne, z.B. die Rechtfertigung. Hinsichtlich der geistlichen Kommunion z.B. erklärt das Trienter Konzil ausdrücklich, daß auch durch sie die res sacramenti, das eigentlich Letzte dieses eucharistischen Sakramentes gegeben wird, gegeben sein kann – auch dort, wo das Sakrament selbst fehlt (vgl. DS 1648). Es zeigt sich hier jedenfalls, daß das Sakramentenrecht der Kirche grundsätzlich und ausdrücklich darauf verzichtet, immer und überall so zu gelten, daß auch die von ihm eigentlich gemeinte Sache nur dann gegeben wäre, wenn es selbst – das Sakrament – gegeben und beobachtet ist.

Gilt solche Relativität schon von den Sakramenten und dem Sakramentenrecht (trotz der Notwendigkeit und Gebotenheit mindestens einiger Sakramente), dann kann erst recht allgemein gesagt werden: Die Relativität des kirchlichen Rechtes im allgemeinen ist die gleiche, wie sie bezüglich der Notwendigkeit und der Verpflichtung der Sakramente immer schon ausdrücklich gelehrt wird. Wenn man den Einwand dahin formulierte, daß ein Gesetz, dem in gewisser Weise bloß relative Geltung zugestanden wird, dann überhaupt seine normierende Kraft und Geltung verlieren würde, so ist dies nicht richtig. Alle innerweltlichen, material verpflichtenden Instanzen, das unfehlbare Lehramt der Kirche, die kirchliche Hirtengewalt, ein Gesetz müssen ja zunächst notwendigerweise selber vor dem sittlichen Gewissen des einzelnen als gültig anerkannt werden, um real wirksam werden zu können. Und in der sittlichen Entscheidung, die diese Instanzen selbst vor ihrer verpflichtenden Kraft anerkennt, ist das Gewissen *durch* diese Instanzen, die es ja gerade erst anerkennen muß, nicht schon selber normiert. Man kann also nicht sagen, daß aller Gehorsam gegenüber innerweltlich gegebenen Instanzen durch solche Instanzen selbst normiert sein müsse, um wirksam werden zu können. Ein Gehorsam ferner gegenüber einer Instanz, die gleichzeitig als relativ, unter Umständen als in ihrem Spruch nicht verbindlich oder als irrend vorausgesetzt wird, ist kein Widerspruch. Es ist z.B. durchaus möglich, daß auch kirchliche Instanzen in Einzelfällen etwas Sündhaftes befehlen, dem das Gewissen des einzelnen widerstehen muß. Die innere Zustimmung, die grundsätzlich natürlich eine kirchliche Lehrautorität fordern kann und fordern muß, kann unter bestimmten Umständen auch verweigert werden. Eine wirkliche und doch relative Autorität und die Möglichkeit, daß sie auch bei Erkenntnis ihrer Relativität dennoch Gehorsam findet, sind durchaus gegeben. Und eben dies kann nun auch von dem Gesetz in der Kirche gesagt werden.

Eine Relativität, die das Gesetz noch einmal dem grundsätzlich zum Gehorsam bereiten Gewissen anvertraut, bedeutet keine Situationsethik. Sie bedeutet nur, daß der einzelne sich vor seinem eigenen Gewissen fragen muß und sich selber gegenüber kritisch verhalten muß, indem er mit der Möglichkeit, ja mit der Gefahr rechnet, daß er sich in einem moralischen oder rechtlichen Libertinismus schuldhaft über den berechtigten Anspruch der kirchlichen Autorität hinwegsetzt. Endlich ergibt sich die hier gemeinte Relativität des Gesetzes einfach aus der ontologischen Tatsache, daß der konkrete Fall, der immer mehr als ein bloßer Fall ist, nie adäquat durch allgemeine und in menschlichen Begriffen formulierte Gesetze eingefangen, und die konkrete Situation, die mit allen ihren Momenten für die Frage der Zuständigkeit allgemeiner Prinzipien relevant ist, nicht adäquat reflektiert werden kann. Und überdies ist in der traditionellen Lehre schon immer dasselbe gesagt, wenn dort zugestanden wird, daß in sehr vielen konkreten Fällen des Sittlichen, vor allem auch des rechtlichen Handelns, im Konkreten keine Sicherheit theoretischer Art, sondern nur eine mehr oder minder große Probabilität, Wahrscheinlichkeit, erzielt werden kann.

Führt man diese Tatsache auf die Dummheit der Menschen zurück, so muß gesagt werden, daß diese Beschränktheit der Erkenntnis in vielen, und zwar auch durchaus wichtigen Fällen auch durch die Gesamtintelligenz der Kirche nicht notwendig und immer aufgehoben werden kann. Ist diese Überlegung richtig, dann kann es durchaus vorkommen, daß ein dem Gesetz gegenüber zum Gehorsam durchaus bereites Gewissen, das diese grundsätzliche Bereitschaft auch im konkreten Leben des Christen in der Kirche unter Beweis gestellt hat, doch in eine Situation kommt, in der es eine wirkliche Lösung der Frage vom kirchlichen Amt als dem Sachwalter des Gesetzes nicht erwarten kann, sondern daß es eine Entscheidung gegen den Buchstaben des Gesetzes fällen darf oder sogar fällen muß. Gibt es aber solche Fälle, dann kann der sich so Entscheidende aus dem Wesen der Sache heraus gerade nicht erwarten, daß seine Entscheidung in der eigentlichen Dimension des Gesellschaftlichen vom Amt der Kirche ausdrücklich gebilligt und vom Amt der Kirche als legitim akzeptiert wird. Wer so etwas fordert, würde entweder die Autorität des Amtes und die grundsätzliche Legitimität der allgemeinen Gesetze selbst bestreiten oder von der Kirche fordern, daß seine konkrete Wirklichkeit, die ja gerade nicht ins allgemeine hinein reflektiert und aufgelöst werden kann, zum allgemeinen Gesetz erhoben werde. Wer z.B. glaubt, daß unter ganz bestimmten Umständen vor Gott ein Getaufter auch ohne jedweden Zeugen eine Ehe geschlossen hat, der darf dann nicht fordern, daß diese Tatsache auch von der Kirche als bestehend anerkannt wird, bevor er sie durch die Erfüllung der allgemeinen rechtlichen Normen in der Dimension des Gesellschaftlichen präsent gemacht hat.

Der Normalchrist in der katholischen Kirche ist in dieser Hinsicht oft der Kirche gegenüber ungerecht; er nimmt unter Umständen durchaus mit Recht hinsichtlich eines bestimmten positiven kirchlichen Gesetzes eine Freiheit für sich in Anspruch, weil er in seinem konkreten Fall vor Gott den Fall bedacht hat, sich durch das allgemeine Gesetz der Kirche nicht wirklich sittlich verpflichtet erachtet und vielleicht auch wirklich nicht erachten kann. Wenn er dieser Überzeugung ist, dann kann diese durchaus berechtigt sein, er kann aber nicht auch gleichzeitig noch fordern, daß die Kirche durch ihren eigenen Spruch diese konkret individuelle Entscheidung noch einmal ausdrücklich approbiert. Daß es solche Fälle geben kann, hat die Kanonistik auch des Mittelalters schon immer insofern gesehen, als sie unbefangen z. B. damit gerechnet hat, daß jemand für seine Entscheidung mit einer Exkommunikation bestraft wird, er aber bei der Entscheidung seines Gewissens trotz dieser Exkommunikation bleiben muß. Natürlich muß er aber auch in foro externo gewisse Folgen dieser Exkommunikation ohne eine grundsätzliche Rebellion gegen die Kirche und ihr Amt und ihre allgemeinen Normen auf sich nehmen und tragen. Es gibt ja auch im weltlichen Bereich die nicht restlos bereinigbare Situation, daß eine gesellschaftliche Autorität ihrer Auffassung sogar mit Zwangsmaßnahmen Geltung verschaffen darf, ja sogar vielleicht muß, und trotzdem diese selbe Autorität voraussetzt, daß sie der freien sittlichen Entscheidung eines Untergebenen grundsätzlich Raum lassen muß und dieser im konkreten Einzelfall objektiv gegen die staatliche Autorität recht hat.

Die Differenz zwischen allgemeiner Norm und konkretem Einzelfall, zwischen dem Buchstaben des Gesetzes und der konkreten Entscheidung, die den Buchstaben vielleicht verletzt, um dem eigentlichen Geist aller Gesetze in der Kirche treu und gehorsam zu sein, ist von beiden Seiten her – von der Kirche und vom einzelnen – der pilgerschaftlichen Existenz des einzelnen und der Kirche zuzuschreiben; sie ist als Charakteristikum dieser pilgerschaftlichen Existenz zu tragen, ohne daß dieser Konflikt durch eine grundsätzliche Aufhebung der einen oder der anderen Seite „gelöst" wird. Dies aber geschähe sowohl in einem Situationsrecht durch den einzelnen – was etwas anderes ist als die eben gemeinte Relativität des Rechtes – als auch durch eine Verabsolutierung des kirchlichen Rechtes.

Die sehr konkrete praktische Bedeutung dieser Überlegung liegt darin, daß der Vollzug des Rechtes in der Kirche nur dann ein wirklicher Selbstvollzug der Kirche als Gesellschaft und pneumatische Gemeinschaft ist, wenn die Wahrung des Rechtes in der dienenden Demut geschieht, die weiß, daß das Recht in der Kirche Gott, seinem Leben und seiner Gnade einen Raum, ja sogar eine Präsenz verschaffen kann, darum aber dennoch nicht einfach mit Gott und seinem Geist und dem, was überhaupt durch dieses Recht vermittelt werden soll, identifiziert werden darf. Selbstverständlich bedeutet eine solche Meinung und Einschätzung des kirchlichen Rechtes und damit auch des kirchlichen Gehorsams eine Gefahr für das Recht der Kirche und für den Gehorsam des katholischen Christen. Aber man kann diese Gefahr eben nicht dadurch vermeiden wollen, daß man unwahr das kirchliche Recht einfach verabsolutiert und eine Diskrepanz zwischen dem sittlich Gesollten oder Erlaubten einerseits und der Vorschrift des positiven kirchlichen Rechts anderseits als von vornherein grundsätzlich unmöglich erklärt. Wer von vornherein alle diese Überlegungen nur dazu benützt, sich in einer rechtlich und moralisch libertinistischen Weise über alle kirchlichen Vorschriften hinwegzusetzen, dem ist im Grunde nicht zu helfen, der hat eben ein richtiges Prinzip falsch angewendet, schuldhaft falsch angewendet, und das muß er vor seinem eigenen Gewissen und vor Gott verantworten.

Die Kirche als der Ort der Liebe zu Gott und zum Mitmenschen

Der Christ erlebt, wenn er die Kirche als die geschichtliche Greifbarkeit der Gegenwart des sich selbst mitteilenden Gottes erfaßt, die Kirche als den Ort der Liebe, der Liebe zu Gott und zum Menschen. Beide „Lieben" erfahren sich im menschlichen Leben, wenn sie sich ernst nehmen als das Gegebene, als etwas, was der Mensch nicht einfach von sich aus herstellen kann. Es ist dasjenige, in dem der Mensch nur zu sich selber und zu seinem wahren Wesen kommt und was gerade so doch immer das Geschenk von der anderen Seite ist. Und insofern die Kirche die Konkretheit Christi uns gegenüber ist und Jesus Christus wirklich die absolute, unwiderrufliche und siegreiche Zusage Gottes als des absoluten, in Liebe sich uns gebenden Geheimnisses, ist eben die Kirche die Greifbarkeit, der Ort, die Versicherung, die geschichtliche Zusage, daß Gott uns liebt. Wer wirklich begreift, daß diese Selbsteröffnung des absoluten, unfaßbaren, unverfügbaren Geheimnisses, das wir Gott nennen, das Wunderbarste, das Unerwartetste ist und gerade so dasjenige, ohne das wir im letzten nicht leben können, der wird ganz gewiß diese liebende Selbstzusage Gottes an das Geheimnis seines eigenen Daseins nicht nur gleichsam erfahren wollen in dem, was wir Gnade, Erfahrung der Gnade in der letzten Tiefe des Gewissens nennen, sondern er hofft und er erwartet als der geschichtliche, leibhaftige, konkrete Mensch, daß davon etwas als Zusage, als Greifbarkeit, als – in einem tiefen und weiten Sinne – Sakrament auch in seinem Dasein erscheine. Und dort, wo Christus als diese leibhaftige, fleischgewordene Zusage erscheint – in der Kirche, in all ihrer geschichtlichen Bedingtheit und Vorläufigkeit, in Taufe und Abendmahl –, da erfährt der Christ, wenn er diese Form des Glaubens ergreift, daß Gott ihn liebt.

Und ebenso ist es hinsichtlich der Liebe zwischen den Menschen. Alle bloß menschliche Liebe ist im Grunde einerseits dasjenige, ohne das der Mensch nicht leben kann, und auf der anderen Seite immer wieder auch ein Versuch, der ins Ausweglose und – vom Menschen aus gesehen – ins Scheitern geht, ein Versuch, der die Kluft und die Trennung zwischen den Menschen immer nur anlaufweise aufhebt und eine letzte Garantie, eine letzte Hoffnung, daß das endgültig gelingt, von sich aus nicht hat und nicht haben kann. Natürlich bleibt dieses letzte Gelingen einer zwischenmenschlichen Liebe immer dasjenige, was hier in diesem Dasein das Erhoffte und in Hoffnung Gewagte ist, was nicht einfach in Greifbarkeit, in Selbstverständlichkeit besessen werden kann, was eben in dieser Hoffnung und nur so die eine totale Tat unseres Lebens ist. Aber so ist dieser Liebe ein letztes Gelingen in Hoffnung verheißen.

Das letzte Gelingen ist angezeigt, sakramental gegenwärtig, wenn auch nur in Glaube und Hoffnung erfaßbar, in der Kirche, weil natürlich diese zwischenmenschliche Liebe nur dann und endgültig gelingen kann, wenn sie geschieht im Raume Gottes, dort, wo das Verschiedene als Verschiedenes bejaht und von dem einen schöpferisch bejahenden Gott in Einheit zusammengehalten wird. Weil solcher göttlicher Raum zwischenmenschlicher Liebe als Möglichkeit und Verheißung des Sieges dieser Liebe in der Kirche – besonders im Abendmahl – erscheint, darum kann der Christ das scheinbare Scheitern, die Enttäuschung und die Vorläufigkeit aller Liebe, ohne die er doch nicht leben kann, gelassen und getrost und tapfer aushalten in Jesus Christus. In der uns in ihm zugesagten Liebe ist auch der endgültige Sieg dieser zwischenmenschlichen Liebe verheißen, in der Hoffnung schon gegeben und in der Kirche präsent. Natürlich müßte oder muß die Kirche in der konkreten Kirche des Ortes, in der konkreten Zwischenmenschlichkeit glaubender und hoffender Christen, auch in der Konkretheit des Alltags verwirklicht werden. Wie das nun im Näheren geschieht, inwiefern die Kirche gerade in dieser Hinsicht oft nicht sehr glaubwürdig erscheint, darüber kann und muß nun hier nicht mehr im einzelnen gesprochen werden.

Die Einzigartigkeit des christlichen Sinnangebots im gesellschaftlichen Pluralismus

Wir leben in einer weltlichen Welt. In dieser weltlichen Welt gibt es nicht nur verschiedene Funktionen in den Dimensionen des Materiellen, des Biologischen, des im engeren Sinne Gesellschaftlichen, sondern es gibt auch einen Pluralismus der geistigen, menschlichen Bestrebungen, der Ideologien, der Auffassungen, der konkreten Lebensstile, der Kulturen, der Parteien. Von da aus könnte es so aussehen, als ob die Kirche, insofern sie auch eine gesellschaftliche Verfassung hat, bloß eine der verschiedenen weltanschaulichen Gruppen sei, daß sie in einer unmittelbaren Konkurrenz zu anderen ähnlichen weltanschaulichen Gebilden stehe.

Daß das auf der Ebene des empirisch Gesellschaftlichen so ist und auch von uns Christen so erlebt und getragen werden muß, daran kann kein Zweifel bestehen. Aber wenn der Christ sich, das göttliche Leben, die göttliche Gnade und damit auch die eigentliche Wirklichkeit der Kirche richtig versteht, rückt die Kirche in einem letzten Verstand aus diesem pluralistischen Leben mit seinen konkurrierenden Gruppen doch heraus. Und zwar unter einem doppelten Aspekt: Einmal deswegen, weil ja die Kirche, im Grunde genommen, nicht eine Ideologie vertritt, in der eine bestimmte menschliche Wirklichkeit innerhalb des menschlichen Daseinsraums verabsolutiert wird; das Eigentliche an der Kirche selbst ist ja gerade die Befreiung des Menschen und des menschlichen Daseins hinein in eine absolute Region Gottes selbst als des

Geheimnisses, weil der Christ wirklich in seinem Glauben an Jesus Christus den Gekreuzigten weiß, daß er auch durch den Tod, also durch eine letzte Vereinsamung und Absetzung von allen möglichen menschlichen konkurrierenden Dimensionen hineinstirbt und hineinlebt in die unbegreifliche, unendliche Fülle des heiligen Gottes, in dem allein alles wirklich eins wird und sich gegenseitig nicht mehr Konkurrenz macht. Der Christ und die Kirche sagen – so sehr sie auch einzelne Aussagen machen, so sehr es eine kirchliche Institutionalität gibt, so sehr es konkrete Sakramente gibt – im Grunde nicht etwas, gegen das anderes steht, sondern sie sagen so ihren Glauben, daß das Unsagbare, das keine Grenzen mehr hat, nicht nur die absolute Ferne, sondern die sich selbstmitteilende, liebende und selige Nähe ist. Und diesem eigentlichen Wesen des christlichen Daseins und so auch der Kirche kann vom Wesen dessen her, was damit gemeint ist, eigentlich kein Ja oder Nein konkurrierender Art gegenüberstehen.

Dazu kommt noch, daß der Christ den Nichtchristen nicht auffaßt als denjenigen, der einfach schlechthin in seinem Daseinsvollzug das Gegenteil von ihm sagt und lebt. Er erkennt ja jeden Menschen in der letzten Tiefe seines Gewissens, seiner Person, seines Daseins als denjenigen an, dem sich als der wahre Inhalt jedweden geistigen Lebens die Unendlichkeit, die Namenlosigkeit, die Undefinierbarkeit Gottes als Heil angeboten hat an die Freiheit dieser Person. Und der Christ weiß auch in seiner Hoffnung, daß ein solches Angebot des absolut unbegreiflichen, namenlosen, nicht mehr eingrenzbaren Gottes an die Freiheit des Menschen auch dann noch im konkreten, unreflektierten Daseinsvollzug eines Menschen zu seiner Rechtfertigung und zu seinem Heil angenommen sein kann, wenn dieser Mensch ohne seine Schuld bei seiner geschichtlichen Bedingtheit sein Dasein anders, nichtchristlich, vielleicht sogar atheistisch interpretiert. Dort nämlich, wo ein Mensch in einer letzten Bedingungslosigkeit sein Dasein annimmt, in einem letzten Vertrauen, daß dieses annehmbar ist, wo so ein Mensch in einer letzten Gelassenheit, in einem letzten Vertrauen sich in den Abgrund des Geheimnisses seines Daseins fallenläßt, da nimmt er eben Gott an, nicht einen Gott bloßer Natur, auch nicht einer bloßen Natur des Geistes, sondern er nimmt den Gott an, der sich in der Mitte und Tiefe dieses Daseins selber in seiner ganzen Unendlichkeit gibt. Und darum steht der Christ jenseits des pluralistischen Wirrwarrs und hofft, daß dahinter eben doch in allen, die guten Willens sind, ein letztes Ja verborgen ist, das nicht noch einmal in einem Widerstreit der Meinungen untergehen kann. Und insofern sieht er die Kirche als einen Kreis von Glaubenden, die wirklich auch auf der Ebene ausdrücklicher Reflexion amtlicher Kirchlichkeit letztlich nur das eine in Glauben, Hoffen und Lieben bekennen, nämlich daß Gott, der Absolute, der Lebendige durch all den Pluralismus seiner Schöpfung hindurch in seiner sich selbst schenkenden Liebe siegreich ist.

ACHTER GANG

Bemerkungen zum christlichen Leben

1. ALLGEMEINE CHARAKTERISTIKA DES CHRISTLICHEN LEBENS

Die Freiheit des Christen

Die letzte Grundtendenz christlichen Lebens liegt darin, daß der Christ nicht so sehr ein Sonderfall des Menschen überhaupt ist, sondern einfach der Mensch, wie er ist, aber so, daß dieser Mensch das ganze konkrete menschliche Leben mit all seinen Abenteuern, Absurditäten, Unbegreiflichkeiten vorbehaltlos annimmt, während der wirkliche Nicht-Christ, der auch in der *letzten* Tiefe seines Daseinsvollzugs nicht „anonymer Christ" genannt werden könnte, gerade dadurch charakterisiert ist, daß er diese Vorbehaltlosigkeit gegenüber dem Dasein nicht aufbringt. Natürlich ist der konkrete Christ ein Mensch, der sich in sehr vielen Dingen von dem Nicht-Christen unterscheidet: Er ist getauft, er empfängt Sakramente, er gehört einem ganz bestimmten Verband an, er empfängt von dort Normen, er hat sich in einer Gelassenheit, wie er sie auch sonst unverfügbaren Vorgegebenheiten seines Lebens entgegenbringt, einem gewissen Lebensstil zu fügen usw. Aber das ist nicht das Letzte und das Eigentliche des Christen und seines Lebens. Das Letzte ist, daß er sich annimmt, so wie er ist, allerdings ohne Vergötzung, ohne Abstrich, ohne sich zu versperren gegenüber all dem, was in der letzten Tiefe der Wirklichkeit unausweichlich dem Menschen auferlegt und aufgetragen ist.

Von da aus gesehen, könnte man das christliche Leben gerade als das Leben der Freiheit charakterisieren. Freiheit ist ja im letzten die Offenheit auf alles, ohne Ausnahme: die Offenheit auf die absolute Wahrheit, die absolute Liebe, die absolute Unbegrenztheit des menschlichen Lebens in der Unmittelbarkeit zu demjenigen, den wir Gott nennen. Freiheit ist – auch in der paulinischen Theologie – durchaus ein Wort, das christliches Dasein charakterisieren soll, wenn wir als durch Christus zur Freiheit befreit erklärt werden. Diese Freiheit ist im letzten nicht die Abwesenheit von Mächten, die unser Dasein bestimmten; eine solche Freiheit kann bis zu einem gewissen Grade angestrebt werden, und das ist auch möglich und ein wirklicher Auftrag an den Menschen. Für uns aber, die wir ungefragt geboren werden und ungefragt sterben und ungefragt einen ganz bestimmten – für uns im letzten nicht veränderbaren – Lebensraum übernommen haben, gibt es eine unmittelbare Freiheit der Abwesenheit jedweder unser Dasein mitbestimmender Mächte nicht. Aber der Christ glaubt, daß es mitten durch diese Gefangenschaft hindurch das Tor zur Freiheit gibt, die wir uns nicht mit Gewalt erringen, sondern die uns von Gott gegeben wird, insofern er sich uns durch alle diese Gefangenschaften unseres Daseins hindurch selber gibt.

Der Realismus des Christen

Das Leben des Christen ist charakterisiert durch einen „pessimistischen" Realismus und durch den Verzicht auf eine Ideologie im Namen des Christentums. Von einer Katechismus-Theologie durchschnittlicher Art her könnte man meinen, das Christentum fange erst dort an, wo ganz bestimmte Normen sittlicher oder kultischer oder kirchengesellschaftlicher Art respektiert werden. So ist es aber nicht. Die eigentliche totale, umfassende Aufgabe des Christen als Christen ist die, ein Mensch zu sein, freilich mit jener göttlichen Tiefe, die ihm unausweichlich in seinem Dasein vorgegeben und eröffnet ist. Und insofern ist eben das christliche Leben Annahme des menschlichen Daseins überhaupt, im Gegensatz zu einem letzten Protest. Das bedeutet aber, daß der Christ die Wirklichkeit so sieht, wie sie ist. Das Christentum verpflichtet ihn nicht, diese Wirklichkeit seiner Erfahrungswelt, seiner geschichtlichen Lebenserfahrung in einem optimistischen Lichte zu sehen. Sie verpflichtet ihn im Gegenteil, dieses Dasein als dunkel, als bitter, als hart, als in einem unausdenkbaren Maße radikal gefährdet zu sehen. Der Christ ist derjenige, der glaubt, daß er in diesem kurzen Dasein wirklich eine letzte, radikale, nicht mehr revidierbare Entscheidung trifft, wo es wirklich um eine letzte, radikale Seligkeit oder um eine bleibende ewige Verlorenheit geht. Gewiß, er wird, wenn er diesen Blick wagt, wenn er diesen Anblick der Wirklichkeit von radikalster Gefährlichkeit voll aushält und aushalten will, hoffen und von sich gleichsam abspringen auf die Verheißung des lebendigen Gottes hin, daß Er in der Gefährlichkeit des Daseins mit seiner machtvollen Liebe siegt. Aber um zu begreifen, was Gott uns ist und sein will, muß man diese radikale Bedrohtheit des Lebens sehen und anerkennen. Nur so kann man hoffen und glauben und die Verheißungen Gottes im Evangelium Jesu Christi ergreifen.

Weiter wird dieser christlich-„pessimistische" Realismus sehen, daß das Dasein des Menschen wirklich radikal und unausweichlich durch den Tod hindurchgeht. Aller Daseinskampf, alle Zukunftshoffnung innerweltlicher Art ist für den Christen – vorausgesetzt, daß er sich dem Tode stellt – erlaubt, ja ihm sogar aufgetragen. Aber er ist nur ein Christ, wenn er glaubt, daß alles Positive, Schöne, Aufblühende hindurch muß durch das, was wir den Tod nennen. Das Christentum ist die Religion, die den an das Kreuz Genagelten und dort gewaltsam Sterbenden als Siegeszeichen und realistischsten Ausdruck des menschlichen Lebens erkennt und zum eigenen Zeichen gemacht hat. Natürlich könnte man sagen, wir Christen müßten überall den Auferstandenen zeigen als den Ausdruck und die Summe dessen, was wir glauben. Tatsächlich hat das Christentum aber das Kreuz auf den Altar gestellt, an die Wände der christlichen Häuser gehängt und auf das Grab der Christen gepflanzt. Warum eigentlich? Offenbar sollen wir uns darin erinnern, daß wir uns die Härte, die Finsternis, den Tod in unserem Dasein nicht weglügen dürfen und daß wir als Christen offenbar nicht das Recht haben, mit dieser Weise des Lebens erst dann etwas zu tun haben zu wollen, wenn es nicht mehr anders geht. Dann kommt der Tod zu uns, aber wir sind nicht zum Tode gekommen. Er aber ist das einzige Tor zu dem Leben, das wirklich nicht mehr untergeht und den Tod nicht als seinen innersten Kern erfährt. Wir verkünden im zentralen Mysterium des christlichen und kirchlichen Lebens – im Abendmahl – den Tod des Herrn, bis er wiederkommt. Wir Christen also sind eigentlich doch die einzigen, die auf ,,Opium'' in unserem Dasein, auf Analgetika des Lebens verzichten können. Das Christentum verbietet uns, *so* zu den Analgetika zu greifen, daß wir nicht mehr mit Jesus Christus den Kelch des Todes dieses Daseins freiwillig trinken. Und insofern ist das Christentum zweifellos im Vollzug des christlichen Daseins aufgefordert, in einem absolut nüchternen Realismus zu sagen: ja, dieses Dasein ist unbegreiflich; denn es geht durch eine Unbegreiflichkeit hindurch, in der uns alles Begreifen entrissen wird, eben durch den Tod. Und erst wenn das nicht nur in frommen Sprüchen gesagt, sondern in der Härte des realen Lebens angenommen wird – wir sterben ja nicht am Ende, sondern durch unser Leben hindurch; und unser Tod beginnt, wie schon Seneca gewußt hat, mit unserer Geburt –, nur dann, wenn wir diesen pessimistischen Realismus leben im Verzicht auf eine Ideologie, die einen ganz bestimmten Sektor des menschlichen Daseins verabsolutiert und vergöttlicht, nur dann haben wir die Möglichkeit, uns von Gott jene Hoffnung geben zu lassen, die uns wirklich befreit.

Die Hoffnung des Christen

Dieser ,,pessimistische Realismus'', der zum Wesen des Christentums gehört, auch wenn er dieses Wesen nicht erschöpft, ist nur möglich, wenn der Christ der Mensch der Hoffnung ist, die frei macht. Nur dort, wo der Mensch Christ ist, d.h. die absolute, unendliche Zukunft als seine bekennt (als seine, die er sich nicht von sich aus mit eigener Kraft erringt, sondern die sich von ihr aus immer wieder und von vornherein aus freier Gnade gibt), dort wird er für einen solchen pessimistischen Realismus frei. Der Christ ist deswegen derjenige, der immer der angefochtene, der bestreitbare ist. Denn das, was er hofft, kann er nicht vorzeigen, und das, was man einfach genießen kann, ist nicht seine letzte, seine entscheidende Hoffnung. Er wird also immer von den absoluten Pessimisten und von denen, die glauben, absolute Optimisten innerhalb ihrer Daseinserfahrung sein zu können, als der Utopist betrachtet werden, der das Unendliche hofft und deswegen dem Endlichen gelassen gegenübersteht. Er ist derjenige, der das Greifbare nicht so festhält, daß er es genießt, bis der Tod kommt, und der die Finsternis der Welt nicht so ernst nimmt, daß er das ewige Licht dahinter nicht mehr zu glauben wagt. Aber eben diese Hoffnung allein macht frei. Sie macht natürlich auch frei zu einer positiven Sicht gegenüber all den unmittelbar greifbaren, innerweltlichen Gütern des Geistes, der Liebe, des Lebens, der Freude, des Erfolges, der Arbeit. Denn es kann ja offenbar nicht der Sinn des menschlichen Daseins sein, diese Güter nur auf solche Weise positiv zu sehen, daß man ihre Grenzen, ihre Endlichkeit, ihre Enttäuschung verdrängt. Natürlich ist auch die christliche Daseinserfahrung als solche geschichtlich. Auch der Christ freut sich einmal und weint ein andermal, er erlebt die Größe, die Lebendigkeit des menschlichen Lebens, und er kostet ein andermal den Tod, die Vergeblichkeit, die Enttäuschung. Aber eben dieses sich frei und gleichsam unsystematisch der Wirklichkeit des Lebens Aussetzen-Können, ohne das irdische Leben oder den Tod zu verabsolutieren, eben das kann man nur, wenn man glaubt und hofft, daß das Ganze dessen, was unser erfahrbares Leben ist, umfaßt ist von dem heiligen Geheimnis ewiger Liebe.

Der Christ vor dem Pluralismus der menschlichen Existenz

Ein Weiteres, was das Leben des Christen charakterisiert, ist die unbefangene Annahme des Pluralismus der menschlichen Existenz. Man könnte meinen, der Christ sei gerade derjenige, der alles von Gott her und alles von einer unmittelbar das Leben durchformenden religiösen Sinngebung her konstruieren will. Natürlich ist das insofern wahr, als der Mensch alles Irdische – sein Dasein in Geist und in Natur, in Leben und Sterben – umfaßt weiß von dem Einen, Unbegreiflichen, den wir Gott nennen und den wir bekennen als den Vater der ewigen Liebe, den Vater unseres Herrn Jesus Christus. Aber dies ist eben eine Umfaßtheit durch *Gott*, also den Unbegreiflichen, denjenigen, den man im letzten nicht als einen abgrenzbaren, bestimmten Posten, der überschaubar wäre, in das Kalkül des eigenen Lebens einsetzen könnte. Und insofern kann der Christ dem Pluralismus seines Lebens, seiner Mit- und Umwelt und der menschlichen Gesellschaft unbefangen entgegentreten. Er ist der, der nach Gott verlangt, ihn anbetet, ihn zu lieben sucht, sein Dasein auf Gott hin auszurichten sucht.

Aber er findet sich als der mit einem solchen letzten religiösen Auftrag Betraute und Belastete vor in einer pluralen Welt, in einer Welt des Berufes, der Kunst, der Wissenschaft, der Politik, des Vitalen usw. Und alle diese pluralen Momente seines Daseins sind gerade für den Christen nicht in ein von ihm durchschautes, beherrschtes System zu integrieren. Es gibt einen echten Pluralismus der Wirklichkeit. Dieser Pluralismus einer von Gott unterschiedenen Natur ist nicht bloß der leere Schein, hinter dem die Wirklichkeit – das Eine, Absolute, Gott – so west, daß alles im Grunde nur nichtiger Schein oder eben der eine absolute Gott wäre. Wenn der Christ wirklich bekennt, daß Gott so sehr Gott sein kann und ist, daß er das wirklich andere von ihm in dessen absoluter, unverrechenbarer Pluralität in die Wirklichkeit setzen kann, dann kann und muß sich der Christ in einer wirklichen Zuversicht unbefangen diesem Pluralismus der menschlichen Existenz aussetzen. Natürlich wird die Kirche immer wieder dem Menschen predigen, ihn anhalten, ihn anstacheln, daß er die letzte, eine, absolute Sinngebung seines Lebens nicht übersieht. Aber eben diese Sinngebung im Ereignis der absoluten Selbstmitteilung Gottes an den Menschen geschieht und ist vermittelt in einem wirklichen, echten, unbefangenen, vertrauensvollen Sich-Weggeben an diesen Pluralismus der menschlichen Existenz.

Immer wieder ist der Mensch versucht, von einem bestimmten, innerweltlichen, erfahrbaren, vielleicht sogar schaffbaren Wert das Ganze seines Daseins zu konstruieren, in ihn hinein alles andere integrieren zu wollen. Ob das die Wahrheit oder die göttliche Kraft, oder die Liebe, oder die Kunst, oder irgend etwas anderes ist, darauf kommt es jetzt nicht an. Der Christ hat vielmehr das Recht und die Pflicht – weil der absolute Einheitspunkt seines Daseins jenseits des Raumes seiner unmittelbar greifbaren Wirklichkeit liegt und so gerade das Innerste seines Daseins wird –, sich unbefangen, vertrauensvoll dem Pluralismus seines Daseins hinzugeben. Er erfährt die Liebe und den Tod, den Erfolg und die Enttäuschung. Und durch alles läßt er sich vertrauensvoll Gott selber zuschicken, der diesen unberechenbaren Pluralismus seiner Welt gewollt hat, damit der Mensch gerade durch ihn hindurch ahne, daß dies alles umfangen ist von dem ewigen Geheimnis. So unterscheidet sich der Christ dadurch von demjenigen, der wirklich weder reflex noch anonym Christ ist, daß er aus seinem Dasein kein System macht, sondern unbefangen sich geleiten läßt durch die plurale Wirklichkeit, die auch eine finstere, dunkle, unbegreifliche ist.

Die Verantwortung des Christen

Dadurch daß der Mensch eigentlich Christ wird, indem er sich als Mensch annimmt, so wie er ist, und nicht gleichsam protestierend ein System errichtet, mit Hilfe dessen er gegen das protestiert, was er ist: Kreatur, auf Licht in der Finsternis ausgerichtet, Leben im Tod – gerade dadurch, daß er so zunächst Mensch wird, indem er sich als solchen annimmt, um Christ zu sein, ist natürlich nicht die kritische Anstrengung des sittlichen Strebens geleugnet oder bagatellisiert. Nach dem vulgären Befund des christlichen Daseins ist ja der Christ derjenige, der viele sittliche Normen und Tafeln zu beobachten hat mit dem ganzen Gewicht der Forderung, die von dem absoluten Gott kommt. Ja, der Mensch ist auch das Wesen der Schuld und der Möglichkeit absoluten Verlorenseins. Damit ist gegeben, daß er das Wesen sittlicher Anstrengung, Forderung und Verantwortung ist. Aber wenn er sich wirklich unbefangen als den annimmt, als den er sich erfährt, nimmt er sich immer schon als ein solches Wesen der Freiheit und der sittlichen Verantwortung an. Denn er erfährt sich dann – ganz unabhängig davon, ob ihm von außen kommende sittliche Imperative vorgestellt und auferlegt werden – als das Wesen der Differenz zwischen dem, wie er ist, und dem, wie er sein soll. Die Differenz zwischen dem, was wir einfachhin faktisch sind, und dem, was wir sein sollen, ist primär eine Erfahrung, die uns als sittliches Wesen begründet.

Nun trägt die christliche Botschaft mit Recht schon vom Neuen Testament her an den Menschen einen sehr detaillierten Katalog sittlicher Pflichten heran (nicht nur den Dekalog) und sagt ihm relativ genau, was er sein solle oder was zu sein oder zu tun ihm verwehrt ist. Aber so sehr wir diese Summe objektiver Normen respektieren und respektieren müssen, so sehr diese Pluralität sittlicher Normen eben auch aus dem pluralen Wesen des Menschen entspringt, das viele Dimensionen hat, so können wir hier doch auch eine Perspektive ins Auge fassen, die eher von der umgekehrten Seite her kommt: Wir können sagen, jeder Mensch befindet sich in seiner Erfahrung immer schon vor der Situation der eben genannten *Differenz.* Und diese Differenz verpflichtet den Menschen, *sie* anzunehmen. Das gelassene und auf den größeren Gott und seine Gnade vertrauende Annehmen und Aushalten des Unterschiedes zwischen dem, was wir sind, und dem, was wir sein sollen, ist selber noch einmal eine positiv zu wertende Aufgabe des Christen. Diese richtige Annahme geschieht zwar immer nur in einer Überwindung dieser Differenz nach oben, also in einem Nein zu etwas und in einem Ja zu einem anderen, besseren, da diese Differenz nie gleichsam als abstrakte, sondern eben als konkrete gegeben ist. Und hier haben wir dann einerseits die konkrete Sittlichkeit sehr bestimmter, wenn vielleicht auch nur individuell bestimmter, materialer Art einerseits und trotzdem die Situation, in der es sich um eine Entscheidung absoluter Art auf Gott hin oder gegen ihn handelt.

Von da aus kann auch der Christ unbefangen den eigentlichen Sinn einer Unterscheidung sehen und bejahen, den die christliche und katholische Moraltheologie immer schon und grundsätzlich gesehen und aufrechterhalten hat, den Unterschied zwischen einer objektiv vorhandenen und einer subjektiv hier und jetzt gegebenen Verpflichtung, die der konkrete Mensch sieht und der er sich dann eben als Schuldigwerdender versagt oder als ein sein Heil

Wirkender stellt. Die objektive Norm, die das Christentum verkündet (wenn auch noch einmal bis zu einem gewissen Grad in einer geschichtlich bedingten Gestalt), ist die Summe dessen, was ein Mensch grundsätzlich werden soll und kann, wenn er sich der Bewegung seines Daseins vertrauensvoll und tapfer und auf Gott hin geöffnet übergibt. Eine solche objektive, gleichsam totale Moral kann für den konkreten Menschen hier und jetzt unter Umständen nur das asymptotisch angezielte Ziel seiner sittlichen Bewegung sein. Aber er muß grundsätzlich als Christ zugeben, daß es immer im Dasein hier und jetzt diese Differenz gibt – die der Mensch nach oben zu überwinden hat – zwischen der Trägheit seines Geistes, zwischen seinem Egoismus einerseits und dem Licht der Wahrheit, der Liebe, der Treue, der Selbstlosigkeit anderseits. Es kann sich um sehr kleine Differenzen handeln, und die materiale Wirklichkeit, an der diese Differenz konkretisiert wird, kann sehr unbedeutend sein; darauf kommt es letztlich nicht an. Aber in der konkreten sittlichen Situation ist der Mensch immer gefragt, ob er offen sein will für jene innerste Geöffnetheit des Daseins auf Gott hin oder nicht.

Wenn jemand hinsichtlich einer bestimmten, materialen sittlichen Norm den Eindruck hat, daß die Weltgeschichte und die Natur im Grunde doch grausamer und gleichgültiger gegenüber solchen innermenschlichen, innerweltlichen Werten sind, als es je ein Mensch in seiner Freiheit sein kann, dann urteilt er an sich noch nicht falsch. Denn eine katholische Moraltheologie wird immer daran festhalten, daß sehr viele sittliche, den Christen verpflichtende Einzelnormen zunächst einmal Strukturen wiedergeben, die der konkreten, von Gott verschiedenen Wirklichkeit angehören. Gerechtigkeit im sozialen Leben, gewisse Normen der Sexualmoral sind zunächst einmal in Normatives übersetzte Beschreibungen der Strukturen geschaffener Wirklichkeiten – bedingter, endlicher, kontingenter Wirklichkeiten. Und von da aus gesehen ist das Gefühl des Menschen, es könne doch auf dieses oder jenes nicht so absolut und indiskutabel ankommen, noch nicht falsch. Und wenn von daher ein Mensch den Eindruck haben würde, auch Gott könne doch seinen Willen zur Aufrechterhaltung der Strukturen einer endlichen und geschaffenen Wirklichkeit nicht absoluter setzen, als es eben die Wirklichkeiten sind, dann ist ein solcher Eindruck auch noch nicht falsch.

Wenn nun aber jemand meint, man könne einfach unter Verachtung dieser innerweltlichen Strukturen und der daraus abgeleiteten Normen von vornherein und grundsätzlich dieses innerweltlich-bescheidene Material-Sittliche verachten, ohne mit dem absoluten Gott selber in Konflikt zu kommen, dann ist das eine Täuschung und ein Irrtum, der noch einmal die Bosheit des menschlichen Herzens manifestieren würde. Denn der Mensch ist auf jeden Fall gefragt, ob er Gott mehr liebe als einen konkreten innerweltlichen Wert. Und der Mensch ist immer gefragt, ob er jene zu seinem Wesen gehörende Differenz zwischen dem, was er ist, und dem, was er sein kann und sein soll, wirklich in der Tat nach oben zu überwinden oder zu verkürzen gewillt ist.

Er ist immer gefragt, ob er letztlich in einer gottlosen Ideologie einen bestimmten innerweltlichen Wert so verabsolutieren und vergötzen wolle, daß er ihn – wenn vielleicht auch nicht in der Theorie seiner sittlichen Anschauungen, aber in der Praxis – absolut setzt und sein ganzes Dasein von diesem endlichen und doch absoluten Punkt her konstruieren wolle oder nicht.

Wenn man dasjenige, was man so in der landläufigen christlichen Praxis „Sünde" nennt, genau bedenkt und wenn man den wirklich ernsthaft möglichen Fall bedenkt, daß ein konkreter Mensch subjektiv an einer solchen partikulären objektiven Norm schuldig wird, und wenn man genau analysiert, was da geschieht, dann ist es im Grunde immer der eine Vorgang, daß ein Mensch einen irdischen Wert, das Glück seines Daseins, seines Erfolges, seines Trostes, seines Friedens absolut setzt und darum einen anderen Wert nicht mehr sehen kann. Dabei handelt es sich dann, trotz der bloßen Endlichkeit dieser Werte in ihrer Konkurrenz untereinander, um eine schuldhafte Versperrung, nicht in der Theorie, aber in der Praxis des a-theistischen Menschen, der nicht glaubt, daß die unendliche Fülle aller Werte in Einheit hinter dieser unmittelbar greifbaren Wirklichkeit lebt und sich ihm selber als die Fülle und der letzte Sinn seines Daseins in Selbstmitteilung durch Gnade anbietet. Er glaubt, im Grunde genommen, nicht an Gott, wenn er eben einen bestimmten innerweltlichen Wert zum radikalen Schaden eines anderen Wertes, obwohl beide endlich sind, festhält und zur absoluten Norm seines Daseins macht. Und insofern hat eben doch auch die material bestimmte Sittlichkeit eine transzendente, eine religiöse Dimension, wenn auch nicht in jedem konkreten Falle in derselben Weise.

Es gibt durchaus die Möglichkeit, daß ein Mensch diese Relevanz seiner konkreten sittlichen Entscheidung auf Gott hin nicht sieht und deswegen dann – in der Terminologie katholischer Moraltheologie gesprochen – nicht subjektiv sündigt, obwohl hier objektiv eine bestimmte Norm verletzt ist, eine Norm, die jenes asymptotisch zumindest anzuzielende Ziel und Ideal angibt. Aber grundsätzlich läßt sich die religiöse Bedeutung der sittlichen Anstrengung nach oben und die Vermitteltheit unseres Verhältnisses zu Gott durch das konkret innerweltlich Sittliche nicht leugnen. Schon die prophetische Frömmigkeit des Alten Testamentes hat das ja immer wieder eingeschärft. Und wenn wir von der Einheit der Gottes- und Nächstenliebe im Evangelium wissen und sie vielleicht heute in epochal neuer, eindringlicher Weise erfahren, dann ist damit eigentlich dasselbe gesagt, vorausgesetzt nur, daß wir Nächstenliebe nicht als irgendwie gefühlvollen Drang auffassen, sondern wissen, daß sie unsere Entscheidung, unsere Verantwortung, auch unseren Verzicht, unsere Entsagung fordern kann, wenn sie wirkliche Liebe der freien, Gott unmittelbaren Person des Nächsten sein will. Wenn Nächstenliebe als die Summe schlechthin aller sittlicher Verpflichtung aufgefaßt werden kann (schon nach dem Evangelium) und gleichzeitig dasjenige ist, was eine Gesetzesethik von sachhaft berechenbaren Leistungen immer und grundsätzlich überbietet, und wenn Gottes- und Nächstenliebe nur in der einen und selben Liebe des Menschen vollzogen werden können, dann ist eben auch die innere Einheit von Sittlichkeit und Religion mitgegeben.

Dieser christliche Mensch, der die Anstrengung des sittlichen Strebens als ein unausweichliches Datum seiner eigenen Existenz erfährt, weiß natürlich immer, daß er, ohne grundsätzlich die Verantwortung dafür ablehnen zu wollen und zu können, der Fehlende, der hinter diesem Auftrag, dieser Verantwortung und auch seinen realen Möglichkeiten Zurückbleibende ist. Er ist deswegen immer der, der sich von der Liebe Gottes umfangen und gleichzeitig als der – in irgendeinem, wenn auch wieder unverrechenbaren Sinne – Sündige erkennt. Und insofern ist er noch einmal der durch die Geschichte seines Daseins Hindurchgeführte. Er kommt immer von seinem Versagen her und streckt sich immer aus auf das, was vor ihm liegt. Er weiß sich immer umfangen in der Unbegreiflichkeit seiner eigenen, dunklen, finsteren Freiheit von der Gnade Gottes, und er weiß, daß er immer zu dieser Gnade Gottes fliehen muß. Er ist immer der, der sich selbst nicht vor Gott aufrechnet, sondern alle Rechnung, alle sittliche Anstrengung, alle sittliche Prüfung, die ihm aufgetragen sind, selbstverständlich ohne diese im letzten nochmals zu „richten", Gott und seiner Gnade anheimgibt. Er ist so als Christ immer der simul iustus et peccator. Er glaubt, er hofft sich als der von Gottes Heiligem Geist Geheiligte, und er betet, wie das Konzil von Karthago (vgl. DS 229) zur Zeit Augustins gesagt hat, nicht nur demütig, sondern in aller Wahrheit: „Vergib uns unsere Schuld."

2. DAS SAKRAMENTALE LEBEN

Der große Traktat der christlichen Sakramentenlehre kann hier nur noch mit einigen kurzen Bemerkungen bedacht werden, die eigentlich der Bedeutung dieses Themas nicht gerecht werden können. Anderseits ist es aber doch von der Sache her durchaus sinnvoll, den Traktat über die Sakramente der Kirche in diesen Gang aufzunehmen, in dem wir das christliche Leben betrachten. Es ist nämlich methodologisch höchst bedenklich, wenn man die sieben Sakramente isoliert betrachtet; denn dann kommt die Eigenart des einzelnen Sakramentes nicht klar genug zum Vorschein, und auch der Bezug auf die Kirche und das konkrete christliche Leben wird nicht genügend deutlich.

Die Kirche als Grundsakrament und die sieben Sakramente

Wenn man sich an das zurückerinnert, was wir allgemein über das Wesen der Heilsgeschichte gesagt haben, wird das unmittelbar verständlich. Die amtliche Heilsgeschichte ist ja nichts anderes als das Ausdrücklichwerden, die geschichtliche Greifbarkeit jener Heils- und Gnadengeschichte, die sich von dem Grund des durch die Selbstmitteilung Gottes vergöttlichten menschlichen Wesens in alle Dimensionen des Menschen, in seine ganze Geschichte hinein ausbreitet. Wir sind nicht bloß diejenigen, die mit Gott zu tun haben, die begnadet sind, bei denen sich das Ereignis der göttlichen Selbstmitteilung vollzieht, wenn wir die Sakramente empfangen. Überall dort, wo der Mensch sein Leben annimmt, sich in die Unbegreiflichkeit Gottes hinein öffnet und fallenläßt, überall dort also, wo er seine übernatürliche Transzendentalität in der Interkommunikation, in Liebe, in Treue, in einer auch innerweltlich auf die Zukunft des Menschen und der Menschheit eröffneten Aufgabe übernimmt, geschieht auch Heils- und Offenbarungsgeschichte Gottes selbst, der sich durch die Vermittlungen der ganzen Tiefe und Breite des menschlichen Lebens dem Menschen mitteilt. Und das, was wir Kirche nennen, was wir amtliche, ausdrückliche Heilsgeschichte nennen und deswegen auch das, was wir Sakramente nennen, sind nur besonders markierte, geschichtlich in deutlicher Greifbarkeit hervortretende Ereignisse einer Heilsgeschichte, die identisch ist mit dem Leben des Menschen im ganzen. Diese Heilsgeschichte als allgemeine und kollektive, als Heilsgeschichte der Menschheit, ist durch Jesus Christus in ihre eschatologische, endgültige, irreversible Phase getreten. Durch Jesus Christus ist das Drama, der Dialog zwischen Gott und seiner Welt, in eine Phase getreten, die den irreversiblen Sieg Gottes schon impliziert und diesen Sieg in Jesus Christus dem Gekreuzigten und Auferstandenen auch geschichtlich greifbar macht. Das tragende Wort Gottes ist so ergangen, daß sein Sieg, das göttliche Ja, durch das menschliche Nein nicht mehr abgeschafft werden kann.

Das macht sich nun auch in der *individuellen* Heilsgeschichte des einzelnen geltend. Und wo diese Endgültigkeit, die Unbesiegbarkeit der göttlichen Selbstzusage im individuellen Leben konkret in Erscheinung tritt durch die Kirche, die das Grundsakrament des Heils ist, sprechen wir von christlichen Sakramenten. Die Kirche ist als die bleibende Präsenz Jesu Christi im Raum und in der Zeit als Heilsfrucht, die nicht mehr zerstört werden kann, und als Heilsmittel, durch das Gott auch in der Dimension des Gesellschaftlichen und Geschichtlichen greifbar sein Heil den einzelnen anbietet, das Grundsakrament. Das will sagen: Sie ist ein *Zeichen*, nicht einfach das Heil selber. Aber insofern die Kirche die Bleibendheit der Selbstzusage Gottes in Jesus Christus ist, indem er das letzte, siegreiche, heilsschaffende Wort im Dialog zwischen Gott und der Welt hat, ist die Kirche eben das *wirksame* Zeichen, und insofern das, was man dann, angewendet auf die einzelnen Sakramente, opus operatum nennt. In Jesus Christus und in seiner Präsenz, eben der Kirche, sagt sich Gott der Menschheit so zu, daß diese Zusage endgültig durch die Gnadentat Gottes verbunden bleibt mit der Annahme dieser Zusage von seiten der Freiheitsgeschichte der Welt. Von da aus gesehen, ist die Kirche das Zeichen, die geschichtliche Erscheinung der siegreich sich durchsetzenden Selbstmitteilung Gottes. Sie ist nicht nur das Zeichen eines gleichsam offenbleibenden Angebotes, einer bloßen Frage Gottes an seine Kreatur, einer Frage, von der man nicht wüßte, wie sie von seiten der Welt beantwortet werden wird, sondern einer Frage, die ihre positive Antwort – unbeschadet der Freiheit der Kreatur – aufs Ganze der Geschichte der Menschheit gesehen, selber erwirkt und mitbringt. Und insofern ist die Kirche Zeichen, aber Zeichen einer *wirksam* sich durchsetzenden Gnade für die Welt und Grundsakrament in diesem radikalen Sinne.

Wenn nun die Kirche in existenziell entscheidende Situationen des Menschen hinein als das Grundsakrament, als die Grundzusage Gottes siegreicher Art an die Welt, an den einzelnen mit ganzem Engagement sich selbst zusagt, dann haben wir das, was wir christlich die Sakramente im gewöhnlichen Sinne des Wortes – also die Einzelsakramente – nennen. Solcher Sakramente kennt und zählt die katholische Dogmatik – definiert auf dem Florentiner und vor allem dem Trienter Konzil (vgl. DS 1310 und 1601) – sieben.

Stiftung durch Jesus Christus

Sieht man die Sakramente von diesem Wesen der Kirche her und bedenkt man, was wir früher von der Möglichkeit eines werdenden Wesensrechtes der Kirche gesagt haben; kalkuliert man ferner ein, daß heute (anders als noch in der Zeit der Reformation) auch die Taufe nicht so leicht auf eine worthafte Stiftung durch den historischen Jesus zurückgeführt werden kann und darum – wenigstens abgesehen von der Stiftung des Abendmahles – für alle Sakramente (auch für die, die in den nichtkatholischen Kirchen anerkannt werden) dasselbe Problem bezüglich ihrer „Stiftung" durch Jesus besteht, dann wird man sagen können, daß die Herkünftigkeit oder Stiftung in analoger Weise verstanden werden muß – aber auch *kann* – wie die Stiftung der Kirche selbst durch Jesus. Sakramentalität grundlegenden Handelns der Kirche ist mit dem Wesen der Kirche als der irreversiblen Präsenz der Heilszusage Gottes in Christus gegeben. Diese Sakramentalität wird von der Kirche in den sieben Sakramenten ausgelegt, so wie sie ihr eigenes Wesen in ihrer Verfassung entfaltet hat. Von da aus kann der einzelne Christ die Faktizität dieser siebenfältigen sakramentalen Ordnung unbefangen hinnehmen und leben.

„Opus operatum" – „opus operantis"

Der einzelne ist in der von ihm überschaubaren individuellen Heilsgeschichte der Freie, der von einem *sicher* siegreichen Ausgang seiner *eigenen* Geschichte der Gnade Gottes nichts weiß. Er – der einzelne – läuft noch (wenn man so sagen kann) im Offenen auf das Geheimnis der göttlichen Gnadenwahl zu. Er kann als einzelner das, was wir von der eschatologischen Grundsituation der in Christus begründeten Heilsgeschichte der Welt als ganzer gesagt haben, nicht auf sich selbst schon mit theoretischer Sicherheit anwenden, auch wenn er diese eschatologische Grundsituation in fester *Hoffnung*, als auch für ihn geltend, ergreift. Er geht noch der Geschichte Gottes entgegen, und er weiß reflex nicht, wie Gott über die geheimen Tiefen seiner eigenen Freiheit urteilen wird. Wir können, ja wir müssen im christlichen Glauben und in der damit gegebenen kollektiven Hoffnung sagen, daß die Welt als Ganze gerettet wird, daß das Drama der Heilsgeschichte als ganzes positiv ausgehen wird, daß Gott das Nein der Welt durch die Sünde schon durch Jesus Christus, den Gekreuzigten und Auferstandenen, überholt hat. Und insofern kommt natürlich auch das einzelne Sakrament auf den einzelnen mit dieser eschatologischen Endgültigkeit und Sicherheit zu.

Weil Gott sich in der Geschichte eindeutig der Welt zugesagt hat und weil Christus den einzelnen mit seinem Leben, seinem Tod und seiner Auferstehung als Schicksal zugesprochen wird, hat die Zusage Gottes für seine Gnade an uns eine absolute Unbedingtheit, eine Sicherheit, die vom Worte Gottes selbst gewirkt wird. Insofern sagen wir, das Sakrament ist ein opus operatum: es wirkt von sich her als das eindeutige, wirksame Wort Gottes. Insofern aber dieses Sakrament dem Menschen in seiner individuell noch offenen Heilsgeschichte zugesagt wird, kann *er* nicht mit absoluter theoretischer Sicherheit sagen, daß er dieses von Gott her sicher und absolut auf ihn zukommende Zusagewort ebenso sicher und absolut annimmt. Er ist aber zur „festesten Hoffnung" (wie das Trienter Konzil sagt, vgl. DS 1541) nicht nur ermächtigt, sondern auch verpflichtet, denn die im Sakrament auf ihn zukommende Gnade Gottes hat auch bei ihm die Möglichkeit eines Nein zu ihr geheimnisvoll schon überholt. Das opus operatum begegnet (wenn wir hier einmal von den Sakramenten, die den Unmündigen gespendet werden, absehen) als das reuelose, absolute Wort der Zusage der Gnade Gottes dem noch offenen Wort – als dem opus operantis – des sich selbst im Ja oder Nein verstehenden Menschen. Und insofern das opus operatum der Sakramente dem opus operantis des Glaubenden, des die Tat Gottes annehmenden Menschen begegnet, ist es klar, daß die Sakramente nur in Glaube, Hoffnung und Liebe wirksam werden. Sie haben deswegen mit einem magischen Zauber nichts zu tun: Sie sind nicht Magie, weil nicht sie Gott zwingen, sondern weil sie die Tat des freien Gottes an uns sind. Und sie haben mit Magie ferner nichts zu tun, weil sie nur wirksam werden, insofern sie der sich öffnenden Freiheit des Menschen begegnen. Freilich muß der Mensch, wenn er dieser Zusage Gottes mit seiner Annahme begegnet, noch einmal bekennen, daß auch diese seine Annahme in der Kraft der Gnade Gottes geschieht.

Mit diesem Satz ist nicht geleugnet, daß der konkrete Christ in einzelnen Fällen seines persönlichen unerleuchteten Daseins die Sakramente magisch mißverstehen könnte und auch de facto mißversteht – dann nämlich, wenn er meint, die Sakramente würden sich nicht an die Freiheit seines Glaubens und seiner Liebe wenden, wenn er meint, sie wären dazu da, ihm die letzte personale Entscheidung in Glaube, Hoffnung und Liebe abzunehmen. Sakramente sind nichts anderes als das wirksame Wort Gottes an den Menschen, in dem Gott sich selbst diesem zusagt und dadurch die Freiheit des Menschen dazu befreit, diese Selbstmitteilung Gottes in eigener Tat anzunehmen.

Die Initiationssakramente

Die einzelnen Sakramente müssen sinnvollerweise einerseits von der Kirche als dem Grundsakrament her betrachtet werden, anderseits in die Geschichte des individuellen Lebens eingeordnet werden, wo sie als die sakramentale Erscheinung des christlichen Gnadenlebens in *existenziell grundlegenden Momenten* des menschlichen Lebens in Erscheinung treten. So gibt es zunächst einen Komplex von Initiationssakramenten: Taufe und Firmung.

In der *Taufe* wird man Christ und Glied der Kirche. Sie ist das erste Sakrament der Sündenvergebung, der Mitteilung der göttlichen Gnadenherrlichkeit, der göttlichen Natur, der inneren, dauernden Befähigung des Glaubens, der Hoffnung und der Liebe zu Gott und den Menschen. Aber diese innere, bleibende, individuelle Begnadung des Menschen, der aus einem Sünder ein Gerechtfertigter wird, geschieht in der Taufe dadurch, daß er durch diesen Initiationsritus aufgenommen wird in das gesellschaftlich-hierarchisch verfaßte Volk Gottes, in die Gemeinde der Glaubenden und das Heil Gottes in Christus Bekennenden. Gott begnadet den Menschen zu seinem eigenen individuellen Heil in der Taufe dadurch, daß und indem er ihn der *Kirche* eingliedert. Die Zugehörigkeit zur Kirche, die Kirchengliedschaft ist die erste und unmittelbarste Wirkung dieses Initiationssakramentes, das jeder Christ empfängt, das für alle die Grundlage ihres Christseins in allem und jedem ist, was sich in einem solchen Leben auch an hierarchischen, sakramentalen und hoheitlichen Gewalten finden kann, weil von einem Ungetauften kein anderes Sakrament gültig empfangen und keine rechtliche Gewalt in der Kirche besessen werden kann. Begnadet wird der Mensch zu seinem eigenen Heil in der Taufe, insofern er Glied der Kirche in ihr wird. Eben dieser Satz darf aber nun nicht in dem Sinn verharmlost werden, daß man denkt, diese Kirchengliedschaft, die durch die Taufe verliehen wird, sei eben nur gerade dazu da, daß dem Getauften diese anderen übrigen Güter seiner individuellen Rechtfertigung und Heiligung geschenkt werden, und zu sonst nichts. Daß dies völlig unrichtig ist, zeigt sich schon daran, daß diese bloß individuelle Rechtfertigung und Heiligung im Notfall durch den Glauben und die Liebe allein ohne Sakrament erlangt werden kann und daß dieser Fall sich gewiß in vielen Ungetauften ereignet. Die Taufe muß also schon im voraus zu dieser individuellen Heilswirkung für den einzelnen eine positive inhaltliche Bedeutung haben, die sich nicht in dieser individuellen Heilswirkung erschöpfen kann. Gliedschaft in der Kirche ist nicht nur Mittel zum Zweck privaten Heilsgewinns, sondern hat von der Taufe her ihren eigenen Sinn. Dieser ist mit dem Sinn und der Funktion der Kirche überhaupt gegeben.

Kirche hat als Sinn und Zweck nicht bloß und allein die Ermöglichung und Erleichterung der Summe der individuellen Heilsfindung der vielen einzelnen. Denn zu diesem Zweck könnte sie zwar als nützlich und bedeutsam erachtet werden, aber nicht als unbedingt notwendig; denn dieser Zweck wird ja auch oft ohne eine greifbare Intervention der Kirche erreicht, so sehr auch dieses Heil durch das Gebot Gottes und durch den pflichtgemäßen Willen zum gebotenen Sakrament auf die Kirche hingeordnet ist. Aber eines ist konkret ohne die Kirche nicht möglich: daß die Gnade Gottes in Christus als Ereignis, als dauerndes Ereignis in geschichtlicher Greifbarkeit, in inkarnatorischer Leibhaftigkeit in der Welt anwesend ist. Wer durch die Taufe begnadet wird, indem er in diese Kirche als die geschichtliche und gesellschaftliche Leibhaftigkeit der Gnade Christi in der Welt eingegliedert wird, der erhält notwendig mit dieser Gnade der Kirche auch Anteil, Auftrag und Befähigung, an dieser Funktion der Kirche, die geschichtliche Greifbarkeit der Gnade Gottes in der Welt zu sein, teilzunehmen. Er ist beauftragt, sie wirklich in personaler Entscheidung zu übernehmen und in seinem ganzen Leben auszuüben. Er ist durch die Taufe dazu bestellt, Träger des Wortes, Zeuge der Wahrheit, Repräsentant der Gnade Christi in der Welt zu sein.

Wie ist dann aber noch ein Unterschied zwischen *Taufe und Firmung* festzustellen? Zunächst bezeugt die kirchliche Tradition – trotz der berechtigten, durch das Tridentinum (vgl. DS 1601 und 1628) sanktionierten Unterscheidung von Taufe und Firmung –, daß diese beiden Sakramente als die eine christliche Initiation zusammengehören. In ihnen sagt die Kirche Christus auch geschichtlich und nicht nur in der Tiefe des Daseins begründend zu. Und zwar in einer endgültigen Weise, so daß diese beiden Sakramente aus der Natur einer solchen ersten und endgültigen Gründung des menschlichen, christlichen Daseins heraus auch nicht wiederholbar sind. Die beiden Sakramente gehören also zusammen in die eine christliche Initiation: Sie unterscheiden sich gewissermaßen, wie man einen mehr negativen und einen mehr positiven Aspekt in dem letztlich doch einen – wenn auch zeitlich gedehnten – Vollzug unterscheiden kann.

In der *Taufe* stirbt der Mensch, auch in sakramentaler, in raum-zeitlicher, in gesellschaftlicher Greifbarkeit in den Tod Christi hinein. Er wird in die Kirche eingegliedert in dem Anruf und in dem Nennen des dreifaltigen Gottes: Des Vaters, der ruft, des Sohnes, der das Wort des Vaters an den Menschen ist, und des Heiligen Geistes, in dem diese Zusage des Vaters im Sohn im Menschen wirklich heiligend und erlösend ankommt. Die *Firmung* ist gleichsam der positive Aspekt eben dieses selben Vorgangs und betont dann auch noch das gesellschaftlich Funktionelle des Getauften, insofern er durch die Mitteilung des Heiligen Geistes ausgerüstet wird. Sie ist das Sakrament des Glaubenszeugnisses, der charismatischen Fülle, der bezeugenden Sendung des Geistbesiegelten in die Welt, damit sie der Herrschaft Gottes untertan werde, der Bestärkung im Glauben gegenüber den Mächten und Gewalten in dieser Welt, den Mächten der Lüge und des Unglaubens, der dämonischen Hybris einer Selbsterlösung. Die Firmgnade ist somit in richtigem Sinne die Gnade der Kirche zur Sendung in die Welt und zur Ankündigung ihrer Verklärung. Welche Funktionen dieser Gnade dem einzelnen vordringlicher als sein besonderer Auftrag zuteil werden, das verfügt Gott durch seine Berufung und die Austeilung der Charismen des Geistes, die nichts anderes sind als bevorzugte Entfaltungsrichtungen des einen und selben Geistes, den alle in der Firmung empfangen.

Die Standessakramente

Wir unterscheiden dann weiterhin – weil das ja auch zweifellos entscheidende existenzielle Momente im menschlichen Leben sind – die zwei Sakramente der Standesgebung. Nicht als ob diese Sakramente von ihrem eigenen Wesen her *verschiedene Stände* begründen müßten, so daß sie grundsätzlich nicht demselben Menschen gegeben werden könnten; aber dort, wo der Mensch eine letzte und ursprüngliche, alles andere tragende Funktion in der menschlichen bzw. in der christlichen Gemeinschaft annimmt, geschieht zweifellos existenziell und darum auch individuell-heilsgeschichtlich etwas ganz Entscheidendes. Die sakramentale Sichtbarkeit dafür, daß Gott den Menschen bei der Übernahme einer entscheidenden Funktion in seiner individuellen Geschichte auch bezüglich seiner *Heils*geschichte entscheidend anruft, sind eben die Sakramente des *Ordo* und der *Ehe.*

Wenn wir den ekklesiologischen Aspekt des Ordo-Sakramentes – des gestuften Weihesakraments – als eines individuellen Heilsgeschehens bedenken wollen, können wir von dem Grundprinzip ausgehen, daß dort ein Sakrament gegeben ist, wo die Kirche in einem absoluten Engagement einen ihrer Grundakte vollzieht, in dem sie ihr Wesen als Ursakrament der Gnade auf einen einzelnen hin in dessen entscheidenden Heilssituationen voll aktualisiert. Daß die eigentlichen Grundämter der Kirche wesentliche Konstitutive ihrer selbst sind, ist leicht einzusehen. Sie ist ja nur sie selber, wenn sie die ihr von Christus überkommenen Aufträge und die damit verbundenen und ihnen dienenden Gewalten besitzt und auch weitergibt. Warum ist aber dieser Grundakt der Kirche, in dem sie ihre Ämter weitergibt und in dem sie sich dadurch immer neu konstituiert, ein Akt, der auch auf die Heiligung des Menschen, der das Amt empfängt, hinzielt und dann auch Sakrament genannt werden kann? Zur Beantwortung dieser Frage ist vom Wesen der Kirche auszugehen. Daraus ergibt sich, daß es für den Sinn und das Wesen des Amtes in der Kirche nicht gleichgültig ist, ob es heilig ausgeübt und verwaltet wird oder nicht. Zwar behält das Amt seine Gültigkeit und sein Träger seine Vollmacht, auch wenn er als der einzelne ein Sünder ist und auch das Amt sündig verwaltet. Dies ist schon in der alten Kirche im Kampf gegen den Donatismus deutlich formuliert worden. Aber mit dieser möglichen Trennbarkeit von Amtsvollmacht und Amtsheiligkeit im Einzelfall ist das Verhältnis zwischen Amt und Gnade nicht adäquat beschrieben. Es obwaltet hier nämlich ein ähnliches Verhältnis wie in der Frage, ob einzelne Menschen, die Glieder der Kirche bleiben, unbeschadet der Heiligkeit der Kirche Sünder bleiben und sein können. Denn trotz der Möglichkeit, daß einzelne Menschen in der Kirche Sünder sind, und trotz der Tatsache, daß es darum im allgemeinen bis zum Tod des einzelnen unsicher und bis zum Gericht Gottes verborgen bleibt, in welchen Gliedern der Kirche einer Zeit sie ihre eigene Heiligkeit realisiert, waltet über der Kirche in formaler Prädefinition der Wille Gottes zur wirksamen Gnade, die unfehlbar Glieder der Kirche heiligt und in der Gnade bewahrt, so daß die Kirche nie aufhört, heilig zu sein. Eben diesen selben Willen nun muß es – soll die Kirche die indefektibel heilige sein und die Anwesenheit und Erscheinung der eschatologisch siegreichen Gnade Christi bleiben – auch hinsichtlich des Amtes der Kirche geben. Ein absolut und durch das Ganze seines Vollzugs unheiliges Amt und eine heilige Kirche sind unvereinbare Größen. Würde man nämlich annehmen, daß das Amt als *ganzes* seine Aufgabe unheilig vollziehen könne, dann könnte weder die Heiligkeit der Glieder der Kirche eine wesentliche Abhängigkeit vom Vollzug des Amtes haben (was aber der Fall ist), noch könnte das Amt das bleiben, was es doch ist: ein Amt zur Heiligung der Menschen. Nicht die Wirksamkeit des Sakramentes, wenn es gespendet wird, hängt von der Heiligkeit des Spenders ab, wohl aber, auf das Ganze und auf die Dauer gesehen, Existenz und Dauer der Sakramente in der Kirche. Wenn Gott also absolut im Ganzen der Kirche die Existenz der Sakramente will, muß er auch absolut die Heiligkeit der Hierarchie im Ganzen wollen, sonst würde er den Grund nicht wollen, durch den die faktische Existenz der Sakramentenspendung getragen ist.

Wir wenden uns nun dem zweiten der „Standessakramente" zu. Zwei Getaufte verbinden sich zur *Ehe.* Damit geschieht etwas *in* der Kirche. Durch den Verweis- und Zeichencharakter der ehelichen Liebe ist solche Ehe nie bloß „ein weltlich Ding". Denn sie ist Ereignis der Gnade und Liebe, die Gott und Menschen eint. Wenn solche Ehe darum in der Kirche geschieht, ist sie ein Moment des Selbstvollzuges der Kirche als solcher, der von zwei getauften Christen vollbracht wird, die durch die Taufe zur aktiven Teilnahme an diesem Selbstvollzug ermächtigt sind. Sie tun darum als Getaufte gerade das, was der Kirche selbst eigentümlich ist: Sie machen das Zeichen der Liebe deutlich, in dem *die* Liebe zur Erscheinung kommt, die Gott und Menschen eint. Wo aber ein *wesentlicher* Selbstvollzug der Kirche in die konkrete, entscheidende Lebenssituation eines Menschen hinein zur Wirkung kommt, da ist ein Sakrament gegeben.

Vom Katechismus her ist man gewohnt, zu sagen, die Ehe sei ein Abbild der Einheit von Christus und Kirche und darum ein Sakrament. Liest man die dieser Formel zugrundeliegende Stelle des Epheserbriefes (5,22–33), dann erhält man zunächst vielleicht den Eindruck, der entscheidende Gleichheitsgrund zwischen Christus–Kirche einerseits und Ehe anderseits liege darin, daß der Mann Christus repräsentiere und die Frau die Kirche. Die Einheit der Ehe als solche wäre dann eine relativ sekundäre Spiegelung der Einheit von Christus und Kirche, wodurch die Ehepartner gerade mit verschiedenen Rollen getrennt betrachtet würden. Aber man muß wohl sagen, daß im Epheserbrief selbst diese Betrachtungsweise sekundär ist, vielleicht durch den paränetischen Kontext bedingt und in etwa auch sozialgeschichtlich eingefärbt. So wäre auf die zentrale Aussage des Textes zu achten (5,29–33), in der die Einheit der Liebe als solche in *einem* Fleisch und Leib die Parallele zwischen Christus – Kirche und Ehe konstituiert. Setzen wir dies hier voraus, dann braucht nur noch verdeutlicht zu werden, wo in der in dieser Überlegung vorgetragenen Grundkonzeption Christus einzutragen ist. Zunächst ist im Epheserbrief deutlich, daß (mit Gen 2) die Schöpfungsordnung als in die Gnaden- und Erlösungsordnung einbezogen gesehen wird, so daß jene von Anfang an und so auch von der Ehe Adams an eine Vorbedeutung für diese hatte. Das bedeutet in unserer Terminologie (die freilich von anderen theologischen Ansätzen her diese Aussage erreicht), daß alles sittliche Verhalten des Menschen (und somit auch dessen Voraussetzungen) immer und überall getragen und umfaßt ist von der Gnadenmitteilung Gottes an die Kreatur. „Bund" ist das Ziel und das Umfassende, das die Schöpfung als Setzung der Bedingung der Möglichkeit, als Setzung des möglichen Bundespartners trägt und umfaßt. Damit hat objektiv alles sittlich-menschliche Geschehen eine verborgene Beziehung auf Christus, in dessen Sein und Tun eben diese Gnadenmitteilung ihre eschatologische Kulmination und Erscheinung findet. Er ist als Ziel der Grund der ganzen durch die Gnade gegebenen Dynamik menschlicher Geschichte auf die Unmittelbarkeit Gottes hin.

Wo sich also Einheit in Liebe zwischen zwei Menschen ereignet, in einer Liebe, die nicht bloß eine Zweckeinheit zu irdischen Zielen ist, sondern die Personen selbst in ihrer End-Gültigkeit meint, da ist Wirkung und Erscheinung jener Gnade, die die eigentlichste Einheit der Menschen bildet. Aber auch umgekehrt: Eben diese selbe Gnade als einheitsstiftende zwischen Gott und Mensch erscheint in der Einheit zwischen Christus und der Kirche, und zwar in ihrer Erscheinung, die absolut, eschatologisch und als Ziel der Grund aller übrigen Gnade und deren einheitsstiftender Funktion in der Welt ist. Darum besteht nicht nur eine äußere Ähnlichkeit zwischen der Einheit in der Liebe zweier Menschen und der Einheit Christus – Kirche, sondern auch ein Bedingungsverhältnis zwischen beiden Einheiten: Jene ist, *weil* diese ist.

Ihr gegenseitiges Ähnlichkeitsverhältnis ist nicht beiden nachträglich, sondern ein echtes Partizipationsverhältnis durch ursächliche Herkunft der Ehe-Einheit von der Christus-Kirche-Einheit her.

Die Ehe ragt also in einem noch viel radikaleren Sinne in das Geheimnis Gottes hinein, als wir es schon aus der Unbedingtheit der menschlichen Liebe ahnen können. Zwar ist alles noch verborgen unter den Schleiern des Glaubens und der Hoffnung, und dies alles mag noch nicht aufgestiegen sein aus den heimlichen Tiefen unseres Daseins in unseren Alltag. Keine Frage, daß solche Wahrheit auch nicht über den Menschen und seine Freiheit und sein inneres Ja hinweg geschieht. Kein Zweifel also, daß die ehelich Liebenden diese Wirklichkeit im selben Maße erfahren, wie sie dafür ihr Herz glaubend und liebend auftun. Es ist wohl deutlich geworden, daß eine solche Theologie der Ehe nicht in einem introvertierten und ,,privatisierten" Sinne aufgefaßt werden darf, daß vielmehr die echte christliche Ehe zu allen Zeiten eine wirkliche Repräsentanz der einenden Liebe Gottes in Christus zur Menschheit darstellt. In der Ehe wird die Kirche präsent: Sie ist wirklich die kleinste Gemeinschaft der Erlösten und Geheiligten, deren Einheit noch auf demselben Grund aufbauen kann, auf dem die Einheit der Kirche gegründet ist, also die kleinste wahre Einzelkirche. Wenn wir solches in der ganzen Bedeutung zu bedenken und zu leben vermöchten, dann könnten wir etwas getroster und mutiger in wahrhaft christlicher Freiheit zu unseren drängenden und fast zu Tode geredeten ,,Ehefragen" zurückkehren.

Buße und Krankensalbung

Wenn das neue Leben, das sich auch in ganz bestimmte Grundfunktionen hinein konkretisiert, immer das bedrohte Leben des Sünders ist und insofern in dieser Hinsicht immer wieder dem Menschen das vergebende Wort Gottes zugesagt werden muß, haben wir das Sakrament der *Buße* und das Komplementum dieses Sakamentes in der Situation, in der sowohl die Heilsbedrohtheit wie die Sündigkeit in der Gnade am meisten erscheint: das Sakrament der *Krankensalbung.*

Wir haben – in diesem Gang und auch schon früher – den Menschen als das Wesen der Verantwortung in Freiheit erkannt. Wir haben von persönlicher Schuld gesprochen und von der Schuldverstricktheit des Menschen in seiner gesellschaftlichen Mitwelt. Dies alles kann hier nicht wiederholt oder gar entfaltet werden. Wenn man aber wirklich verstanden hat, was Schuld als Möglichkeit oder als schreckliche Wirklichkeit in unserem Leben bedeutet, wenn man erfahren hat, wie ausweglos wirkliche Schuld vor Gott vom Menschen her allein ist, dann verlangt man, das Wort der Vergebung von Gott zu hören. Man wird es nie als selbstverständlich empfinden, sondern als Wunder seiner Gnade und seiner Liebe. Vergebung ist das größte und unbegreifliche Wunder der Liebe Gottes, weil sich Gott selbst in ihr mitteilt und dies einem Menschen gegenüber, der in einer bloß scheinbaren Banalität des Alltags das Ungeheuere fertiggebracht hat, zu Gott Nein zu sagen.

Das Vergebungswort Gottes, das nicht nur Folge, sondern auch im letzten Voraussetzung für die Umkehr ist, in der der schuldige Mensch glaubend, reuig, vertrauend sich Gott zuwendet und übergibt, kann in der Tiefe des Gewissens vernommen werden, weil es ja schon als tragender Grund mitten in jener vertrauenden und liebenden Rückwendung des Menschen zu Gott innewohnt, in der der Mensch – sich selbst richtend – der barmherzigen Liebe Gottes die Ehre gibt. In der weiten Länge und Breite der Menschheitsgeschichte muß dieses leise Vergebungswort allein oft genügen.

Was aber so meist verborgen und unartikuliert in der Geschichte der Gewissen geschieht, nämlich die allen Heil und Vergebung anbietende Gnade Gottes, hat doch selbst seine Geschichte in Raum und Zeit. Und dieses raumzeitlich-konkret werdende Vergebungswort Gottes an die Menschheit hat seinen Höhepunkt und seine letzte geschichtliche Unwiderruflichkeit in Jesus Christus gefunden, dem Gekreuzigten und Auferstandenen, in dem, der liebend sich solidarisierte mit den Sündern und für uns in der letzten Tat seines Glaubens, Hoffens und Liebens mitten in der Finsternis seines Todes, in dem er die Finsternis unserer Schuld erfuhr, das Vergebungswort Gottes für uns annahm. Dieses Vergebungswort Gottes in Jesus Christus, in dem die Unbedingtheit dieses Wortes auch geschichtlich unwiderruflich geworden ist, bleibt Gegenwart in der Gemeinde der an diese Vergebung Glaubenden, in der Kirche. Die Kirche ist das Grundsakrament dieses Vergebungswortes Gottes. Dieses eine Vergebungswort, das die Kirche ist und das in ihr lebendige Gegenwart von Macht und Wirksamkeit bleibt, artikuliert sich entsprechend dem Wesen des Menschen in vielfacher Weise. Es ist als grundsätzliche Botschaft an alle gegenwärtig in der Verkündigung der Kirche: „Ich glaube ... die Vergebung der Sünden", heißt es im ‚Apostolischen Glaubensbekenntnis'. Dieses Vergebungswort der Kirche wird in einer grundlegenden Weise, die für die ganze Geschichte des einzelnen maßgebend bleibt, diesem von der Kirche im Sakrament der Taufe zugesprochen. Dieses Vergebungswort bleibt lebendig und wirksam in dem Gebet der Kirche, in dem sie für sich – die Kirche der Sünder – und für jeden einzelnen zuversichtlich das Erbarmen Gottes immer neu erbittet und so die immer neue und immer zu vertiefende Umkehr des Menschen begleitet, die erst in seinem Tod zur Vollendung und zum endgültigen Sieg kommt. Dieses Vergebungswort (immer aufbauend auf dem in der Taufe gesprochenen Wort) wird dem einzelnen nochmals von der Kirche in besonderer Weise zugesagt, wo und wenn er, der auch nach der Taufe Sünder bleibt und in neue schwere Schuld fallen kann, seine große Schuld oder die Armseligkeit seines Lebens reuig der Kirche in ihrem Vertreter bekennt oder unter Umständen auch in einem gemeinsamen Bekenntnis einer Gemeinde vor Gott und seinen Christus bringt. Wenn dieses Vergebungswort

Gottes durch den dazu eigens beauftragten Vertreter der Kirche einem einzelnen Getauften auf sein Schuldbekenntnis hin gesagt wird, nennen wir dieses Ereignis des Vergebung schaffenden Wortes Gottes die Spendung des Bußsakramentes.

Insofern dieses wirksame Vergebungswort gerade dem schon getauften Glied der Kirche auf sein Bekenntnis hin zugesagt wird, hat es eine bestimmte Eigenart: Der getaufte Christ als Glied der Kirche hat in seiner großen oder „kleinen" Schuld sich auch in Widerspruch gesetzt zu dem Wesen der heiligen Gemeinschaft, der er angehört, zur Kirche, deren Existenz und Leben das Zeichen dafür sein soll, daß die Gnade Gottes als Liebe zu Gott und dem Menschen in der Welt siegreich ist. Durch ihr Vergebungswort vergibt somit die Kirche auch das Unrecht, das die Schuld des Menschen dieser Kirche antut. Ja, man darf sagen, daß die Kirche die Schuld durch das Vergebungswort Gottes, das ihr anvertraut ist, vergibt, *indem* sie das ihr angetane Unrecht dem Menschen vergibt, so ähnlich, wie sie den Heiligen Geist der Kirche in der Taufe dem Menschen mitteilt, *indem* sie ihn in sich als den Leib Christi eingliedert. Weil dieses Vergebungswort der Kirche in die konkrete Schuldsituation des einzelnen hinein, als Wort Christi und mit dem letzten Engagement der Kirche ihrem Wesen entsprechend gesprochen, nicht bloß ein Reden über die Vergebung Gottes ist, sondern deren *Ereignis*, ist dieses Wort wirklich ein Sakrament.

Auch die Situation der *Krankheit* gehört zu den entscheidenden Situationen im Leben des Menschen, die – mögen sie auch zunächst sehr profan erscheinen – in seine *Heils*geschichte hineingehören, die ihn zur Entscheidung zwingen, wie er das Ganze und Eigentliche seines Lebens frei verstehen wolle, ob als Absurdität oder als dunkles Geheimnis, in dem die unbegreifliche Liebe sich ihm naht. Wenn wir so von Krankheit sprechen, dann meinen wir solche ernsthafte Krankheiten, die – selbst wenn man hoffen kann, sie zu besiegen – Boten und Anläufe des Todes sind und die innerste Bedrohtheit und Todesverfallenheit des Menschen offenkundig machen, die den Menschen in die unerbittlichste Einsamkeit zurückstoßen, in der er allein mit sich und mit Gott fertig werden muß. Diese Überantwortetheit jedes Menschen an sich selbst, an seine Freiheit, an seine unreflektierbare Undurchschaubarkeit gehört – wie wir schon öfter erwähnten – zum Wesen des Menschen und darf ihm nicht abgenommen werden. Aber sie ist die eine Seite. Der Mensch ist in seiner bleibenden Einsamkeit doch nicht einsam. Gott ist bei ihm. Aber es umgibt ihn auch die heilige Gemeinschaft der Glaubenden, Liebenden, Betenden, derer, die im Leben den Gehorsam des Todes einzuüben suchen, die im Leben auf *den* Sterbenden glaubend zu schauen suchen. Und weil diese heilige Gemeinschaft, Kirche genannt, immer aus dem Tod ihres Herrn lebt, darum ist auch der immer einsam Sterbende von diesen seinen Brüdern nicht verlassen.

Nehmen wir diese Erfahrung des Glaubens in ihrer ganzen Tiefe an (wir können die heilsgeschichtlichen und ekklesiologischen Dimensionen hier nicht mehr entfalten), dann wünschen wir von selbst, daß die Gemeinschaft der glaubend-willig an das Geheimnis Ergebenen (mit *dem* Gehorsamen schlechthin, mit Jesus), die Kirche, auch sichtbar an das Krankenbett trete, damit jener geheimnisvolle Kreislauf des göttlichen Lebens nicht nur in uns frei kreise, sondern in der Greifbarkeit unseres Lebens sich inkarniere und so die Gnade auch durch diese ihre Erscheinung selber wieder in uns eingesenkt werde und heilkräftiger unser Leben und Sterben durchdringe.

Dieses Wort, das die verborgene Gnade zur leibhaftigen, ganz inkarnatorischen Erscheinung bringt, wird von der Kirche durch ihren beauftragten Vertreter gesprochen und läßt die Gnade und das innere Ja dazu, das im Empfänger des Wortes sich ereignet, und die Gnade der *heiligen*, von Gottes Geist erfüllten Kirche greifbares „Ereignis" werden. In diesem Wort wird die Gnade offenbar und ereignet sich, *indem* sie sich verleiblicht. In diesem Sinn ist die Erscheinung die Ursache der Gnade (und natürlich auch umgekehrt: die Einheit von Erscheinendem und seiner Erscheinung ist im letzten unauflösbar). Wenn die Kirche ein solches Gnadenwort, das u. U. verdeutlicht und greifbar wird durch weitere Gesten (Salbung, Handauflegung), mit dem letzten Einsatz ihres eigenen Wesens, das als ganzes, als „Ursakrament" das geschichtliche Da-sein der Gnade Gottes ist, einem bestimmten Menschen in einer entscheidenden Situation seines Lebens zusagt und so weiß, daß sie dadurch das wirksame Gnadenwort Gottes schöpferisch spricht, dann sagt und tut sie das, was wir ein Sakrament nennen: das reuelose Wort der Gnade Gottes im Auftrag Gottes, das nicht nur „über" die Gnade redet, sondern diese gerade Ereignis werden läßt. Eines der sieben sakramentalen Worte dieser Art, die die Kirche kennt, ist das Gebet des Glaubens unter Salbung über einen Kranken, dessen Krankheit in dringlicher Weise Heils- und Gnadensituation ist und darum nach diesem gnadeverleiblichenden und gnadewirkenden Wort der Kirche ruft, in dem die verborgene Gnade der Kirche und der Krankheitssituation ihres Gliedes (wenigstens als angebotene) greifbar zugesagt wird und heilsschaffend wirkt, wofern sie nur vom Menschen glaubend und nach der Vergebung verlangend angenommen wird.

Die Eucharistie

Das Sakrament der Eucharistie sollte nicht einfach unter die sieben Sakramente verrechnet werden. Es ist – so sehr es den einzelnen meint und ihn in die Gemeinschaft mit Christus immer wieder hineinnimmt – eben doch das Sakrament der Kirche als solcher in einem ganz radikalen Sinne. Gerade die Stiftung des Abendmahles ist für die Stiftung der Kirche und für das Selbstverständnis Jesu als des Heilsmittlers von entscheidender Bedeutung.

Wegen der Bedeutung und der Besonderheit der Eucharistie im Rahmen der Sakramente müssen wir hier zunächst einiges an biblischer Theologie vermitteln. Dies kann freilich nur in kurzen Strichen skizzenhaft geschehen. – Die mit „Eucharistie" bezeichnete Wirklichkeit ist durch das Abendmahl Jesu grundgelegt (vgl. vor allem Lk 22, 14–23 und 1 Kor 11, 23–26). Dort gibt Jesus nach seinen Worten seinen „Leib" und sein „Blut" zum Genuß unter der Empirie des Empfanges von Brot und Wein. Der Sinngehalt dieser Handlung ergibt sich aus der Situation und aus den verwendeten Begriffen. Von grundlegender Bedeutung ist der Todesgedanke: Jesus nimmt bewußt sein Schicksal an und bringt es in Zusammenhang mit dem zentralen Inhalt seiner Verkündigung. Ferner versteht Jesus dieses Mahl eschatologisch als Vorwegnahme endgültiger Festfreude. Schließlich ist der Gemeinschaftsgedanke bei diesem Mahl Jesu konstitutiv, die Verbindung Jesu mit seinen Freunden und die Stiftung der Gemeinschaft dieser seiner Freunde untereinander.

Aus den verwendeten Begriffen ergibt sich: Nach dem semitischen Sprachgebrauch bezeichnet „Leib" die leibliche Greifbarkeit der Person Jesu; im Zusatz zum Brotwort wird Jesus als der Gottesknecht schlechthin ausgesagt (vgl. Jes 53, 4–12): Das „Blut" aber ist genauer präzisiert als das von Jesus zur Stiftung des Neuen Bundes (vgl. Jes 42, 6; 49, 8) mit Gott vergossene. Damit ist Jesus als blutig sterbender gekennzeichnet. Die Gaben sind also identisch mit dem den gewaltsamen Tod in freiem Gehorsam übernehmenden und darin den neuen Bund begründenden Gottesknecht Jesus. Die Identität zwischen der eucharistischen Speise der Kirche und dem Leib und Blut Jesu wird 1 Kor genauerhin bestimmt: Sie ist der von Jesus beim Abendmahl dargereichte Leib. Sie ist der gekreuzigte Leib Jesu, und so wird bei dessen Genuß der Tod Jesu als heilswirksam proklamiert und wirksam gemacht. Sie ist Fleisch und Blut des Erhöhten, durch dessen Genuß die einzelnen zur Gemeinschaft des einen pneumatischen Leibes Jesu Christi zusammengeschlossen werden. Die Bleibendheit dieser Speise in der Kirche und als *die* Speise der Kirche ergibt sich aus dem unmittelbar mit den Einsetzungsworten verknüpften Gedächtnisbefehl: „Tut dies zum Gedächtnis meiner selbst." Durch den Auftrag, weiterhin „dies" zu tun, ist gesichert, daß die gesamte Christuswirklichkeit immer dort wirksam präsent ist, wo das Abendmahl von den Jüngern Jesu legitim vollzogen wird.

In diesem von Jesus selbst gewollten Nachvollzug des Abendmahles wird zugleich das blutige Opfer Jesu Christi am Kreuz gegenwärtig, weil ja Fleisch und Blut des *leidenden* und *sterbenden* Gottesknechtes *als* hingegeben und vergossen für „die Vielen" präsent werden und nur als solche nach der Stiftung Jesu selbst präsent werden können und weil diese Gegenwart des einen Opfers Jesu Christi unter einer liturgischen Opfer-Handlung der Kirche gegeben ist. Somit ist die Eucharistiefeier der Kirche immer schon wirkliches Mahl, insofern in ihr Leib und Blut Jesu Christi wirklich als Speise da sind und zugleich wirkliches Opfer, insofern das *eine* Opfer Jesu *in* der Geschichte bleibend wirksam ist und durch die liturgische Repräsentationstat der wesentlich geschichtlichen Größe „Kirche" in der Eucharistiefeier bleibend wirksam gemacht wird. Diese beiden Wirklichkeiten in der einen Eucharistiefeier können darum auch nicht völlig getrennt voneinander theologisch reflektiert werden; vergegenwärtigt werden aber auch Menschwerdung, Auferstehung und Erhöhung Jesu.

Die dogmen- und theologiegeschichtliche Entwicklung der Eucharistielehre – etwa die Fragen nach Realpräsenz und Transsubstantiation – brauchen in unserem Zusammenhang wohl nicht dargestellt zu werden.

Im Vollzug und Empfang der Eucharistie vollzieht die Kirche und der einzelne Gläubige wirklich „Danksagung" – das heißt ja „Eucharistie" –, wie sie als höchstmögliche und spezifisch „kirchliche" nur der Kirche Jesu Christi möglich, ihr aber zugleich als Grundgesetz aufgetragen ist: Indem sie Jesus Christus selbst wirklich bei sich „hat" und wirklich – wenn auch in der kühnen Wirklichkeit des Glaubens – als Speise annimmt, „sagt" – d.h. verwirklicht, vollzieht – sie jene dankbare Antwort auf das Gnadenangebot Gottes, nämlich seine Selbstmitteilung, die darum die intensivste ist, weil sie von dem immer schon geliebten und endgültig akzeptierten Leben Jesu in Fleisch und Blut „formuliert" ist. Die „Wirkung" der Eucharistie ist also nicht nur als eine individuelle, im einzelnen geschehende zu denken, durch die dieser die personale Teilhabe am Leben Jesu Christi erhält und die Gnade zur Verwirklichung dieser Teilhabe in einem „christlichen" Leben (im strengen Sinne: das Leben Jesu Christi durch Liebe, Gehorsam und Dankbarkeit gegenüber dem Vater, Vergebung und Geduld repräsentierend), sondern vor allem als eine ekklesiologisch-soziale: In der Eucharistie wird der gnädige und reuelose Heilswille Gottes gegenüber allen Menschen *in* dieser Welt präsent, greifbar und sichtbar, insofern durch sie die greifbare, sichtbare Gemeinschaft der Gläubigen zu *dem* Zeichen gestaltet wird, das nicht nur auf eine irgendwo mögliche Gnade und Heilswilligkeit Gottes verweist, sondern die Greifbarkeit und Bleibendheit dieser Gnade und des Heiles *ist*. Die Eucharistie ist dann selbstverständlich auch als das Sakrament der radikalsten, realsten Gegenwart ihres Herrn in dieser Feier unter den Gestalten des Mahles insofern der höchste Vollzug des Wesens der Kirche selbst, weil eben sie ja gar nichts anderes ist und sein will als die Gegenwart Christi in Raum und Zeit. Und insofern alle an demselben Mahle Christi partizipieren, der der Geber und die Gabe zugleich ist, ist auch die Eucharistie das Zeichen, die Erscheinung, der aktuellste Vollzug der Kirche, insofern sie die letzte, gnadenhaft durch Gott gegründete Einheit der Menschen im Geiste ist und diese zur Erscheinung bringt.

Gemeinsame Aspekte der Sakramente

Es dürfte jetzt deutlich geworden sein, daß die einzelnen Sakramente doch wieder gemeinsame Aspekte haben. In allen ist das wirksame Wort Gottes und – wo sie nicht nur gültig, sondern, wie die Theologie sagt, fruchtbar empfangen werden – die Antwort des Menschen, und zwar nicht nur in der Tiefe des begnadeten Freiheitswesens des Menschen, sondern auch in der Dimension seiner Geschichte, seiner Gesellschaftlichkeit gegeben. Sakrament ist so greifbares Wort und greifbare Antwort, von Gott und vom Menschen her. Und da der Mensch, so sehr er das Wesen des Wortes, der Sprache ist, auch immer das Wesen der Geste, des Symbols, der Handlung ist, haben – wenn auch in verschiedener Weise und Intensität – die Sakramente, die im letzten durchaus auf den Nenner des *wirksamen Wortes Gottes* gebracht werden können, eben auch andere Gestalten als das Wort bei sich, eben den kultischen Ritus, das Untergetauchtwerden im Wasser, das Essen, die Salbung, die Handauflegung. Aber daß diese Elemente gerade nach katholischer Auffassung nicht notwendigerweise zum Wesen des Sakramentes gehören, sieht man ja daran, daß zum Eheabschluß als Sakrament und in dem Versöhnungswort der Kirche an den Sünder im Grunde genommen eben nur das wirksame Wort Christi im Menschenwort gegeben ist. Insofern haben wir theologisch durchaus das Recht, die Sakramente als den radikalsten, intensivsten Fall des Wortes Gottes als Wort der Kirche zu konzipieren, dort, wo eben dieses Wort als absolutes Engagement der Kirche das ist, was man opus operatum nennt.

Selbstverständlich ist im Sakrament auch die ganze Dialektik zwischen einzelnem und Glied der Gemeinschaft gegeben. Alle Sakramente haben einen ganz spezifisch ekklesiologischen Sinn, beziehen den Menschen immer auch auf die Kirche. Die Sakramente sind nicht nur das von der Kirche Gespendete, sondern auch wirklich der Selbstvollzug der Kirche, und zwar sowohl im Sakramentenspender wie im Sakramentenempfänger. Und gleichzeitig sind sie – auch bis zur Eucharistie hin, die ja vom einzelnen empfangen wird – die individuellsten, geschichtlichen, aber sich in der Kirche abspielenden Heilsergebnisse der individuellen Heilsgeschichte des einzelnen.

Sakrament ist in dem Sinne Dialog und Partnerschaft zwischen Gott und Mensch, wie ein solches Verhältnis dann und dort gedacht werden muß, wo die Partner von einer solchen Verschiedenheit radikaler Art sind, wie es eben der absolute Gott und seine Kreatur sind. Freilich ist diese Partnerschaft dennoch eine echte, denn die absolute Macht Gottes stellt ja gerade die Kreatur in ihre eigene Wirklichkeit und Freiheit hinein, und dieser selbe Gott ermächtigt den Menschen durch die Gnade gerade zu einer Antwort, die seiner würdig ist.

Im Sakrament haben wir selbstverständlich auch die dialektische Einheit, Zusammengehörigkeit und Nicht-Identität, zwischen dem einzelnen Menschen als einzelnem und als Glied der Gemeinschaft. Gerade im sakramentalen Wort, in dem die Kirche Gottes Wort dem einzelnen in seine ganz konkrete Heilssituation hineinspricht, ist der einzelne durch das Wort Gottes in einer Weise gerade als einzelner angesprochen, wie das im allgemeinen Verkündigungswort auch der wirklich existenziellen Predigt nicht gegeben ist. Auf der anderen Seite wird dieser einzelne gerade auch als einzelner durch das Sakrament angerufen von der Kirche, die den Menschen als Menschen der Kirche, als Glied der Gemeinschaft anfordert, weil sie ja nicht bloß die

Sakramente spendet und verwaltet, sondern in ihrer Spendung und Verwaltung ihr eigenes Wesen als die bleibende Präsenz der eschatologisch siegreichen Gnade vollzieht. Und deswegen hat jedes Sakrament seinen ganz speziellen, eigenen, ekklesiologisch-kirchlichen Aspekt. Jedes Sakrament ist wirklich auch ein Ereignis des Verhältnisses des einzelnen zur Kirche, der einen ganz bestimmten Platz in der Kirche, eine ganz bestimmte Funktion in der Kirche bekommt; der in die Kirche durch die Taufe eingegliedert wird, der mit der Gnadengemeinschaft der Kirche im Sakrament der Buße wiederum versöhnt wird oder der in der Eucharistie als Glied des heiligen Volkes Gottes, der Altargemeinde Christi das höchste Mysterium der Kirche mitfeiert, in dem die Kirche wirklich da ist im vollsten Sinne, eben als die Präsenz ihres gestorbenen, gekreuzigten und auferstandenen Herrn, so daß Christus selbst in der Mitte der Altargemeinde gegenwärtig ist.

Die Sakramente sind weiterhin, wie der hl. Thomas von Aquin (vgl. S. th. III, q. 60, a. 4 corp.) sehr deutlich gemacht hat, immer gleichzeitig signa rememorativa, demonstrativa und prognostica des Heiles, d. h., sie verweisen immer, jedes in seiner Art, auf das geschichtliche Heilsereignis Christi, seines Todes und seiner Auferstehung. Sie sind als signa rememorativa Anamnese des geschichtlichen Heilsereignisses der geschichtlichen Selbstzusage Gottes an die Menschheit und darin an den einzelnen in Jesus Christus. Sie sind signa demonstrativa, d. h. Wort, das dasjenige, was es aussagt, auch wirklich mit sich bringt: die gnädige Selbstmitteilung des heiligen Gottes. Und sie sind signa prognostica, d. h. sie weisen auf die Vollendung dieser Selbstzusage Gottes im ewigen Leben voraus. Sie sind deswegen Ereignisse, die wirklich entsprechend dem Wesen des Menschen, dem Wesen Gottes und seiner Selbstzuwendung an die Welt, Vergangenheit, Gegenwart und Zukunft in einer geheimnisvollen Weise innerlich verbinden und jedes dieser Wesensmomente des Menschen in seiner Art hier und jetzt zur Erscheinung bringen.

Amtlich-kirchliches und existenzielles Heilstun

Die Sakramente, also das opus operatum, unterscheiden sich vom opus operantis, d. h. dem personalen, freien, sittlich religiösen Tun des Menschen nicht dadurch, daß im opus operatum der Sakramente Gnade geschieht und dies im opus operantis des Menschen nicht der Fall wäre. Auch das freie Tun des Menschen, dort wo es nicht Schuld ist, ist in der gegenwärtigen Heilsordnung unter dem absoluten Heilswillen Gottes zu seiner eigenen Selbstmitteilung auch Ereignis der Gnade. Wo der Mensch glaubt, wo er hofft, wo er liebt, wo er sich zu Gott hinkehrt, wo er sich von seiner Schuld abkehrt, wo er ein inneres, positives Verhältnis zu seinem Tod bekommt, wo er in ewiger Liebe sich in einer letzten Weise einem anderen Menschen öffnet, geschieht Heil, ist ein dialogisches Verhältnis der Gnade zu Gott gegeben, ist Heilsereignis und

Ereignis eben der wirklichen, intimsten Heilsgeschichte des Menschen gegeben. Opus operantis und opus operatum unterscheiden sich deswegen nicht wie gnadenhafte Tat Gottes am Menschen und bloß menschlicher freier Vollzug. Sondern sie unterscheiden sich wie amtliche, ausdrückliche, kirchlich in Erscheinung tretende Heilsgeschichte des Menschen in den Sakramenten und bloß existenzielles Heilstun des Menschen in der Gnade Gottes.

So wie wir früher eine anonyme, eine allgemeine, eine der Geistgeschichte des Menschen koexistente Heilsgeschichte und eine amtliche, ausdrückliche Heilsgeschichte des Menschen unterschieden haben, so ist es analog auch im Verhältnis von opus operatum und opus operantis. Beide gehören in die Geschichte Gottes und seiner Gnade und in die Heilsgeschichte des Menschen hinein und unterscheiden sich eben nur so, wie sich auch sonst in einer menschlichen Geschichte ausdrückliche, gesellschaftliche und in der Sphäre des Gesellschaftlichen auch rechtlich präsente Akte von solchen unterscheiden, die sich in einer gesellschaftlich nicht unmittelbar ausdrücklichen Sphäre der eigenen persönlichen Intimität vollziehen. Immer und in beiden Fällen ist der Mensch das je einmalige Individuum und das Glied einer Gemeinschaft der Menschen in Interkommunikation; aber nicht in allen Fällen ist der Mensch auch immer schon ausdrücklich, amtlich und in rechtlicher Verfaßtheit in jedem seiner Akte Glied der Gesellschaft als solcher. Und analog ist zwar alles im menschlichen Leben Heilsgeschichte, aber deswegen nicht alles sakramental in diesem engeren und strengeren Sinn, und dennoch vollzieht der Mensch in beiden das eine Verhältnis zwischen ihm, dem Freien, und dem ewigen und heiligen Gott, der sich selbst in ewiger, unberechenbarer Liebe dem Menschen zu eigen gibt.

Reductio in mysterium

Wenn wir diese Bemerkungen zum christlichen Leben richtig verstanden haben, dann ist deutlich, daß der Christ zwar – wie das schon die Sakramente zeigen – ein greifbares, kirchliches Leben führt, daß aber das letzte Christliche an diesem Leben mit dem Mysterium des menschlichen Daseins identisch ist. Und so könnte man durchaus sagen, daß das Letzte und Eigentümliche des christlichen Daseins darin besteht, daß der Christ sich in das Mysterium hinein fallenläßt, das wir Gott nennen; daß er glaubend und hoffend davon überzeugt ist, daß dieser Sturz in das unbegreifliche, namenlose Geheimnis Gottes wirklich der Fall in das selige, vergebende und uns selbst vergöttlichende Geheimnis ist und daß er dies auch noch in der Reflexheit seines Bewußtseins, seines ausdrücklichen Glaubens weiß, ausdrücklich erhofft und nicht nur in der Anonymität seines faktischen Daseins vollzieht. Und insofern ist der Christ eben doch der Mensch schlechthin, der auch weiß, daß dieses Leben, das er vollzieht und von dessen Vollzug er weiß, sich auch dort ereignen kann, wo einer nicht explizit Christ ist und als solcher sich reflex erkennt.

NEUNTER GANG

Die Eschatologie

1. EINIGE VORAUSSETZUNGEN ZUM VERSTÄNDNIS DER ESCHATOLOGIE

Der neunte Gang bezieht sich auf die christliche Eschatologie, die Lehre von den letzten Dingen, die Lehre vom Menschen, insofern er das auf die absolute Zukunft, Gott selbst, geöffnete Wesen ist. Es zeigt sich, daß eine solche christliche Eschatologie gar nichts anderes ist als die Wiederholung all dessen, was bisher gesagt worden ist vom Menschen, insofern er der von Gottes Selbstmitteilung begnadete, freie, kreatürliche Geist ist. Eschatologie ist nicht eigentlich etwas Zusätzliches, sondern sagt noch einmal den Menschen aus, so wie ihn das Christentum versteht: als den von seiner jetzigen Gegenwart weg auf seine Zukunft hin ek-sistierenden. Der Mensch kann sich selber nur sagen, was er ist, indem er sich sagt, was er will und werden kann. Und er kann sich als Kreatur im Grunde nur sagen, was er in Freiheit will, wenn er sich sagt, was er in Freiheit hofft als das ihm Zugeschickte und von seiner Freiheit Angenommene. Christliche Anthropologie ist also vom Wesen des Menschen her christliche Futurologie, christliche Eschatologie.

Zur Hermeneutik eschatologischer Aussagen

Von da aus ergeben sich dann auch schon einige hermeneutische Prinzipien zum richtigen Verständnis der christlichen Eschatologie. Der Christ ist, auch von der Weise der eschatologischen Aussagen im Alten und im Neuen Testament her, immer in Versuchung, die eschatologischen Aussagen des Christentums als antizipierende Reportagen einer ausständigen Zukunft zu lesen und zu interpretieren. Damit kommt er beinahe zwangsläufig in Probleme und Schwierigkeiten hinein hinsichtlich der Glaubwürdigkeit einer so gelesenen eschatologischen Aussage, in Schwierigkeiten, die der Sache nach gar nicht notwendig sind. Natürlich sagen das Alte und das Neue Testament und die kirchliche Lehre sehr vieles von der Zukunft, von dem, was einmal sein wird, von Tod, von Fegefeuer, von Himmel, von Hölle, von der Wiederkunft Christi, von einem neuen Himmel und einer neuen Erde, von den letzten Tagen, von den Zeichen, an denen die Ankunft und Wiederkunft Christi erkannt werden kann. Die christliche Eschatologie spricht von einer Zukunft des Menschen, indem sie Aussagen über die Zukünftigkeit und Zukunft des Menschen hinsichtlich aller seiner Dimensionen macht.

Weil die christliche Eschatologie die Zukunft des einen ganzen Menschen aussagt, so wie er ist, gibt es notwendigerweise eine Eschatologie, die Aussagen macht über den Menschen, insofern er freie Person ist, insofern er das konkrete, raumzeitlich-leibhaftige Wesen ist, insofern er der je einzelne, der Einmalige, Unverrechenbare ist, und es gibt eine Eschatologie, die Aussagen über denselben Menschen macht, insofern er Glied einer Gemeinschaft, Moment einer kollektiven Geschichte ist, eine kollektive Eschatologie, die Aussagen über die Zukunft der Menschheit, der Welt überhaupt macht, insofern diese Welt für das Christentum von vornherein als die Umwelt eines transzendentalen Geistes konzipiert ist; dessen Umwelt eben mit der Wirklichkeit überhaupt zusammenfällt.

Wenn wir nun die eschatologischen Aussagen des Neuen Testamentes richtig lesen wollen, so sind sie die vom Wesen des Menschen her notwendigen Folgerungen aus der Erfahrung der christlichen *Gegenwart*. Wir wissen dasjenige über die christliche Eschatologie, was wir über den jetzigen heilsgeschichtlichen Zustand des Menschen wissen. Wir projizieren nicht von einer Zukunft etwas in die Gegenwart hinein, sondern wir projizieren unsere christliche Gegenwart in der Erfahrung des Menschen mit sich, mit Gott in der Gnade und in Christus auf seine Zukunft hin, weil der Mensch eben seine Gegenwart gar nicht anders verstehen kann, denn als das Entstehen, das Werden, als die Dynamik auf eine Zukunft. Er versteht seine Gegenwart immer nur, insofern er sie als den Anlauf, als die Eröffnung von Zukunft versteht. Deswegen muß er eine Futurologie, eine Eschatologie, treiben, aber eben von diesen Eschata weiß er dasjenige in einer ätiologischen Antizipation, was er von sich und seiner Heilsgegenwart jetzt und hier weiß.

Von da aus sieht man vielleicht am besten den Unterschied zwischen wirklicher Eschatologie und Apokalyptik als einer bestimmten Art theologischer Utopie. In den Darstellungsmitteln sind diese beiden Größen – eschatologische und apokalyptische Aussage – nicht notwendigerweise verschieden. Wenn Jesus Christus sagt, wir werden im Reiche Gottes zu Tische sitzen, dann können dieselben Bilder – wenn auch in einer massiven Vergröberung – auch in solcher Apokalyptik vorkommen, die gewissermaßen schon reportagehaft zu wissen glaubt, was einmal später geschehen wird. Apokalyptik kann allerdings (ohne daß hier näher auf den schwierigen begrifflichen und sachlichen Unterschied zwischen Eschatologie und Apokalyptik eingegangen werden soll) durchaus auch verstanden werden als eine Aussageweise, durch die der

Mensch die Konkretheit seiner eschatologischen Zukunft wirklich ernst nimmt und die Tatsache nicht vergißt, daß seine endgültige Zukunft wirklich aus seinem gegenwärtigen individuellen und gesellschaftlichen Leben stammt, die Endgültigkeit seiner – natürlich durch die Selbstmitteilung Gottes radikalisierten – Freiheitstat ist. Eschatologie aber ist der Ausblick des Menschen von seiner Heilserfahrung her, die er jetzt in der Gnade und in Christus macht; ein Ausblick, wie die Zukunft sein muß, wenn die Gegenwart als das Anheben der Zukunft so ist, wie der Mensch sie eben in seiner christlichen Anthropologie weiß. Weil der Mensch immer in Bildern und Gleichnissen reden muß und das auch unbefangen darf und weil er zugestehen muß, daß ein Mensch früherer Perioden eben in den Bildern, mit dem Anschauungsmaterial seine Eschatologie aussagt, wie sie ihm in seiner geistes- und gesellschaftsgeschichtlichen Situation vorgegeben waren, darum können wir nicht erwarten, daß in der Aussageweise eine sehr eindeutige Verschiedenheit sein müsse zwischen Apokalyptik und Eschatologie, wie sie im Christentum wirklich gemeint wird. Wenn wir aber dieses hermeneutische Grundprinzip richtig verstehen, d.h. verstehen, daß eschatologische Aussagen die Übersetzung dessen ins Futurische sind, was der Mensch als Christ in der Gnade als seine Gegenwart erlebt, dann haben wir ein praktisches und doch auch für einen heutigen Glaubensvollzug wichtiges Prinzip, um zwischen Vorstellungsweisen und wirklich gemeintem Inhalt in den eschatologischen Aussagen zu unterscheiden. Wenn man bei Paulus liest, daß Christus wiederkommt unter der Posaune des Erzengels, oder wenn in der synoptischen Apokalypse die Menschen durch die Engel zusammengebracht werden, in Gruppen aufgeteilt werden, die Bösen und die Guten, die Böcke und die Schafe, wenn die spätere Tradition dieses Geschehen dann verlegt hat in das Tal Josaphat, dann ist es selbstverständlich, daß das Bilder sind, die durchaus etwas sehr Wesentliches und Eigentliches sagen wollen, aber eben das, was durch die christliche Anthropologie von den Eschata gesagt werden kann und sonst nichts. Und wir können mindestens prinzipiell sagen: was sich von den Eschata so nicht erreichen läßt, das gehört in das Darstellungsmaterial, in die bildhafte Sphäre der eschatologischen Aussagen hinein, aber nicht in ihren Inhalt.

Freilich muß man bei einem solchen Prinzip wiederum eine gewisse Vorsicht walten lassen, weil es ja sein könnte, daß etwas vom Ansatzpunkt einer Eschatologie grundsätzlich wirklich erreichbar ist und deswegen in den Aussageinhalt hineingehört, obwohl der einzelne Theologe und Christenmensch eine solche Implikation der Eschata von bestimmter Art in seiner heutigen christlichen Anthropologie aus eigenem Unvermögen nicht zu entdecken vermag. Aber dies einmal einkalkuliert und darum mit Vorsicht dieses hermeneutische Prinzip angewendet, kann man durchaus sagen, wir wissen von den Eschata nur das, was wir vom Menschen, dem Erlösten, dem von Christus aufgenommenen und in Gottes Gnade stehenden Menschen wissen.

Die Voraussetzung einer einheitlichen Anthropologie

Dabei muß aber bedacht werden, welches Grundwissen die christliche Anthropologie vom Menschen hat. Wenn z.B. feststeht, daß der Mensch nicht der Geist ist, der durch irgendein seltsames Mißgeschick auch noch in Leibhaftigkeit, Raum-Zeitlichkeit und Geschichtlichkeit geraten ist, sondern daß er wirklich Mensch in Leibhaftigkeit, in einer absoluten, letztlich gar nicht aufhebbaren Einheit von Materie und Geist ist, dann muß eine solche Anthropologie – in eine „Futurologie" gewendet – notwendigerweise etwas über das Heil des einen und ganzen Menschen aussagen. Eine christliche Anthropologie wäre unvollständig, ja falsch, wollte sie die Eschata des Menschen, des einzelnen verstehen als bloße Rettung einer abstrakten Seele des Menschen, nur ihr eine Unsterblichkeit zuschreiben und ihr Geschick von der Verwandlung der Welt, von der Auferstehung des Fleisches, d.h. von der Rettung des einen Menschen unabhängig machen. Von einer richtig verstandenen christlichen Anthropologie her ist also von vornherein klar, daß eine christliche Eschatologie gar nicht aufklärerisch und rationalistisch – obwohl es einige sehr beachtliche Unterströme dieser Art in der christlichen Theologie gibt – das Heil des Menschen als bloße Unsterblichkeit der Seele konzipieren kann.

Die Verhülltheit der Eschata

Der Mensch geht in allem, was er ist und lebt, gleichsam durch den Nullpunkt des Todes hindurch, und Gott, der ja gerade die absolute Zukunft des Menschen sein soll, er, und er allein, bleibt für eine solche christliche Anthropologie und deswegen auch für eine Eschatologie, die keine Apokalyptik ist, das unumgreifbare, schweigend zu verehrende Geheimnis, so daß wir als Christen gar nicht so tun müssen, als kennten wir uns sozusagen im Himmel aus. Christliche Hoffnung redet vielleicht manchmal mit einer gewissen Emphase des Eingeweihten, desjenigen, der sich bei Gott und in seiner Ewigkeit besser auskennt als in den finsteren Verliesen der Gegenwart. Aber in Wirklichkeit ist es so, daß diese absolute Vollendung das Geheimnis bleibt, das wir schweigend, und aus allen Bildern gleichsam ins Unsagbare hinaustretend, zu verehren haben.

2. DIE EINE ESCHATOLOGIE ALS INDIVIDUELLE

Endgültigkeit menschlicher Freiheitstat

Von diesem hermeneutischen Ansatz aus ist es dann auch verständlich, daß wir Christen den Menschen als das Freiheitswesen sehen, das sich in Endgültigkeit gegen Gott entscheiden kann. Deshalb müssen wir auch das, was wir jetzt als unsere Freiheitsmöglichkeit erfahren, gleichsam in die Zukunft verlängern und (unter Rückverweis auf den dritten Gang) etwas von der Möglichkeit eines absoluten Verlorenseins der endgültig gewordenen Freiheit des Menschen, also von der „Hölle", sagen. Aber deswegen stehen die eschatologische Aussage über das, was wir mit „Himmel" meinen (als die selige Endgültigkeit und Vollendetheit des mit der Selbstmitteilung Gottes begnadeten Menschen), und die Rede von der „Hölle" nicht auf gleicher Stufe. Denn da wir in dem Eschaton Jesu Christi des Gottmenschen leben, des für uns Gekreuzigten und für uns Auferstandenen, der in Ewigkeit bleibt, wissen wir im christlichen Glauben und in unerschütterlicher Hoffnung, daß die Heilsgeschichte trotz der Dramatik und der Offenheit der Freiheit des einzelnen Menschen, im ganzen für die Menschheit durch Gottes eigene, machtvolle Gnade positiv ausgeht. Wir können und brauchen aber über den Ausgang des je einzelnen in Verlorenheit endgültiger Art nichts auszusagen, als daß der Mensch, der in der Geschichte noch läuft, der seine Freiheit jetzt erst vollzieht, mit einer solchen Möglichkeit ernsthaft rechnen muß, ohne daß er in einer Vorwegnahme einer positiven theoretischen Lehre von einer Apokatastasis – einem Gerettetwerden schlechthin aller – indiskret gleichsam die Offenheit seiner individuellen Heilsgeschichte aufheben dürfte. Aber wir sind von der christlichen Anthropologie und Eschatologie aus, bei einer ernsthaften, vorsichtigen Interpretation der Heiligen Schrift und ihrer eschatologischen Aussagen, nicht verpflichtet zu erklären, wir wüßten sicher, daß für bestimmte Personen die Heilsgeschichte tatsächlich als Unheilsgeschichte in absoluter Verlorenheit ende. Wir brauchen deswegen als Christen die Rede von Himmel und Hölle nicht als gleichrangige Aussagen der christlichen Eschatologie zu betrachten.

Wenn wir daran denken, daß der Mensch als Geist und als leibhaftiges Wesen, als transzendental an das Absolute grenzendes *und* als raum-zeitliches Wesen eine absolute Einheit ist, die nicht einfach in Leib und Seele zerfällt werden kann, wenn wir daran denken, daß wir Geist nur als leibhaftig-geschichtlichen Geist kennen und unsere Leibhaftigkeit als die Leibhaftigkeit eines geistigen Freiheitswesens erfahren und wissen, dann ist auch klar, daß die eschatologischen Aussagen über die Vollendung der Seele und die Vollendung des Leibes nicht solche sind, die man adäquat voneinander scheiden und auf verschiedene Wirklichkeiten verteilen könnte. Deswegen ist es im letzten von dieser Methodologie und Hermeneutik eschatologischer Aussagen her überflüssig zu fragen, was der Mensch macht, während der Leib im Grabe und seine Seele schon bei Gott ist. Wir können zwar diese doppelten dialektischen Aussagen nicht in eine höhere aufheben, wir müssen immer kollektiv und individuell, geistig und leibhaftig genauso wie in der Anthropologie auch in der Eschatologie reden; diese Doppeltheit ist gar nicht aufhebbar und überholbar – aber diese Doppeltheit kann nicht indiskret als Aussage über ganz verschiedene Wirklichkeiten aufgefaßt werden. Der eine konkrete Mensch ist vollendet, wenn er als der konkrete Geist, der leibhaftige Mensch in Gott vollendet ist; das kann ausgesagt werden als Endgültigkeit seiner personalen Geschichte und als Endgültigkeit seiner leiblichen und kollektiven Wirklichkeit als eines konkreten Menschen, kann also als Seligkeit der Seele und als Auferstehung des Fleisches ausgesagt werden. Beide Aussagen meinen letztlich immer den einen ganzen Menschen. Beide Aussagen können nicht ineinander verrechnet werden, noch auf verschiedene Wirklichkeiten verteilt werden, und beide Aussagen können nicht in eine höhere Aussage hinein transzendiert und aufgelöst werden.

Tod und Ewigkeit

Die Glaubenslehre der katholischen Kirche und ihre Theologie gehen, wenn sie den *Tod* des Menschen bedenken, von einer doppelten und ineinander verschränkten philosophischen *und* offenbarungsbegründeten Sicht aus.

Zu dieser damit gegebenen Schwierigkeit kommt noch die Notwendigkeit hinzu, deutlich und schon im ersten Ansatz den Eindruck zu vermeiden, es handle sich bei der Lehre von der im Tod nicht aufgehobenen, sondern in eine andere Daseinsweise hineinverwandelten Wirklichkeit des Menschen um eine lineare Fortsetzung seiner empirischen Zeitlichkeit über den Tod hinaus. Eine solche Vorstellung könnte ein an sich harmloses, vielleicht sogar nützliches Vorstellungsschema zur Verdeutlichung des eigentlich Gemeinten sein. Es schafft aber dem Menschen von heute mehr Schwierigkeiten als Hilfe und bringt ihn in Versuchung, mit dem Vorstellungsschema, das er nicht mehr nachvollziehen kann, auch das eigentlich Gemeinte als unvollziehbar und unglaubwürdig abzulehnen. Wenn wir also in der christlichen Eschatologie von den Toten,die leben, sprechen müssen, dann ist zunächst zu sagen, was gemeint, oder besser, was nicht gemeint ist. Gemeint ist nicht, daß es nach dem Tod weitergeht, als ob, um mit Feuerbach zu sprechen, nur die Pferde gewechselt und dann weitergefahren würde, also jene eigentümliche Gestreutheit und unbestimmte, immer neu bestimmbare leere Offenheit des zeitlichen Daseins weiterdauere. Nein, in dieser Hinsicht setzt der Tod ein Ende für den ganzen Menschen. Wer die Zeit einfach über den Tod des Menschen hinaus und in dieser Zeit die „Seele" weiterdauern läßt, so daß neue Zeit wird, anstatt daß die Zeiten in Endgültigkeit aufgehoben sind, der bringt sich heute in unüberwindliche Schwierigkeiten des Gedankens und auch des existenziellen Vollzugs des christlich wirklich Gemeinten.

Wer aber umgekehrt meint, mit dem Tod sei alles aus, weil die Zeit des Menschen wirklich nicht weitergeht, weil sie, die einmal begann, auch einmal enden müsse, weil schließlich eine sich ins Unendliche fortspinnende Zeit in ihrem leeren Gang ins immer Neue, das das Alte dauernd annulliert, eigentlich unvollziehbar, ja sogar schrecklicher als die Hölle sei, der unterliegt ebenso dem Vorstellungsschema unserer empirischen Zeitlichkeit wie der, der die Seele fortdauern läßt.

In Wirklichkeit wird in der Zeit als deren eigene, gereifte Frucht Ewigkeit, die sich nicht eigentlich hinter der erlebten Zeit fortsetzt, sondern die Zeit gerade aufhebt, indem sie selber entbunden wird aus der Zeit, die zeitweilig wurde, damit Freiheit, Endgültigkeit getan werden könne. Ewigkeit ist nicht eine unübersehbare, lang dauernde Weise der puren Zeit, sondern eine Weise der in der Zeit vollbrachten Geistigkeit und Freiheit und deswegen nur von deren rechtem Verständnis her zu ergreifen. Eine Zeit, die nicht als Anlauf von Geist und Freiheit währt, gebiert auch keine Ewigkeit. Weil wir aber die zeitüberwindende Endgültigkeit des in Freiheit und Geist getanen Daseins des Menschen der Zeit entnehmen müssen und sie doch zu ihrer Vorstellung fast unwillkürlich als endloses Fortdauern denken, geraten wir natürlich in Verlegenheit. Wir müssen, unanschaulich und in diesem sehr richtigen und im Grunde genommen sehr harmlosen Sinn entmythologisierend denken lernen und sagen: *durch* den Tod – nicht *nach* ihm – ist die getane Endgültigkeit des frei gezeitigten Daseins des Menschen. Es ist, was geworden ist, befreite Gültigkeit des einmal Zeitlichen, das in Geist und Freiheit wurde und darum Zeit bildete, um zu sein, nicht eigentlich, um weiterzudauern in Zeit. Denn sonst würde es ja gerade in einer Weise existieren, die gar nicht Endgültigkeit wäre, sondern eine offene Zukunft zeitlicher Art vor sich hätte, in der alles noch einmal uferlos anders werden könnte.

Aber woher wissen wir, daß solches geschieht, aus dem Vergänglichen der Zeit, die wir sind und die wir bitter erfahren? Hier bei dieser Frage tritt in der christlichen Lehre aus Dogma und Theologie jene Zweiheit von Offenbarung und eigener, menschlicher Erkenntnis und Erfahrung ein, von der wir immer ausgegangen sind. Die Offenbarung im Worte Gottes ruft, um überhaupt einen für die Botschaft des Evangeliums Offenen zu haben, um mit dem Eigentlichen der christlichen Verheißung überhaupt ankommen zu können, im Menschen jenes Selbstverständnis zu deutlicherem und entschlossenerem Vollzug, das doch fast überall in der Menschheitsgeschichte anzutreffen ist, wenn der Mensch die Toten in irgendeiner Form weiterleben läßt.

Aber können wir heute von uns her diese Überzeugung von der Bleibendheit des personalen Daseins trotz des biologischen Todes noch nachvollziehen, wobei es hier im Augenblick zunächst gleichgültig sein mag, wie wir eine solche Überzeugung nennen mögen, metaphysische Erkenntnis oder religiöse Überzeugung oder ethisches Postulat? Wir können es, wenn wir wachen Geistes und eines demütig weisen Herzens sind und uns zu sehen gewöhnen, was dem Oberflächlichen oder Ungeduldigen zu sehen verwehrt ist. Zunächst einmal: Warum sind alle großen Liebenden demütig und fromm, wie überglänzt vom Glanz eines unausschöpflichen, unzerstörbaren Geheimnisses, dem sie in den großen Augenblicken ihrer Liebe auf den Grund blicken, warum ist jeder radikale sittliche Zynismus dem Menschen dort unmöglich, wo er ganz sein Eigentliches gefunden hat? Müßte diesem Eigentlichen gegenüber der Zynismus nicht die Wahrheit und Ehrlichkeit des Unbestechlichen sein, wenn dieses Eigentliche einfach ins Leere des Nichts fiele? Warum kapituliert die letzte Treue nicht vor dem Tod, warum fürchtet die wirkliche sittliche Güte die scheinbar so hoffnungslose Vergeblichkeit aller Anstrengung nicht, warum unterscheidet die sittliche Erfahrung deutlich zwischen Gütern, die nur schön sind, indem sie vergehen, und dem Guten schlechthin, bei dem es Frevel wäre, eine Übersättigung zu fürchten und darum das Gute als vergänglich zu wünschen? Ist dies nicht die große Weisheit, die wir ersehnen und verehren, der stille Glanz jenes angstlosen Friedens, der nur in jenem walten kann, der sich nicht mehr zu fürchten hat? Zeigt nicht gerade derjenige, der wirklich gelassen seinem Ende entgegenblickt, daß er mehr ist als Zeit, die ihr Ende fürchten müßte, wäre sie nur Zeit, weil nirgends das leere Nichts wirken kann? Und ist nicht umgekehrt das am Tod das eigentlich Tödliche, Schmerzliche, daß er in seiner unverfügbaren, dunklen Zweideutigkeit das zu nehmen scheint, was in uns zu erfahrener Unsterblichkeit gereift ist?

Nur weil wir schon in unserem Leben Unsterbliche geworden sind, ist das Sterben und der in ihm drohende und nie durchblickbare Schein des Untergangs für uns so tödlich. Das Tier stirbt weniger „tödlich" als wir. Solche und ähnliche Erfahrungen wären unmöglich, wäre die Wirklichkeit, die sich hier vollzieht in ihrem eigenen Sein und Sinn das, was von sich her untergehend nicht mehr sein wollte. Hinter allen Fragen dieser Art wohnen natürlich persönliche Haltungen und Entscheidungen und metaphysische Einsichten objektiver Art notwendig eng beisammen. Es ist darum bei solchen Fragen am besten, immer gleich an jene geistigen Erfahrungen zu appellieren, in denen beides auf einmal vollzogen wird, die metaphysische Einsicht, die aber nicht theoretisch neutral andoziert, sondern vom Menschen in der Eigentlichkeit seines je einmaligen Daseins vollzogen wird, und die durch das, was wir Gnade nennen, von Gott her gegebene radikale Hoffnung, zu sein und nicht unterzugehen. Und solche Erfahrung geschieht in der sittlichen Entscheidung, in der das Subjekt sich als ein end-gültiges setzt. In dieser Entscheidung ist das Subjekt in seinem Wesen und Vollzug als das der rinnenden Zeit inkommensurable unmittelbar gegeben. Man muß freilich solche Entscheidung rein und stark vollzogen haben, um auch in der nachfolgenden, aussagenden und satzhaft theoretisierenden Reflexion das noch greifen zu können, was sich in ihr selbst herstellt: das Gültige, das über der Zeit als das nicht mehr Zeitliche steht. Vielleicht gibt es Menschen, die solches noch nie oder nicht mit genügender Wachheit des Geistes getan haben und darum hier nicht mitreden können. Aber wo solche freie Tat einsamer Entscheidung in absolutem Gehorsam vor dem höheren Gesetz oder in einem radikalen Ja der Liebe zur anderen Person getan wird, geschieht ein Ewiges und wird der Mensch als ein seiner Gleichgültigkeit und der Zeit und ihres bloßen Weiterfließens Enthobener unmittelbar erfahren.

Es hat keinen wirklich vollziehbaren Sinn, diese ursprüngliche, unmittelbare Gegebenheit des Ewigen in der absoluten Würde der sittlichen Entscheidung anzuzweifeln und zu sagen, der Mensch meine nur, es sei so. So wenig es einen vollziehbaren Sinn hat, die absolute Gültigkeit des Widerspruchsgesetzes als bloße subjektive Meinung zu bezweifeln (da ja noch einmal in der Bezweiflung dieser Gültigkeit als Grund der Möglichkeit der Bezweiflung eben diese Gültigkeit bejaht wird), ebenso verhält es sich bei der sittlichen Entscheidung. Wenn in sittlich freier Entscheidung ein zweifelndes Nein zur Absolutheit des sittlichen Gesetzes oder der Würde der Person vom Subjekt gesetzt wird, geschieht in der Absolutheit dieser negativen *Entscheidung*, die das Subjekt nicht von sich abwälzen kann, nochmals die Bejahung dessen, was sie bestreitet. Freiheit ist immer absolut, ist das Ja, das um sich weiß und als wahr für immer gültig sein will. Das „jetzt und für immer gültig", das es spricht, ist geistige Wirklichkeit, nicht bloß ein fragwürdiger Gedanke über eine angenommene, ausgedachte Wirklichkeit, sondern jene Wirklichkeit, an der alles andere gemessen werden muß.

Konkreter und schon gleich in dem Gedankenkreis der Schrift gesagt: Wenn einer, der seine sittliche Existenz vor Gott mit dessen absolutem Anspruch vollziehen muß, in die radikale Leere des bloß Vergangenen flüchten und in diesem Nichts untertauchen könnte, würde er im Grunde diesem Gott und dem absoluten Anspruch seines Willens entlaufen können, dem also, was in der sittlichen Entscheidung gerade als Unbedingtes und Unentrinnbares gegenwärtig wird. Das Nichts des rein Vergangenen wäre die Festung der absoluten Willkür gegenüber Gott.

In der sittlichen Entscheidung aber wird gerade bejaht, daß es diese radikale und nichtige Willkür so wenig gibt, wie der radikale Unterschied zwischen Gut und Böse im Akt der Entscheidung geleugnet werden kann, ein Unterschied, der in seiner absoluten Unterscheidung aufgehoben wäre, würde er als nur gerade jetzt und nachher nicht mehr existierend gedacht. Im Akt eines freien, absoluten Gehorsams und einer radikalen Liebe wird dieser gewollt als dem bloß jetzt geschehenden Augenblick entgegengesetzt, und diese ihre Zeit überlebende Wahrheit kann man von außen anzweifeln, nicht aber im Akt selbst. Wäre er aber wirklich nicht mehr als Zeit, die zerrinnt, dann wäre diese Tatsache nicht einmal als Schein oder als Einbildung verstehbar, da auch dieser eingebildete Schein seinen Grund braucht, auf dem er steht. Es könnte aber nicht den Schein der Ewigkeit geben, gäbe es diese überhaupt nicht, lebte nicht die Zeit von der Ewigkeit und nicht umgekehrt. Nein, dort, wo der Mensch gesammelt bei sich ist und, sich selber besitzend, in Freiheit sich selber wagt, vollzieht er keinen Augenblick gereihter Nichtigkeiten, sondern sammelt er Zeit in Gültigkeit, die im letzten der bloß äußeren Zeiterfahrung inkommensurabel ist und weder durch die Vorstellung eines Weiterdauerns wirklich echt und ursprünglich erfaßt wird, noch viel weniger aber durch das Endigen des bloß Zeitlichen an uns verschlungen wird. Aber erst die Offenbarung des Wortes sagt dem Menschen auch reflex und objektiviert, was mit diesem seinem Wesen konkret gemeint ist. Sie bringt ihn erst zur reflexen und mutig objektivierten Erfahrung seiner möglichen Ewigkeit, indem sie die erfüllt-wirkliche Ewigkeit offenbart.

Diese erfüllende Botschaft des Evangeliums beinhaltet ein Mehrfaches. Die Ewigkeit als Frucht der Zeit ist ein Kommen vor Gott entweder in der absoluten Entscheidung der Liebe für ihn, zu seiner Unmittelbarkeit und Nähe von Angesicht zu Angesicht, oder in der Endgültigkeit der Selbstverschließung gegen ihn zur brennenden Finsternis ewiger Gottlosigkeit. Die Offenbarung setzt die Macht Gottes voraus, daß jeder Mensch – gleichgültig, wie der irdische Anblick seines gewöhnlichen Lebens war – so viel an geistig-personaler Ewigkeit in seinem gewöhnlichen Leben habe, daß die Möglichkeit, die in der geistigen Substanzialität angelegt ist, sich als ewiges Leben auch tatsächlich vollzieht. Die Schrift, das ist ihr hoher Optimismus, kennt kein Leben eines Dutzendmenschen, das nicht wert wäre, endgültig zu werden. Die Schrift kennt keine Allzuvielen. Da jeder von Gott mit Namen genannt ist, da jeder in der Zeit vor dem Gott steht, der Gericht und Heil ist, ist jeder ein Mensch der Ewigkeit, und nicht nur die erlauchten Geister der Geschichte. In der johanneischen Theologie wird überdies deutlich, daß die In-Existenz der Ewigkeit in der Zeit gesehen wird, daß darum Ewigkeit aus der Zeit heraus wird und nicht nur eine der Zeit nachgeschickte und hinzugefügte Belohnung ist. Die Inhaltlichkeit des seligen Lebens der Toten beschreibt die Schrift in tausend Bildern, als Ruhe und Frieden, als Gastmahl und Herrlichkeit, als Daheimsein im Vaterhaus, als Reich ewiger Gottesherrschaft, als Gemeinschaft aller selig Vollendeten, als Erbschaft der Herrlichkeit Gottes, als Tag ohne Untergang, als Sättigung ohne Überdruß. Immer ahnen wir durch alle Worte der Schrift hindurch das Eine und Selbe: Gott ist das Geheimnis schlechthin. Und darum ist die Vollendung, die absolute Nähe zu Gott selbst auch unsagbares Geheimnis, dem wir entgegengehen und das die Toten, die, wie die Apokalypse sagt, im Herrn sterben, finden. Es ist das Geheimnis der unsagbaren Seligkeit. Kein Wunder darum, daß dieses reine Schweigen der Seligkeit von unseren Ohren nicht gehört wird. Diese Ewigkeit bringt nach der Offenbarung der Schrift die Zeitlichkeit des einen ganzen Menschen ein in ihre Endgültigkeit, so daß sie auch Auferstehung des Fleisches genannt werden kann. Diese Lehre der Schrift aber wird nicht bloß im Wort gesagt, sondern als schon anbrechende Wirklichkeit im Glauben greifbar in der Auferstehung des Gekreuzigten.

Zur Lehre vom „Reinigungsort"

Nun hat die katholische Glaubensaussage über die Toten gegenüber der der meisten evangelischen Christen noch einen Unterschied: Sie hält in der Lehre vom sogenannten „Fegfeuer" einerseits durchaus und streng daran fest, daß durch den Tod die frei gezeugte Grundhaltung des Menschen Endgültigkeit erhält; anderseits aber scheint sie wegen der Vielschichtigkeit des Menschen und der damit gegebenen Phasenungleichheit des Werdens seiner allseitigen Vollendung eine Ausreifung des ganzen Menschen „nach" dem Tod in der Durchsetzung dieser Grundentscheidung auf die ganze Breite seiner Wirklichkeit zu lehren. Sie scheint dieses Sich-Durchsetzen der Grundentscheidung des Menschen in der konkreten leibhaftigen Existenz des Menschen nicht ohne weiteres als mit dem Tod als solchem notwendigerweise gegeben zu erachten. Wir sagen „scheint"; denn wieweit ein solcher Phasenunterschied, der sich aus der pluralen Struktur des Menschen ergibt, irgendwie noch unter *zeitliche* Kategorien fällt, so daß man da noch von einem Werden „nach" dem Tode reden kann, das mag eine Frage sein, die wir hier dahingestellt sein lassen können und die in der eigentlich dogmatisch definierten Lehre vom Purgatorium, das etwas anderes ist als ein „Feg*feuer*", auch nicht entschieden ist. Eine solche Phasenungleichheit, die sich aus der pluralen Struktur des Menschen ergibt, zeigt sich ja auch zwischen einer letzten Grundentscheidung im Kern der Person und der vollen Integration der ganzen Wirklichkeit des Subjekts in eine solche Grundentscheidung hinein, zwischen der individuellen Vollendung des einzelnen im Tod und der Gesamtvollendung der Welt, zwischen der mit dem Tod gegebenen Endgültigkeit des Menschen und der in einem gewissen Sinne mindestens mit dem Tod als solchem noch nicht gegebenen Verdeutlichung und Durchsetzung dieser seiner Vollendung in der Verklärtheit des Leibes.

Wenn man also einen Zwischenzustand im Schicksal des Menschen zwischen Tod einerseits und der leibhaftigen Vollendung des Menschen als ganzem doch wohl nicht bestreiten kann, dann kann man auch nichts Entscheidendes gegen die Vorstellung eines personalen Ausreifens in diesem Zwischenzustand sagen, die man eben mit „Fegfeuer" oder besser „Reinigungszustand" oder „Reinigungsort" benennt. Aber in welchem Sinne und in welchem Grade hier noch zeitliche Kategorien angewandt werden können – sei es als unvermeidliches Vorstellungsmodell, sei es als wirkliche Sachaussage –, darüber sind wohl in der katholischen Theologie die Akten noch nicht geschlossen. Auch als orthodoxer katholischer Christ darf man gegenüber der üblichen traditionellen Vorstellungsweise gewisse Reserven anbringen. Es sei nur davor gewarnt, Schwierigkeiten in solchen *Aussageweisen* auf das notwendig festzuhaltende Dogma als solches ohne weiteres auszudehnen. Hier ist noch vieles zu tun, und manche Schwierigkeiten gegen die Lehre vom Zwischenzustand, vom Fegfeuer, können sicher noch ausgeräumt werden. Es sei nur noch auf die Frage hingewiesen, ob nicht in der katholischen und zunächst so altmodisch anmutenden Vorstellung von einem „Zwischenzustand" ein Ansatz gegeben sein könnte, um besser und positiv mit der in den östlichen Kulturen so verbreiteten und da als selbstverständlich betrachteten Lehre von einer „Seelenwanderung", „Reinkarnation" zurechtzukommen, wenigstens unter der Voraussetzung, daß eine solche Reinkarnation nicht als ein niemals aufhebbares, zeitlich immer weitergehendes Schicksal des Menschen verstanden wird.

Über den notwendigen Pluralismus der Vollendungsaussagen

Wir müssen immer wieder auf unsere hermeneutischen Prinzipien reflektieren, weil eine Pluralität von Aussagen, die sich immer auf den einen und selben Menschen beziehen, notwendig ist. So haben wir auch eine Pluralität in eschatologischen Aussagen über die Vollendung dieses einen Menschen. Sie meinen gleichsam immer denselben und können nicht in ein plastisches Vorstellungsmodell des Ganzen so eingebaut werden, daß dieses eine Vorstellungsmodell wirklich geeignet wäre, alle unvermeidlichen, wahren, verschiedenen, pluralen Aussagen in sich aufzunehmen und miteinander positiv zu versöhnen. In den eschatologischen Aussagen über den Menschen, über die Unsterblichkeit der Seele, über die Auferstehung des Fleisches, über einen Zwischenzustand, über das Verhältnis der individuellen Eschatologie zur universalen, kollektiven, muß immer der Pluralismus von solchen Vollendungsaussagen des einen Menschen bedacht werden, der sich aus dem Pluralismus anthropologischer Aussagen notwendigerweise ergibt. Es ist nicht verwunderlich, wenn sich diese verschiedenen Aussagen nicht in einem glatten Vorstellungsmodell synthetisieren lassen. Man sieht das auch an der unbefangenen Weise, wie das Alte und vor allem auch das Neue Testament solche Aussagen über die Vollendung des Menschen handhaben.

Die Möglichkeit endgültiger Verlorenheit

Was nun die Lehre von der Hölle angeht, so haben wir ja auch in verschiedenen Zusammenhängen den Menschen als das Wesen der Schuldmöglichkeit zu deuten versucht. Wir haben gesagt, daß der Mensch durchaus das Wesen ist, das in seiner noch laufenden Geschichte absolut und unüberholbar mit dieser Möglichkeit einer absoluten Vollendung im Nein zu Gott und so zum Unheil rechnen muß. Als der in der individuell offenen Heilsgeschichte Laufende, seine Freiheit noch in der Offenheit zweier radikal verschiedener Möglichkeiten Vollziehende kann der Mensch nicht sagen, die absolute Verlorenheit als Ende und Vollendung schuldiger Freiheit sei keine Möglichkeit, mit der er rechnen müsse. Mehr aber braucht er nicht über die Hölle zu wissen. Er darf jedenfalls die eschatologischen Aussagen des Neuen Testamentes von diesem hermeneutischen Prinzip aus interpretieren und so zwischen Aussageinhalt und Aussageweise, zwischen eigentlich unanschaulich Gemeintem und Vorstellungsmodell unterscheiden und deswegen auch in den Aussagen Jesu sowohl vom letzten Gericht und seinem Ausgang wie auch z.B. über Judas nichts anderes herauslesen, als daß der Mensch mit einer solchen Möglichkeit endgültigen Verlorengehens rechnen muß. Daraus ergibt sich aber, daß die Aussage über die selige Vollendung des Menschen in Jesus Christus, dem Auferstandenen, in denen, die die katholische Kirche als Heilige verehrt, nicht eine Aussage ist, die auf derselben Stufe wie eine Aussage über die Hölle steht. In dem Bekenntnis des ewigen Lebens im ‚Apostolicum' bekennen wir, daß die Welt, die Menschheit im ganzen durch die Macht der Gnade Gottes in Jesus Christus eine selige, positive Vollendung findet. In der Lehre von der Hölle halten wir die Möglichkeit einer Verlorenheit endgültiger Art für jeden einzelnen – für je mich – aufrecht, weil sonst die Ernsthaftigkeit einer freien Geschichte nicht mehr bestünde. Aber diese Offenheit ist im Christentum nicht notwendigerweise die Lehre von zwei gleichrangigen Wegen, die vor dem Menschen liegen, der an der Wegkreuzung steht, sondern diese Offenheit einer möglichen Vollendung in der Freiheit in Verlorenheit steht neben der Lehre, daß die Welt und Weltgeschichte als ganze *tatsächlich* in das ewige Leben bei Gott einmündet.

3. DIE EINE ESCHATOLOGIE ALS KOLLEKTIVE

Die anthropologische Notwendigkeit kollektiver Aussagen

Mensch als leibhaftige, geschichtliche Wirklichkeit und Mensch als transzendental personaler Geist, Mensch als Individuum und Mensch als Glied der Menschheit, als Glied eines Kollektivs, Mensch als geistige Person und Mensch, zu dem notwendigerweise eine Welt als Umwelt gehört, in die hinaus er sein Dasein vollzieht, alle diese Aussagen sind in ihrer Pluralität die Voraussetzung für eschatologische Aussagen, halten sich in dieser Pluralität durch und können in ihrer Pluralität auch innerhalb der Eschatologie nicht überholt werden. Deswegen gibt es notwendigerweise eine *individuelle* und eine *kollektive* Eschatologie, nicht als Aussage von zwei disparaten Wirklichkeiten, sondern als Aussage von je dem konkreten Menschen selbst, von dem aber seine Vollendung nicht anders ausgesagt werden kann, als daß er sowohl als Moment des menschlichen Kollektivums und der Welt als auch als je einmalige, unverrechenbare und auf Welt und Gesellschaft nicht reduzierbare Person betrachtet wird. Weil die individuelle Eschatologie nicht vom

Menschen als leibhaftigem geschichtlichem Wesen, als Glied der Welt und des Kollektivs getrennt werden kann – bei allem Phasenunterschied, der gegeben sein mag –, so kann auch eine christliche Eschatologie nicht die Sache so denken, daß die Welt und ihre Geschichte einfach schlechthin indefinit weitergeht und nur der Einzelne als Individuum, als personale Existenz sich aus dieser immer weiterlaufenden Geschichte herauslöst und so seine individualistisch gedachte Vollendung erreicht. Die Eschatologie des konkreten individuellen Menschen kann nur vollständig sein, wenn auch eine kollektive Eschatologie betrieben wird. Und von da aus – also letztlich von der Endgültigkeit der personalen Geschichte, die aber gleichzeitig und unlösbar immer auch eine kollektive und welthafte ist – sagt nun auch die christliche Eschatologie, daß die Welt-, Geistes-, Heils- und Unheilsgeschichte als ganze eine einbahnige, zu einer Endgültigkeit kommende Geschichte, also eine nicht ins Unbegrenzte weiterlaufende Geschichte ist.

Die Vollendung der Menschheitsgeschichte in der vollendeten Selbstmitteilung Gottes

Dabei ist natürlich hinsichtlich der Frage nach dem Ende dieser Geschichte auch hier wieder jener Vorbehalt anzumelden, daß wir diese geistig-kollektive Weltgeschichte als solche nicht gleichsam aufhören lassen dürfen innerhalb einer Weltzeit, die weiterläuft. Rein apriorisch wäre das an sich nicht undenkbar. Wenn jemand voraussetzt (was freilich für ein unter einem Entwicklungsschema arbeitendes Denken bei der unvorstellbaren Größe des Kosmos nicht sehr wahrscheinlich ist), daß es solche geistig-leibhaftigen, vor Gott ihr Schicksal vollziehenden Freiheitswesen nur auf unserer Erde gibt, und wenn er sich vorstellt, daß diese gesamte kollektive Menschheitsgeschichte durch eine kosmische oder eine geschichtliche Katastrophe der menschlichen Rasse (durch einen Atomtod oder durch biologisches Aussterben etwa) aufhört, dann könnte er sich natürlich das Weitergehen der Welt und ihrer physikalischen Geschichte ohne weiteres denken. Aber eine solche Vorstellung macht dann eigentlich nicht damit ernst, daß wir Materie trotz aller berechtigten Naturwissenschaft doch nur als Anlauf des Geistes und der Subjektivität und Freiheit kennen, auch wenn wir diesen Anlauf, bis freies Subjekt ist, zeitlich als sehr lange dauernd annehmen müssen.

Das Dogma selbst sagt zunächst (ohne einen deutlichen Blick auf die Geschichte des materiellen Kosmos): Die Menschheitsgeschichte geht als ganze in einer Geschichte auf eine sie abschließende Vollendung der Menschheit zu. Wenn wir einmal in einer Hypothese, von der wir doch letztlich nichts Genaueres wissen, voraussetzen, daß im Kosmos auch an anderen Stellen als auf unserer Erde die Materie in der Dynamik Gottes selber in Subjekthaftigkeit, unbegrenzte Transzendentalität und Freiheit hineintranszendiert, wenn wir annehmen, daß auch diese Transzendentalität anderswo faktisch – wenn auch aus Gnade – getragen ist durch die Selbstmitteilung Gottes (Gnade als Grund von Schöpfung), dann könnten wir uns dem Gedanken nähern, daß sich der materielle Kosmos, dessen Sinn und Ziel von vornherein die Vollendung der Freiheit ist, durch mehrere Geschichten der Freiheit, die sich nicht nur auf unserer Erde ereignen, als ganzer einmal in die vollendete Selbstmitteilung Gottes an diesen zugleich materiellen und geistigen Kosmos aufhebt.

Wie sich genauerhin die Vollendung der Menschheit und damit auch der Welt – die von vornherein gar keinen anderen Sinn hat, als der Raum geistig-personaler Geschichte zu sein – zu der jetzt dauernd geschehenden Vollendung der Einzelmenschen durch den Tod verhält, darüber wird wohl eine eindeutige Aussage nicht möglich sein, wenn wir unsere hermeneutischen Prinzipien beachten. Aber aus denselben Prinzipien ergibt sich eben auch, daß auf eine kollektive Menschheits- und Welteschatologie nicht verzichtet werden kann zugunsten einer rein existentialistisch interpretierten individuellen Eschatologie der je einzelnen. In ihnen vollzieht sich die Vollendung der ganzen Menschheitsgeschichte. Die einzelnen wandern ja nicht, nachdem sie ihre Rolle hier gespielt haben, aus einem Drama aus, das als ganzes immer endlos weitergeht und gleichsam wie auf einer fest aufgeschlagenen Bühne immer weiteren geistigen Individuen die Möglichkeit gibt, ihren Akt zu spielen. Das *Ganze* ist ein Drama, zu dem auch die Bühne selber gehört, ein Dialog zwischen der geistigen Kreatur vergöttlichter Art mit Gott, ein Dialog und ein Drama, das in Christus schon seinen irreversiblen Höhepunkt erreicht hat. Die Welt ist also nicht bloß die Raststätte, die immer bleibend dem einzelnen Gelegenheit gibt, auf der Bahn seiner individuellen Geschichte weiterzukommen.

Innerweltliche Utopie und christliche Eschatologie

Natürlich müßten wir (das könnte mit Recht an sich gefordert werden), wenn wir von einer solchen kollektiven Eschatologie sprechen, auch noch die Frage behandeln, wie sich die innerweltliche Aufgabe des Menschen, der Völker, der Nationen, der geschichtlichen Epochen und schließlich der Menschheit im ganzen ihrer Zukunftsideologie und Futurologie zu dieser Reich-Gottes-Erwartung des Christentums genauer verhalten, in der der Christ die absolute Zukunft erwartet, die Gott selbst ist. Gott selbst ist die absolute Zukunft des Menschen, der Geschichte des Menschen als Ursprungsdynamik und Ziel, Gott selbst, der nicht nur die mythologische Chiffre für das ewig Ausständige einer Zukunft ist, die der Mensch aus seiner eigenen Leere heraus schafft, um sie wieder in das Nichts zurückfallen zu lassen, aus dem sie aufsteht. Aber dennoch bedeutet diese innerweltliche Geschichte *als* Ereignis dieser *Selbst*mitteilung Gottes für den Menschen auch hinsichtlich seines Heils alles.

Denn in dieser Geschichte und nicht neben ihr geschieht das Ereignis des sich-selbst-gebenden Gottes an die Kreatur und die Geschichte der freien Annahme dieses unendlichen Gottes als des absoluten Geheimnisses, der sich selber dem Menschen mitteilt und ihm nicht nur eine kreatürliche, endliche Zukunft ermöglicht.

Letztlich also ist zwischen dieser innerweltlichen Utopie einerseits – „Utopie" aber in diesem Zusammenhang in einem durchaus positiven Sinne genommen – und der christlichen Eschatologie anderseits dasselbe Verhältnis von Unterschied und Einheit, wie es der Christ z.B. vom Neuen Testament her konzipiert hinsichtlich der Einheit und Verschiedenheit von Gottes- und Nächstenliebe. Denn jede innerweltliche Tat ist, wenn sie sich richtig versteht, eben die konkret werdende Nächstenliebe, und sie erhält von der absoluten Verantwortung zu dieser Nächstenliebe her auch ihr absolutes Gewicht an Verantwortung, ewiger Bedeutung und Gültigkeit. Und diese Nächstenliebe ist – ohne daß sie hinsichtlich dessen, um den es geht, schlechthin identisch wird mit der Gottesliebe – die konkrete Weise, in der Gottesliebe vollzogen wird. Und insofern kann man durchaus christlich sagen: Indem der Mensch in Liebe für den anderen seine innerweltliche Aufgabe leistet, ereignet sich für ihn das Wunder der Liebe, der Selbstmitteilung, in der Gott sich selbst dem Menschen schenkt. Und so haben eben innerweltliche Utopie und Eschatologie eine Einheit und einen Unterschied, wie er eben auch schon in dem letzten Grundaxiom der Christologie gegeben ist, in der der Mensch und Gott nicht dasselbe, aber auch niemals getrennt sind.

KLEINER EPILOG

Kurzformeln des Glaubens

Nachdem wir uns auf so vielen Seiten darum bemüht haben, einen „Begriff" des Christentums denkend nachzuvollziehen, mag vielleicht bei manchem Leser doch wieder der Effekt erreicht worden sein, daß der Umfang des Materials, die Länge mancher Darlegungen, einzelne Schwierigkeiten der Gedankenführung und anderes mehr die Prägnanz der angezielten Einsicht, die Klarheit des „Begriffs" mehr verdunkelt als erhellt haben. Daher wollen wir am Schluß nochmals und auf eine andere Weise das Ganze des Christentums in den Blick nehmen.

Die Forderung nach Kurzformeln des christlichen Glaubens

Seit einigen Jahren wird in der katholischen Theologie ein Gespräch darüber geführt, ob es nicht heute kurze und neue Grundformeln geben müsse, in denen sich das christliche Glaubensbekenntnis in einer der gegenwärtigen kulturellen Situation entsprechenden Aussage ausspricht.

Man weist darauf hin, daß das ‚Apostolische Glaubensbekenntnis' – vor allem als Taufbekenntnis des erwachsenen Täuflings – eine solche Funktion gehabt hat, ja daß solche ganz kurze Bekenntnisformulierungen schon im Neuen Testament gegeben sind. Man betont, daß auch unter Voraussetzung eines gründlichen und ausführlichen Religionsunterrichts eine solche Zusammenfassung heute notwendig sei zur Bewahrung des im Katechumenenunterricht Gelernten, für eine deutliche Strukturierung der „Hierarchie der Wahrheiten" (Unitatis redintegratio 11), ohne die die Fülle des christlichen Glaubens schnell amorph wird oder der Gläubige in seiner religiösen Praxis sehr leicht zu viel Wert auf bloß Sekundäres legt. Man sagt mit Recht, daß dem christlichen Laien, der kein Fachtheologe zu sein brauche, aber dennoch seinen Glauben in seiner nichtchristlichen Umwelt verantworten müsse, eine solche kurze, auf das Wesentliche orientierte Formulierung seines Glaubens und seines Bekenntnisses zu Gebote stehen müsse.

Damit ist schon eine zweite Seite angesprochen: Eine wirksame Mission der Kirche gegenüber dem modernen Unglauben erfordert ebenfalls eine Bezeugung christlicher Botschaft, in der diese wirklich verständlich wird für den Menschen von heute. Auch dies setzt eine Scheidung des Wesentlichen von allem Zweitrangigen voraus. Denn sonst kann ein moderner „Heide" dieses Wesen des Christentums nicht von dem oft wenig einladenden und abstoßenden Erscheinungsbild der Kirche (in Predigt, religiöser Praxis, gesellschaftlichen Verhältnissen usw.) unterscheiden, und er überträgt dann seinen – teilweise berechtigten – Widerstand gegen die Christen auf das Christentum selbst. Die christliche Botschaft muß also so sein, daß sie deutlich Christen und konkretes Christentum selbst kritisiert. Diese Botschaft muß das Wesentliche dem vielbeschäftigten Menschen von heute auch *kurz* sagen können, es immer wieder sagen. Solche Wiederholung langweilt nicht, wenn sie wirklich auf das entscheidend Wesentliche geht, das der Mensch nicht als die nur von außen an ihn herangetragene „Ideologie" (die an den „Tatsachen" nichts ändert) erfährt, sondern als die erfahrene und erlittene Wirklichkeit seines Lebens selbst.

Bei all diesen Überlegungen geht man natürlich von der Voraussetzung aus, daß das ‚Apostolische Glaubensbekenntnis', so alt und ehrwürdig es ist, so wichtig der Umstand seines Gebrauches in allen christlichen Kirchen ist, sosehr es immer eine bleibend verpflichtende Glaubensnorm sein wird, dennoch heute nicht einfach die Funktion einer solchen Grundformel in genügender Weise ausüben kann, weil es eben doch zu wenig unmittelbar die heutige geistige Situation anruft. Das zeigt sich vor allem anderen schon daran, daß die Existenz eines weltüberlegenen Gottes oder mindestens einmal der Sinn des Wortes Gott als selbstverständlich vorausgesetzt wird oder werden konnte, was im Zeitalter eines antimetaphysischen Pragmatismus und eines weltweiten Atheismus doch offenbar nicht mehr ohne weiteres möglich ist. Darum wird der Wunsch nach einer neuen oder nach neuen Grundformeln des Glaubens angemeldet.

Die Pluralität möglicher Formeln

Kann man damit rechnen, daß für die ganze (wenigstens katholische) Christenheit eine einzige solche Grundformel geschaffen werden könne, ja vielleicht sogar eine solche, die wie das ‚Apostolische Glaubensbekenntnis' einen lehramtlichen Charakter hat und dadurch auch in der religiösen Praxis und in der Liturgie dieses Bekenntnis ablösen könnte? Oder ist so etwas von vornherein nicht mehr denkbar? Ich meine, diese Frage sei im Sinn der zweiten, negativen Alternative zu beantworten. Eine der ganzen Kirche als autoritativ verpflichtend vorgeschriebene Grundformel des christlichen Glaubens als einzige und allgemeine wird es nicht mehr geben. In diesem Sinne wird das ‚Apostolicum' keinen Nachfolger haben und also bleiben.

Für die Unmöglichkeit einer solchen neuen, einen und allgemeinen Grundformel des Glaubens darf man zunächst auf die Tatsache hinweisen, daß Versuche, einen überall geltenden gemeinsamen Weltkatechismus zu schaffen und amtlich einzuführen, gescheitert sind und auf einhelligen Widerstand der Prediger und theoretischen Katecheten gestoßen sind, obwohl es einmal einen tridentinischen Katechismus als amtlichen gegeben hat, auch wenn er sich als praktisch benutztes Schulbuch trotz seiner Vorzüge nie durchsetzte, und obwohl Gasparri unter Pius XI. einen Versuch machte, einen solchen neuen Weltkatechismus zu schaffen. Gegenüber solchen Versuchen ist immer wieder mit Recht darauf hingewiesen worden, daß die konkrete Situation der Glaubenspredigt bei den einzelnen Völkern, in den verschiedenen Kulturen, sozialen Milieus und wegen der sehr verschiedenen Mentalitäten der Hörer zu verschieden sei, als daß man in sie überall mit demselben monotonen und uniformen Katechismus hineinsprechen könne. Dasselbe gilt dann aber wegen ihrer Kürze gerade auch von solchen Grundformeln.

Eine solche Grundformel soll ja gerade trotz ihrer Kürze nach Möglichkeit unmittelbar beim Hörer ohne viel Kommentar verständlich sein und „ankommen" können. Bei der überaus großen Verschiedenheit der Verständnishorizonte ist es aber dann ganz unmöglich, daß eine Grundformel mit den angedeuteten Eigenschaften überall in der Welt dieselbe sei. Schon im Neuen Testament zeigt sich zwischen den dort gegebenen Grundformeln eine große Verschiedenheit. Man denke nur an die unterschiedlichen Hoheitsprädikate, mit denen die Wirklichkeit Jesu und seine Heilsbedeutsamkeit für uns ausgesagt werden.

Zu diesem Satz von der Notwendigkeit *verschiedener* Grundformeln in der Kirche wegen der Verschiedenheit der Situation, in der das Evangelium verkündet werden muß, kommen heute noch andere Überlegungen hinzu. Die bisherige Überlegung hätte an sich gefordert, daß solche Grundformeln schon neu geschaffen worden wären in dem Augenblick, in dem das Christentum aus der hellenistisch-römischen und abendländischen homogenen Kulturwelt heraustrat und so an sich jene Kurzformeln des Glaubens, die für die abendländische Situation zutreffend waren, nicht bloß hätte „exportieren" dürfen. Man kann sich diese Tatsache wohl nur ganz erklären, wenn man das befremdliche Überlegenheitsgefühl des europäischen Kolonialismus und Imperialismus mit einkalkuliert. Im Augenblick nun, wo dieser theologische europäische Imperialismus nicht mehr seine Selbstverständlichkeit und Macht besitzt und das einst homogene Abendland selbst in einen sehr tiefgreifenden geistigen und kulturellen Pluralismus zerfällt, wird zunächst einmal deutlich, daß wir heute trotz der einen Kirche und desselben einen Bekenntnisses dieser Kirche nicht mehr mit ein und derselben homogenen Theologie rechnen können. Auch in der Theologie als der von der Gesamtsituation und dem ganzen Selbstverständnis des Menschen her systematischen Reflexion auf den christlichen Glauben entsteht heute notwendig ein Pluralismus von Theologien, die sich zwar nicht widersprechen müssen und dies letztlich strenggenommen auch nicht dürfen, aber konkret vom Einzelnen und von einzelnen Gruppen nicht mehr adäquat in eine einzige Theologie hineinintegriert werden können. Der in der Weltkirche gegebene und als berechtigt anerkannte Pluralismus gleichberechtigter, nicht mehr von einer europäischen Mentalität bevormundeter Situationen des theologischen Denkens erzwingt einen nicht mehr überholbaren Pluralismus von Theologien. Nun ist es aber so, daß Bekenntnis und Theologie zwar verschiedene Größen sind, schon immer waren und in der Zukunft erst recht bleiben werden, es aber dennoch kein Bekenntnis gibt, das schlechterdings unabhängig von jedweder Theologie formuliert werden kann. Auch Glaubensformeln tragen die Signatur einer bestimmten Theologie an sich, so sehr, daß man schon im Neuen Testament trotz seiner Einheit als Offenbarung verschiedene Theologien beobachten kann. Gibt es daher heute unüberholbar verschiedene Theologien, so ist nicht zu erwarten, daß sich ein und dieselbe Grundformel für alle in der Kirche durchsetzen könnte.

Ein gewisses Anzeichen dafür ist vielleicht schon das Zweite Vatikanische Konzil. Es konnte zwar noch in einem gewissen eklektischen Ineinander von traditioneller neuscholastischer Theologie des 19. und beginnenden 20. Jahrhunderts und moderneren theologischem Tendenzen gemeinsam angenommene Lehrtexte herstellen, und dies ist auch geistespolitisch bei dem heutigen geistigen Pluralismus ein gar nicht selbstverständliches und daher bemerkenswertes Phänomen gewesen. Aber schon das Zweite Vatikanische Konzil hat nicht den Versuch von neuen lehramtlichen Definitionen gemacht. Dies geschah doch wohl nicht allein aus mitleidvoller und verständnisvoller Toleranz gegenüber „Häretikern", sondern wohl auch aus dem Empfinden heraus, daß ein längerer Lehrtext in einer positiven Aussage und mit einer homogenen theologischen Sprache, die für alle gleichmäßig verständlich wäre, heute nicht mehr so leicht erwartet werden kann – wenn dadurch auch die Ausübung der Vollmacht definitorischer Lehrentscheidungen nicht zum Erliegen kommt, sondern in negativen Anathemen bestehen bleiben kann, die auch früher schon die hervorragende Weise solcher lehramtlicher Definitionen waren.

Man wird somit sagen können, daß man nach vielen solchen Grundformeln wird streben dürfen. Diese können nicht nur verschieden sein entsprechend der Verschiedenheit der Nationen, der kulturellen und geschichtlichen Großräume, der Weltreligionen, die eine bestimmte Situation mitbestimmen, sondern auch entsprechend dem gesellschaftlichen Niveau, dem Alter usw. derjenigen, an die eine solche Grundformel sich richtet.

Diese verschiedenen Grundformeln werden sich vor allem auch hinsichtlich dessen unterscheiden, was je darin als bekannt vorausgesetzt und was als unbekannt Neues gesagt wird. Denn die Verschiedenheit der Situation des Hörers, nach der sich die verschiedenen Grundformeln richten müssen, macht sich ja gerade in dem geltend, was dem Hörer in einer bestimmten Situation selbstverständlich ist und als Voraussetzung und Ausgangspunkt für das Verständnis dessen verwendet werden kann, was ihm *neu* gesagt werden soll. Wenn also eine solche Grundformel in einem anderen Milieu als dem, für das sie bestimmt ist, mehr oder weniger unverständlich erscheint, so spricht dieser Tatbestand nicht gegen eine solche Grundformel, sondern im Gegenteil gerade für sie.

Anforderungen an eine Kurzformel

Zu den hinsichtlich solcher Kurzformeln grundsätzlich zu stellenden Fragen gehört natürlich auch die, was eigentlich in einer solchen Grundformel ausgesagt und was weggelassen werden kann. Daß eine solche Grundformel keine Kurzfassung einer systematischen Dogmatik sein darf, ist wohl klar. Sie kann nicht gleichzeitig alles das aussagen, was das Glaubensbewußtsein der Kirche ausmacht. In keinem bisherigen Glaubensbekenntnis vor Trient war alles gesagt worden, was zum christlichen Glauben gehört. Die Lehre von der „Hierarchie der Wahrheiten" im Zweiten Vatikanischen Konzil sagt ja, daß nicht alles, was wahr ist, deswegen auch schon gleichbedeutsam sein müsse. Eine Grundformel müßte nur das enthalten, was von fundamentaler Bedeutung ist und von dem aus an sich und grundsätzlich das Ganze des Glaubens erreicht werden kann. Wenn man dazu noch bedenkt, daß man wohl mit Recht zwischen einer objektiven und einer situativ-existenziellen Hierarchie der Wahrheiten unterscheiden kann und in einer Grundformel, die nur eine unter vielen sein will, das Schwergewicht auf die Aussage des situativ und existenziell richtigen und wirksamen Zugangs- und Ausgangspunktes für das Ganze des Glaubensinhaltes legen darf, dann wird deutlich, daß solche Grundformeln auch in ihrem Inhalt sehr verschieden sein können und daß dieser Inhalt zunächst einmal vor allem in dem bestehen soll, was für den betreffenden Hörer einen ersten, aber Erfolg bietenden Ausgangspunkt bedeutet für das Verständnis des ganzen christlichen Glaubens.

Eine weitere Frage wäre natürlich auch der rein quantitative Umfang einer solchen Grundformel. Es sind dabei sehr erhebliche Unterschiede denkbar, angefangen von einer Grundformel von ein paar Worten – wie im Apostolischen Glaubensbekenntnis – bis zu einer solchen von mehreren Seiten. Die im folgenden gebotenen drei Kurzformeln versuchen das Äußerste an Kürze zu leisten. Vermutlich müssen aber auch und gerade in dieser Hinsicht die möglichen Grund- oder Kurzformeln des Christentums einander gar nicht gleichen.

Auf eine weitere Frage zur Grundformel im allgemeinen muß noch hingewiesen werden. Damit eine solche Formel wirklich ein christliches Bekenntnis sei, muß sie den Glauben an den geschichtlichen Jesus als unseren Herrn, den absoluten Heilsbringer, aussagen, bezogen sein auf diese geschichtliche Faktizität. Es gibt zwar so etwas wie anonymes Christentum, in dem Gnade, Vergebung der Sünden, Rechtfertigung und Heil sich ereignen, ohne daß der betreffende Mensch explizit in seinem Bewußtsein gegenständlicher Art auf das geschichtliche Ereignis Jesus von Nazaret bezogen ist. Es kann auch sehr vieles über die zentralste christliche Glaubenswirklichkeit ausgesagt werden, ohne daß dies unmittelbar von Jesus Christus her gesehen wird. Dies gilt zumal, weil ja auch nicht jede explizite Beziehung zu dem geschichtlichen Jesus schon die des Glaubens ist, also selber wieder in ihrer theologischen Eigenart erklärt werden muß, was unter Umständen von durchaus anderen fundamentalen Glaubensaussagen her geleistet werden kann, die quoad nos zunächst ohne ausdrücklichen Bezug zu Jesus Christus gemacht werden können, was z.B. für den ersten Artikel des ‚Apostolicum' zutrifft. Aber es ist selbstverständlich, daß auch eine bloße *Grundformel* eines expliziten Christentums die Beziehung des sonst Ausgesagten auf Christus oder die Beziehung Jesu auf dieses andere Ausgesagte und damit eine christologische Bekenntnisstruktur ausdrücklich enthalten muß. (Insofern muß die zweite der folgenden drei Kurzformeln sehr genau gelesen werden, um diese christologische Implikation nicht zu übersehen.)

Es seien nun, um das bisher Gesagte ein wenig zu konkretisieren und zu illustrieren, drei theologische Kurzformeln vorgetragen und in ihrem möglichen Verständnis erläutert. Warum es gerade drei Kurzformeln sind, läßt sich vielleicht besser am Schluß verständlich machen, weshalb diese Frage im Augenblick noch offenbleiben soll.

Diese drei Formeln sind schon wegen ihrer Kürze sehr „abstrakt" formuliert. Sie versuchen, das innerste Wesen der Heilsgeschichte, welches das Christentum ist und bleibt, kollektiv oder individuell kurz auszusagen. Diese damit gegebene abstrakte Formulierung ist sicher nicht jedwedem ohne weiteres zugänglich. Es ist darum selbstverständlich, daß diese Kurzformeln auch von sich her keine Verbindlichkeit für jedermann beanspruchen und daß sie aus einem abendländischen Milieu heraus und auf eine solche europäische Situation hin formuliert sind.

EINE THEOLOGISCHE KURZFORMEL

Das unumfaßbare Woraufhin der menschlichen Transzendenz, die existenziell und ursprünglich – nicht nur theoretisch oder bloß begrifflich – vollzogen wird, heißt Gott und teilt sich selbst existenziell und geschichtlich dem Menschen als dessen eigene Vollendung in vergebender Liebe mit. Der eschatologische Höhepunkt der geschichtlichen Selbstmitteilung Gottes, in dem diese Selbstmitteilung als irreversibel siegreich offenbar wird, heißt Jesus Christus.

Erläuternde Bemerkungen

Wir kommentieren mit einigen Erwägungen diese erste „theologisch" genannte Kurzformel. Sie enthält drei fundamentale Aussagen: eine erste über das, was mit *Gott* gemeint ist. Das Verständnis Gottes (in Wesen und Existenz) wird nahezubringen gesucht, indem Gott als Woraufhin der menschlichen Transzendenz und gerade darin als das unumfaßbar bleibende Geheimnis bezeichnet wird.

Dabei wird betont, daß diese in der Transzendenzerfahrung implizierte Gotteserfahrung nicht zuerst und ursprünglich gegeben ist in einer theoretischen Reflexion, sondern in dem ursprünglichen Vollzug der alltäglichen Erkenntnis und Freiheit – diese Gotteserfahrung also einerseits unausweichlich ist, anderseits sehr anonym und vorbegrifflich geschehen kann. Der Mensch soll so aufgefordert werden, diese in ihm auf jeden Fall gegebene Gotteserfahrung in sich reflektierend zu entdecken und begrifflich zu objektivieren. Diese erste theologische Kurzformel muß also nicht nur sagen, *daß* der Gott existiert, von dem (wie Thomas von Aquin noch meinte) klar sei, *was* er ist. Die Kurzformel will vielmehr auch dazu anleiten, wie man zu einem Verständnis dessen kommen kann, *was* mit Gott eigentlich gemeint ist.

Die zweite Aussage in dieser theologischen Kurzformel erklärt, daß dieser so dem Verständnis nahegebrachte Gott nicht bloß das ewig asymptotische Ziel des Menschen sei, sondern – und damit wird die erste entscheidend christliche Aussage gemacht – sich als er selber in *Selbstmitteilung* dem Menschen als dessen eigene Vollendung gibt, und zwar auch unter der Voraussetzung, daß der Mensch Sünder ist, also in vergebender Liebe. Diese Selbstmitteilung wird als existenziell und geschichtlich zugleich geschehend ausgesagt. Damit ist sowohl das (und zwar in einem gegenseitigen Bedingungsverhältnis der beiden Momente) umgriffen, was man in der üblichen theologischen Terminologie rechtfertigende Gnade (wenigstens als angebotene) nennt (existenzielle Selbstmitteilung Gottes im „Heiligen Geist"), als auch was man Heils- und Offenbarungsgeschichte nennt, die nichts anderes ist als die geschichtliche Selbstvermittlung, die geschichtliche und geschichtlich fortschreitende Objektivation der dem Grund der Geschichte dauernd, zumindest als Angebot, eingestifteten gnadenhaften Selbstmitteilung Gottes. Mit einer solchen Aussage der zweifachen Selbstmitteilung Gottes an die Welt, also der zwei heilsökonomischen „Sendungen" – der existenziellen des „Geistes" und der geschichtlichen des „Logos" (Sohnes) – und bei Beachtung, daß das ursprüngliche, unumfaßbare Geheimnis Gottes als bleibendes („Vater") schon genannt ist, ist zunächst die heilsökonomische Trinität gegeben und damit auch schon die „immanente", weil, wenn diese nicht wäre, jene keine wirkliche *Selbst*mitteilung Gottes wäre.

Die dritte Grundaussage besteht darin, daß diese geschichtliche Selbstmitteilung Gottes, die die gnadenhaft existenzielle geschichtlich objektiviert und zu sich selbst vermittelt, ihren eschatologisch siegreichen Höhepunkt in *Jesus von Nazaret* hat. Denn wenn die geschichtliche Selbstmitteilung Gottes zu dem Höhepunkt kommt, in dem sie nicht bloß als an die Freiheit des Menschen (individuell und kollektiv) gerichtete und angebotene gegeben ist, sondern als in der Menschheit als ganzer irreversibel siegreiche und definitiv angenommene, ohne daß dadurch die Heilsgeschichte schon absolut beendigt wäre, dann ist genau das gegeben, was man in der kirchlichen Dogmatik den Gottmenschen, die hypostatische Union (samt dem Tod und der Auferstehung dieses Gottmenschen) nennt. Die dritte Aussage dieser Kurzformel bekennt somit, daß sich dieser eschatologische Höhepunkt der geschichtlichen Selbstmitteilung Gottes an die Welt schon konkret in der geschichtlichen Person Jesu von Nazaret ereignet hat. Da dieses eschatologische Ereignis gar nicht gedacht werden kann, ohne seine geschichtliche Bleibendheit in der noch weitergehenden Heilsgeschichte mitzudenken, ist in dieser Kurzformel auch ein genügender Ansatz für die Theologie der *Kirche* gegeben. Denn diese läßt sich ja in ihrem letzten Wesen nur verstehen als das bleibende Sakrament der Heilstat Gottes in Christus für die Welt.

EINE ANTHROPOLOGISCHE KURZFORMEL

Der Mensch kommt nur wirklich in echtem Selbstvollzug zu sich, wenn er sich radikal an den anderen wegwagt. Tut er dies, ergreift er (unthematisch oder explizit) das, was mit Gott als Horizont, Garant und Radikalität solcher Liebe gemeint ist, der sich in Selbstmitteilung (existenziell und geschichtlich) zum Raum der Möglichkeit solcher Liebe macht. Diese Liebe ist intim und gesellschaftlich gemeint und ist in der radikalen Einheit dieser beiden Momente Grund und Wesen der Kirche.

Erläuternde Bemerkungen

Man kann vielleicht auch hier drei Aussagen unterscheiden. Die erste besagt, daß der Mensch in derjenigen existenziellen Selbsttranszendenz, die im Akt der *Nächstenliebe* geschieht, mindestens implizit eine *Gotteserfahrung* macht. Diese erste Aussage ist somit nur eine Spezifikation des ersten Teiles der theologischen Kurzformel. Sie konkretisiert, was in jener ersten Aussage der ersten Kurzformel davon gesagt wurde, daß der ursprüngliche Vollzug der menschlichen Transzendenz nicht in der theoretischen Reflexion, sondern in der konkreten praktischen Erkenntnis und Freiheit des „Alltags" geschehe, was eben Mit- und Zwischenmenschlichkeit bedeutet. Diese erste Aussage der zweiten Kurzformel ist theologisch auch gedeckt durch die Wahrheit von der Einheit von Gottes- und Nächstenliebe – vorausgesetzt, daß man diese nicht auf die Binsenwahrheit reduziert, daß man Gott nicht gefallen könne, wenn man sein Gebot der Nächstenliebe mißachtet.

Die zweite Aussage in dieser Grundformel besagt, daß Gott gerade durch seine *Selbstmitteilung* die *Möglichkeit derjenigen liebenden Zwischenmenschlichkeit* schafft, die konkret die für uns mögliche und unsere Aufgabe ist. Diese zweite Aussage sagt also mit anderen Worten, daß die zwischenmenschliche Liebe (wo sie ihr eigenes, letztes Wesen wirklich gewinnt) getragen ist durch die übernatürliche, eingegossene, rechtfertigende Gnade des Heiligen Geistes. Wenn man diese Selbstmitteilung Gottes in dem Sinne genauer versteht, in dem sie in der ersten Kurzformel näher differenziert wurde – also in der Einheit, dem Unterschied und dem gegenseitigen Bedingungsverhältnis von existenzieller Selbstmitteilung Gottes in Gnade und geschichtlicher Selbstmitteilung Gottes mit ihrem Höhepunkt in der Inkarnation des göttlichen Logos –, dann enthält der Satz, Gott habe sich durch Selbstmitteilung zum Raum der Möglichkeit solch radikaler Zwischenmenschlichkeit gemacht, auch all das, was in der ersten Kurzformel und deren Auslegung über die Selbstmitteilung Gottes als Inbegriff des christlichen Glaubens gesagt worden ist. Wenn man auf Mt 25 reflektiert, braucht man gewiß nicht von vornherein zu bestreiten, daß in der radikalen, praktisch realisierten Liebe zum Nächsten das ganze heilschaffende Verhältnis des Menschen zu Gott und zu Christus schon implizit gegeben ist. Sollte in dieser zweiten Aussage der anthropologischen Kurzformel jemand eine explizitere Aussage der Beziehung des Menschen und seiner Nächstenliebe auf Jesus Christus vermissen, dann könnte ihm selbstverständlich ausdrücklich gesagt werden:

Diese Selbstmitteilung Gottes an den Menschen, die dessen Nächstenliebe trägt, hat ihren eschatologisch siegreichen, geschichtlichen Höhepunkt in Jesus Christus, der darum in jedem anderen Menschen mindestens anonym geliebt wird.

Die dritte Aussage dieser zweiten Kurzformel sagt, daß eine solche Liebe, in der im Nächsten Gott und der Nächste in Gott geliebt wird, selbst eine Dimension *existenzieller Intimität* und eine Dimension *geschichtlicher Gesellschaftlichkeit* hat, die gerade darin dem doppelten Aspekt der Selbstmitteilung Gottes entspricht. Wo diese Liebe, und zwar in der Einheit dieser beiden Aspekte, zu ihrem Höhepunkt kommt, ist tatsächlich das gegeben, was wir *Kirche* nennen. Denn das Eigentümliche an der Kirche im Unterschied zu anderen gesellschaftlichen Gruppen besteht gerade in der eschatologisch unlöslichen Verbindung (nicht: Identität!) von Wahrheit – Geist – Liebe einerseits und geschichtlich institutioneller Erscheinung dieser Geistmitteilung als Wahrheit und Liebe anderseits.

EINE FUTUROLOGISCHE KURZFORMEL

Das Christentum ist die Offenhaltung der Frage nach der absoluten Zukunft, die sich als solche selbst in Selbstmitteilung geben will, diesen ihren Willen in Jesus Christus eschatologisch irreversibel festgemacht hat und Gott heißt.

Erläuternde Bemerkungen

Diese kürzeste Formel wandelt die Aussage über die *Transzendentalität* des Menschen aus der ersten Grundformel ab, indem sie diese Transzendentalität als *Verwiesenheit auf Zukunft,* als Zukünftigkeit interpretiert. Eine absolut unbegrenzte Transzendentalität bedeutet somit eo ipso eine Frage nach der absoluten Zukunft im Unterschied von indefinit hintereinandergereihten endlichen und partiellen Zukünften. Von dieser Zukunft wird gesagt, daß sie nicht bloß der asymptotisch angezielte Zielpunkt der Geschichte ist, der diese Geschichte zwar in Bewegung hält, aber selbst nicht an sich selbst erreicht wird, sondern durch seine eigene Selbstmitteilung sich geben will. Von dieser noch in geschichtlicher Verwirklichung befindlichen Selbstmitteilung der absoluten Zukunft wird das gesagt, was von der Selbstmitteilung Gottes schon in der ersten Kurzformel gesagt ist, daß diese Selbstmitteilung, die selbstverständlich auch immer „existenziell" ist, einen *geschichtlichen Aspekt* hat und in diesem zu einer *eschatologischen Irreversibilität in Jesus Christus* gekommen ist.

Es braucht nicht noch einmal ausführlich dargelegt zu werden, daß in diesem Grundansatz einer göttlichen Selbstmitteilung an die Welt, die in Jesus Christus eschatologisch irreversibel geworden ist, das schon implizit gegeben ist, was die Trinitätslehre und Christologie expliziter aussagen. Auch, daß in der Erfahrung unserer Verwiesenheit auf die absolute Zukunft (und zwar derart, daß diese sich als sie selbst unmittelbar geben will) Gott – und zwar der Gott der übernatürlichen Gnadenordnung – erfahren wird, und somit als Geheimnis schlechthin, braucht wohl hier nicht mehr ausführlicher dargetan zu werden.

Insofern das Christentum die Anbetung des einen und wahren Gottes ist – gegen alle Götzenbilder als die Verabsolutierung endlicher Mächte und Dimensionen des Menschen –, ist es die Offenhaltung des Menschen für die absolute Zukunft, und insofern diese das absolute Geheimnis ist und bleibt, auch in der Vollendung dieser Selbstmitteilung, ist das Christentum die Offenhaltung der *Frage* nach der absoluten Zukunft.

Spiegelungen des Trinitätsglaubens

Diese drei Kurzformeln sind gewiß zunächst einmal gemeint als denkbare, neben denen es auch andere solche Grundformeln geben kann, selbst dann noch, wenn solche Formeln auf einem ganz bestimmten Niveau von begrifflicher Abstraktheit gedacht werden. Dennoch ist es vielleicht keine bloße theologische Spielerei, wenn man diese drei Formeln in ihrem Nebeneinander und Ineinander als Spiegelungen und Konsequenzen des christlichen Trinitätsglaubens zu verstehen sucht bzw. als die drei Zugangswege der menschlichen Erfahrung interpretiert, auf denen zunächst ein Verständnis der heilsökonomischen Trinität und von da aus auch der immanenten erreicht wird.

Die erste Formel spricht ja von Gott als dem unumfaßbaren Woraufhin der menschlichen Transzendenz. Wenn man mitbedenkt, daß dadurch das absolut ursprungslose principium inprincipiatum aller denkbaren Wirklichkeit genannt wird, dann ist mit diesem unumgreifbaren ursprungslosen Woraufhin der menschlichen Transzendenz wirklich der „Vater" der christlichen Trinitätslehre genannt. Wenn in der zweiten Kurzformel der sich in Jesus Christus als Mensch zum Raum radikaler Zwischenmenschlichkeit machende Gott der eigentliche Skopus dieser Grundformel ist, dann ist in ihr der menschgewordene Gott, der „Sohn" genannt. Die in freiem geschichtlichem Walten sich mitteilende absolute Zukunft des Menschen, die Gott ist, ist aber in einer besonderen Weise der „Geist" Gottes, weil er als Liebe, Freiheit, immer überraschende Neuheit charakterisiert werden kann.

Natürlich müßte diese Trias der genannten Kurzformeln noch genauer und deutlicher auf ihren trinitarischen Hintergrund hin bedacht werden, was hier nicht mehr möglich ist. Jedenfalls aber kann gesagt werden, wenn eine Kurzformel einerseits die Grundsubstanz der christlichen Glaubenswirklichkeit so aussprechen soll, daß ein möglichst verständlicher Zugang zu ihr von der existenziellen Erfahrung des Menschen her eröffnet wird und wenn anderseits diese Grundsubstanz gewiß in der heilsökonomisch-trinitarischen Zuwendung Gottes zur Welt gefunden werden kann, dann ist es nicht von vornherein von der Hand zu weisen, daß es drei Grundtypen solcher Kurzformeln entsprechend dem trinitarischen Dogma geben müsse. Dies schließt nicht aus, daß jeder dieser Grundtypen nochmals sehr differenziert werden kann, sowohl durch eine weitere Differenzierung und Akzentsetzung in seinem Inhalt als auch durch die Rücksichtnahme auf die Verschiedenheit derer, für die eine solche Grundformel bestimmt ist.

AUSFÜHRLICHES INHALTSVERZEICHNIS

EINLEITUNG

ERSTER GANG: DER HÖRER DER BOTSCHAFT

ZWEITER GANG: DER MENSCH VOR DEM ABSOLUTEN GEHEIMNIS

DRITTER GANG: DER MENSCH ALS DAS WESEN DER RADIKALEN SCHULDBEDROHTHEIT

SIEBTER GANG: CHRISTENTUM ALS KIRCHE

NEUNTER GANG: DIE ESCHATOLOGIE

KLEINER EPILOG: KURZFORMELN DES GLAUBENS